2025年版

ユーキャンの

保育士

速習テキスト 上

はじめに

本書は、生涯学習のユーキャンが長年のノウハウを駆使し、出題傾向を分析したうえで、「わかりやすさ」を第一に考えて編集・制作した保育士筆記試験合格のための基本テキストです。

本書で学んだ皆様が、見事試験に合格され、活躍されることを願います。

このテキストの特長

フルカラーのテキストだから楽しく学べる！　資料も見やすい！

科目やポイントを色分けで整理し、見やすく、楽しみながら学ぶことができます。また、資料や図版もすべてカラーなので理解しやすく、一目で大切な部分がわかります。

やさしくわかりやすい文章で、読みすすめれば合格力が身につく！

試験によく出る部分をピックアップして、読むだけで知識が身につくようにやさしくわかりやすくまとめています。難しい用語の解説や、合格のために知っておきたいプラスαの知識も欄外に掲載しており、独学で学習する人をしっかりサポートします。

「別冊ポイント集」には覚えておきたいポイントが満載！

「別冊ポイント集」では、最重要項目である「保育所保育指針」（全文）をはじめとして、穴うめでよく出題される資料や暗記に役立つ表を厳選して掲載。スキマ時間を上手に活用できます。

学習に最適な科目順！

９つの試験科目を上巻、下巻に分け、学習に最適な科目順に掲載しています。

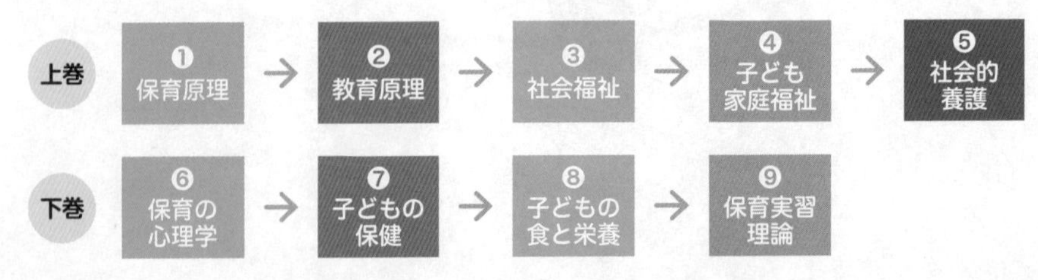

今年の注目点

出題範囲のなかで、2025年の試験にあたり注目しておきたいトピックとして、子ども家庭福祉に関係する内容がありました。

その❶ こども大綱

2023（令和５）年４月１日に施行された「こども基本法」に基づいて「こども大綱」が策定されました。ポイントを押さえておきましょう。

この大綱で掲げられる「こどもまんなか社会」とは、「全てのこども・若者が、日本国憲法、こども基本法及びこどもの権利条約の精神にのっとり、生涯にわたる人格形成の基礎を築き、自立した個人としてひとしく健やかに成長することができ、心身の状況、置かれている環境等にかかわらず、ひとしくその権利の擁護が図られ、身体的・精神的・社会的に将来にわたって幸せな状態（ウェルビーイング）で生活を送ることができる社会」と定義されています。

◆こどもまんなか社会を実現するための基本的な方針（６本の柱）

①こども・若者を権利の主体として認識し、その多様な人格・個性を尊重し、権利を保障し、こども・若者の今とこれからの最善の利益を図る
②こどもや若者、子育て当事者の視点を尊重し、その意見を聴き、対話しながら、ともに進めていく
③こどもや若者、子育て当事者のライフステージに応じて切れ目なく対応し、十分に支援する
④良好な成育環境を確保し、貧困と格差の解消を図り、全てのこども・若者が幸せな状態で成長できるようにする
⑤若い世代の生活の基盤の安定を図るとともに、多様な価値観・考え方を大前提として若い世代の視点に立って結婚、子育てに関する希望の形成と実現を阻む隘路（あいろ）の打破に取り組む
⑥施策の総合性を確保するとともに、関係省庁、地方公共団体、民間団体等との連携を重視する

その❷ こども未来戦略

こども未来戦略は、次元の異なる少子化対策を実現するために策定されました。①若い世代の所得を増やす、②社会全体の構造・意識を変える、③全てのこども・子育て世帯を切れ目なく支援する、を３つの基本理念とし、妊娠・出産から高等教育修了までを現金給付等による支援、こども誰でも通園制度、保育士の配置基準改正などによって支援していくとしています。これによって、保育所の保育士、幼保連携型認定こども園の教育・保育に従事する職員が、３歳以上４歳未満がおおむね15人に１人以上、４歳以上がおおむね25人に１人以上とされました。

おことわり

法令などの基準について

本書は、2025（令和７）年前期・後期筆記試験に対応したテキストです。

本書は2024（令和６）年前期筆記試験までの出題内容と、2024年６月末までに発表された法令等に基づき編集しています。本書の記載内容について、2024年７月１日以降の法改正情報などで、2025年試験に関連するものについては、下記「ユーキャンの本」ウェブサイト内「追補（法改正・正誤）」にて、適宜お知らせいたします。

https://www-u-can.co.jp/book/information

本書の使い方

まずは、科目の出題ポイントを把握

科目の冒頭で全体像を把握し、合格のコツや出題分析を確認しましょう。

保育原理

保育士にとって基礎ともいえる「保育とは何か」を学ぶ科目です。
特に保育の現場で遵守あるいは参考にされる「保育所保育指針」を中心に学びます。

保育
養護 ＋ 教育 ― 国際条約・宣言 ／ 国内外の保育・教育のあゆみ
↓ガイドライン
保育所保育指針
基本原則　保育内容　子育て支援　小学校との連携

合格のコツは？

「保育所保育指針」からは例年問題数の1/2近くの出題がみられます。令和６年前期試験では、「保育所保育指針」に関連する出題が７割を占めていました。出題形式には、文章を穴埋め式で問う問題や、指針の考え方に沿って答えを導きだす事例問題があり、その内容を理解し文言をしっかり覚えることがポイントとなります。ほかにも、毎年出題される保育の思想と歴史、保育関連施策の根拠となる法律について押さえておきましょう。

関連法律・制度
・保育所保育指針　・児童福祉法　・児童の権利に関する条約
・児童福祉施設の設備及び運営に関する基準

関連統計・資料
・保育所等関連状況取りまとめ　・認定こども園に関する状況について

関連が強い科目
（上）教育原理／子ども家庭福祉／社会福祉　（下）保育実習理論

出題分析

- 20問の出題中、「保育所保育指針」からの出題であることが明記されている問題が10問前後。それ以外にも、「保育所保育指針」に示されている考え方から判断する問題が数問あるため、確実に理解しておきたい。
- 毎年、事例問題が出題される。過去問での問われ方や具体的対応についても理解しておくことが不可欠。
- 保育の歴史については、諸外国、日本で最低１～２問ずつ出題される。教育原理と関連づけて学習することが必要。幼保連携型認定こども園についても確実な理解が必要。

■過去6回の項目別出題数実績一覧　※項目名は出題範囲の小項目を学習しやすいように改変しています

項目		R3後	R4前	R4後	R5前	R5後	R6前
保育の意義							
保育の理念と概念	L1	1	0	2	2	1	0
児童の最善の利益を考慮した保育	L1	1	1	0	0	2	1
保護者との協働	L1	0	0	0	0	0	0
保育の社会的意義	L3	0	0	0	1	0	0
保育所保育と家庭的保育	L1	0	0	0	0	1	0
保育所保育指針の制度的位置づけ	L1	0	0	0	1	1	1
保育所保育指針における保育の基本							
養護と教育の一体性	L1						
環境を通して行う保育	L3						
発達過程に応じた保育	L2						
保護者との緊密な連携	L1,3						
倫理観に裏付けられた保育士の専門性	L3						
保育の目標と方法							
現在を最もよく生き、望ましい未来をつくりだす力の基礎を培う	L2						
生活と遊びを通して総合的に行う保育	L2						
保育における個と集団への配慮	L2						
計画・実践・記録・評価の連動	L4						
保育の思想と歴史的変遷							
諸外国の保育の思想と歴史	L5						
日本の保育の思想と歴史	L6						
保育の現状と課題							
諸外国の保育の現状と課題	L7						
日本の保育の現状と課題	L7						

関連法律や資料、関連する科目をチェック！

過去６回分の出題数実績をチェック！

本文学習前にレッスン概要をチェック！

レッスン冒頭に頻出度（最頻出をLevel 5として、Level 1 ～ 5）を表示（学習内容が難しいレッスンは頻出度の下に「難」マーク）。
また、意識しながら読みたい部分は「ココに注目!!」で取り上げています。

保育原理 Lesson 1

保育の意義

頻出度 Level 5

そもそも「保育」とはどういう営みなのでしょうか。
その意義をさまざまな観点から学びましょう。

ココに注目!!
- 保育所保育指針とは何か
- 児童の最善の利益を考慮する（児童福祉法第2条）
- 児童福祉法における保育の理念
- 児童憲章における子ども観

1 保育の意義と基本理念

（1）保育とは何か

「保育」とは、広い意味では乳幼児期の子どもを育てることを意味しますが、この言葉には、「養護」と「教育」という２つの要素が含まれています。保育所におけるガイドラインである「保育所保育指針」第１章総則には次のように示されています。

> 「保育所保育指針」第1章　総則
> （前略）子どもの状況や発達過程を踏まえ、保育所における環境を通して、養護及び教育を一体的に行うことを特性としている。

❶養護

「養護*1」とは世話をすることです。子どもは大人が養護してはじめて、生命を存続させ、成長することができるのです。

❷教育

子どもは、周囲との関わりのなかで、言語や、人間として生きていくための能力・知識、行動様式などを学習していきます。こうした学習には、親や保育者による意識的あるいは無意識的な教育的働きかけが必要となります。

用語
乳幼児
「児童福祉法」では、乳児は１歳に満たない子どもを、幼児は満１歳から小学校就学始期に達するまでの子どもを指す。

「保育所保育指針」
1965（昭和40）年に、中央児童福祉審議会が作成、厚生省（現：厚生労働省）が各都道府県に通達した。現在施行されている「保育所保育指針」は厚生労働大臣告示であり、法的拘束力をもつ。

でた問!!
*1 養護
養護について出題。H31前、R3前・後、R5前
養護と教育について出題。R4後

22

一緒に学習しよう

本文を学習

本文を読みながら、イラスト、チャート図、欄外の記述やキャラクターのアドバイスを活用して学習を進めていきます。

欄外もチェック！

過去6年で出題された内容

本文に登場する重要人物を解説

重要な用語をくわしく解説

本文と関連させて覚えておきたい情報

地域型保育事業 ⇨子福p258　関連する内容への参照ページ

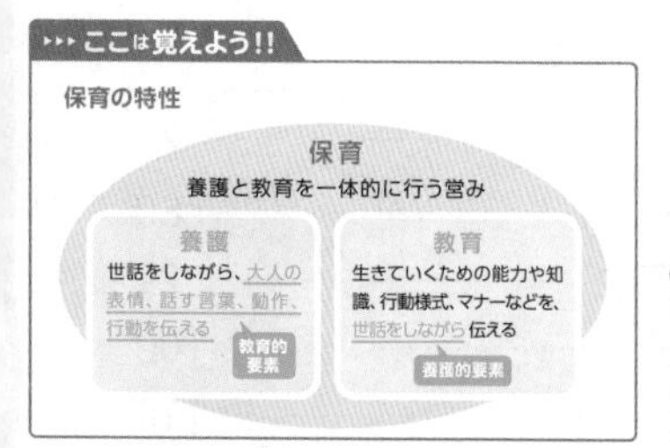

保育原理

（2）保育の基本理念

保育所は、「児童福祉法」に基づく児童福祉施設です。保育についての基本理念は、「児童福祉法」第1条、第2条で次のように規定されています。

用語

「児童福祉法」
1947（昭和22）年に制定。児童が心身ともに健やかに生まれ、育成されるよう、保育・母子保護・児童虐待防止対策を含むすべての児童の福祉を支援する法律。

児童福祉施設
社会福祉施設の一つで、児童の福祉を保障するための施設のこと。「児童福祉法」に13種別の施設が規定されている。

⇨子福p239

「児童福祉法」第1条、第2条

第1条　全て児童は、児童の権利に関する条約の精神にのつとり、適切に養育されること、その生活を保障されること、愛され、保護されること、その心身の健やかな成長及び発達並びにその自立が図られることその他の福祉を等しく保障される権利を有する。

第2条　全て国民は、児童が良好な環境において生まれ、かつ、社会のあらゆる分野において、児童の年齢及び発達の程度に応じて、その意見が尊重され、その最善の利益が優先して考慮され、心身ともに健やかに育成されるよう努めなければならない。

第2項　児童の保護者は、児童を心身ともに健やかに育成することについて第一義的責任を負う。

第3項　国及び地方公共団体は、児童の保護者とともに、児童を心身ともに健やかに育成する責任を負う。

23

確認テストに挑戦！

学習した内容を復習し、成果を確認するために穴うめ、〇×式の「ポイント確認テスト」に挑戦しましょう。

〈予想〉オリジナル問題です。

〈過R6前〉令和6年前期試験で出題された過去問題であることを表します。平成30年～令和6年の過去問からセレクトしています。

※過去問題は一部改変しているものがあります。また、一部本文には記載のない内容の問題もありますが、発展的内容として挑戦してみましょう。

別冊付録で復習＆暗記

試験で最も重要な「保育所保育指針」の全文と、よく出題される資料や暗記に役立つ表を厳選して収録。スキマ時間をフル活用しましょう！

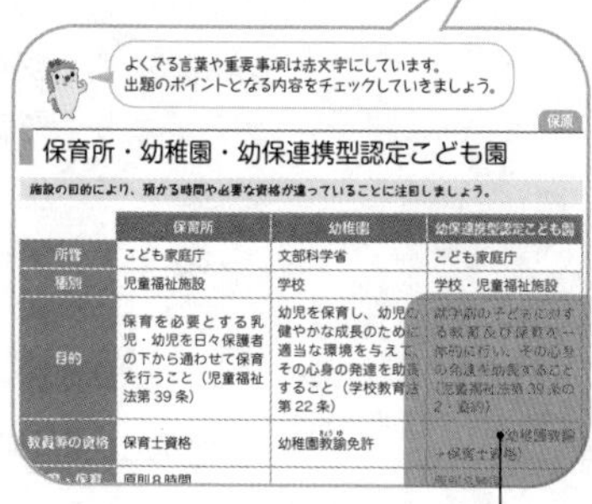

お手持ちの赤シートを使えば重要語句を隠せる2色刷り

◀ このページは本書の使い方を説明するための見本です。

目次

上巻では、保育・教育と、福祉全般に関する学習が中心となります。

子ども家庭福祉

社会的養護

下巻では、子どもの食生活と心身面での援助に関する学習が中心となります。

科目名の略称

上巻	下巻
保育原理 → 保原	保育の心理学 → 保心
教育原理 → 教原	子どもの保健 → 保健
社会福祉 → 社福	子どもの食と栄養 → 栄養
子ども家庭福祉 → 子福	保育実習理論 → 保実
社会的養護 → 社養	

下巻目次

保育士資格とは

保育士ってどんな資格？

◎保育士は、「児童福祉法」に定められた国家資格！

保育士は、「児童福祉法」に定められた**国家資格**で、保育士資格をもつ人は以下のように規定されています。

1）都道府県知事の指定する保育士を養成する学校などを卒業した人

2）保育士試験に合格した人

このテキストを読んでいる皆様が保育士試験に合格すると、2）の条件に当てはまることになります。さらに都道府県知事の登録を受け、保育士登録証が交付されることではじめて「保育士」と名乗ることができます。なお、保育士は、資格をもっていない人は名乗ることができない**名称独占資格**です。

保育士の社会的信用を守るため、
名称独占資格になっているのです。

◎保育士は、遊びや子育て支援の専門職！

「児童福祉法」では、保育士のことを「専門的知識及び技術をもつて、児童の保育及び児童の保護者に対する保育に関する指導を行うことを業とする者」と定義しています。保育士というと、「子どもと遊ぶ」というイメージが強いかもしれませんが、そこには**専門的な知識や技術**が必要であることを覚えておきましょう。また、保育士には子どもだけでなく**子育て家庭を支援する役割**があります。ここで支援する子育て家庭には、保育所に通う子どもがいる子育て家庭だけでなく、地域の子育て家庭も含まれます。

保育士の活躍できる場は？

保育所は「児童福祉法」に定められた**児童福祉施設**の一つです。保育士は、保育所を含む10種の児童福祉施設で子どもの**遊びや生活の専門職**として働くことができます。児童福祉施設とは以下の13種の施設のことをいいます。

児童福祉施設

保育所

乳児院

① 保育所
② 幼保連携型認定こども園
③ 助産施設 *
④ 乳児院
⑤ 母子生活支援施設
⑥ 児童厚生施設
⑦ 児童養護施設
⑧ 障害児入所施設
⑨ 児童発達支援センター
⑩ 児童心理治療施設
⑪ 児童自立支援施設
⑫ 児童家庭支援センター *
⑬ 里親支援センター *

＊保育士の配置および保育士資格での任用はありません

そのほかにも保育士が活躍できる場所はあります。たとえば個人宅に訪問して子どもを保育する**ベビーシッター**や、自宅で子どもを預かる**保育ママ**においても保育士資格をいかして働くことができます。企業で働く人の子どもを預かる企業内の保育施設や、病児・病後児を施設で預かったり訪問したりして保育する**病児保育**においても活躍の場があります。また、近年ニーズが高まっている美容院やアミューズメント施設のキッズスペースなどでも保育士資格をいかすことができるでしょう。今後も活躍の場がますます増えていく資格といえます。

病児保育

保育士試験とは

受験資格は？

保育士試験の主な受験資格は**大学、短大、専門学校卒業程度**となっています。保育とは関係ない専門分野の大学などを卒業していても受験できます。

なお、中学卒業・高校卒業程度の場合には一定の条件があります（下図参照）。保育士試験受験には**年齢制限がありません**ので、条件を満たせば何歳からでも資格取得を目指すことができます。

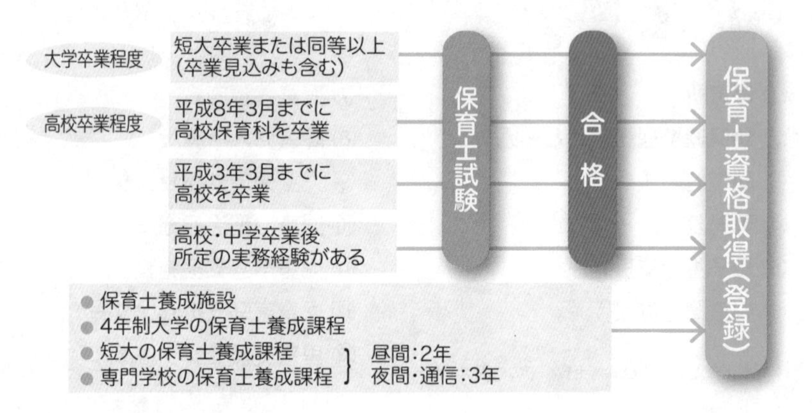

試験の時期は？

「児童福祉法」においては、年１回以上保育士試験を開催することが定められており、ここ数年は**4月（前期試験）**と**10月（後期試験）**の**年２回**、筆記試験が行われています（社会情勢や天候、試験会場の都合などで中止や延期になることもあります）。

地域限定試験とは？

2015（平成27）年より、地域限定保育士制度が創設されました。この制度は、後期の保育士試験を自治体が地域限定試験として実施し、合格した人にはその地域だけで３年間有効となる「地域限定保育士資格」を与えるというものです。登録してから3年後には、全国で通用する保育士資格となります。自分が受験する自治体がこの制度を採用しているかどうか確認しておきましょう（神奈川県では、例年8月に独自の地域限定保育士試験を実施しています）。

科目名、出題数

保育士筆記試験の科目名と出題数は下の表の通りです。

試験科目			出題数	配点	時間
1日目	1	保育の心理学	20問	100	60分
	2	保育原理	20問	100	60分
	3	子ども家庭福祉	20問	100	60分
	4	社会福祉	20問	100	60分
2日目	5	教育原理	10問	50	30分
	6	社会的養護	10問	50	30分
	7	子どもの保健	20問	100	60分
	8	子どもの食と栄養	20問	100	60分
	9	保育実習理論	20問	100	60分

合格ライン

筆記試験の合格ラインは**全科目とも６割**で、100点満点の科目の場合は60点以上、50点満点の科目の場合は30点以上です（教育原理と社会的養護は50点満点の科目ですが、一度の試験で両方とも30点以上をとらないと合格になりません）。筆記試験に合格すると、**実技試験**にすすむことができます。

なお、保育士試験は、**合格した科目については３年間の有効期限**があります。複数年にわたって計画的に資格取得を目指す人もいます。

例：一度目の試験で保育原理、教育原理、社会福祉、社会的養護、子どもの保健、保育実習理論に合格した場合には、以降３年間で、子ども家庭福祉、保育の心理学、子どもの食と栄養に合格すればよい。

合格率

保育士試験は、毎年６～７万人が受験し、合格率は**例年約２割**です。

	平成30年	令和元年	令和2年	令和3年	令和4年	令和5年
受験者数（名）*	68,388	77,076	44,914	83,175	79,378	66,625
合格者数（名）	13,500	18,330	10,890	16,600	23,758	17,955
合格率（%）	19.7	23.9	24.2	20.0	29.9	26.9

＊特例制度による試験免除者を除く　※令和２年は前期の筆記試験が中止　出典：こども家庭庁ホームページより

試験の申し込み

受験を希望する人は、**オンラインか郵送のどちらかの方法で**申請します。

オンラインの場合、全国保育士養成協議会のホームページで「**マイページ**」を登録し、そこから申請を行います。郵送の場合、封書を送り「**受験申請の手引き**」を請求します。

〈一般社団法人全国保育士養成協議会〉
ホームページ　https://www.hoyokyo.or.jp/exam/
電話：0120-4194-82（保育士試験事務センター）

● スケジュール例（前期・後期筆記試験）

	前期	後期
実施要項（受験申請書）配布期間	1月中旬～1月末	7月上旬～7月末
受験申請受付期間	1月中旬～1月末	7月上旬～7月末
筆記試験日	4月下旬の2日間	10月下旬の2日間
筆記試験合格発表	6月上旬までに 受験者全員に通知	12月上旬までに 受験者全員に通知

試験の内容は変更になる可能性もあります。受験を検討した時点で必ずホームページをチェックしましょう。

筆記試験当日の予定と準備

例年、1日目は11：00～17：00、2日目は10：00～16：30に試験が行われています。**試験会場は受験票に記載**されており、主に大学のキャンパスや大規模なホールなどで行われるので、会場までの交通手段を事前に調べておき、余裕をもって会場へ向かいましょう。

当日の昼食や飲み物は各自持参します。また、地域によっては暑さ、寒さへの対策も必要です。

筆記試験の内容

筆記試験は**マークシート形式**で行われています。ここで、どのような試験問題が出題されているか、まずは「保育原理」の出題をみていきましょう。

次のうち､｢保育所保育指針｣第１章｢総則｣（４）｢保育の環境｣に関する記述として、適切なものを○、不適切なものを×とした場合の正しい組み合わせを一つ選びなさい。

A　保育の環境には､保育士等や子どもなどの人的環境､施設や遊具などの物的環境､更には自然や社会の事象などがある。

B　保育室は、温かな親しみとくつろぎの場となるとともに、生き生きと活動できる場となるように配慮すること。

C　子どもの活動が豊かに展開されるよう、保育所の設備や環境を整え、保育所の保健的環境や安全の確保などに努めること。

D　保育士自らが積極的に環境に関わり、子どもに遊びを提供するよう配慮すること。

（組み合わせ）

	A	B	C	D
1	○	○	○	×
2	○	○	×	×
3	○	×	○	×
4	×	×	○	○
5	×	×	×	○

令和５年前期試験｢保育原理｣より　正答：１

この問題は、保育士試験の**全科目で頻出**の「**保育所保育指針**」から出題されています。「保育の環境」とはどのようなものかをイメージすることが問題を解くために必須となっています。今は難しく感じるかもしれませんが、いずれも「保育原理」の科目で学んだあとには理解できるようになっているはずです。

「保育所保育指針」については、このように全体的な考え方を問う問題から、穴うめ、適切な語句あるいは間違った語句を選ぶ問題など、**幅広く出題**されるため、「別冊ポイント集」に収録されている「保育所保育指針」（全文）をよく読んでおくことが大切です！

そのほかにも、**グラフの数値**から組み合わせを選択する問題もあります。次のページでみていきましょう。

次の図は、子供の大学等進学率について示したものである。（　A　）～（　C　）にあてはまる事項の正しい組み合わせを一つ選びなさい。

図

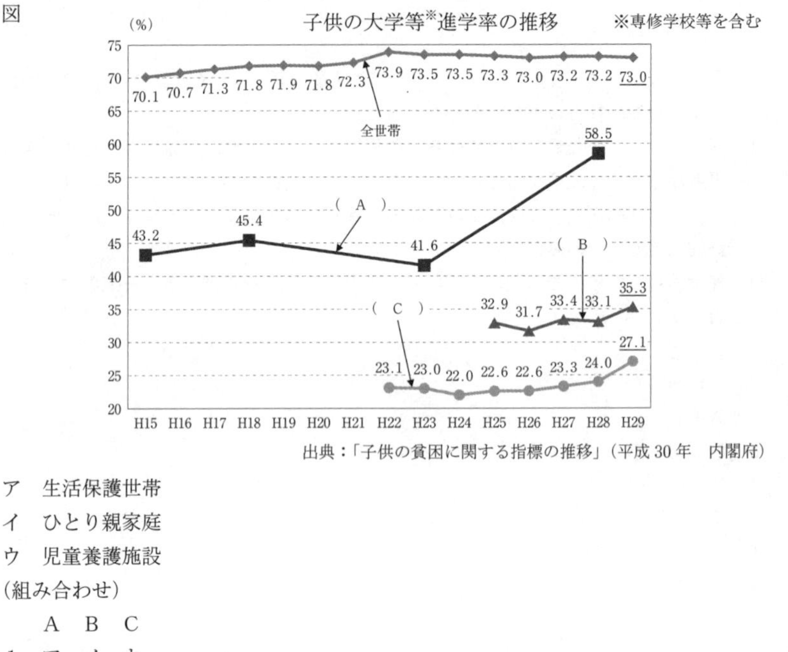

出典：「子供の貧困に関する指標の推移」（平成 30 年　内閣府）

ア　生活保護世帯
イ　ひとり親家庭
ウ　児童養護施設

（組み合わせ）

	A	B	C
1	ア	イ	ウ
2	ア	ウ	イ
3	イ	ア	ウ
4	イ	ウ	ア
5	ウ	ア	イ

令和４年前期試験「子ども家庭福祉」より　正答：３

上記の問題の場合、生活保護世帯、ひとり親家庭、児童養護施設が示されています。実際の数値がわからなくても、児童養護施設に入所している児童が施設を退所した後大学等へ進学することが非常に困難な状況にあることが理解できていれば、答えを絞り込むことができるようになっています。

実技試験の内容

筆記試験に合格すると、実技試験があります。実技試験は、「音楽に関する技術」「造形に関する技術」「言語に関する技術」のいずれか２つを選択し、50点満点中30点以上が合格となります。

※このテキストは筆記試験対策用のテキストです

学習の進め方

試験科目と学習順

ここからは試験の科目の主な内容を、本書がおすすめする学習順で紹介していきます。具体的な出題傾向については、各科目の冒頭のページを確認しましょう。ここでは、科目同士の関連と、なぜ保育士にとってこの科目の学習が必要であるのか、まずは上巻に収録している5科目をみていきましょう。

❶ 保育原理

保育に関する基礎科目なので、最初に学習することをおすすめします。この科目は保育とは何か、保育所とはどのような場所かを理解することから始まり、保育内容のガイドラインである「保育所保育指針」、さらに保育・教育理論を構築してきた重要人物について学習します。実際の保育場面での適切な対応を問う事例問題も多く出題されます。

Point

保育士にとって保育とは何かを知ることは、子どもを理解するうえで重要です。

基礎科目はセットで学習

保育原理と教育原理では、同じ人物が出題されることもありますよ！

❷ 教育原理

教育に関する基礎科目であり、「保育」と「教育」は密接に関わっているため、「保育原理」と合わせて学習することをおすすめします。この科目では、教育に関する法令や教育の歴史、人物を学ぶことが中心になります。保育所と同じ就学前の子どものための施設に幼稚園があります。幼稚園は「学校」であることから保育士試験では「教育原理」において幼稚園に関する問題が多く出題されます。「幼稚園教育要領」の内容についても理解を深めましょう。

Point

保育と教育とは一体的に行うもので、保育士は教育についての知識も必要です。

次は福祉に関する3科目についてです。福祉の対象の範囲が広い方から順に、**社会福祉→子ども家庭福祉→社会的養護**の順で学習することをおすすめします。

③ 社会福祉

福祉の対象の範囲
大

社会福祉は福祉の基礎科目です。**福祉の歴史や法律とその目的、福祉制度**について幅広く学ぶ科目です。高齢者、障害者、貧困家庭、ひとり親家庭など**福祉の対象**によってどのような支援があるかを知っておくことが重要です。支援のやり方としてどのような手法があるのかを知ることも大切です。

Point
福祉全体のしくみを知っておくことが必要となります。

④ 子ども家庭福祉

福祉の対象の範囲
中

次に「福祉」の中から主な対象を「**子育て家庭**」と「**子ども**」にしぼっている科目である「子ども家庭福祉」を学習しましょう。**子育て家庭をめぐる現状と課題**を理解し、そこに対応するためにどのような制度があるのかを知ることが大切です。

Point
虐待をはじめとする、子どもをめぐるさまざまな課題を理解することが必要です。

⑤ 社会的養護

福祉の対象の範囲
小

最後に「子ども」の中から、「**社会的養護が必要な子ども**」に対象をしぼった科目である「社会的養護」を学習しましょう。社会的養護とは、さまざまな理由から親と暮らすことができない子どもを、社会的に養育し、保護するためのしくみです。この科目では**社会全体で子どもを支援するためのしくみ**を具体的に理解することが大切です。

Point
社会全体で子どもを支援するしくみを理解しておくことが必要です。

対象の範囲が広いものから学習

ここからは、下巻に収録している4科目についてみていきましょう。

❻ 保育の心理学

子どもの発達について理論的に学習する科目です。子どもを理解するためには、**発達の道筋を理解すること**が不可欠です。さまざまな心理学者の理論を学び、実践的に対応する力をつけます。この科目は**「子どもの保健」との関連が深く**、合わせて学習することをおすすめします。

Point
子どもの発達に関する知識が必要です。

セットで学習

❼ 子どもの保健

子どもは発達途上にあるため、**さまざまな病気**にかかります。また、**発育がめざましい時期**であるため、大人よりも細かくその状態を把握する必要があります。この科目では**子どもへの保健的な対応**を学びます。子どもの精神の健康については、**「保育の心理学」**と深く関連しています。

Point
子どもの病気への対応や発育に関する知識が必要です。

セットで学習

❽ 子どもの食と栄養

保育所では必ず食事が提供されるため、子どもの食は保育にとって大切な要素です。必要な栄養素や、食事の援助、食育について学びます。**アレルギーのある子どもへの対応**、障害や病気などで食事に配慮が必要な子どもについては、**「子どもの保健」と合わせて**学習しましょう。

Point
子どもの食事に関する知識が必要です。

❾ 保育実習理論

保育に関する**幅広く実践的な知識や対応**を学ぶ科目です。そのため、**「保育原理」**や**「子ども家庭福祉」**とも関連していますので**上巻と合わせて学習すること**をおすすめします。音楽、造形、言語は保育実務とも深く関わり、子どもの遊びや学びの専門職として必要な知識です。

Point
保育に関する実践的な知識や技能が必要です。

上巻とセットで学習

初受験のあなたにおすすめの学習法

試験対策の第一歩は「**試験の全体像を知ること**」です。まず、本書の15〜17ページで各科目の概要とその関係性を把握しましょう。予備知識がなく不安がある場合には、入門書からスタートするのもよいでしょう。

試験科目の全体像がつかめたら、本書で具体的に学習をすすめます。合格のためには**テキストを複数回読む**ことが原則です。その際、以下のように目的をもって読みすすめると、効率よく知識を身につけることができるでしょう。

- 1回目：わからないところがあっても最後まで読み、**科目全体を把握**する
- 2回目：欄外や確認テストまでしっかりと読み込み、**正確に理解**する

また、テキストの学習とともに、過去問題を解いて問題に慣れ、知識を定着させる必要があります。「**テキスト→問題集→テキスト…**」の繰り返しが合格力を養う最短コースです。

学習の仕上げでは、必ず一度は模擬試験に取り組みましょう。直前対策には、一問一答での細かい知識の暗記確認もおすすめです。

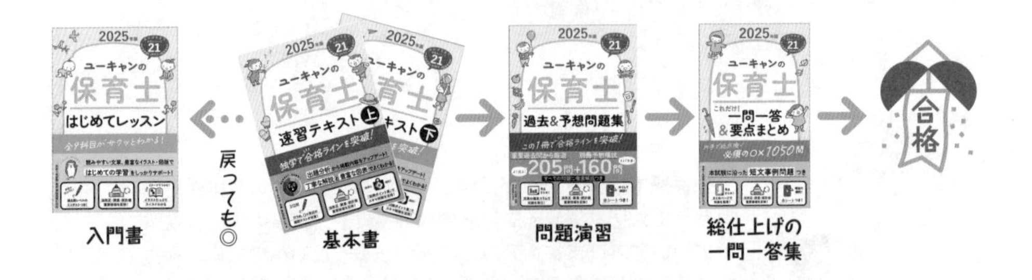

一部科目に合格のあなたにおすすめの学習法

合格していない科目の性格別に、弱点克服を目指しましょう。

「子どもの保健」「子どもの食と栄養」のように、ガイドラインや資料からの出題が多い科目は、本書の「**別冊ポイント集**」で原典を読み込み、ポイントをおさえることが大切です。

「保育原理」「教育原理」「保育の心理学」「保育実習理論」などの**人物の名前・功績**などが苦手な人は、本書の「別冊ポイント集」の一覧表を活用し、覚えていない事項をチェックしたり、書き込みをして使いやすい自分だけの別冊を作ってみるのもおすすめです。

「社会福祉」「子ども家庭福祉」「社会的養護」など、**関連法令が多い科目**は、法改正や新しく公表された調査結果などのチェックを行います。

保育原理

保育原理

保育士にとって基礎ともいえる「保育とは何か」を学ぶ科目です。
特に保育の現場で遵守あるいは参考にされる「保育所保育指針」を中心に学びます。

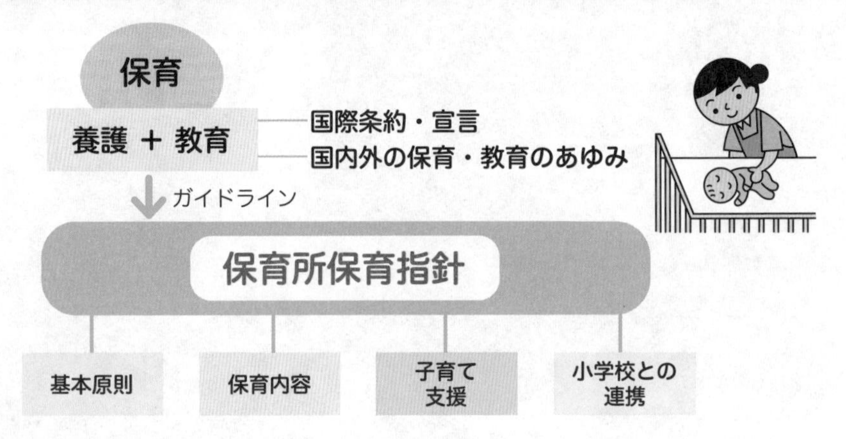

合格のコツは？

「保育所保育指針」からは例年問題数の**1/2**近くの出題がみられます。令和６年前期試験では、「保育所保育指針」に関連する出題が**７割**を占めていました。出題形式には、文章を穴埋め式で問う問題や、指針の考え方に沿って答えを導きだす事例問題があり、その内容を理解し文言をしっかり覚えることがポイントとなります。ほかにも、毎年出題される保育の思想と歴史、保育関連施策の根拠となる法律について押さえておきましょう。

関連法律・制度

・保育所保育指針　・児童福祉法　・児童の権利に関する条約
・児童福祉施設の設備及び運営に関する基準

関連統計・資料

・保育所等関連状況取りまとめ　・認定こども園に関する状況について

関連が強い科目

（上）教育原理／子ども家庭福祉／社会福祉　（下）保育実習理論

出題分析 出題数：20問

- 20問の出題中、「**保育所保育指針**」からの出題であることが明記されている問題が10問前後。それ以外にも、「保育所保育指針」に示されている考え方から判断する問題が数問あるため、確実に理解しておきたい。
- 毎年、**事例問題**が出題される。過去問での問われ方や具体的対応についても理解しておくことが不可欠。
- **保育の歴史**については、諸外国、日本で最低１～２問ずつ出題される。教育原理と関連づけて学習することが必要。**幼保連携型認定こども園**についても確実な理解が必要。

■過去6回の項目別出題数実績一覧 ※項目名は出題範囲の小項目を学習しやすいように改変しています

項目		R3後	R4前	R4後	R5前	R5後	R6前
保育の意義							
保育の理念と概念	L1	1	0	2	2	1	0
児童の最善の利益を考慮した保育	L1	1	1	0	0	2	1
保護者との協働	L1	0	0	0	0	0	0
保育の社会的意義	L3	0	0	0	1	0	0
保育所保育と家庭的保育	L1	0	0	0	0	1	0
保育所保育指針の制度的位置づけ	L1	0	0	0	1	1	1
保育所保育指針における保育の基本							
養護と教育の一体性	L1	1	1	1	1	1	0
環境を通して行う保育	L3	0	2	3	1	2	1
発達過程に応じた保育	L2	5	3	4	5	4	3
保護者との緊密な連携	L1,3	2	1	1	3	0	1
倫理観に裏付けられた保育士の専門性	L3	1	1	0	0	1	1
保育の目標と方法							
現在を最もよく生き、望ましい未来をつくりだす力の基礎を培う	L2	0	0	1	1	1	2
生活と遊びを通して総合的に行う保育	L2	0	0	0	0	0	1
保育における個と集団への配慮	L2	0	1	1	0	1	1
計画・実践・記録・評価の連動	L4	5	3	2	2	2	3
保育の思想と歴史的変遷							
諸外国の保育の思想と歴史	L5	1	2	1	1	1	1
日本の保育の思想と歴史	L6	1	3	1	1	1	1
保育の現状と課題							
諸外国の保育の現状と課題	L7	0	0	1	0	0	0
日本の保育の現状と課題	L7	2	2	2	1	1	3

保育原理 Lesson 1

保育の意義

頻出度 Level 5

そもそも「保育」とはどういう営みなのでしょうか。
その意義をさまざまな観点から学びましょう。

ココに注目!!

- 保育所保育指針とは何か
- 児童の最善の利益を考慮する（児童福祉法第2条）
- 児童福祉法における保育の理念
- 児童憲章における子ども観

1 保育の意義と基本理念

（1）保育とは何か

「保育」とは、広い意味では**乳幼児**期の子どもを育てることを意味しますが、この言葉には、「**養護**」と「**教育**」という2つの要素が含まれています。保育所におけるガイドラインである「**保育所保育指針**」第1章総則には次のように示されています。

「保育所保育指針」第1章　総則

（前略）子どもの状況や発達過程を踏まえ、保育所における環境を通して、養護及び教育を**一体的**に行うことを特性としている。

❶養護

「**養護**[*1]」とは世話をすることです。子どもは大人が養護してはじめて、生命を存続させ、成長することができるのです。

❷教育

子どもは、周囲との関わりのなかで、言語や、人間として生きていくための能力･知識、行動様式などを学習していきます。こうした学習には、親や保育者による意識的あるいは無意識的な教育的働きかけが必要となります。

用語

乳幼児
「児童福祉法」では、乳児は1歳に満たない子どもを、幼児は満1歳から小学校就学始期に達するまでの子どもを指す。

「保育所保育指針」
1965（昭和40）年に、中央児童福祉審議会が作成、厚生省（現：厚生労働省）が各都道府県に通達した。現在施行されている「保育所保育指針」は厚生労働大臣告示であり、法的拘束力をもつ。

でた問!!

***1 養護**
養護について出題。
H31前、R3前・後、R5前
養護と教育について出題。
R4後

▸▸▸ ここは覚えよう!!

保育の特性

保育
養護と教育を一体的に行う営み

養護
世話をしながら、大人の表情、話す言葉、動作、行動を伝える
教育的要素

教育
生きていくための能力や知識、行動様式、マナーなどを、世話をしながら伝える
養護的要素

(2) 保育の基本理念

保育所は、「**児童福祉法**」に基づく**児童福祉施設**です。保育についての基本理念は、「児童福祉法」第1条、第2条で次のように規定されています。

用語

「児童福祉法」
1947(昭和22)年に制定。児童が心身ともに健やかに生まれ、育成されるよう、保育・母子保護・児童虐待防止対策を含むすべての児童の福祉を支援する法律。

児童福祉施設
社会福祉施設の一つで、児童の福祉を保障するための施設のこと。「児童福祉法」に13種別の施設が規定されている。
⇨子福p239

「児童福祉法」第1条、第2条

第1条 全て児童は、**児童の権利に関する条約**の精神にのつとり、適切に養育されること、その生活を保障されること、愛され、保護されること、その心身の健やかな成長及び発達並びにその自立が図られることその他の福祉を等しく保障される権利を有する。

第2条 全て国民は、児童が良好な環境において生まれ、かつ、社会のあらゆる分野において、児童の年齢及び発達の程度に応じて、その**意見**が尊重され、その**最善の利益**が優先して考慮され、心身ともに健やかに育成されるよう努めなければならない。

第2項 児童の**保護者**は、児童を心身ともに健やかに育成することについて**第一義的責任**を負う。

第3項 国及び地方公共団体は、児童の保護者とともに、児童を心身ともに健やかに育成する責任を負う。

このように「**児童福祉法**」には、児童が「児童の権利に関する条約」にのっとって育成される権利があることや、すべての国民が児童の意見を尊重し、**最善の利益**を優先して育成するよう努めることが規定されています。また、心身ともに健やかに育成することの第一義的責任は保護者にあるとともに、**国**や**地方公共団体**にも責任があることも規定されています。

このような子ども（児童）に対する考え方は、近代になってから生まれたものです。

（3）子ども観の変遷

近代以前は「子ども」という概念はなく、大人は子どもを早く一人前にしようとさまざまな指導や訓練を課しており、それが教育であると考えられていました。子どもに人権は認められておらず、親や家、または国家の持ち物のようにみなされていたのです。

現代の日本の子ども観については「**児童憲章**」において次のように述べられています。

- **人として尊ばれる。**
- **社会の一員として重んぜられる。**
- **よい環境のなかで育てられる。**

ただし、これは大人とまったく同じということではありません。子どもという存在として認められたうえで尊重され、保護されるべきであるということです。

用語
「児童憲章」
1951（昭和26）年に宣言。「日本国憲法」の精神に基づき、すべての児童の権利を保障し幸福を図るための憲章。

「児童憲章」は法律ではありません。

（4）児童の最善の利益

「**児童の最善の利益**」とは、「児童の権利に関する条約（子どもの権利条約）」第３条第１項に示される考え方です。

この考え方は、「保育所保育指針」にも取り入れられ、「保育所の役割」「保育所における保護者の支援の基本」「職員の資質向上に関する基本的事項」などで述べられています。

「児童の権利に関する条約」
⇨子福p212

「児童の権利に関する条約」第3条

第1項　児童に関するすべての措置をとるに当たっては、公的若しくは私的な社会福祉施設、裁判所、行政当局又は立法機関のいずれによって行われるものであっても、**児童の最善の利益**が主として考慮されるものとする。

2 「保育所保育指針」

「**保育所保育指針**[*2]」とは、保育所における保育の内容や方法等について定めた指針（ガイドライン）です。

以下の５つの章から構成されており、さまざまな観点から保育所の運営のあり方を定めています。

- **総則（第１章）**
- **保育の内容（第２章）**
- **健康及び安全（第３章）**
- **子育て支援（第４章）**
- **職員の資質向上（第５章）**

> でた問!!
> ***2「保育所保育指針」**
> 「保育所保育指針」の全体的な内容と、これまでの各改定のポイントについて出題。
> **R4前、R5前・後、R6前**
> 「保育所保育指針」の特徴について出題。
> **R2後**

(1)「保育所保育指針」策定の経緯

「**保育所保育指針**」は1965（昭和40）年に策定されて以来、1990（平成２）年、1999（平成11）年、2008（平成20）年、2017（平成29）年と４回改定されました。

2018（平成30）年度から使用されている「保育所保育指針」では、乳児保育における「健やかに伸び伸びと育つ」「**身近な人**と気持ちが通じ合う」「身近なものと関わり感性が育つ」という視点、幼児教育の重要な一翼を担っていることから**幼児期の終わりまでに育ってほしい姿**などが盛り込まれた内容となっています。

> **＋プラス１**
> **「保育所保育指針解説」**
> 「保育所保育指針」の参考資料として厚生労働省が発表したもので、より具体的な内容が述べられている。法的な拘束力はない。

(2) 保育所とはどういう施設か

保育所の役割[*3]は、「保育所保育指針」によって次のように示されています。

> でた問!!
> ***3 保育所の役割**
> 「保育所保育指針」第１章「総則」の保育所の役割について出題。
> **R1後**

「保育所保育指針」第1章　総則

保育所は、児童福祉法第39条の規定に基づき、保育を必要とする子どもの保育を行い、その健全な心身の発達を図ることを目的とする児童福祉施設であり、入所する**子どもの最善の利益**を考慮し、その福祉を積極的に増進することに最もふさわしい生活の場でなければならない。

「児童福祉法」第39条の規定とは、次の通りです。

「児童福祉法」第39条

第1項　保育所は、**保育を必要とする**乳児・幼児を日々保護者の下から通わせて保育を行うことを目的とする施設（利用定員が20人以上であるものに限り、幼保連携型認定こども園を除く。）とする。

第2項　保育所は、前項の規定にかかわらず、特に必要があるときは、保育を必要とするその他の児童を日々保護者の下から通わせて保育することができる。

***4 保育を必要とする乳児・幼児**
保育を必要とする事由について出題。
R5前

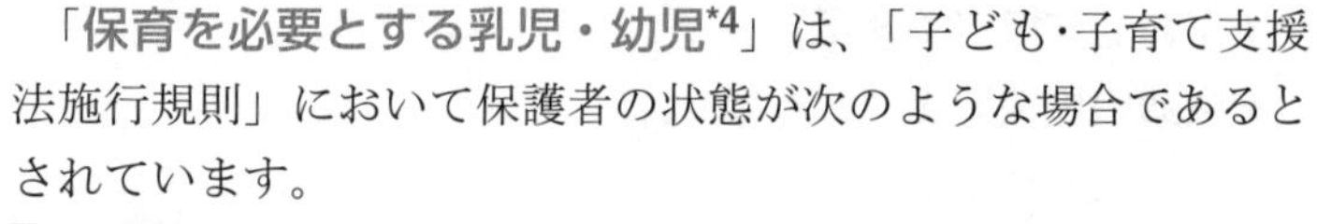
「**保育を必要とする乳児・幼児**[*4]」は、「子ども・子育て支援法施行規則」において保護者の状態が次のような場合であるとされています。

① **就労**
② **妊娠中、出産後間がないこと**
③ **疾病（しっぺい）、負傷、障害**
④ **同居又は長期入院等している親族の介護・看護**
⑤ **災害復旧**
⑥ **求職活動・起業準備**
⑦ **就学・職業訓練校等における職業訓練**
⑧ **虐待やＤＶのおそれがあること**
⑨ **育児休業取得時に、既に保育を利用している子どもがいて継続利用が必要であること**
⑩ **その他、上記に類する状態として市町村が認める場合**

（3）現代における保育所の役割

女性の就業率の上昇や離婚によるひとり親家庭の増加などにより、子育てをめぐる社会・家庭環境が変化していくなかで、**保育を必要とする**子どもたちが増えています。こうした子どもたちの生活と発達を保障し、**子育て家庭への支援**の機能を担うのが、保育所の役割です。

また、都市化、少子化などによって減少した、異年齢の子どもが集団で遊ぶ場を提供するという役割を果たすとともに、保育所に入所していない子どものいる**地域の住民**も支援し、乳幼児の保育に関する相談・助言などを行う社会的役割も求められています。

3 乳幼児の保育の場

現在の**保育制度**[*5]において乳幼児の保育が行われる場所は、保育所のほか、幼稚園、**認定こども園**が中心となります。そのほかにも小規模保育事業、家庭的保育事業、居宅(きょたく)訪問型保育事業、事業所内保育事業などがあります。

(1) 保育所・幼稚園・幼保連携型認定こども園

「保育の場」の中心となる保育所・幼稚園・幼保連携型認定こども園にはそれぞれ次のような特性があります。

■保育所・幼稚園・幼保連携型認定こども園の比較

	保育所	幼稚園	幼保連携型認定こども園
所管	こども家庭庁	**文部科学省**	**こども家庭庁**
種別	**児童福祉施設**	学校	学校・児童福祉施設
教員等の資格	保育士資格	幼稚園教諭(きょうゆ)免許	**保育教諭**(幼稚園教諭＋保育士資格)
保育・教育時間	原則8時間 (最大11時間)	4時間（標準）	原則8時間 (最大11時間)
対象	**保育を必要とする乳幼児、その他の児童**	満3歳以上～小学校就学前までの幼児	保育を必要とする乳幼児
ガイドライン	「保育所保育指針」	「幼稚園教育要領」	「幼保連携型認定こども園教育・保育要領」

用語

認定こども園
保育所と幼稚園の両方の機能を備える施設。2006（平成18）年創設。2015（平成27）年度からは、内閣府が管轄する新たな幼保連携型認定こども園が創設された。

でた問!!

***5 保育制度**
日本の保育制度について出題。
R5後

幼保連携型認定こども園
⇨p71
こども家庭庁
⇨p71

（2）地域型保育事業

2015年に施行された「子ども・子育て支援新制度」の中の施策のひとつで、市町村による認可事業として保育者や子どもの居宅などで、**地域型保育事業***6が行われています。

これらの事業はいずれも満３歳未満の乳幼児を対象としていますが、地域の実情によって満３歳以上の幼児も対象として実施することができます。

❶小規模保育事業

小規模保育事業は、市町村の認可事業として実施されます。保育者の居宅や施設などで定員6～19人までの保育を行います。

❷家庭的保育事業

家庭的保育事業は、保育を必要とする乳児・幼児を対象として、**家庭的保育者**の居宅またはその他の場所で保育を行います。定員は５人以下とされます。

❸居宅訪問型保育事業

居宅訪問型保育事業とは、保育を必要とする乳児・幼児を対象として、一定の訓練や研修を受けた家庭的保育者が子どもの居宅を訪問して、保育を行う事業です。

❹事業所内保育事業

事業所内保育事業とは、会社などに勤務している従業員の子どもを対象とする保育事業です。地域の保育を必要とする子ども

ここは覚えよう!!

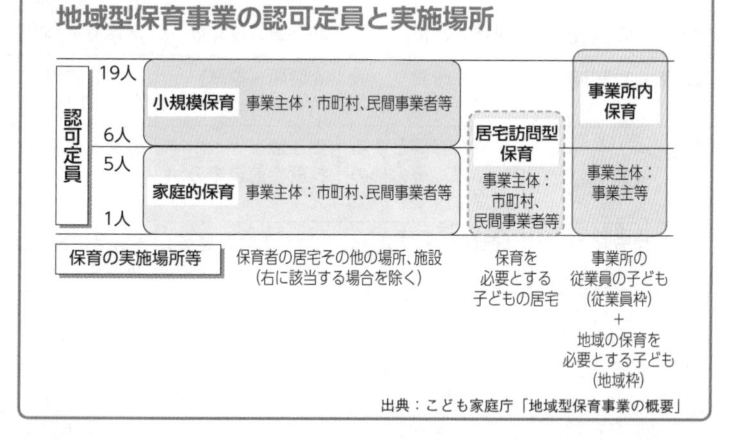

出典：こども家庭庁「地域型保育事業の概要」

でた問!!

***6 地域型保育事業**
地域型保育事業の対象児童や利用定員について出題。
R1後
居宅訪問型保育事業の内容について出題。
R4前
地域型保育事業の創設について出題。
R4後

地域型保育事業
⇨子福p259

＋プラス１

家庭的保育者とベビーシッター
「児童福祉法」において、家庭的保育事業または居宅訪問型保育事業を行う者を家庭的保育者という。保育士または保育士と同等以上の知識及び経験を有すると市町村長が認める者で、研修の受講が義務づけられている。「児童福祉法」に基づく認可を受けていない居宅訪問型保育事業者を一般にベビーシッターというが、認可外の居宅訪問型保育事業においても都道府県知事等への届出が必要である。

も受け入れ、 事業所が設置する保育事業を地域でも活用します。

4 保護者との連携

(1) 保護者との連携とは

保育所では、子どもの健全な心身の発達のため、家庭や**保護者との連携**[*7]のもとに保育を行います。

連携のために大切なのは、家庭と保育所が**相互理解**と**信頼関係**を築くことです。保護者との信頼関係を築くための方法として、園だよりや保育参観、連絡帳、電子メールなどがありますが、最も効果的なのは日常的な会話のやりとりです。

***7 保護者との連携**
保護者に対する支援について出題。
H31前、R2後

実際に最も使われているのは連絡帳です。

(2) 連携が求められる場面

「保育所保育指針」 では、 保育所と家庭との連携が重要であることや、 連携が求められるさまざまな場面が示されています。

- **子どもの状況や発達過程の把握（はあく）（第1章1 ［1］）**
- **当該保育所が行う保育の内容の説明（第1章1 ［5］）**
- **子どもの疾病・事故の防止（第1章2 ［2］）**
- **長時間にわたる保育を行う場合の配慮（第1章3 ［2］）**
- **障害のある子どもの個別の支援（第1章3 ［2］）**
- **基本的な生活習慣の形成（第2章2 ［2］）**
- **アレルギー疾患、食物アレルギーのある子どもへの適切な対応（第3章1 ［3］）**
- **食育の環境の整備等における食に関する取組の推進（第3章2 ［2］）**
- **災害発生時の円滑な子どもの引き渡しへの準備（第3章4 ［2］）**

食物アレルギー
⇨下巻 食栄p287

食育
⇨下巻 食栄p293

連携が求められる場面には、どのような共通点がありますか？

保育所内だけでは把握しにくい子どもの特性を聞き取ることが大切です。また、緊急時の対応などに関する事前の打ち合わせは、子どもの命を守ることにつながります。

ポイント確認テスト

穴うめ問題

□□ **Q1** 過R5前

保育における養護とは、子どもの（　a　）の保持及び（　b　）の安定を図るために保育士等が行う援助や関わりであり、保育所における保育は、養護及び（　c　）を一体的に行うことをその特性とするものである。保育所における保育全体を通じて、養護に関する（　d　）を踏まえた保育が展開されなければならない。 >>> **p22**

□□ **Q2** 過R1後

「家庭的保育事業」とは、保育を必要とする（　a　）であって満（　b　）歳未満のものの保育を、家庭的保育者の居宅等において行う事業であり、利用定員は（　c　）人以下である。 >>> **p28**

□□ **Q3** 過R2後

保育所による子育て支援では、保護者の気持ちを受け止め、相互の（　　　）関係を基本に、保護者自らが選択、決定していけるように支援する。 >>> **p29**

□□ **Q4** 過R4前

（　　　）では、「締約国は、すべての児童が生命に対する固有の権利を有することを認める」としている。

○×問題

□□ **Q5** 過R3後

保育所における保育は、養護及び教育を一体的に行うことをその特性とするものである。 >>> **p22**

□□ **Q6** 過R5後

「保育所保育指針」は、1955（昭和30）年に策定され、1990（平成2）年、1999（平成11）年と2回の改訂を経た後、2018（平成30）年の改定に際して告示化された。 >>> **p25**

□□ **Q7** 過R4前

「児童福祉法」に規定されている居宅訪問事業とは、保育を必要とする乳児・幼児について、その居宅においてベビーシッターによる保育を行う事業をいう。 >>> **p28**

□□ **Q8** 過R1後

「小規模保育事業」とは、保育を必要とする乳児・幼児であって満3歳未満のものの保育を、利用定員が6人から19人までの施設で行う事業である。 >>> **p28**

解答・解説

Q1　a 生命／b 情緒／c 教育／d ねらい及び内容　**Q2**　a 乳児・幼児／b 3／c 5　**Q3**　信頼　**Q4**　児童の権利に関する条約（第6条第1項）

Q5　○　**Q6**　×　策定が1965（昭和40）年、告示化が2008（平成20）年

Q7　×　ベビーシッターではなく家庭的保育者。　**Q8**　○

保育原理 Lesson 2

保育の目標と方法

頻出度 Level 5

保育の目標は「保育所保育指針」に定められています。
幼児教育との整合性が図られていることにも注意が必要です。

ココに注目!!

- ✓ 保育の2つの目標
- ✓ 保育所保育指針の「ねらい及び内容」
- ✓ 幼児期の終わりまでに育ってほしい姿とは
- ✓ 保育形態ごとの特徴

1 保育の目標・ねらい・内容

(1) 保育の目標

保育所での保育は、大きく分けて①子どもが現在を最も良く生き、望ましい未来をつくり出す力の基礎を培(つちか)うこと、②入所する子どもの保護者への子育て支援の2つを目標としています。

子どもの力の基礎を培うことについては、さらに具体的な目標が次の通り定められています。

> **「保育所保育指針」第1章1（抜粋）**
>
> 1　保育所保育に関する基本原則
>
> （2）保育の目標*1（抜粋）
>
> （ア）　十分に**養護**の行き届いた環境の下に、くつろいだ雰囲気の中で子どもの様々な欲求を満たし、生命の保持及び情緒の安定を図ること。
>
> （イ）　**健康**、**安全**など生活に必要な基本的な習慣や態度を養い、心身の**健康**の基礎を培うこと。
>
> （ウ）　人との関わりの中で、人に対する愛情と信頼感、そして**人権**を大切にする心を育てるとともに、自主、自立及び協調の態度を養い、道徳性の芽生えを培うこと。
>
> （エ）　**生命、自然及び社会の事象**についての**興味**や**関心**を育て、それらに対する豊かな**心情**や**思考力**の芽生えを培うこと。

***1 保育の目標**
養護と教育について出題。
H31前
保育の目標について出題。
R6前

子育て支援
⇨p40

（オ） 生活の中で、**言葉**への**興味や関心**を育て、話したり、聞いたり、相手の話を理解しようとするなど、言葉の豊かさを養うこと。
（カ） 様々な体験を通して、豊かな**感性や表現力**を育み、**創造性**の芽生えを培うこと。

（2）ねらい及び内容

「保育所保育指針」第２章「保育の内容」では、保育の目標をより具体的に示した「**ねらい**」と、「ねらい」を達成するための「**内容**」が示されています。

「**ねらい及び内容**[*2]」は乳児、１歳以上３歳未満、３歳以上に分かれ、それぞれの発達段階に合わせています。乳児については身体的発達・社会的発達・精神的発達に関する視点から、１歳以上児については**５領域（健康・人間関係・環境・言葉・表現）**でそれぞれのねらいと内容を示しています。５領域は、「**幼稚園教育要領**」との整合性が図られています。

でた問!!

***2 ねらい及び内容**
乳児保育に関わるねらい及び内容、1歳以上3歳未満児の保育に関わるねらい及び内容について出題。
R1後、R2後、R3後、R4前・後、R5前・後、R6前
3歳以上児の保育に関するねらい及び内容について出題。
R2後、R5前・後

用語

「幼稚園教育要領」
1956（昭和31）年に作成された、幼稚園の教育課程の基準となるもの。およそ10年に一度改訂が行われており、現在のものは平成30年4月より施行されている。

2 幼児教育等と共通する保育の目標

第１章の４「幼児教育を行う施設として共有すべき事項」では、保育所も幼児教育の一端を担っていることから、幼児期の終わりまでに育ってほしい姿が示されています。

これらは、「**育**（はぐく）**みたい資質・能力**[*3]」と「幼児期の終わりまでに育ってほしい姿」に分けられます。いずれも第２章「保育の内容」に示されているねらい及び内容に基づくものとされており、「幼稚園教育要領」「幼保連携型認定こども園教育・保育要領」と共通しています。

- **育みたい資質・能力**…「知識及び技能の基礎」「思考力、判断力、表現力等の基礎」「学びに向かう力、人間性等」
- **幼児期の終わりまでに育ってほしい姿**[*4]

健康な心と体	保育所の**生活**の中で、**充実感**をもって自分のやりたいことに向かって心と体を十分に働かせ、**見通し**をもって行動し、自ら健康で**安全**な生活をつくり出すようになる。

でた問!!

***3 育みたい資質・能力**
育みたい資質・能力について出題。
R2後、R3後、R5前・後

***4 幼児期の終わりまでに育ってほしい姿**
幼児期の終わりまでに育ってほしい姿について出題。
R1後、R3前、R4後、R6前

自立心	身近な環境に主体的に関わり様々な活動を楽しむ中で、しなければならないことを自覚し、自分の力で行うために考えたり、**工夫**したりしながら、諦めずにやり遂げることで**達成感**を味わい、自信をもって行動するようになる。
協同性	友達と関わる中で、互いの思いや考えなどを共有し、**共通の目的**の実現に向けて、考えたり、工夫したり、協力したりし、充実感をもってやり遂げるようになる。
道徳性・規範意識の芽生え	友達と様々な体験を重ねる中で、してよいことや悪いことが分かり、自分の行動を振り返ったり、友達の気持ちに**共感**したりし、相手の**立場**に立って行動するようになる。また、きまりを守る必要性が分かり、自分の気持ちを調整し、友達と折り合いを付けながら、きまりをつくったり、守ったりするようになる。
社会生活との関わり	**家族**を大切にしようとする気持ちをもつとともに、**地域**の身近な人と触れ合う中で、人との様々な関わり方に気付き、相手の気持ちを考えて関わり、自分が役に立つ喜びを感じ、地域に親しみをもつようになる。また、保育所内外の様々な環境に関わる中で、遊びや生活に必要な情報を取り入れ、情報に基づき判断したり、情報を伝え合ったり、活用したりするなど、**情報**を役立てながら活動するようになるとともに、公共の施設を大切に利用するなどして、**社会とのつながり**などを意識するようになる。
思考力の芽生え	**身近な事象**に積極的に関わる中で、物の性質や仕組みなどを感じ取ったり、気付いたりし、考えたり、予想したり、工夫したりするなど、多様な関わりを楽しむようになる。また、友達の様々な考えに触れる中で、**自分と異なる考え**があることに気付き、自ら判断したり、考え直したりするなど、新しい考えを生み出す喜びを味わいながら、自分の考えをよりよいものにするようになる。
自然との関わり・生命尊重	自然に触れて**感動**する体験を通して、自然の変化などを感じ取り、**好奇心**や**探究心**をもって考え言葉などで表現しながら、身近な事象への関心が高まるとともに、自然への愛情や畏敬の念をもつようになる。また、身近な動植物に心を動かされる中で、**生命**の不思議さや尊さに気付き、身近な動植物への接し方を考え、命あるものとしていたわり、大切にする気持ちをもって関わるようになる。
数量や図形、標識や文字などへの関心・感覚	**遊び**や生活の中で、数量や図形、標識や文字などに親しむ体験を重ねたり、標識や文字の役割に気付いたりし、**自らの必要感**に基づきこれらを活用し、興味や関心、感覚をもつようになる。
言葉による伝え合い	保育士等や友達と**心**を通わせる中で、絵本や物語などに親しみながら、**豊かな**言葉や表現を身に付け、**経験したこと**や考えたことなどを言葉で伝えたり、相手の話を注意して聞いたりし、言葉による伝え合いを楽しむようになる。

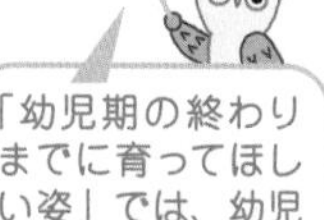

「幼児期の終わりまでに育ってほしい姿」では、幼児教育を行う各施設で幼児の成長のイメージを共有し、小学校就学後の学習への接続がスムーズになるよう配慮されています。

豊かな感性と表現	心を動かす出来事などに触れ**感性**を働かせる中で、様々な素材の特徴や表現の仕方などに気付き、感じたことや考えたことを自分で表現したり、友達同士で表現する過程を楽しんだりし、**表現する喜び**を味わい、**意欲**をもつようになる。

3 保育の方法と形態

保育の目標を達成するためには、一人ひとりの子どもの**実態**を把握(はあく)し、子どもが**安心感**と**信頼感**をもって活動できるような環境を整えなければなりません。そのためには、家庭の状況、発達の状況、生活リズム、性差、個人差、文化的な違いなどを認識しておかなければなりません。

(1) 子どもの実態を理解する

- **家庭の状況**……子どもの家庭状況や地域社会の実態にふさわしい保護や世話を行う。
- **発達の状況**……一人ひとりの発達過程に応じた発達課題を考える。
- **生活リズム**……子ども一人ひとりの生活リズムを大切にしながら、調和のとれた生活の流れになるように整える。入所時期の違いによる不安や動揺などには、特に配慮する。
- **性差・個人差・文化的な違い**……性差・個人差・文化的な違いを認め、子どもが互いに尊重し合う心を育てること。

(2) 保育の方法と形態

❶個別保育

子ども個人を対象に行う保育です。個人差や興味に即した保育であり、保育士と個々の子どもの結び付きを深めることができます。

特に**乳児期**の子どもは、特定の大人との応答的な関わりを通じて情緒的な絆(きずな)が形成されるという発達の特徴があります。一人ひとりの置かれている状態や発達過程などを的確に把握し、子どもの欲求を適切に満たしながら、応答的な対応を行います。

❷集団保育

子どもの集団を対象に行う保育です。年齢が上がるにつれて、子ども同士が影響し合って互いに成長していくことが多くなることから、保育士は、子ども相互の関係づくりや集団活動の効果が期待できるような援助を行います。

集団保育には、どのような集団を編成するかによってさまざまな方法があります。

■集団保育の方法

年齢別保育	同一年齢の子どもでクラス（組）を編成する
異年齢（縦割り、混合）保育	異なる年齢の子どもで集団を編成する
解体保育	年齢別のクラスを解体し、子どもの興味や関心を優先する
グループ保育	少人数からなる集団を編成する
統合保育	障害のある子どもとない子どもを一緒に保育する

異年齢保育では、力関係の固定化も起きやすく、小さい子どもが大きい子どもに圧倒されてしまうこともあります。そうならないような指導・配慮が必要です。

統合保育は**インテグレーション**ともいいます。また、一緒に保育をしながら、障害の有無にかかわらず、それぞれに適した保育を行うことを「インクルージョン（包括(ほうかつ)保育）」といいます。

❸自由保育

子どもの自由な活動を尊重する保育、またそのような保育をよいとする考え方です。活動の主体は子どもですが、保育士は子どもを放っておくのではなく、興味をもって活動に取り組めるような環境を用意したり、葛藤(かっとう)しているときには一緒に考えたりするなど適切に関わります。

❹一斉保育

保育士が中心となり、同年齢の子どもたちに一斉に同じ活動をさせる保育です。一人ひとりの子どもの発達過程を考慮し、一緒に活動することが子どもにとって楽しいかどうか、必要かどうかを事前に検討したうえで行うことが重要です。

ポイント確認テスト

穴うめ問題

☐ **Q1** ☐ 過R6前

「保育所保育指針」第１章「総則」(2)「保育の目標」では、「十分に(　　)の行き届いた環境の下に、くつろいだ雰囲気の中で子どもの様々な欲求を満たし、生命の保持及び情緒の安定を図ること」としている。 >>> p31

☐ **Q2** ☐ 過R6前

「保育所保育指針」第１章「総則」(2)「保育の目標」では、「様々な体験を通して、豊かな(　　)を育み、創造性の芽生えを培うこと」としている。 >>> p32

☐ **Q3** ☐ 過R5前

「保育所保育指針」第１章「総則」では、「保育所における保育全体を通じて、養護に関する(　　)を踏まえた保育が展開されなければならない」としている。

☐ **Q4** ☐ 過R2後

「保育所保育指針」第１章「総則」の４「幼児教育を行う施設として共有すべき事項」(1)「(　　)」として、３つの項目が挙げられている。 >>> p32

○×問題

☐ **Q5** ☐ 過R3後

「保育所保育指針」第1章「総則」の4「幼児教育を行う施設として共有すべき事項」では、育みたい資質・能力として、「知識及び技能の基礎」「思考力、判断力、表現力等の基礎」「学びに向かう力、人間性等」が示されている。 >>> p32

☐ **Q6** ☐ 過R5前

「保育所保育指針」第１章「総則」の４「幼児教育を行う施設として共有すべき事項」(1)「育みたい資質・能力」として、「知識及び技能の基礎」は、「豊かな体験を通じて、感じたり、気付いたり、分かったり、できるようになったりする」としている。 >>> p32

☐ **Q7** ☐ 過R6前

「保育所保育指針」第１章「総則」(2)「幼児期の終わりまでに育ってほしい姿」は、到達すべき目標として定められているわけではない。 >>> p32

☐ **Q8** ☐ 過R3前

「保育所保育指針」第１章「総則」の(2)「幼児期の終わりまでに育ってほしい姿」の一つとして、探求心の芽生えがある。 >>> p33

解答・解説

Q1　養護　Q2　感性や表現力　Q3　ねらい及び内容　Q4　育みたい資質・能力
Q5　○　Q6　○　Q7　○　Q8　×　思考力の芽生えである。

保育原理 Lesson 3

保育所の環境と役割

頻出度 Level 4

子どもの健全な発達のために必要な環境とはどのようなものでしょうか。人的環境と物的環境の両面から理解しましょう。

ココに注目!!
- 保育の人的環境と物的環境
- 保育所の社会的責任
- 保護者支援の内容
- 保育士の専門性

1 保育の環境

保育の環境[*1]には、人的環境（人）と物的環境（物）、自然・社会環境（場）があります。

(1) 人的環境

人的環境（家族、親戚（しんせき）、保育士、友だち、近隣の人々など）は子どもに最も大きな影響を与えます。保育士は家族の次に影響を与える人的環境となり得ます。

児童福祉施設が、安全確保などについて満たすべき基準を定めた「**児童福祉施設の設備及び運営に関する基準**[*2]」第33条により、保育所には、保育士、嘱託医（しょくたくい）、調理員を置かなければならないと定められています。また、子どもの数に対する保育士の配置基準は次のように定められています。

■保育士の配置基準

	保育士の配置基準／子どもの数
乳児	1人以上／乳児おおむね3人
満1歳以上満3歳未満児	1人以上／幼児おおむね6人
満3歳以上満4歳未満児	1人以上／幼児おおむね15人
満4歳以上児	1人以上／幼児おおむね25人

※ただし、1つの保育所につき2人を下ることはできない

でた問!!
***1 保育の環境**
保育の環境について出題。
R4前、R5前・後

でた問!!
***2「児童福祉施設の設備及び運営に関する基準」**
「児童福祉施設の設備及び運営に関する基準」第32条および第33条について出題。
R3前・後、R5後、R6前

＋プラス1
調理員
調理業務の全部を委託する施設では置かないことができる。

（2）物的環境

保育所の施設の基準については、「**児童福祉施設の設備及び運営に関する基準**」第32条の規定に従います。

入所児童	必要な設備
乳児または満2歳に満たない幼児	乳児室、ほふく室、医務室、調理室、便所
満2歳以上の幼児	保育室、遊戯室、屋外遊戯場※、調理室、便所

※保育所の付近にある屋外遊戯場に代わるべき場所を含む。

また、保育所の各設備は子どもの数に応じた面積を確保しなければなりません。

+プラス1

必要な用具
乳児室・ほふく室では、ベビーベッド、おもちゃ。保育室では、オルガン、絵本、紙芝居、画用紙やクレヨン、その他の素材など。

■保育所の各設備に必要な面積

	1人あたりの面積
乳児室	$1.65m^2$ 以上 / 乳幼児★1人につき
ほふく室	$3.3m^2$ 以上 / 乳幼児★1人につき
保育（遊戯（ゆうぎ））室	$1.98m^2$ 以上 / 幼児★★1人につき
屋外遊戯場の面積	$3.3m^2$ 以上 / 幼児★★1人につき

★乳幼児…乳児または満2歳未満の幼児　★★幼児…満2歳以上の幼児

▸▸▸ ここは覚えよう!!

ほふく室

赤ちゃんが「はいはい」をしたり、つかまり立ちやつたい歩きを練習したりする部屋をほふく室といいます。満2歳未満の乳幼児を入所させる保育所に必要な設備です。

都市部の保育所の場合には、花や野菜を育てたり、小動物の世話をしたりするなど、できるだけ子どもたちが自然を身近に感じられるよう工夫します。

（3）自然・社会環境

保育所のある環境は、十分な日当たり、きれいな空気、静かで緑に囲まれていることが望まれます。

また、子どもが人と関わる力を育てていくため、子ども自らが周囲の子どもや大人と関わっていける環境を整えます。

2 保育所の社会的責任とは

「保育所保育指針」では、保育所の社会的責任について次のように述べられています。

「保育所保育指針」第1章　総則

1（5）保育所の社会的責任*3

ア　保育所は、子どもの人権に十分配慮するとともに、子ども一人一人の人格を尊重して保育を行わなければならない。

イ　保育所は、地域社会との交流や連携を図り、保護者や地域社会に、当該保育所が行う保育の内容を適切に説明するよう努めなければならない。

ウ　保育所は、入所する子ども等の個人情報を適切に取り扱うとともに、保護者の苦情などに対し、その解決を図るよう努めなければならない。

でた問!!

***3 保育所の社会的責任**

「保育所保育指針」第1章「総則」の「保育所の社会的責任」について出題。

R3後、R4後

（1）人権への配慮

保育士は、子どもの人権とプライバシーを尊重する姿勢を忘れてはならず、子どもに、身体的・精神的苦痛を与えるようなことは避けなければなりません。保育士には、保護者や子どものプライバシーを守るため、守秘義務*4が課されています。業務上知り得た人の秘密は、保育士でなくなったあとにおいても正当な理由なく漏（も）らしてはなりません。

でた問!!

***4 守秘義務**

保育士の守秘義務について出題。

R3後、R4後

（2）地域との連携と子育て家庭への支援

地域社会との交流や連携を図り、保護者や地域社会に当該保育所が行う保育の内容を適切に説明するよう努めます。

また、保育所に入所していない子どものいる地域の保護者等への支援も保育所の努力義務とされています。

（3）苦情解決

入所する子ども等の個人情報を適切に取り扱うとともに、保護者の**苦情**などに対し、その解決を図るよう努めなければなりません。

保育所内においては、利用者から寄せられる意見・要望・苦情に耳を傾け、職員が話し合い、協力して解決にあたらなければなりません。その記録をもとに報告、改善点を検討し、よりよい保育内容にしていくことが求められます。解決が図れない場合は、**運営適正化委員会**にあっせんを求めるようにします。

運営適正化委員会
⇨p52

3 保護者支援

入所する子どもの保護者や地域の子育て家庭を支援し、**子育てを自ら実践する力**を向上させるための手助けをすることも保育所の役割です。「保育所保育指針」第４章「**子育て支援**[*5]」では、保護者に対する子育て支援のための留意事項について述べられています。

***5 子育て支援**
「保育所保育指針」第4章をもとにした子育て支援について出題。
R2後、R3後、R4前・後、R5前、R6前

（1）保育所における子育て支援に関する基本的事項

❶保育所の特性を生かした子育て支援

支援の基本姿勢として、保護者の気持ちをありのままに受け止め**信頼関係**を築き、保護者自身の**自己決定**を尊重することが求められます。

支援は、保育士等の**専門性**や保育所の特性を生かして行い、保護者が**子育ての喜び**を感じられるよう努めます。

❷子育て支援に関して留意すべき事項

保育所の機能や専門性の範囲を超える内容の支援が必要な場合には、保育所だけで抱え込まず、地域の**関係機関**等と連携することで保護者の多様なニーズにこたえます。

また、相談を受けるなどして知り得た保護者や子どもの**プライバシー**は、子どもの利益に反しない限り外部に漏らしてはなりません。

保護者への対応事例について「保育所保育指針」第４章に照らして解答する問題が頻繁に出題されています。保育士としての適切な対応を理解しておきましょう。

(2) 保育所を利用している保護者に対する子育て支援

❶保護者との相互理解

連絡帳やおたより、送迎時の対話やさまざまな行事などの機会を通じて保護者とコミュニケーションをとり、**相互理解**に努めます。

また、保育所の活動への参加を促(うなが)し、保護者の養育力の向上につなげます。

❷保護者の状況に配慮した個別の支援

保護者が仕事と子育てを両立できるよう、**病児保育**等の事業を行う場合は、保護者の状況や子どもの**生活の連続性**に十分配慮します。

子どもに**障害**や発達上の課題がみられる場合、市町村や関係機関と連携しつつ、保護者に対して個別の支援を行います。また、**外国籍**の家庭など特別な配慮を必要とする家庭に対しても状況に応じて**個別の支援**[*6]を行います。

❸不適切な養育等が疑われる家庭への支援

育児不安等がみられる保護者に対し、希望に応じて面談など個別の支援を行います。

不適切な養育等が疑われる場合は市町村などと連携し、**要保護児童対策地域協議会**で検討するなど適切な対応をとります。虐待(ぎゃくたい)が疑われる場合は児童相談所に**通告**します。

でた問!!

***6 個別の支援**
「保育所保育指針」第4章「子育て支援」の個別の支援について出題。
R5前・後、R6前

要保護児童対策地域協議会
⇨子福p219

用語

要保護児童
①保護者のない児童または②保護者に監護させることが不適当であると認められる児童のこと(児童福祉法第6条の3第8項)。①には孤児・保護者に遺棄された児童・保護者が長期拘禁中の児童、②には被虐待児童・非行児童・保護者の労働や疾病により必要な監護を受けることのできない児童・障害等があり専門の施設に入所したほうがよいと認められる児童などが該当する。

(3) 地域の保護者等に対する子育て支援

❶地域に開かれた子育て支援

通常業務としての保育に支障をきたさない範囲で、地域の保護者等に対しても専門性を生かした子育て支援を行います。

地域の子どもに対して一時預かり事業などを行う場合は、一人ひとりの子どもの心身の状態を考慮し、状況に応じて保育所の活動にも参加させるなど柔軟に対応します。

❷地域の関連機関等との連携

市町村の支援を得て、子育て支援に関する地域の人材と積極的に連携します。また、関係機関と連携し、地域の**要保護児童**への対応などの諸課題に取り組みます。

4 保育士の専門性と資質

保育士という名称の使用に法的規制がなかったころ、認可外保育施設の一部で、保育士を名乗る者が信用を損ねるような事件を起こすなどの問題がしばしば発生していました。

2001（平成13）年11月、保育士資格は**名称独占の国家資格**とされ、保育士資格の法定化が図られました。

それまで使われていた「保母」という名称は、1998（平成10）年の「児童福祉法施行令」の改正により「保育士」と改められました。

（1）保育士の資格

保育士の資格[*7]は「保育士となる資格を有する者」（都道府県知事が指定する保育士を養成する学校その他の施設を卒業した者と、都道府県知事が行う保育士試験に合格した者）が保育士登録簿に登録を受け、**都道府県知事**から保育士証の交付を受けることによって得られます。

*7 保育士の資格
「児童福祉法」における保育士について出題。
R3後

「児童福祉法」第18条の4

保育士とは、第18条の18第１項★の登録を受け、保育士の名称を用いて、専門的知識及び技術をもつて、児童の保育及び児童の保護者に対する保育に関する指導を行うことを業とする者をいう。

★「保育士となる資格を有する者が保育士となるには、保育士登録簿に、氏名、生年月日その他内閣府令で定める事項の登録を受けなければならない。」

（2）保育士の資質向上

保育士は、乳幼児期という生涯にわたる人間形成にとって重要な時期に子どもと深く関わります。そのため、専門知識と技術に基づいた適切な保育を行わなければなりません。

保育士自身が次のような点に気をつけて、自己研鑽（けんさん）を積んで**資質の向上**[*8]を図ったり、人格を高めていったりすることが重要です。

❶保育所では職員が研修に**積極的**・**主体的**に参画できるような環境づくりを心がける。

❷職員、所長および保育所自身の**自己評価**を絶えず行う。

*8 資質の向上
資質向上について出題。
H31前、R3後、R4前、R5後、R6前

❸所内研修や派遣研修などの実施。

「保育所保育指針」では、保育所職員の資質向上に関する基本的事項を以下のように述べています。

> **「保育所保育指針」　第5章**
>
> **職員の資質向上に関する基本的事項**
>
> **（1）保育所職員に求められる専門性**
>
> 子どもの**最善の利益**を考慮し、**人権**に配慮した保育を行うためには、職員一人一人の**倫理観**、人間性並びに保育所職員としての職務及び責任の理解と自覚が基盤となる。
>
> 各職員は、**自己評価**に基づく課題等を踏まえ、保育所内外の**研修**等を通じて、保育士・看護師・調理員・栄養士等、それぞれの職務内容に応じた専門性を高めるため、必要な知識及び**技術**の修得、維持及び向上に努めなければならない。
>
> **（2）保育の質の向上に向けた組織的な取組**
>
> 保育所においては、保育の内容等に関する**自己評価**等を通じて把握した、保育の質の向上に向けた課題に**組織的**に対応するため、**保育内容**の改善や保育士等の役割分担の見直し等に取り組むとともに、それぞれの**職位**や職務内容等に応じて、各職員が必要な知識及び**技能**を身につけられるよう努めなければならない。

また、施設長の責務は、次のように定められています。

> **「保育所保育指針」　第5章**
>
> 施設長は、保育所の全体的な計画や、各職員の研修の必要性等を踏まえて、体系的・計画的な研修機会を確保するとともに、職員の勤務体制の工夫等により、職員が計画的に研修等に参加し、その専門性の向上が図られるよう努めなければならない。

（3）保育士の倫理観

保育士などの**言動**は、子どもやその保護者に大きな影響を与えます。このため、保育士は高い倫理観をもって援助にあたることが必要です。

「**全国保育士会倫理綱領**（りんりこうりょう）」の前文では、保育士が自らの人間性と専門性の向上に努め、一人ひとりの子どもを心から尊重するとしています。そのうえで、①子どもの最善の利益の尊重、

用語

「全国保育士会倫理綱領」

2003（平成15）年に策定された保育士の専門職としての行動指標。全国社会福祉協議会、全国保育協議会、全国保育士会が共同で作成・採択した。

プラス1

わいせつ行為を行った保育士の処遇

2022（令和4）年の「児童福祉法」の改正により、保育士資格の登録取消の事由として「わいせつ行為を行ったと認められる場合」を加えること、該当者の情報が登録されたデータベースを整備するなどわいせつ行為を行った保育士の情報を雇用者等が把握できるような仕組みが構築されることになった。

②子どもの発達保障、③保護者との協力、④プライバシーの保護、⑤チームワークと自己評価、⑥利用者の代弁、⑦地域の子育て支援、⑧専門職としての責務、の８条が示されています。

▸▸▸ ここは覚えよう!!

保育士の資格と資質

保育士試験

保育士試験は、内閣総理大臣の定める基準により、保育士として必要な知識および技能について行う

保育士の登録

保育士となる資格を有する者が保育士となるには、保育士登録簿に、氏名、生年月日その他内閣府令で定める事項の登録を受けなければならない

信用失墜（しっつい）行為の禁止

保育士は、保育士の信用を傷つけるような行為をしてはならない

名称独占

保育士でない者は、保育士またはこれに紛らわしい名称を使用してはならない

守秘義務

保育士は、正当な理由がなく、その業務に関して知り得た人の秘密を漏らしてはならない。保育士でなくなった後においても、同様とする

「保育士となる資格を有する者」が都道府県知事の登録を受けることにより「保育士」となることができます。

ポイント確認テスト

穴うめ問題

□□ **Q1** 過R3前

「児童福祉施設の設備及び運営に関する基準」第33条によれば、保育所における保育士の数は、満1歳以上満3歳未満の幼児おおむね（　　）人につき1人以上とされている。 >>> **p37**

□□ **Q2** 過H30前

保育所は、（　a　）との交流や連携を図り、保護者や（　a　）に、当該保育所が行う保育の（　b　）を適切に説明するよう努めなければならない。 >>> **p39**

□□ **Q3** 過R4後

保育所は、（　a　）等の個人情報を適切に取り扱うとともに、（　b　）の苦情などに対し、その解決を図るよう努めなければならない。 >>> **p39**

□□ **Q4** 過H31前

「保育所保育指針」第5章「職員の資質向上」では、「保育所においては、保育の内容等に関する（　a　）等を通じて把握した、保育の質の向上に向けた課題に（　b　）対応するため、（　c　）の改善や保育士等の役割分担の見直し等に取り組むとともに、それぞれの（　d　）や職務内容等に応じて、各職員が必要な知識及び（　e　）を身につけられるよう努めなければならない」としている。 >>> **p43**

○×問題

□□ **Q5** 過R4後

「保育所保育指針」第1章「総則」では、「子どもの人権に十分配慮するとともに、子ども一人一人の人格を尊重して保育を行う」としている。 >>> **p39**

□□ **Q6** 過R6前

「保育所保育指針」第4章「子育て支援」（3）「不適切な養育等が疑われる家庭への支援」では、「保護者に不適切な養育等が疑われる場合には、市町村や関係機関と連携し、要保護児童対策地域協議会で検討するなど適切な対応を図る」としている。 >>> **p41**

□□ **Q7** 過R3後

保育士は、正当な理由がなく、その業務に関して知り得た人の秘密を漏らしてはならない。ただし、保育士でなくなった後においてはその限りではない。 >>> **p44**

□□ **Q8** 過R3後

保育士でない者は、保育士又はこれに紛らわしい名称を使用してはならない。 >>> **p44**

解答・解説

Q1　6　**Q2**　a 地域社会／b 内容　**Q3**　a 入所する子ども／b 保護者　**Q4**　a 自己評価／b 組織的に／c 保育内容／d 職位／e 技能

Q5　○　**Q6**　○　**Q7**　×　保育士でなくなった後も漏らしてはならない。　**Q8**　○

保育原理 Lesson 4

保育の計画・実践・記録・評価

頻出度 Level 4

保育の計画はどのように立てればいいのでしょうか。
「全体的な計画」と「指導計画」それぞれについて学びましょう。

ココに注目!!

- ✔ 全体的な計画の編成の手順
- ✔ 指導計画の種類
- ✔ 観察記録とエピソード記述の違い
- ✔ 保育サービスの評価の必要性

1 保育の計画の基本

入所しているすべての子どもが適切な保育を受けられるよう、保育の計画を作成する必要があります。保育の計画には「**全体的な計画**[*1]」と「指導計画」の2つがあります。

①**全体的な計画**……保育所保育の全体像を**包括的**に示すもので、子どもの発達過程を踏まえて保育の内容が組織的・計画的に構成される。

②**指導計画**……全体的な計画に基づいた**具体的**な計画。保育を実際に展開するのに必要となる。

でた問!!
*1 全体的な計画
「保育所保育指針」第1章「保育の計画及び評価」における全体的な計画に関する記述について出題。
R2後、R3前・後、R4後、R5前、R6前

職場の保育士一人ひとりが積極的に計画づくりに関わり、アイデアをだし合って、その保育所の特色がある計画を作成することが大切です。

▸▸▸ ここは覚えよう!!

保育の計画

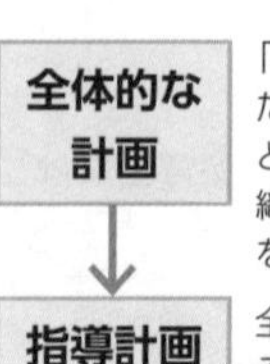

全体的な計画：「保育所保育指針」の保育の目標を達成するために、各保育所の方針や目標に基づき、子どもの発達過程を踏まえて、保育の内容が組織的・計画的に構成され、保育所生活の全体を通して、総合的に展開される全体的な計画

↓

指導計画：全体的な計画に基づき、保育を実際に展開するのに必要な具体的な計画

- **長期的指導計画**（年・期・月）
- **短期的指導計画**（週・日）

2 全体的な計画・指導計画

全体的な計画は、保育の内容が組織的・計画的に構成され、保育所生活全体をとおして総合的に展開されるという観点が必要です。

（1）全体的な計画を作成するうえで重要な観点

❶長期的な見通しをもって作成すること

子どもの家庭の状況、地域の実態、保育時間などを考慮し、子どもの育ちに関する**長期的見通し**をもって適切に作成することが必要です。

❷保育所保育の全体像を包括的に示すこと

この計画に基づいて作成される**指導計画**、保健計画、食育計画等を通じて、各保育所が創意工夫して保育できるように作成することが必要です。

（2）全体的な計画の編成の手順

全体的な計画の**編成の手順**[*2]は次の通りです。

❶平均的な子どもの実態・保育所の現状・地域の実態の把握

- **身体の発育状況**
- **精神の発達状況**
- **基本的な生活習慣**
- **家庭環境**
- **保育所の立地状況、園内の設備、職員の構成**
- **保育所周辺の自然環境、社会環境、地域行事**

↓

❷保育所全体の中心となる目標の設定

「保育所保育指針」の保育の目標を踏まえ、その保育所独自の全体的な目標を定めます。

↓

❸「ねらい」の策定

「保育所保育指針」の「ねらい」に沿って、その保育所独自の「ねらい」を策定します。

↓

でた問!!

***2 編成の手順**
全体的な計画から評価までの過程の順番について出題。
R5後

保育の目標
⇨p31

保育所全体の目標の例

- 心身ともにたくましい子
- 仲間を大切にする子
- 感動し表現する子

❹保育内容の決定・配列

❸で決定した「ねらい」を実現する方向で、実際の保育の内容を決め、発達過程を踏まえて配列します。

❺省察（せいさつ）・評価・反省する

計画に基づいて行った保育実践を振り返り、よしあしなどを見直し、保育の改善につなげていきます。

用語
省察
自分自身の言動を反省してそのよしあしを考えること。

（3）指導計画の作成

「**指導計画**[*3]」は、「全体的な計画」に基づいた保育目標・保育方針を実現するための具体的な計画です。

指導計画には次のような種類があります。

でた問!!
***3 指導計画**
指導計画の作成について出題。
R1後、R2後、R3前・後、R5前

■指導計画の種類

	指導計画	内容
長期	**年間指導計画**	●４月から翌年の３月までを各期間、各月に配分した計画。 ●発達過程区分の発達上の特性と、**対象となる組の実際の子どもの実態**とを照らし合わせて作成する。
	期間指導計画	●１年間をほぼ季節に沿って４つの期間に分ける。 ●期間ごとに**活動内容**と**ねらい**を定めた計画。
	月間指導計画（月案）	●１か月単位で保育内容を具体化する。 ●月ごとの主な**活動内容**と**ねらい**を明確にする。
短期	**週間指導計画（週案）**	●１週間単位で保育内容を具体化する。 ●週ごとの主な**活動内容**と**ねらい**を明確にする。
	１日の指導計画（日案）	●１日単位で保育内容を具体化する。 ●その日の**主題**、**具体的な活動順序**、**注意点**をあらかじめ決めておく。

具体的な指導計画は、子どもの保育を直接担当する保育士が作成します。

（4）指導計画作成上の留意事項

次のような点に気をつけて指導計画を作成します。

❶年齢・発達状況・保育年数

子どもの年齢や**発達状況**、**保育年数**などを考慮します。

❷保育所の地域性

地域の行事や環境などの要素を保育に取り入れ、子どもが**豊かな生活体験**をできるように工夫します。

❸子どもの発想

子どもの発想や希望を生かした計画を立てると、子どもの主体的・意欲的な活動につながります。

❹子どもの生活リズム

子どもの1日の生活リズムを大切にしながら、活動と食事、昼寝などをバランスよく取り入れます。

❺柔軟な計画

計画に変更が必要になった場合は柔軟に対応しましょう。それも踏まえて幅をもたせた計画づくりを心がけます。

❻個人差、異年齢への配慮

個人差やそれぞれの家庭の環境、習慣、保護者の意向などにも配慮し、家庭と密接に連携をとりながらバランスをとっていきます。発達の個人差が大きい3歳未満児については**個別的な指導計画**[*4]を作成します。

障害のある子ども[*5]に対しては、**発達過程**や障害の状態を把握（はあく）し、家庭や関係機関と**連携**した支援のための計画を個別に作成します。

異年齢の子どもで編成されるクラスで保育を行うときは、一人ひとりの子どもの状態を把握し、適切な環境構成や援助ができるように配慮します。

でた問!!

***4 個別的な指導計画**
個別的な指導計画について出題。
R4後、R6前

***5 障害のある子ども**
障害のある子どもの指導計画について出題。
R2後、R3前、R5前・後

（5）指導計画作成の手順

指導計画は、**保育を直接担当する保育士**が、次の手順で作成します。

①目の前の子どもの生活や遊びの実態をよく**観察**し把握する。
②保育の「**ねらい**」を設定する。
③**活動内容**を選択する。
④子どもの活動を予想し、内容に合う**環境**を構成する。
⑤保育士が**配慮・援助**する事項を表形式で作成する。

異年齢保育
⇨p35

（6）環境の構成

具体的な保育活動を展開するにあたっては、子どもが**自発的・主体的**に活動できるような、魅力ある**環境**をつくりだすことが重要です。その際、環境は保育士が一方的につくるものではなく、子どもと保育士が一緒につくっていくという姿勢が求められます。「子どもの**発達**を保育士が**援助**する」という視点からの環境の構成（人・物・場）を常に意識しましょう。

環境構成の際には季節の変化なども考慮しましょう。

3 保育の記録・評価

保育所における**記録**[*6]には、保育内容に関する記録と業務内容に関する記録があります。また、評価の対象には、保育内容と子どもの活動の２つがあります。

❶保育内容の記録

観察記録と**エピソード記述**に分けられます。

- **観察記録**……子どものありのままを観察する**自然観察法**と一定の条件下での行動を観察する**実験観察法**がある。
- **エピソード記述**……自然観察法と同じようなものだが、**客観的**な記述だけでなく、子どもや保育士の**内面の動き**にも注目して記録する。

❷業務内容の記録

保育日誌や**会議録**、保護者との**連絡帳**などがあります。これらをとおして、保育士は自分が行った保育の内容を振り返ることができたり、保護者と子どもの情報を共有したりすることができます。

記録の具体例として、**保育所児童保育要録**（保育要録、児童要録）があります。

❸保育の評価の必要性

保育士等は、よりよい保育を行うために、保育の目標、計画、方法が適切であったかどうかを常に振り返り自己評価することをとおして、次の保育実践を改善させていくよう努めなければなりません。また、保育所としても自己評価を行い、その結果を公表することが努力義務とされています。

でた問!!

＊6 記録
「保育所保育指針」第1章「保育の計画及び評価」における保育の記録と評価に関する記述について出題。
H31前、R1後、R3前、R4前

✚プラス1

5W1H
要点を押さえて簡潔に記録する際に重要な項目のこと。
いつ（When）
どこで（Where）
どの子が（Who）
何をした（What）
なぜ（Why）
どのように（How）

用語

保育所児童保育要録
子どもの発達の状況や発達過程を記したもの。保育所から子どもの就学先の小学校へ送付する。これまでの育ちや学びをつなげていくための資料。
⇨下巻 保実p312

❹評価の対象

● **保育内容等の評価**[*7]

子どもの意欲、「ねらい」「内容」や**環境構成**の適切さ、**時間配分**、「ねらい」の達成度、子どもの意見や発想が生かされていたかどうかなどを基準に評価する。

● **子どもの活動に対する評価**

子どもが心身ともに成長・発達していくための手がかりを得るために行う。「チェック項目の一覧表」や「保育日誌」、「**児童票**」などを活用し、できるだけ**具体的**、**客観的**に継続して評価する。

4 保育所の第三者評価

❶第三者評価

保育サービスの質的向上のためには、客観的な評価を行うための**第三者評価**が必要です。2004（平成16）年５月、厚生労働省から「福祉サービス第三者評価事業に関する指針について」という通知が発表されました。

その後2010（平成22）年に出された指針では、第三者評価の実施に関して、次のように述べられています。

● **目的**……①個々の事業者が事業運営における問題点を把握し、サービスの質の向上に結び付ける、②利用者の適切なサービス選択に資するための情報とする。

● **評価基準・対象・分類**……**最低基準以上のサービスの質の向上**を促進するための基準が評価される。「評価結果の善し悪しにかかわらず、基本的には第三者評価を受けたすべての事業者」はインターネットや冊子などを通じて評価結果を公表することとされている。

❷苦情解決

2000（平成12）年に「社会福祉の増進のための社会福祉事業法等の一部を改正する等の法律」が制定・施行され、**苦情解決**[*8]について、次の３点が規定されました。

● **社会福祉事業経営者の苦情解決の責務を明確化する。**

● **第三者が加わった施設内の苦情解決のしくみの整備。**

でた問!!

***7 保育内容等の評価**
保育内容等の評価について出題。
R4前

用語

児童票
子どもの状態を把握するための記録。
〈内容〉
・出生時からの生育歴・病歴、予防接種の状況、家族関係など
・入所後の健康・発育状況、各種健康診断結果
・保育の経過

プラス１

第三者評価の対象施設
児童養護施設、母子生活支援施設、乳児院、児童自立支援施設、児童心理治療施設、里親支援センターについて実施される。「児童福祉施設の設備及び運営に関する基準」において受審が義務とされている。３年に１回受審し、その結果を公表しなければならない（里親支援センターの年限は未定）。また、保育所は受審が努力義務とされている。

苦情解決
⇨社福p199

でた問!!

***8 苦情解決**
苦情解決の内容について出題。
R3前

用語

運営適正化委員会
福祉サービスに関する利用者などからの苦情を適切に処理するため、公正、中立な第三者機関として都道府県社会福祉協議会に置かれる。福祉サービス事業者が適正な運営を行うため、必要なときには事業者に助言や勧告を行うことができる。

● **運営適正化委員会を設置。**

児童福祉施設については、2000（平成12）年に「児童福祉施設最低基準（現：児童福祉施設の設備及び運営に関する基準）」が改正され、**苦情解決の窓口**の設置、運営適正化委員会への協力義務が規定されました。

ここは覚えよう!!

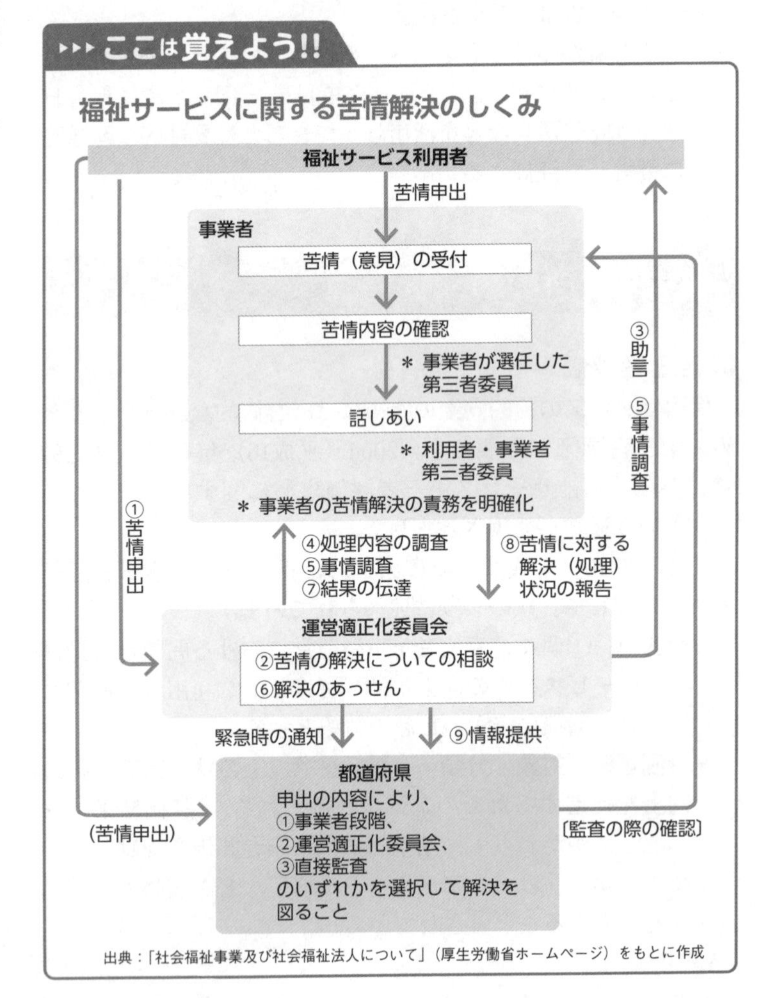

出典：「社会福祉事業及び社会福祉法人について」（厚生労働省ホームページ）をもとに作成

▸▸▸ ここは覚えよう!!

保育の計画および評価

全体的な計画の編成
- 各保育所の方針・目標
- 発達過程を踏まえたねらい・内容
- 子どもの実態把握、園内の施設・設備の把握、地域の実態把握

↓

指導計画の作成
- 長期の指導計画
- 短期の指導計画

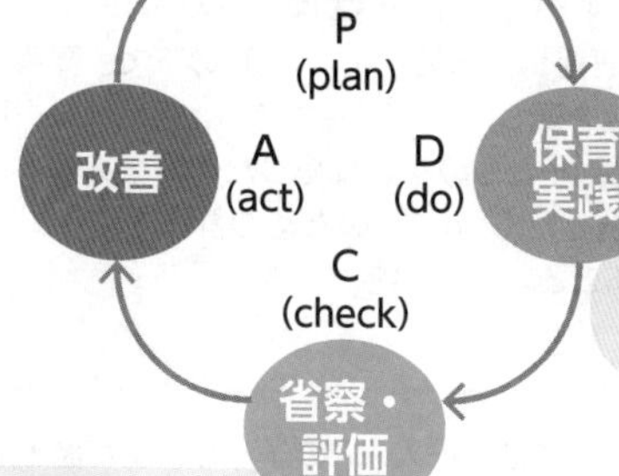

子どもの状態を把握するための記録として、児童票や保育所児童保育要録などがあります。

PDCAサイクルともいいます。

環境をとおして行う保育の実践

↓

保育士などの自己評価
- 子どもの育ちをとらえる視点
- 自らの保育をとらえる視点

↓

保育所の自己評価
- 個々の保育士の評価に基づいて、保育所の課題の明確化
- 保育所の課題の共通理解
- 評価結果の公表

保育の記録

保育内容の記録
- 観察記録
- エピソード記述

業務内容の記録
- 保育日誌
- 連絡帳

ポイント確認テスト

穴うめ問題

Q1 過R3後

地域の生活条件、環境、文化などの特性や近隣の関係機関及び人材等の実態を踏まえ、これらを生かして、（　　）な計画を作成することが求められる。 >>> p46

Q2 過R2後

指導計画においては、一日の（　　　）リズムや在園時間が異なる子どもが共に過ごすことを踏まえ、活動と休息、緊張感と解放感等の調和を図るよう配慮する。 >>> p49

Q3 過R2後

障害や発達上の課題のある子どもの理解と援助は、子どもの保護者や家庭との（　a　）が大切であり、（　a　）を通して保護者が保育所を信頼し、子どもについての（　b　）理解の下に協力し合う関係を形成する。 >>> p49

Q4 過R5後

障害のある子どもの保育については、一人一人の子どもの発達（　a　）や障害の状態を把握し、適切な（　b　）の下で、障害のある子どもが他の子どもとの生活を通して共に成長できるよう、（　c　）計画の中に位置付けること。また、子どもの状況に応じた保育を実施する観点から、家庭や関係機関と連携した（　d　）のための計画を（　e　）に作成するなど適切な対応を図ること。 >>> p49

○×問題

Q5 過R6前

3歳未満児については、一人一人の子どもの生育歴、心身の発達、活動の実態等に即して、個別的な計画を作成することが求められる。 >>> p49

Q6 過R5前

障害のある子どもの保育にあたっては、専門的な知識や経験を有する地域の関係機関と連携し、互いの専門性を生かしながら、子どもの発達に資するよう取り組んでいくことが必要である。 >>> p49

Q7 過R4前

保育士等は、保育の計画や保育の記録を通して、自らの保育実践を振り返るとともに自己評価を行い、必ずその結果を公表しなければならない。 >>> p50

Q8 過R1後

保育士等は、保育の過程を記録し、これらを踏まえ、指導計画に基づく保育内容の見直しを行い、改善を図る必要がある。 >>> p50

解答・解説

Q1　全体的　Q2　生活　Q3　a 連携／b 共通　Q4　a 過程／b 環境／c 指導／d 支援／e 個別
Q5　○　Q6　○　Q7　×　自己評価の結果の公表は保育所の努力義務である。　Q8　○

保育原理 Lesson 5

諸外国の保育の思想と歴史

頻出度 Level 4

諸外国の保育思想は、日本にも大きな影響を与えています。人物とその功績を整理して理解しましょう。

ココに注目!!
- フレーベルのキンダーガルテン
- モンテッソーリの教具
- ルソーの児童中心主義
- デューイの経験主義

1 保育施設の歴史

保育所は、どのようにして始まったのでしょうか。このレッスンでは欧米における保育施設がどのような歴史をたどって発展していったのかをみていきましょう。

(1) 幼児保護所―1779年フランス

オーベルランは、世界初の保育所といわれる幼児保護所を設立しました。当時、オーベルランが牧師として赴任した村は戦争の被害を受け貧困に陥って(おちい)おり、農耕や土木工事などの事業を指導しましたが、親が働いている間、子どもが放任されていたことから、子どもを保護し教育する施設が必要だと考えました。

施設では、宗教教育とフランス語に加え、遊戯(ゆうぎ)や糸つむぎ、裁縫、レース編みなどの作業も教え、編み物学校ともよばれました。

(2) 性格形成学院―1816年イギリス

オーエン[*1]は、自身が経営する紡績(ぼうせき)工場の敷地内に貧しい子どものための保育・教育施設として性格形成学院を設立しまし

オーベルラン
Oberlin, J. F.
1740～1826年。
オーベルリンと表記される場合もある。

でた問!!
*1 オーエン
オーエンの功績について出題。
R1後、R4前・後、R5後

オーエン
Owen, R.
1771～1858年。
イギリスのニュー・ラナークの紡績工場主。オーウェンと表記される場合もある。

＋プラス１

『新社会観』
オーエンの著書。人間の性格は環境に根ざすものであり、環境を改善すれば人間はよりよく形成されるとし、幼児期における環境の影響力の大きさが述べられている。

た。産業革命を達成したイギリスでは、女性が安価な労働力として長時間労働に駆りだされ、子どもは放置されるか、さらに安価な労働力として働かされており、そのような子どもたちを保護・教育することを目的としていました。

３部構成となっていた性格形成学院のうち、１～６歳の幼児を対象とした**幼児学校**では、子どもを叩いて罰を与えるような教育は行わず、戸外遊びやお話、ダンスなど遊びを中心とする自由な活動を重視しました。

***2 フレーベル**
フレーベルの思想や『人間の教育』、恩物について出題。
R1後、R2後、R3前･後、R4後、R5前、R6前

（3）キンダーガルテン―1840年ドイツ

フレーベル[*2]は、世界初の幼稚園である**キンダーガルテン**を設立しました。施設の名称は「子どもたちの庭」という意味で、庭師が植物を自然のままに育てるように、子どもが生まれながらにもっている性質を大切にして育てるべきであるというフレーベルの思想に基づいています。教会と同じくらい幼稚園の数を増やすことを願い、「**いざ、子どもたちに生きよう**」を合言葉にドイツ国内での普及に力を注ぎました。

著書『**人間の教育**』では、「すべてのものは、神的なもののなかに、神のなかに、神的なものによって、神によって安らい、生き、存続している」と述べ、教育の目的は人間のうちにある神的なものを発展させることだと考えました。

子どもの発達を促(うなが)す方法としては、遊びを特に重要だと考え、**恩物**(おんぶつ)とよばれる教育的遊具を考案しました。

フレーベル
Fröbel, F. W. A.
1782～1852年。
19世紀に活躍したドイツの教育学者。「幼稚園の父」とよばれる。
⇨教原p93

積み木などはこの「恩物」の応用形といえますね。さまざまな「恩物」は世界中に広がっています。

■フレーベルの恩物

第２恩物：三体（球・円柱・立方体）

第３恩物：立方体の積木

（4）子どもの家―1907年イタリア

モンテッソーリが設立した「**子どもの家**」では、２歳半から６歳までの子どもに対して、**異年齢保育**のなかで感覚教育を基本とし、教具を用いて言語、地理、音楽、算数などの教育へと導きました。子ども自身が自発的に考え、生活することを促すため、いすや机など、すべての設備が子ども用のサイズでつくられました。

学級編成においては、相互の関わりによる学習力の向上を図るため、異なる年齢の子どもで学級を編成する**異年齢保育**を原則としました。

モンテッソーリ
⇨p60、教原p94

（5）保育学校―1911年イギリス

マクミラン姉妹[*3]は、労働者家庭の子どもを対象に、自宅の庭を開放して**保育学校**を設立し、戸外での遊びと健康な生活習慣の指導を中心とする保育を行いました。

「**すべての子どもをあなた自身の子どものように教育しなさい**」をモットーとしており、その保育は小規模かつ人道主義に基づいたものでした。

***3 マクミラン姉妹**
マクミラン姉妹の保育学校について出題。
R5後

マクミラン姉妹
McMillan, R. & M.
1859～1917／
1860～1931年。
妹のマーガレットが活動の中心となった。

（6）レッジョ・エミリア・アプローチ[*4]―1945年イタリア

イタリアの**レッジョ・エミリア**市では、第二次世界大戦後に労働者や農民、母親たちが協力して自主保育を始めました。その後、教育哲学者のローリス・マラグッツィが幼児教育センターの所長に就任してサポートを行ったことで、その保育・教育実践が市全体に広がりました。

園には園長を配置せず、教師、芸術教師（**アトリエリスタ**）、教育専門家（**ペダゴジスタ**）の三者が協議しながら民主的な運営に努めます。

表現活動の拠点となるアトリエが設けられていることや、子どもの日々の活動や学びの記録である**ドキュメンテーション**が特徴としてあげられます。

でた問!!

***4 レッジョ・エミリア・アプローチ**
保育・教育実践の特徴について出題。
R1後、R4後

■諸外国の代表的な保育施設

施設名	施設の性格	設立者
幼児保護所	保育所	オーベルラン
性格形成学院	事業所内保育施設	オーエン
キンダーガルテン	幼稚園	フレーベル
子どもの家	異年齢保育所	モンテッソーリ
保育学校	私設保育所	マクミラン姉妹

2 保育の研究者・実践者

諸外国における主な保育の研究者・実践者とその功績をみていきます。教育原理での出題も多い人物です。

（1）コメニウス

でた問!!
*5 コメニウス
コメニウスの思想や著書について出題。
R3後、R4後

コメニウス
⇨教原p91

『世界図絵』は、今日の視覚教材の先駆けとされています。

コメニウス[*5]は、世界初の体系的な教育学の書物である『**大教授学**』を著し、「近代教育学の父」とよばれています。「**すべての人にすべてのことを教える**」を基本理念とし、身分や貧富の違いにかかわらずすべての人に教育が必要であるとして民主的な学校制度を主張しました。特に幼児教育を重視し、０～６歳までを対象とする学校を**母親学校**と名づけました。また、幼児期の遊びの重要性を説いたことでも知られています。

教育の方法については**直観教授**を提唱し、自然のなかで観察力や感覚を養い、具体的に学ぶべきだと考えました。また、このような考え方に基づく教材として、世界初の絵入り教科書『**世界図絵**』を編みました。

（2）ロック

ロック
⇨教原p91

ロックは、子どもの心は白紙のようなもので、知識や観念は経験によって獲得されるとする**白紙説（タブラ・ラサ）**を唱え、だからこそ教育が重要であると主張しました。

『**教育に関する（若干の）考察**』では、白紙である子どもが自分自身で健全に成長していくため、よい習慣の形成が大切であると説いています。

(3) ルソー

ルソー[*6]は、子どもには大人とは異なる特有の考え方や感じ方があり、けっして「小さな大人」として扱ってはならないと考えました。そのためルソーは「**子どもの発見者**」とよばれており、**児童中心主義**の教育を提唱しました。

子どもをもともと「善」なる存在だと考えたルソーは、著書『エミール』のなかで「**万物をつくる者の手をはなれるときすべてはよいものであるが、人間の手にうつるとすべてが悪くなる**」と述べています。これは、大人が余計な指導をすることで子どものよい性質が損なわれてしまうという意味です。このことから、できる限り指導をせず、子どもの自然な発達を援助する**消極教育**[*7]を主張しました。

(4) ペスタロッチ

スイスの教育思想家である**ペスタロッチ**[*8]は、農業改良の事業や貧民学校の経営などの実践を行うなかで教育に関する思索を深めました。貧しい子どもたちが自立するための手仕事などの技術を教えるとともに、人格形成においては家庭生活のなかの**母親**による教育が重要であると考えました。このような生活と教育とを結び付ける考え方は、「**生活が陶冶（とうや）する**（資質や才能を練り上げる）」という彼の有名な言葉にも表れています。

教育の方法については、「**メトーデ**」という教授法をまとめました。言葉で考えるよりも直接ものをみることで得られる「直観」を重視し、直観を数・形・語の３要素に分類しています。

代表的な著書として『隠者（いんじゃ）の夕暮』『シュタンツだより』『リーンハルトとゲルトルート』などがあります。

でた問!!

*6 ルソー
ルソーについて出題。
H31前、R1後、R3後、R4前、R6前

*7 消極教育
消極教育について出題。
R1後

ルソー
Rousseau, J. J.
1712〜1778年。
フランスの哲学者。出身はスイス。フランス革命前の階級社会を痛烈に批判した。

用語

『エミール』
ルソーの代表的な教育論。小説の形式をとっており、主人公エミールの誕生から結婚までを描くなかで、自然に従うことが教育の根本であるという消極教育の思想を展開している。

でた問!!

*8 ペスタロッチ
家庭教育における母親の役割について出題。
R6前

ペスタロッチ
Pestalozzi, J. H.
1746〜1827年。
若いころから貧民学校をつくり、貧しい子どもや孤児のための福祉と教育に情熱を燃やした。

(5) イタール

イタールは、医師として森のなかで発見・保護された野生児を教育した６年間の記録を『**アヴェロンの野生児**』としてまとめました。教育により、一定の知的発達はみられましたが、音声言語の習得はうまくいかなかったという結果から、子どもが人間らしく発達するためには適切な環境や教育が必要であるという**環境説**に影響を与えました。

環境説
⇨教原 p82

(6) モンテッソーリ

モンテッソーリ[*9]は、**感覚器官**の訓練が子どもの発達にとって重要だと考え、なかでも乳幼児期の特に敏感な時期を**敏感期**と名づけました。精神発達の基礎となるこの時期に、子どもの興味や関心をひきつけ感覚器官を訓練するため、**モンテッソーリ教具**を開発しました。

これらの理論と実践は**モンテッソーリ・メソッド**[*10]とよばれ、その後の幼児教育に大きな影響を与えました。

代表的な著書として『創造する子供』『幼児の秘密』『**子どもの発見**』などがあります。

でた問!!
*9 モンテッソーリ
モンテッソーリについて出題。
R1後、R4前、R5前

＋プラス1
子どもの家
モンテッソーリはローマ優良建築協会の要請で子どもの家の監督に就任し、大きな成果をあげた。

でた問!!
*10 モンテッソーリ・メソッド
モンテッソーリ・メソッドについて出題。
R4後

■モンテッソーリ教具

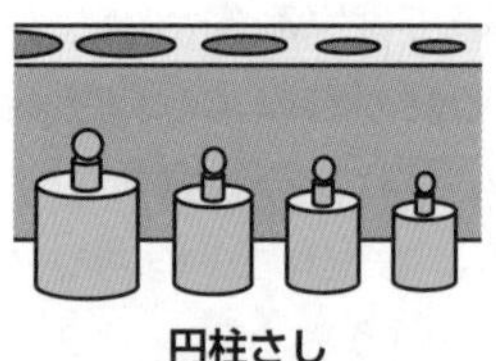
円柱さし
（大きさや重さを体験する）

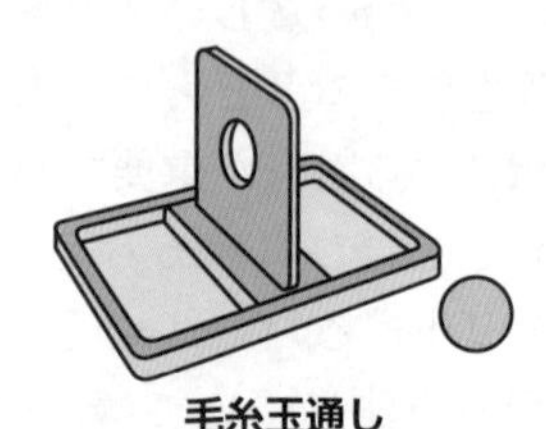
毛糸玉通し
（目と手の協応動作を促す）

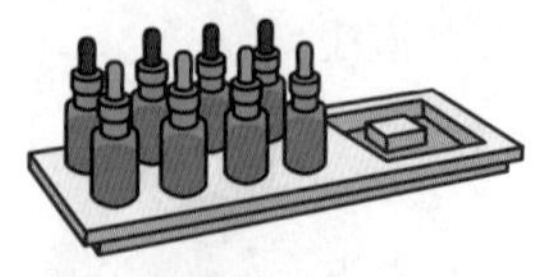
味覚びん
（味を判別する力をつける）

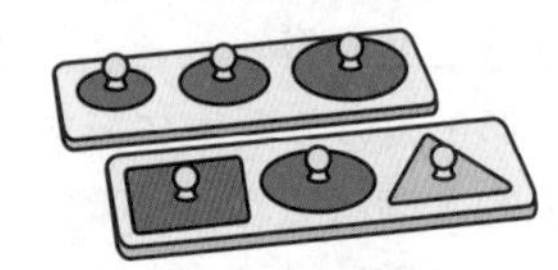
はめこみパズル
（図形の形と大きさを測る力をつける）

(7) エレン・ケイ

エレン・ケイ[*11]は子どもの尊厳と権利を主張し、**児童中心主義的**教育論を展開しました。1900年に出版された著書『**児童の世紀**』で「20世紀は児童の世紀である」と述べ、子どもの人権の必要性を訴えました。

でた問!!

***11 エレン・ケイ**
エレン・ケイについて出題。
R5前

エレン・ケイ
⇨教原p94

(8) デューイ

デューイ[*12]は、教師が教科書の知識を子どもに学習させる教育を批判し、子どもが学習の中心となり、自身が経験したことを通じて学んでいく**経験主義**の教育を主張しました。

その実践として、シカゴ大学内に実験学校(デューイスクール)を設立し、子ども自身が「為すこと(経験すること)によって学ぶ」教育を行いました。この実践は、著書『**学校と社会**』としてまとめられています。

デューイ
Dewey, J.
1859〜1952年。
アメリカの社会心理学者。学問や知識は問題解決のための実用的な道具だとするプラグマティズムを広めた。

でた問!!

***12 デューイ**
デューイの功績について出題。
H31前、R4後

(9) ニール

ニールは、フロイトらの精神分析理論の影響から、教育とは「無意識を意識化すること」だと考えました。

実践家としては、サマーヒル学園を設立し、子どもの自由意思を大切にする**自由教育**を行いました。出欠自由の授業や、子ども自身が科目を選択することができるなど従来の学校教育にとらわれない特徴から、世界初のフリースクールとよばれています。

ニール
Neill, A. S.
1883〜1973年。
イギリスの教育実践家。

***13 ピアジェ**
ピアジェの考え方について出題。
H31前

(10) ピアジェ

ピアジェ[*13]は、子どもと大人の思考の違いを研究し、子どもの思考の特徴として**自己中心性**があることを発見しました。自己中心性とは、物事を自分自身の立場からしかみることができないことをいいます。たとえば自分からみた左右と相手からみた左右が逆になることが理解できない、といったかたちで表れます。

ピアジェ
Piaget, J.
1896〜1980年。
スイスの心理学者。子どもの心理と思考体系について、臨床的・科学的に研究した発達心理学の創始者。
⇨下巻 保心p28、43

（11）ボウルビィ

愛着（アタッチメント）
⇨下巻 保心p34

ボウルビィは、子どもが母親や母親に代わる人に、ほかの人に対するのとは明らかに異なる特別な行動を示すのは、**愛着（アタッチメント）**という情緒的な絆（きずな）ができているためだと解釈し、乳幼児期の愛着の形成がその後の人格形成に大きな影響を与えると考えました。

愛着の理論は、特定の保育士と子どもとの関わりを重視するなど、現代の保育でも基本的な考え方として取り入れられています。

（12）エリクソン

エリクソン
⇨下巻 保心p30

エリクソンは、人間の生涯（ライフサイクル）を８つの発達段階に分ける**ライフサイクル論**（漸成（ぜんせい）的発達理論）を提唱しました。

ライフサイクルは、乳児期、幼児前期、幼児後期、学童期、青年期（思春期）、成年前期、成年後期、老年期（高齢期）に分けられます。それぞれの段階で個人の欲求と社会的要請の対立による心理・社会的危機があり、これを各段階での**発達課題**としました。

ポイント確認テスト

穴うめ問題

□□ **Q1** 過R4前

(　　) はイギリスの実業家で、1816年に自ら経営する紡績工場の中に幼児の自発的で自由な活動を重視する幼児学校を創設した。 >>> **p55**

□□ **Q2** 過R2後

フレーベル (Fröbel, F.W.) は幼児のための遊具を考案し、ドイツ語で神からの贈り物を意味する「ガーベ」と名付けた。これは、日本には「(　　　)」という名前で紹介された。 >>> **p56**

□□ **Q3** 過R4前

(　　) はイタリアの医師で、「子どもの家」を創設し、環境を整え、子どもをよく観察したうえでその自由な自己活動を尊重し援助することを重視した教育法を実践した。 >>> **p57**

□□ **Q4** 過R6前

ルソー (Rousseau, J.-J.) は、フランスの啓蒙思想家であり、近代教育思想の古典とされる『(　　　)』を著した。 >>> **p59**

○×問題

□□ **Q5** 過R5前

フレーベル (Fröbel, F.W.) は、ドイツの教育者で、世界で最初の幼稚園を創設した。彼の哲学的な人間教育に根ざした幼稚園教育は他の多くの国の幼児教育に大きな影響を与えた。 >>> **p56**

□□ **Q6** 過R1後

「ドキュメンテーション (子どもの日々の活動や学びの記録)」は、レッジョ・エミリアの保育・教育実践の特徴の一つである。 >>> **p57**

□□ **Q7** 過R6前

ペスタロッチ (Pestalozzi, J.H.) はスイスの教育思想家であり、幼児教育における家庭の役割、特に母親の役割を重視した。その実践は教育界に多大な影響を与えた。 >>> **p59**

□□ **Q8** 過R1後

モンテッソーリ (Montessori, M.) は、青年期を敏感期ととらえ、感覚運動能力の育成こそ人間のあらゆる能力の発達の基礎であるとして、こうした感覚訓練を目的として教具を開発した。 >>> **p60**

解答・解説

Q1　オーエン　Q2　恩物　Q3　モンテッソーリ　Q4　エミール

Q5　○　Q6　○　Q7　○　Q8　×　青年期ではなく発達初期（乳幼児期）。

保育原理 Lesson 6

日本の保育の思想と歴史

頻出度 Level 4

現代につながる日本の「保育」の始まりは明治時代にさかのぼります。その展開を時代を追ってみていきましょう。

ココに注目!!

- 東京女子師範学校附属幼稚園
- 野口幽香・森島峰らの二葉幼稚園
- 倉橋惣三の児童中心主義
- 城戸幡太郎の社会中心主義

1 保育施設の歴史

明治時代には、フレーベルのキンダーガルテンの影響により、幼稚園が設立されました。また、貧しい家庭の子どもを預かる託児所や保育所なども各地に設立されました。

(1) 東京女子師範学校附属幼稚園

東京女子師範学校附属幼稚園[*1]（現：お茶の水女子大学附属幼稚園）は、1876（明治９）年に設立された日本初の官立の幼稚園です。初代園長は**関信三**（せきしんぞう）で、フレーベルの門下生であった**松野クララ**（まつの）[*2]が初代主任として、**豊田芙雄**（とよたふゆ）が日本人初の保母としてフレーベルの幼稚園を模範とする保育を実践しました。

(2) 愛珠幼稚園

愛珠（あいしゅ）幼稚園は、1880（明治13）年に大阪の地元有識者たちの要望により設立された町立の幼稚園です。

京都博覧会、奈良博覧会に園児の製作品や恩物、遊具を出品して幼稚園への理解を広めました。

でた問!!

***1 東京女子師範学校附属幼稚園**
東京女子師範学校附属幼稚園について出題。
R3前、R5前

***2 松野クララ**
松野クララの功績について出題。
R4前

（3）頌栄幼稚園

頌栄幼稚園は、1889（明治22）年にアメリカ人宣教師**ハウ**により神戸市で設立されました。同年には保育者を養成するための**頌栄保姆伝習所**も設立され、フレーベルの保育理論、キリスト教に基づく保育者の養成が行われました。

（4）新潟静修学校附設託児所

新潟静修学校*3附設託児所は、1890（明治23）年に**赤沢鍾美***4が設立した日本初の常設託児所です。1908（明治41）年には守孤扶独幼稚児保護会と命名されました。

農家の子どものための無償の託児所としてスタートし、当初は繁忙期のみでしたが、その後、多くの貧しく忙しい農家の親たちが子どもを預けにくるようになりました。

（5）二葉幼稚園

二葉幼稚園*5は、1900（明治33）年に**野口幽香***6と**森島峰**らにより新宿麹町に設立され、その後、四谷に移転しました。

貧困家庭の子どもに対し、衛生的な生活習慣や道徳などを無償で教える保育を行いました。

1916（大正５）年には二葉保育園と改称されました。

1935（昭和10）年には、設立者野口から「二葉の大黒柱」と呼ばれた**徳永恕**が運営を引き継ぎました。

（6）愛染橋保育所

愛染橋保育所は、1909（明治42）年に**石井十次**により大阪市内に設立された保育所です。

はじめは貧困家庭の６歳以下の乳幼児を預かり、その後幼稚園を併設して３歳未満の乳幼児を保育所、３歳以上の幼児を幼稚園で預かりました。

***3 新潟静修学校**
新潟静修学校のなりたちについて出題。
H31前、R6前

***4 赤沢鍾美**
赤沢鍾美について出題。
R3後

***5 二葉幼稚園**
二葉幼稚園について出題。
H31前、R1後、R2後、R3前・後、R5前、R6前

***6 野口幽香**
野口幽香について出題。
R4前、R6前

▸▸▸ ここは覚えよう!!

日本の保育・幼児教育に関する施設と制度の歴史

1876（明治 9）年	東京女子師範学校附属幼稚園設立
1880（明治13）年	愛珠幼稚園設立
1889（明治22）年	頌栄幼稚園設立
1890（明治23）年	新潟静修学校附設託児所設立
1900（明治33）年	二葉幼稚園設立
1909（明治42）年	愛染橋保育所設立
1926（大正15）年	「幼稚園令」*7 制定
1947（昭和22）年	「教育基本法」制定 「学校教育法」「児童福祉法」制定（幼稚園が学校の一部に、保育所が公的に規定される）
1948（昭和23）年	「保育要領―幼児教育の手引き―」発行（幼稚園、保育所・家庭に共通する保育の手引き）
1965（昭和40）年	「保育所保育指針」制定

*7「幼稚園令」制定年について出題。 R6前

保育に関わる法律などの制度は、教育とともに整備されてきました。「教育原理」レッスン3とあわせて学習しておくのをおすすめします。

2 保育の研究者・実践者

（1）川田貞治郎

川田貞治郎（かわだていじろう）は、知的障害児の入所施設である**藤倉学園**の初代園長で、知的障害児教育の先駆者とされています。

キリスト教的博愛精神に基づき「知的障害は治る」とし、そのためには教育法の確立が必要だと考え、実践しました。

川田貞治郎
1879～1959年。社会事業家。アメリカで障害者支援を学び、日本における知的障害児の教育と福祉の方法論を体系化した。

石井亮一
1867～1937年。社会実業家。

（2）石井亮一

石井亮一（いしいりょういち）は、日本初の知的障害児施設である**滝乃川学園**（たきのがわ）を設立しました。当時の日本は障害児教育の理論や方法が根づいていなかったため、渡米して知的障害児との関わり方や教育方法を研究しました。

施設の教育には宗教教育、生理学、心理学などを取り入れ、日本の知的障害児教育に大きな影響を与えました。

（3）倉橋惣三

倉橋惣三（くらはしそうぞう）*8は、児童中心主義の保育を主張し、子どもの「さながら（ありのまま）の生活」からスタートすることが重要だと考えました。そのような生活のなかで子どもが自発的に活動し、保育者の誘導的な働きかけによってさらに生活を充実させていく誘導保育の考え方を唱えました。また、子どもの生活を重視する倉橋の考え方は、「生活を生活で生活へ」という有名な言葉に表れています。

主著に『育ての心』『幼稚園真諦（しんてい）』『子供讃歌（さんか）』などがあります。

（4）石井十次

石井十次は、岡山孤児院を設立しました。ここでは、現在の小舎制や里親制度に近い先進的な取り組みを行いました。地震や戦争などによる孤児を受け入れ、最も多い時期には約1,200人の孤児がここで暮らしていたといわれています。

（5）留岡幸助

留岡幸助（とめおかこうすけ）は、感化院である家庭学校を設立しました。施設では、「能（よ）く働き、能く食べ、能く眠らしめる」という三能主義をとり、人道的な感化事業（非行少年の保護・教育）が行われました。

（6）城戸幡太郎

城戸幡太郎（きどまんたろう）*9は、倉橋惣三の児童中心主義が子どもを理想的にとらえすぎているとして批判し、社会中心主義の視点から子どもをとらえ直すため保育問題研究会を結成しました。主著『幼児教育論』では、子どもは自然と「利己的生活」を送るものであり、それを「共同的生活」へと指導していくことが必要であると述べています。

でた問!!

*8 倉橋惣三
倉橋惣三が提唱した保育案および著作について出題。
R2後

倉橋惣三
1882～1955年。フレーベルの教育に影響を受けた。

用語

誘導保育
子どもたちが気づかないうちに保育の目的に導く保育。

石井十次
1865～1914年。ルソーやバーナードの影響を受けた。

留岡幸助
1864～1934年。牧師を経てアメリカで感化事業を学んだ。小舎制を提唱。

*9 城戸幡太郎
保育問題研究会について出題。
R1後

（7）糸賀一雄

糸賀一雄は、知的障害のある人たちの教育・福祉に多大な影響を与えました。第二次世界大戦後まもない1946（昭和21）年に、知的障害児や戦災孤児らを集めた近江学園を設立しました。その後、1963（昭和38）年には重症心身障害児施設であるびわこ学園を設立します。彼の考えは、「この子らを世の光に」という言葉によく表れています。

（8）橋詰良一

橋詰良一は、ヨーロッパの屋外保育の影響を受けて園舎のない家なき幼稚園を創設しました。ここでは、「子どもは子ども同士の世界に住まわせるのが何より幸福」という考え方に基づいて、児童中心主義の保育が行われました。

（9）児童文化の担い手たち

大正時代には、子どもの個性や自発性を尊重する考え方が広まり、芸術家たちによる児童文化*10が創造されました。

■児童文化に関わる主な活動

人物	活動
土川五郎	律動遊戯（リズミカルな楽曲に動作を振りつけた遊び）と律動的表情遊戯（童謡など歌詞のある曲に動作を振りつけた遊び）の創作
小林宗作	リトミック（リズム表現による音楽教育の方法）の日本への紹介
北原白秋	「あめふり」「からたちの花」などの童謡の作詞
山本鼎	子どもに自由に絵を描かせる自由画運動の推進
鈴木三重吉	児童雑誌『赤い鳥』の創刊
倉橋惣三	児童雑誌『コドモノクニ』の編集顧問、『キンダーブック』の創刊
宮沢賢治	「注文の多い料理店」などの童話の執筆
柳田国男	『こども風土記』などの児童文化の研究

人物

城戸幡太郎
1893～1985年。教育学者、教育心理学者。知的障害児の研究にたずさわったのち、教育学を科学的に研究。社会協力の訓練を保育の目的とした。

糸賀一雄
1914～1968年。社会福祉家。知的障害児福祉の実践と研究を行い、先駆的な役割を果たした。

橋詰良一
1871～1934年。教員生活、新聞社勤務を経たあと婦人の地位向上推進活動を行う。

用語

児童文化
児童を対象に、その健全な育成のために計画・構成された文化のこと。文学、音楽、美術、演劇、遊びなどの各分野にわたる。

***10 児童文化**
土川五郎、山本鼎、鈴木三重吉、北原白秋について出題。
R4前

ポイント確認テスト

穴うめ問題

□□ **Q1** 過R4前

東京女子師範学校附属幼稚園の創設時の主任保姆として保姆たちの指導にあたり、日本の幼稚園教育の基礎を築いたのは（　　　）である。>>> p64

□□ **Q2** 過R3後

（　　　）は、さまざまな事情で教育を受けられない貧しい子どもたちに私塾を開いた。また生徒が子守りから解放されて勉強できるように、生徒の幼い弟妹を校内で預り世話をした。>>> p65

□□ **Q3** 過H31前

野口幽香と森島峰が寄付を募り、1900年に設立した施設で、貧しい家庭の子どもたちを対象にフレーベルの精神を基本とする保育を行ったのは（　　　）である。>>> p65

□□ **Q4** 過R1後

著書の中で「幼稚園、保育所の保育案は『社会協力』ということを指導原理として作製されなければならないもので、幼稚園と保育所との教育はこの原理によって統一されるのである」と述べたのは（　　　）である。>>> p67

○×問題

□□ **Q5** 過R5前

貧しい家庭の子どもたちのための幼稚園が明治期につくられ始めた。その一つ、二葉幼稚園は赤沢鍾美が慈善により開設したものである。>>> p65

□□ **Q6** 過R3後

野口幽香は、高等女学校在学中に二葉幼稚園を知り卒業後保姆となり、「二葉の大黒柱」と呼ばれた。二葉保育園の分園を設立し、保育にとどまらず社会事業に尽力した。>>> p65

□□ **Q7** 過R4前

土川五郎は、リズミカルな歌曲に動作を振り付けた「律動遊戯」と童謡などに動作を振り付けた「律動的表情遊戯」を創作した。>>> p68

□□ **Q8** 過R3前

愛珠幼稚園は、園舎を持たない幼稚園で、1922（大正11）年に橋詰良一によってはじめられた。>>> p68

解答・解説

Q1　松野クララ　Q2　赤沢鍾美　Q3　二葉幼稚園　Q4　城戸幡太郎
Q5　×　野口幽香と森島峰である。　Q6　×　徳永恕である。　Q7　○　Q8　×　家なき幼稚園である。

保育原理 Lesson 7

保育の現状と課題

頻出度 Level 4

少子化や待機児童問題など深刻な問題が山積しているなか、保育所がどのような役割を担っているかを学びましょう。

ココに注目!!

- 幼保連携型認定こども園の位置づけ
- 待機児童問題への対策
- 地域子ども・子育て支援事業
- 幼保無償化の対象児童

1 諸外国の保育

諸外国の保育の現状について、主なものをみていきましょう。

■諸外国における保育

アメリカ
子育ては**家庭**で行われるべきという考え方が主流。子育てに関しては**各州**にまかされている。州や地域、企業による格差が問題になっている。1965 年、低所得者層の3、4歳の子どもを対象とした就学援助プログラムである**ヘッドスタート計画** *1 が、**貧困撲滅政策**の一環として始まった。
フランス
就学前教育は2歳から始まり、**3歳からは義務教育**である。3歳未満の乳幼児については、保育所、保育ママなどによる保育制度が実施されている。
ドイツ
保育所などの施設が**不足**し、**待機児童問題**が生じている。保育制度の整備がほかの欧州諸国に比べて遅れている。幼保一体型（KITA）への統合がすすめられている。
韓国
2013 年に0～5歳児の教育、保育が**無償化**された。**少子化**と、無償化政策を維持するための財源確保が課題。幼保一元化カリキュラム（**ヌリ課程**）が実施されている。
フィンランド
ネウボラとよばれる、妊娠から就学前まで一家族に一人の保健師が担当して行われる、保健サービスと子育て支援が一体となった**切れ目のない支援体制**がとられている。
ニュージーランド
自ら考え、探索し、コミュニケーションすることで子どもの主体性を育てる**テ・ファリキ**の中心的方法の一つとして、子どもの日々の様子を肯定的にとらえながら、写真を交えて1か月に1回記録する**ラーニング・ストーリー** *2 が実施されている。

2 日本の保育の現状と課題

(1) こども基本法とこども家庭庁

「**こどもまんなか社会**」の実現のため、2022（令和４）年に「**こども基本法**」が制定され、それに伴い、**こども家庭庁**が2023（令和５）年４月に創設されました。

こども家庭庁では、**こども大綱**案の作成、母子保健、就学前のこどもの育ちの保障、こどもの**居場所づくり**、こどもの安全、困難を抱えるこどもや家庭に対する切れ目のない支援、社会的養護の充実と自立支援、ひとり親家庭の支援、**こどもの貧困**対策、障害児支援など、広い分野にわたって担当します。

(2) 幼保連携型認定こども園

2015（平成27）年４月の**子ども・子育て支援新制度**の施行にともない、**認定こども園**[*3]のうち、**幼保連携型認定こども園**は、「教育基本法」に基づく学校、「児童福祉法」に基づく児童福祉施設として新たに創設されました。「児童福祉法」では次のように定められています。

> **「児童福祉法」第39条の2**
> 幼保連携型認定こども園は、義務教育及びその後の教育の基礎を培うものとしての満３歳以上の幼児に対する教育及び**保育を必要とする乳児・幼児**に対する保育を一体的に行い、これらの乳児又は幼児の健やかな成長が図られるよう適当な環境を与えて、その心身の発達を助長することを目的とする施設とする。
> **第２項**　幼保連携型認定こども園に関しては、この法律に定めるもののほか、認定こども園法の定めるところによる。

設備、運営基準については、「**幼保連携型認定こども園の学級の編制、職員、設備及び運営に関する基準**」に基づいて次のように定められています。

でた問!!

***1 ヘッドスタート計画**
ヘッドスタート計画の内容について出題。
R4後

***2 ラーニング・ストーリー**
ラーニング・ストーリーの内容について出題。
R2後

***3 認定こども園**
認定こども園の法律上の位置づけについて出題。
R6前

用語

認定こども園
待機児童の解消や、多様化する保育ニーズに的確に対応するため2006（平成18）年に「認定こども園法」に基づき創設された。都道府県知事（指定都市と中核市の市長を含む）が認定（認可）基準を定め、認定を行う。幼保連携型、幼稚園型、保育所型、地方裁量型の４類型に分かれる。

子ども・子育て支援新制度
⇨p74、子福p254

認定こども園は、幼稚園と保育所の長所を生かし、就学前の子どもの支援を一体的に提供する施設として創設されました。

「幼保連携型認定こども園 教育・保育要領解説」（平成26年内閣府 文部科学省 厚生労働省）も参照しましょう。

■幼保連携型認定こども園の基準

	内容
教育週数	年間 **39 週**（原則）を下回ってはならない
1学級の園児数	**35 人以下**
必要な設備	職員室、保育室、遊戯室、保健室、調理室、便所、飲料水用・手洗い・足洗い用設備 ＊満２歳未満の子どもを入園させる場合には乳児室またはほふく室が必要
教育・保育時間	原則として１日 **8 時間**、最大 11 時間（園長が、その地方における保護者の労働時間や家庭の状況等に応じて定める。なお、満３歳以上児についてはこのなかに **4 時間**の教育にかかる時間が含まれる）
職員の数／児童の年齢 ＊職員は常時２人を下回ってはならない	１人以上／満１歳未満児おおむね **3 人**につき １人以上／満１歳以上満３歳未満児おおむね **6 人**につき １人以上／満３歳以上満４歳未満児おおむね 15 人につき １人以上／満４歳以上児おおむね **25 人**につき

上記のほかに、園長、各学級ごとに専任の主幹保育教諭、指導保育教諭または**保育教諭**を１人以上配置することが定められています。

また、認定こども園の類型別数は以下のようになり、年々増加し、幼保連携型認定こども園に移行した幼稚園や保育所が多くなっています。

■公立・私立別認定こども園数（令和4年4月1日時点。括弧内は令和3年4月1日時点の数）

公私の別	幼保連携型	幼稚園型	保育所型	地方裁量型	合計
公立	912 (858)	97 (88)	403 (377)	2 (2)	1,414 (1,325)
私立	5,563 (5,235)	1,210 (1,158)	951 (787)	82 (80)	7,806 (7,260)
合計	6,475 (6,093)	1,307 (1,246)	1,354 (1,164)	84 (82)	9,220 (8,585)

出典：内閣府「認定こども園に関する状況について」令和５年３月24日

✚プラス１

幼保連携型認定こども園

幼保連携型認定こども園は、国、地方公共団体、学校法人、社会福祉法人のみが設置できる。

用語

保育教諭

保育士資格と幼稚園教諭免許の両方をもつことが要件となるが、経過措置期間として2024（令和6）年度末まではいずれかを有していればよいとされている。

3 子育て支援

(1) 少子化

日本における出生数は、**第二次ベビーブーム**のなかの1973(昭和48)年の約209万人をピークにして減少傾向にあります。近年では、1973年の半数以下に減少し、**合計特殊出生率**も2022(令和4)年では**1.26**(確定値)となっています。少子化の要因として、仕事と育児の両立の難しさ、育児への心理的・肉体的不安、住宅事情、子育てコストの負担増などがあげられています。

(2) 待機児童問題

待機児童とは、保育所に入所したくてもできない子どものことをいいます。2023(令和5)年4月1日の時点で、全国に2,680人の待機児童がおり、特に人口増加率の高い自治体に集中しています。2017(平成29)年以来減少傾向で、解消に向かいつつあります。

年齢区分別にみると、低年齢児、特に1・2歳児が全体の約8割を占めています。

国の取り組みとして、2013(平成25)年からは**待機児童解消加速化プラン**(平成29年度まで)が行われました。また、

■年齢区分別の保育所等利用児童数・待機児童数*4

	利用児童数	待機児童数
3歳未満児(0~2歳)	109万6,589人(40.4%)	2,436人(90.9%)
うち0歳児	13万5,991人 (5.0%)	156人 (5.8%)
うち1・2歳児	96万598人(35.4%)	2,280人(85.1%)
3歳以上児	162万746人(59.6%)	244人 (9.1%)
全年齢児計	271万7,335人(100.0%)	2,680人(100.0%)

(注) 利用児童数は、全体(幼稚園型認定こども園等、地域型保育事業等を含む)。
出典:こども家庭庁「保育所等関連状況取りまとめ(令和5年4月1日)」

用語

第二次ベビーブーム
1971(昭和46)年~1974(昭和49)年。

合計特殊出生率
1人の女性が一生の間(WHOの定義により出産可能とされる15~49歳)に産む子どもの数の平均値。

合計特殊出生率
⇨下巻 保健p97

プラス1

日本の総人口
2070年には約8,700万人になると推計される(『日本の将来推計人口(令和6年推計)』より)。

用語

「待機児童解消に向けて緊急に対応する施策について」
就学前の子どもの預け先について相談に応じる保育コンシェルジュの設置促進、保育所への臨時的な受け入れなどが行われた。

でた問!!

***4 保育所等利用児童**
保育所等利用児童数と待機児童数について出題。
R2後、R4前、R6前
保育所等利用児童数について出題。
R3後、R5前・後

2016（平成28）年には厚生労働省による「**待機児童解消に向けて緊急に対応する施策について**」が取りまとめられ、緊急的な取り組みが行われました。

（3）国の少子化対策

上記のような問題を背景にさまざまな対策がとられています。このうち「子ども・子育てビジョン」のなかでは、それまでの「少子化対策」の視点から「子ども・子育て支援」へと転換されています。

■少子化対策のあゆみ

年	内容
1990（平成２）年	1.57ショック　前年の合計特殊出生率が1.57に
1994（平成６）年	エンゼルプラン（1999年新エンゼルプラン）の策定。少子化傾向を抑えるための施策計画（共働き家庭への子育て支援など）
2010（平成22）年	「子ども・子育てビジョン」の策定。2003（平成15）年の「少子化社会対策基本法」に基づいた「少子化社会対策大綱」として策定
2013（平成25）年	「待機児童解消加速化プラン」の策定
2015（平成27）年	「保育士確保プラン」の策定
2016（平成28）年	「ニッポン一億総活躍プラン」の策定
2017（平成29）年	「子育て安心プラン」の策定
2021（令和３）年	「新子育て安心プラン」の策定。待機児童解消のための施策計画（保育の受け皿整備など）
2022（令和４）年	「こども基本法」の制定
2023（令和５）年	こども家庭庁創設。「こども大綱」「こども未来戦略」の策定

***5 子ども・子育て支援新制度**
子ども・子育て支援新制度について出題。
R4後、R6前

子ども・子育て支援新制度
⇨子福p254

（4）子ども・子育て支援新制度

さまざまな子育てに関する問題を解消するため、2015（平成27）年４月に「**子ども・子育て関連３法**」が施行され、**子ども・子育て支援新制度**[*5]がスタートしました。また、新制度のポイントの一つである**地域子ども・子育て支援事業**が始まり、市町村が主体となって次のような事業を実施しています。

- 利用者支援事業
- **地域子育て支援拠点事業**
- 妊婦健康診査
- 乳児家庭全戸訪問事業
- 養育支援訪問事業、子どもを守る地域ネットワーク機能強化事業
- 子育て世帯訪問支援事業
- 児童育成支援拠点事業
- 親子関係形成支援事業
- 子育て短期支援事業
- ファミリー・サポート・センター事業
- **一時預かり事業**
- 延長保育事業
- 病児保育事業
- 放課後児童健全育成事業（放課後児童クラブ）
- 実費徴収に係る補足給付を行う事業
- 多様な事業者の参入促進・能力活用事業

それぞれの事業の内容については「子ども家庭福祉」も参照してください！

プラス1

新たに創設された地域子ども・子育て支援事業
子育て世帯訪問支援事業、児童育成支援拠点事業、親子関係形成支援事業は、2022（令和4）年の「児童福祉法」改正で創設され、地域子ども・子育て支援事業に位置づけられた。

（5）幼保無償化

2019（令和元）年10月から、「子ども・子育て支援法」に基づき**幼児教育と保育が無償化**[*6]されました。

対象児童は、下記の施設を利用しているすべての**3～5**歳児と、住民税非課税世帯の0～2歳児です。

- **幼稚園（子ども・子育て支援新制度の対象となっていない幼稚園は上限額内）**
- **認可保育所**
- **認定こども園**
- **地域型保育事業（小規模保育、家庭的保育、居宅（きょたく）訪問型保育、事業所内保育）**
- **企業主導型保育事業**

認可外保育施設やベビーシッターを利用している子どもについては、「保育の必要性の認定」を受けた場合に上限額以内の補助を受けることができます。

でた問!!

***6 幼保無償化**
幼保無償化について出題。
R5前

地域型保育事業
⇨p28
⇨子福p259

ポイント確認テスト

できたらチェック！

穴うめ問題

□□ **Q1** 過R2後

「(　　　)」は、子どもたちの育ちや経験を観察し、写真や文章などの記録を通して理解しようとする方法であり、自らも保育者であったマーガレット・カー（Carr, M.）を中心にニュージーランドで開発された。>>> **p70**

□□ **Q2** 過R5後

幼保連携型認定こども園は、(　a　)、(　b　)、(　c　)、(　d　)のみが設置することができる。>>> **p72**

□□ **Q3** 予想

幼保連携型認定こども園の教育・保育時間は、原則として(　　　)時間である。>>> **p72**

□□ **Q4** 予想

認定こども園の設置数は、年々(　　　)している。>>> **p72**

○×問題

□□ **Q5** 過R2後

1965年に、スウェーデンで開始された「ヘッド・スタート計画」は、主に福祉的な視点から、貧困家庭の子どもたちに適切な教育を与えて小学校入学後の学習効果を高めることを意図した包括的プログラムである。>>> **p70**

□□ **Q6** 過R6前

令和4年4月の保育所等利用児童数は、3歳未満児（0～2歳）よりも3歳以上児の方が多い。>>> **p73**

□□ **Q7** 過H30後

厚生労働省は、平成29年6月に「子育て安心プラン」を発表し、さまざまな施策を通じてさらに全国の待機児童解消に取り組むとしている。
>>> **p74**

□□ **Q8** 過R5前

「幼児教育・保育の無償化」の対象となる子どもは、3歳から5歳児クラスの子どもであり、原則、満3歳になった後の4月1日から小学校入学前までの3年間である。>>> **p75**

解答・解説

Q1　ラーニング・ストーリー　**Q2**　a 国／b 地方公共団体／c 学校法人／d 社会福祉法人（順不同）　**Q3**　8　**Q4**　増加
Q5　×　スウェーデンではなくアメリカ。　**Q6**　○　**Q7**　○　**Q8**　○

教育原理

教育原理

保育の重要な側面である「教育」に関する科目です。
さまざまな教育思想とともに、教育に関連する制度や法律についても学びます。

保育 ＝ 養護 ＋ 教育 ◀ ●教育の意義と目的 ●教育の歴史

●人間が発達していくために必要なもの

教育制度

教育の方法
教育の計画

影響 ↑ ●教育を支えていく具体的なもの ↓ アプローチ

現状と課題

合格のコツは？

例年、「**教育基本法**」「**学校教育法**」「**幼稚園教育要領**」など関係法令の語句の穴埋め問題が必ず出題されています。令和６年前期試験でも２問出題されました。また、「いじめ」などからも出題されることがあります。現代の教育の動向について理解しておきましょう。諸外国の教育思想と歴史、日本の教育思想と歴史についても必ず出題され、１～２問は、著書などからの引用問題です。引用されている文章を読んだことがなくても手掛かりとなる語句が必ず含まれていますので、その語句から誰の文章かを考えてみましょう。

関連法律・制度

・教育基本法　・学校教育法　・幼稚園教育要領　・小学校学習指導要領　・日本国憲法

関連統計・資料

・中央教育審議会答申　・児童生徒の問題行動・不登校等生徒指導上の諸課題に関する調査結果について

関連が強い科目

（上）保育原理

出題分析 出題数：10問

- 10問の出題中、**諸外国の教育思想と歴史、日本の教育思想と歴史**から２～４問程度出題されている。
- 「**教育基本法**」「**学校教育法**」「**幼稚園教育要領**」「**日本国憲法**」などの法令の語句の穴埋め問題や○×問題が３問程度出題されている。
- 上記の２項目を完全に押さえておけば、５～６割正答することができる。
- 「諸外国の教育統計」を確認し、教育体系や学校系統図を理解しておきたい。
- **中央教育審議会答申**からの出題がある。過去の問題も参考にしてどのような考え方が示されているのかを押さえておく。

■過去6回の項目別出題数実績一覧 ※項目名は出題範囲の小項目を学習しやすいように改変しています

項目		R3後	R4前	R4後	R5前	R5後	R6前
教育の意義、目的及び児童福祉等との関連性							
教育の意義	L1	0	0	0	0	0	0
教育の目的	L1	0	0	0	0	0	0
教育と子ども家庭福祉の関連性	L3	0	0	0	0	0	0
人間形成と家庭・地域・社会等との関連性	L1	0	0	0	1	1	1
教育の思想と歴史的変遷							
諸外国の教育思想と歴史	L2	1	1	3	2	0	1
日本の教育思想と歴史	L3	2	2	0	0	2	3
子ども観と教育観の変遷	L3,4	0	0	0	0	0	1
教育の制度							
教育制度の基礎	L4	0	1	1	0	0	0
教育法規・教育行政の基礎	L1,4	3	4	4	2	2	1
諸外国の教育制度	L4	1	0	0	0	1	1
教育の実践							
教育実践の基礎理論－内容、方法、計画と評価－	L4,5	1	0	0	1	2	1
教育実践の多様な取り組み	L6	0	0	0	1	1	0
生涯学習社会における教育の現状と課題							
生涯学習社会と教育	L6	1	1	0	1	0	0
現代の教育課題	L7	1	1	2	2	1	1

教育原理 Lesson 1

教育の意義と目的

頻出度 Level 5

なぜ、私たち人間には教育が必要なのでしょうか。
人間の発達や法律の観点からその意義を考えてみましょう。

ココに注目!!

- ポルトマンの生理的早産
- 義務教育（日本国憲法第26条）
- 学校教育法における学校の種類
- 教育の目的（教育基本法第2条）

1 教育とは

英語で「教育」を表すeducationという言葉には、「外に引きだす」という意味があります。このことからわかるように、**教育**とは、「潜在（せんざい）している才能を**外に引きだしていく**」ことを意味しています。

人間は、自分の**素質**や周囲の**環境**からの影響を受けながら発達していきます。したがって、教育は、それぞれの人の発達段階に合わせてすすめることが重要です。**適切な時期**にその人の素質や才能を引きだしていくというのが、本来の教育のあり方といえます。

2 発達と教育への考え方

（1）誕生時の人間

ポルトマン
Portmann, A.
1897〜1982年。
スイスの動物学者。鳥類、哺乳類の発達に関する研究をもとに、新しい人間学を提唱した。

人間の赤ちゃん（新生児）の発達について、動物学的な見地からみていきましょう。

スイスの動物学者**ポルトマン**は、各種の哺乳（ほにゅう）動物について、それらの子どもがどのような状態で生まれてくるかに注目しました。その際ポルトマンは、目もみえず、這（は）って動くこともできない状態で生まれてくるものを**就巣性**の動物（下等哺乳動物）、反対に、誕生時からすでに発達した運動・感覚能力を備えているものを**離巣性**の動物（高等哺乳動物）として区別しました。

こうした観点から、ポルトマンは、著しく未熟な状態で生まれる人間の誕生時の特性を**生理的早産**とよび、霊長類のなかの人間とほかの猿類の決定的な違いとしています。また、この点で、生後１年までの乳児を子宮外胎児の状態（**二次的就巣性**）とよびました。これは人間が誕生後にも文化的・社会的に発達する余地が大きいことを示します。人間にとって教育の働きかけが重要となるゆえんです。

生まれてすぐ歩いたりする動物とヒトとの違いを指しています。

▸▸▸ ここは覚えよう!!

ポルトマンによる哺乳動物の分類

就巣性の動物

種類　ネズミ、ウサギ、イヌなど
妊娠期間　20～30日程度
一度に産む子どもの数　多産
誕生時　目がみえない、動けないなど
未熟な状態で生まれるため
一定期間は巣で過ごす。

離巣性の動物

種類　チンパンジー、ウマ、ゾウなど
妊娠期間　50日以上
一度に産む子どもの数　1～2匹
誕生時　発達した状態で生まれるため、
誕生時に目が開いている。
感覚器や運動能力も発達している。

人間（二次的就巣性）

妊娠期間　約10か月間
一度に産む子どもの数　おおよそ１～２人
誕生時　ほかの霊長類と異なり、
著しく未熟な状態で生まれる。

（2）環境と遺伝的な素質

教育をすすめるうえで指針となる人間の発達の要因について、3つの代表的な説をみてみましょう。

❶環境説

環境説とは、人間の発達は生後の教育を受ける環境によって大きく左右されるという考え方です。人間の子どもが人間らしく発達するためには、適切な**周囲の環境**や**教育**が必要であるとしています。

❷遺伝説（生得説）

遺伝説（生得説）とは、人間の発達を左右する主な要因を**遺伝的な素質**に求める考え方で、**ゲゼル**によって提唱された成熟説が代表的です。ゲゼルは一卵性双生児による実験研究や発達診断検査などを行い、適切な成熟を待たなければ、早期に教育をしても必ずしも有効ではないことを示しました。

❸輻輳説

輻輳説とは、人間は、生まれながらにもっている遺伝的素質と、生まれたあと周囲の環境から受ける影響との相互干渉によって発達するという考え方です。**シュテルン**の輻輳説として知られています。

人物

ゲゼル

Gesell, A. L.
1880～1961年。
アメリカの児童心理学者。

シュテルン

Stern, W.
1871～1938年。
ドイツの心理学者。
人格主義に基づく心理学を展開した。

3 教育の目的

（1）「日本国憲法」第26条

ここでは、日本の法律のなかで、教育の目的がどのように定められているかを確認します。まずは憲法における教育の位置づけをみてみましょう。**「日本国憲法[*1]」第26条**は、国民の**教育を受ける権利**と**教育を受けさせる義務**とをそれぞれ定めており、この規定は日本の教育に関わるすべての法律の基礎となっています。

*1「日本国憲法」第26条について出題。 R5後

「日本国憲法」第26条

すべて国民は、法律の定めるところにより、その能力に応じて、ひとしく教育を受ける権利を有する。

第2項　すべて国民は、法律の定めるところにより、その保護する子女に普通教育を受けさせる義務を負ふ。義務教育は、これを無償とする。

(2)「教育基本法」

戦後の日本では、上述の「日本国憲法」第26条に基づき、1947（昭和22）年に「(旧) 教育基本法」が制定されました。このなかで、教育の目的は「人格の完成をめざし」、「平和的な国家及び社会の形成者」たる「国民の育成」であると規定されていました。

2006（平成18）年には、新たな時代にふさわしい教育の基本理念を示すものとして、新しい「教育基本法*2」が制定（改正）されました。この法律は、4つの章から構成されています。

- **教育の目的及び理念**（第1章）
- **教育の実施に関する基本**（第2章）
- **教育行政**（第3章）
- **法令の制定**（第4章）

以下では、同法の前文および第1章の内容をみてみましょう。これらの箇所では、教育の目的や目標に加えて、生涯学習の理念や教育の機会均等について述べられています。

*2「教育基本法」
「教育基本法」の内容と制定・改正について出題。
R5前

「教育基本法」前文〜第4条

我々日本国民は、たゆまぬ努力によって築いてきた民主的で文化的な国家を更に発展させるとともに、世界の平和と人類の福祉の向上に貢献することを願うものである。

我々は、この理想を実現するため、個人の尊厳を重んじ、真理と正義を希求し、公共の精神を尊び、豊かな人間性と創造性を備えた人間の育成を期するとともに、伝統を継承し、新しい文化の創造を目指す教育を推進する。

ここに、我々は、日本国憲法の精神にのっとり、我が国の未来を切り拓く教育の基本を確立し、その振興を図るため、この法律を制定する。

「教育基本法」は、穴埋め形式での出題が多くみられます。条文の赤字部分をよく確認しましょう。

*3「教育基本法」
第1条について出題。
R6前

*4「教育基本法」
第2条について出題。
R3前

（教育の目的）

第1条*3　教育は、**人格の完成**を目指し、**平和で民主的な国家及び社会の形成者として**必要な資質を備えた**心身ともに健康**な国民の育成を期して行われなければならない。

（教育の目標）

第2条*4　教育は、その目的を実現するため、学問の自由を尊重しつつ、次に掲げる目標を達成するよう行われるものとする。

一　幅広い知識と教養を身に付け、**真理**を求める態度を養い、豊かな情操と道徳心を培うとともに、健やかな身体を養うこと。

二　個人の価値を尊重して、その能力を伸ばし、創造性を培い、自主及び自律の精神を養うとともに、職業及び生活との関連を重視し、勤労を重んずる態度を養うこと。

三　正義と責任、男女の平等、自他の敬愛と協力を重んずるとともに、公共の精神に基づき、主体的に社会の形成に参画し、その発展に寄与する態度を養うこと。

四　生命を尊び、自然を大切にし、環境の保全に寄与する態度を養うこと。

五　**伝統と文化**を尊重し、それらをはぐくんできた我が国と郷土を愛するとともに、**他国を尊重し**、**国際社会の平和と発展**に寄与する態度を養うこと。

*5「教育基本法」
第3条について出題。
R4後

*6「教育基本法」
第4条について出題。
R4前

（生涯学習の理念）

第3条*5　国民一人一人が、自己の人格を磨き、豊かな人生を送ることができるよう、**その生涯**にわたって、あらゆる機会に、**あらゆる場所**において学習することができ、その成果を適切に生かすことのできる社会の実現が図られなければならない。

（教育の機会均等）

第4条*6　すべて国民は、ひとしく、その能力に応じた教育を受ける機会を与えられなければならず、**人種**、**信条**、**性別**、**社会的身分**、**経済的地位又は門地によって**、教育上差別されない。

第2項　国及び地方公共団体は、障害のある者が、その障害の状態に応じ、十分な教育を受けられるよう、教育上必要な支援を講じなければならない。

第3項　国及び地方公共団体は、能力があるにもかかわらず、経済的理由によって修学が困難な者に対して、奨学の措置を講じなければならない。

このように、第1章で教育に関する理念を示したのち、続く第2章では教育の実施について基本的な事柄を定めています。**義務教育**としての普通教育、学校教育以外にも、**家庭教育**や、それと深く関わる幼児期の教育、学校の教育以外の社会における幅広い教育（**社会教育**）、さらには**学校・家庭・地域住民らの相互の連携協力**についても定められています。

第10条では、子どもの教育についての**第一義的責任**を有するのは**父母その他の保護者**であるとしています。

また、幼児教育については、第11条で幼児期の教育は生涯にわたる**人格形成の基礎**を培（つちか）う重要なものであるとし、国および地方公共団体は、その**振興**に努めなければならないとしています。

「教育基本法」第5条・第10条～13条・第16条

（義務教育）

第5条　国民は、その保護する子に、別に法律で定めるところにより、普通教育を受けさせる義務を負う。

第2項　**義務教育**として行われる**普通教育は、各個人の有する能力**を伸ばしつつ社会において**自立的に生きる基礎**を培い、また、国家及び社会の形成者として必要とされる基本的な資質を養うことを目的として行われるものとする。

第3項　国及び地方公共団体は、義務教育の機会を保障し、その水準を確保するため、適切な役割分担及び相互の協力の下、その実施に責任を負う。

第4項　国又は地方公共団体の設置する学校における義務教育については、授業料を徴収しない。

（家庭教育）

第10条*7　父母その他の保護者は、子の教育について**第一義的責任**を有するものであって、生活のために必要な**習慣**を身に付けさせるとともに、**自立心**を育成し、心身の調和のとれた発達を図るよう努めるものとする。

第2項　国及び地方公共団体は、**家庭教育の自主性**を尊重しつつ、保護者に対する学習の機会及び**情報の提供**その他の家庭教育を支援するために必要な施策を講ずるよう努めなければならない。

（幼児期の教育）

第11条*7　幼児期の教育は、**生涯にわたる人格形成の基礎**を培う重要なものであることにかんがみ、国及び地方公共団体は、幼児の**健やかな成長**に資する良好な環境の整備その他適当な方法によって、その振興に努めなければならない。

（社会教育）

第12条　個人の要望や社会の要請にこたえ、社会において行われ

「保育所保育指針」では、人格形成を人間形成としています。

***7「教育基本法」**
第10条について出題。 R3後
第11条について出題。 R1後

る教育は、国及び地方公共団体によって奨励されなければならない。

第2項　国及び地方公共団体は、図書館、博物館、公民館その他の社会教育施設の設置、学校の施設の利用、学習の機会及び情報の提供その他の適当な方法によって社会教育の振興に努めなければならない。

(学校、家庭及び地域住民等の相互の連携協力)

第13条　学校、**家庭**及び地域住民その他の関係者は、教育におけるそれぞれの役割と責任を**自覚**するとともに、相互の**連携**及び協力に努めるものとする。

(教育行政)

第16条　教育は、**不当な支配**に服することなく、この法律及び他の法律の定めるところにより行われるべきであり、**教育行政**は、国と地方公共団体との適切な役割分担及び相互の協力の下、公正かつ適正に行われなければならない。

用語

義務教育学校
「学校教育法」の改正にともない2016(平成28)年4月に創設された小中一貫教育を実施する学校。

特別支援学校
2007(平成19)年4月から盲・聾(ろう)・養護学校は特別支援学校となった。

(3)「学校教育法」

「教育」一般に関する理念的な事柄を定めた「教育基本法」に対して、1947(昭和22)年制定の「**学校教育法**」は、**学校教育**の場における具体的な決まりを定める法律です。

この法律で、学校とは「**幼稚園**、小学校、中学校、**義務教育学校**、高等学校、中等教育学校、**特別支援学校**、**大学**及び**高等専門学校**」のことを指します。また、これらの学校の設置基準、設置者、授業料、修業年限、教育目標、入学資格などについても述べられています。

保育所が「児童福祉法」に基づく児童福祉施設であるのに対し、幼稚園はこの「学校教育法」に基づく「**学校**」として設置されています。「**学校教育法**」の**第22条**[*8]では、幼稚園の目的を以下のように定めています。

ちなみに、保育所と幼稚園の両方の機能をもつ幼保連携型認定こども園は、「学校教育法」ではなく、「教育基本法」に基づく学校、「児童福祉法」に基づく児童福祉施設です。

「学校教育法」第22条

幼稚園は、**義務教育及びその後の教育**の基礎を培うものとして、幼児を保育し、幼児の健やかな成長のために適当な環境を与えて、その心身の発達を助長することを目的とする。

***8「学校教育法」**
第22条について出題。
R2後、R4前

(4)「幼稚園教育要領」

「**幼稚園教育要領***9」とは、公（おおやけ）の性質を有する幼稚園における教育水準を全国的に確保することを目的に定められた、幼児教育の基準です。

「教育基本法」に定められた教育の目的や目標を達成するために、「学校教育法」に基づいて教育課程の基準を国が定めています。「幼稚園教育要領」にも、「教育基本法」で掲げられた教育の目的および目標が明記され、そのために必要な教育のあり方を具体化するのが教育課程であるとしています。

***9 幼稚園教育要領**
前文について出題。
H31前、R5前
総則「幼稚園教育の基本」について出題。
R3後、R5後

教育原理

「幼稚園教育要領」前文（抜粋）

教育は、**教育基本法第１条**に定めるとおり、人格の完成を目指し、平和で民主的な国家及び社会の形成者として必要な資質を備えた心身ともに健康な国民の育成を期すという目的のもと、同法**第２条**に掲げる次の目標を達成するよう行われなければならない。
（中略）

また、**幼児期の教育**については、同法**第11条**に掲げるとおり、**生涯にわたる人格形成の基礎**を培う重要なものであることにかんがみ、国及び地方公共団体は、幼児の**健やかな成長**に資する良好な環境の整備その他適当な方法によって、その振興に努めなければならないこととされている。

これからの幼稚園には、**学校教育の始まり**として、こうした教育の目的及び目標の達成を目指しつつ、一人一人の幼児が、将来、自分のよさや可能性を認識するとともに、あらゆる他者を価値のある存在として尊重し、多様な人々と協働しながら様々な社会的変化を乗り越え、豊かな人生を切り拓き、**持続可能な社会**の創り手となることができるようにするための基礎を培うことが求められる。このために必要な教育の在り方を具体化するのが、各幼稚園において教育の内容等を組織的かつ計画的に組み立てた**教育課程**である。

ポイント確認テスト

穴うめ問題

Q1 過R3前

「教育基本法」第２条第一号では、教育の目標を「幅広い知識と教養を身に付け、（　　）を求める態度を養い、豊かな情操と道徳心を培うとともに、健やかな身体を養うこと」としている。 >>> p84

Q2 過R4前

「教育基本法」第４条では、「すべて国民は、ひとしく、その能力に応じた教育を受ける機会を与えられなければならず、人種、（ a ）、性別、社会的身分、（ b ）的地位又は門地によって、教育上差別されない」としている。 >>> p84

Q3 過R3後

「教育基本法」第10条では、「父母その他の保護者は、子の教育について第一義的責任を有するものであって、生活のために必要な（ a ）を身に付けさせるとともに、（ b ）を育成し、心身の調和のとれた発達を図るよう努めるものとする」としている。 >>> p85

Q4 過R1後

「教育基本法」第11条では、「幼児期の教育は、生涯にわたる（ a ）の基礎を培う重要なものであることにかんがみ、国及び地方公共団体は、幼児の（ b ）に資する良好な環境の整備その他適当な方法によって、その振興に努めなければならない」としている。 >>> p85

○×問題

Q5 過R5後

「日本国憲法」第26条では、「すべて国民は、法律の定めるところにより、その能力に応じて、ひとしく教育を受ける資格を有する」としている。 >>> p83

Q6 過R5前

「教育基本法」は学校教育に関する法律であり、家庭教育や社会教育に関しては記述がない。 >>> p85

Q7 過R4前

「幼稚園は、義務教育及びその後の教育の基礎を培うものとして、幼児を保育し、幼児の健やかな成長のために適当な環境を与えて、その心身の発達を助長することを目的とする」としているのは「教育基本法」である。 >>> p86

Q8 過R5前

「幼稚園教育要領」前文では、「一人一人の幼児が、（中略）多様な人々と協働しながら様々な社会的変化を乗り越え、豊かな人生を切り拓き、国際化社会の創り手となることができるようにするための基礎を培うことが求められる」としている。 >>> p87

解答・解説

Q1　真理　Q2　a 信条／b 経済　Q3　a 習慣／b 自立心　Q4　a 人格形成／b 健やかな成長

Q5　×　資格ではなく権利　Q6　×　第10条、第12条にそれぞれ記述がある。　Q7　×　「学校教育法」である。　Q8　×　国際化社会ではなく持続可能な社会である。

教育原理 Lesson 2

諸外国の教育思想と歴史

頻出度 Level 4

難

現代の教育の背景となる諸外国の教育思想や歴史を学習します。教育に関する多様な考え方を人物や年代とともに覚えましょう。

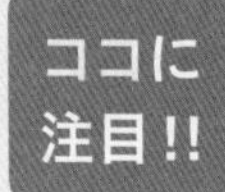

- ルソーの児童中心主義
- コメニウスの直観教授
- ロックの「白紙説」
- デューイのプラグマティズム

1 教育制度の歴史

原始的な農耕が中心であった古代の社会では、子どもは**親や社会の所有物**とされ、その存在は大きなものではありませんでした。しかし、生産活動の発展にともなって子どもは重要な労働力となり、大人と同様に働く子どもも増えていきます。このような子どもは「小さな大人」として扱われました。

18〜19世紀には、**ルソー**が「子どもは小さな大人ではない」として**児童中心主義**の考え方を提唱し、のちの幼児教育の考え方へつながっていきますが、大人と同様に働いている子どもたちの保護・健全育成に関心が向けられるようになるのは19世紀後半に入ってからです。

20世紀に入り、子どもの権利を保障する「ジュネーブ宣言」が国際連盟によって、「児童権利宣言」「**児童の権利に関する条約**」が国際連合で採択されたことで、子どもが権利の行使者としてとらえられるようになりました。

「児童の権利に関する条約」
⇨子福p212

次の表で古代から近代までの、教育の変遷(へんせん)をつかんでおきましょう。

古代国家	・古代ギリシャのアテネでは、国家による国家のための管理教育を行っていた。主な内容は**一般教養**であった。 ・アテネの教育制度は、ギムナシオン（国営の体操場）で、上流階級のエリートを対象に政治家をめざす教育を行った**プラトン**の**アカデメイア**（アカデミア）が有名。 ・プラトンによる教育史上初の全体的・統一的カリキュラムによって運営され、死後も約900年続いた。
中世ヨーロッパ	・教育は一部の支配者層に限定されたものではなくなり、身分や職業別のものへと変わっていった。 ■聖職者の養成 ・キリスト教の教会公認の修道団体（修道会）が各地に生まれ、修道院では7～15歳ごろまでの青少年に文法・修辞学・弁証法（**3学**）と算術・天文学・音楽・幾何学（**4科**）を合わせた**7自由科**を教育した。 ■騎士道と騎士の教育（11 ～ 13 世紀） ・礼節、忠誠、武勇、教会への献身、婦人への奉仕などの徳を重んじた。 ・学校ではなく宮廷生活のなかで、乗馬や狩猟などの実践をとおして体得した。 ■**ギルド**の形成と職人の教育（12 ～ 13 世紀） ・親方・職人・徒弟（とてい）といった身分制度に基づいたギルドという生産労働の組織が教育的機能を果たした。 ・教育は徒弟が親方の家に住み込む年季奉公のかたちで行われ、知的・道徳的・宗教的教育も含まれた。
ルネサンス期から近代	■ルネサンス期　（13 ～ 15 世紀） ・職業別、専門別の教育から古代ギリシャの影響を受けた万能教養人の教育へと変遷した。 ・イギリスの**パブリック・スクール**、フランスの**コレージュ**、ドイツの**ギムナジウム**などの**人文主義的学校**が誕生した。 ■宗教改革期（16 世紀） ・**ルター**を中心に宗教改革が起こり、**プロテスタント**の教会批判を受け、カトリックの絶大な勢力が崩れた。ルターは聖書をドイツ語に訳すこと、民衆の子どもに読み方の教育を施す必要性のあることを訴えた。 ・ドイツ各地で領邦国家単位の学校制度が定められ、近代教育史上はじめての国家による教育制度が生まれた。 ■イギリスの**産業革命期**（18 世紀後半） ・子どもたちが安価な労働力として酷使され、病気や短命などの問題が深刻化していたため、労働者の教育が課題となり、国よりも先に私人や慈善団体によって学校が設立された。 ・ロバート・レイクスによる日曜学校では、工場街で働く貧しい子どもたちを、仕事が休みの日曜日に集めて教育を行い、**読み・書き・算術**（**3 Rs**）を教えた。 ・ベルとランカスターによる**助教法**（**ベル・ランカスター法**）*1では、子どもたちを学習進度によってグループ分けし、成績のよい上級生を助教（モニター）に選んで、一度に数百人を対象とした**一斉授業**を行った。
近代以降	・1789年の**フランス革命**から始まった民主主義と国家主義の影響を受け、国家は国民の人間性と基本的人権の尊重、福祉の向上に取り組み始めた。 ・1870年代には、多くの国で国民教育制度が整備された。

プラス1

プラトンの教育論
プラトンは、紀元前400年ごろに活躍した古代ギリシャの哲学者。すぐれた子どもを選別して国家の管理下で育てることを主張。

ルネサンス期の教育思想家
ルネサンス期の代表的な教育思想家としてはオランダのエラスムス（Erasmus, D.）があげられる。彼は人間性の復興という理念のもと、幼児期の教育の必要性を説いた。

ルター
Luther, M.
1483～1546年。
ドイツの神学者。宗教改革の中心人物およびプロテスタントの創始者。

用語

3Rs
reading、writing、arithmeticの3つの"r"のこと。

***1 助教法**
ベルとランカスターの助教法（ベル・ランカスター法）について出題。
R2後

2 教育思想の歴史

（1）コメニウス

近代教育の父といわれた**コメニウス**[*2]は、「**すべての人にすべてのこと**を教える普遍的技術」という理念のもと、教育は身分や貧富の区別なく全員が平等に受けるべきだと説きました。1657年には、教育学史上初の体系的な教育学書『**大教授学**』を著し、幼児期の教育の重要性を示し、その思想は**合自然（主義）**としてルソーやペスタロッチに引き継がれました。1658年に著した『**世界図絵**』は、さまざまな事物を目でみて学ぶことのできる世界初の絵入り教科書で、彼の提唱した**直観教授**の原理を具体化しています。

（2）ロック

イギリス経験論哲学の代表的思想家である**ロック**は、人間の経験には「感覚」と「内省」の２種類があり、人間の心の働きは、これらの経験によってどのようにでもつくることができるとしています。この理論から、**白紙説**[*3]（タブラ・ラサ）が導かれ、さらに教育万能論ともいうべき教育観へと展開されていきました。

また、教育の目的を**紳士教育**とし、最も時間をかけるべきなのは「子どもたちに徳とよい行儀の原理」を教えることとしました。彼の著書『**教育に関する（若干の）考察**』では、「**健全な**身体に宿る**健全な**精神とは、この世にある幸福な状態を簡潔にしかも十分にいい表した言葉である」と述べ、人間の精神と身体の関係を強調しています。

（3）ルソー

ルソー[*4]は、**児童中心主義**とよばれる子ども観、教育観を提唱したことで有名です。著書『エミール』では、大人の抑圧から子どもを解放し、子どもに本来備わっている成長力や活動力

でた問!!

＊2 コメニウス
コメニウスの汎知体系について出題。
R3後

コメニウス
Comenius, J. A.
1592～1670年。
チェコ出身の教育学者。

＋プラス１

汎知体系
コメニウスは、１つの国家や民族を超えた全世界的な「汎知（はんち）」（パンソピア）という思想体系を確立し、単線型の統一学校の構想を示した。

ロック
Locke, J.
1632～1704年。
イギリスの経験論哲学の思想家。

でた問!!

＊3 白紙説
ロックの白紙説について出題。
R3後

教育原理

*4 ルソー
ルソーの『エミール』について出題。
R4後

を引きだすという理論（**消極教育**）が展開されています。

ルソーは、子どもは大人とは違う独自の価値があり、大人とは異なる感じ方、考え方をもつ存在だと主張しました。こうした児童中心主義的な子ども観および教育観から、「**子どもの発見者**」とよばれるようになりました。

（4）コンドルセ

コンドルセ
Condorcet, M.
1743～1794年。
フランス革命期の数学者、社会科学者、政治家。

「近代公教育のパイオニア」とよばれる**コンドルセ**は、フランス革命後、立法議会に対して**公教育設置法案**を立案し、報告演説を行いました。

そこでは自由主義、合理主義の精神に基づいて、国民教育が権力によってゆがめられないように、**宗教**権力や**行政**権力からの独立などがうたわれ、近代教育精神の礎（いしずえ）となっています。

ペスタロッチ
⇨保原p59

（5）ペスタロッチ

でた問!!
*5 ペスタロッチ
ペスタロッチの「生活が陶冶する」という言葉について出題。
R1後、R3前
『シュタンツだより』の記述について出題。
R1後

ルソーの思想に影響を受けたスイスの**ペスタロッチ**[*5]は、著書『**隠者（いんじゃ）の夕暮れ**』の冒頭において、「**玉座（ぎょくざ）の上**にあっても、**木の葉の屋根の蔭（かげ）**に住まっても、同じ人間」と述べています。教育では、人間は生まれつき平等であるという信念のもと、すべての人間の人間性を発展させることをその目的としました。人間性とは、**頭**と**心**と**手**、つまり知的・道徳的・身体的な諸能力によって形成されるものと考えていました。また子どもに対しては、言葉ではなく事物による**直観教授**を基本としました。ペスタロッチは直観こそが思考力の発達や言語獲得の基礎になると説き、直観を構成する要素として数、形、語の３つを示しました。

✚プラス１
『育児日記』
ペスタロッチは、ルソーの『エミール』にのっとり、息子のヤコブを3歳半から教育して『育児日記』を著した。

ペスタロッチの有名な言葉である「**生活が陶冶（とうや）する**」とは、幼児期の家庭での生活や人間関係が、その後の学校や社会での人間関係に発展するという意味です。この言葉の通り、幼児期の母親の教育的役割を重視しました。

ほかに有名な著書として、孤児院での実践について書かれた『**シュタンツだより**』があります。

（6）オーベルラン

牧師であった**オーベルラン**は1779年、フランスのアルザス地方に**世界初の保育施設**である幼児保護所を設立しました。ここでは戦災と貧困により放任・遺棄（いき）された幼児を対象に、キリスト教の宗教教育とフランス語に加え、遊戯（ゆうぎ）と作業を教えました。この託児所は、パリなどの都市に託児施設を生みだすきっかけとなりました。レース編みも教えたため、編み物学校ともよばれました。

（7）オーエン

オーエン[*6]は、幼児期によい環境を与えることが、よい人格形成に必要であると説き、この性格形成論にペスタロッチの教育法を取り入れ、読み書きなどの主知主義教育を排して、**直観教授**を重んじました。

当時、産業革命により、子どもが長時間労働や危険な作業にさらされている状況を憂慮して、1816年に自らの紡績工場敷地内に**性格形成学院**を創設しました。

（8）フレーベル

フレーベル[*7]は、世界初の幼稚園である**キンダーガルテン**を設立しました。

著書**『人間の教育』**では、教育の目的を、人間のうちにある**神的なもの**を子どもの自由と自己活動によって発展させることだと述べています。

子どもの発達を促（うなが）す方法としては、遊びを特に重要だと考え、**恩物**（おんぶつ）とよばれる教育的遊具を考案しました。

（9）ヘルバルト

ヘルバルト[*8]は、教育の目的を「品性の陶冶（道徳的品性の形成）」としました。それは管理・教授・訓練の教育作用によって達成されると述べています。

オーベルラン ⇨保原p55

オーエン ⇨保原p55

でた問!!

***6 オーエン**
オーエンの教育思想と性格形成学院について出題。
R5前

＋プラス1

性格形成学院
「幼児学校」「小学校」「青年と成人の学校」の3部構成とし、幼児学校は年少組（1〜3歳）と年長組（4〜6歳）に分けて、戸外遊び、実物や絵を使った遊び、お話、音楽、ダンス、軍事教練（行進）などの教育を行った。

でた問!!

***7 フレーベル**
フレーベルの教育思想について出題。
R3前、R3後

フレーベル ⇨保原p56

ヘルバルト
Herbart, J. F.
1776〜1841年。
ドイツの教育学者・哲学者。教育の目的を倫理に置き、教授の過程を段階的にすすめ、教育学を体系化した。

教育原理

*8 ヘルバルト
ヘルバルトについて出題。
R3前

モンテッソーリ
Montessori, M.
1870～1952年。
イタリアで最初の女性医学博士。ローマ大学卒業後、知的障害児の教育に携わり、成果をあげた。

*9 モンテッソーリ
感覚訓練について出題。
R5前
『幼児の秘密』について出題。
R6前

モンテッソーリ教具
⇨保原p60

エレン・ケイ
Ellen Key
1849～1926年。
スウェーデンの女性思想家。日本の新教育運動の展開に大きな影響を与えた。

- **管理**…教授と訓練のための条件整備
- **教授**…教師が教材を媒介にして子どもの才能や性質を育て上げること
- **訓練**…教材を媒介としないで子どもに直接働きかけて、その心情や意思を育てること

また彼は、教授するときの学習過程を、**明瞭**（めいりょう）（一つひとつのものをはっきりと知る）・**連合**（イメージとイメージをつなぎ合わせる）・**系統**（多数のものを関係づけ、秩序だてる）・**方法**（徹底的に応用する）の四段階に沿ってすすめるべきとしました（**四段階教授法**）。

(10) モンテッソーリ

モンテッソーリ*9は、成長・発達の手段として「**モンテッソーリ教具**」を考案し、独自の保育・教育思想は**モンテッソーリ・メソッド**として現在も幼児教育に大きな影響を及ぼしています。代表的な著書として『創造する子供』『**幼児の秘密**』『子どもの発見』などがあります。

モンテッソーリは、乳幼児期に現れるある特別なことに特に敏感になる時期を**敏感期**と名づけ、子どもが本来もつ興味や関心を尊重し、集中力を引きだして教具による**感覚訓練**を行うことを中心に教育をすすめました。

(11) エレン・ケイ

エレン・ケイは、主著『**児童の世紀**』で、「20世紀は**児童の世紀**である」という言葉を記しています。この本は教育における**児童中心主義運動**の一翼を担いました。

エレン・ケイは、子どもの個性と興味に応じて自由に学習科目を選ばせるなど、子どもの自主性を尊重した教育理論を展開しました。これにはルソーの影響が強く表れているため、彼女は「第二のルソー」ともよばれています。

平和主義者としての側面もあり、教育や平和、芸術や婦人解放運動など多方面で著作を残しています。

(12) デューイ

デューイ
⇨保原p61

デューイ[*10]は、**プラグマティズム**の立場から「**為すことによって学ぶ**」という**経験主義**、**実験主義**を教育の基本原理としました。彼は、1896年にシカゴ大学附属実験学校を開設し、そこでの実践報告を『**学校と社会**』(1899年) にまとめました。さらに教育の意義や目的、教授法や教育内容を示した『**民主主義と教育**』(1916年) では、「教育のすべては**児童**から始まる」と述べています。

彼の児童中心主義の特徴は、子どもを取り巻く社会的環境のもつ教育力を、子どもの成長に欠かせないものとしたことです。彼は人間を**経験的存在**としてとらえ、教育とは経験を常に再組織し、改造することであると述べています。

デューイを創始者とする**進歩主義教育**が重視した**問題解決学習**の考え方は、知識注入主義に対するものとして、今日まで多大な影響を及ぼしています。その基本理念は、実生活に近い経験を学習の出発点とし、知識は「子どもが自ら生活のなかで問題を発見し、分析して仮説を立てて検証する」ことによって獲得されるというものです。1930年代のアメリカは資本主義が危機的状況に陥っていたため、デューイは**新教育運動**の先駆者として、教育をとおしての社会変革を課題としました。

でた問!!
***10 デューイ**
デューイについて出題。
H31前
デューイの著作物について出題。
R4前

教育原理

プラス1
プラグマティズム
「プラグマティズム」の語源は、ギリシャ語 のPragmaで、行動という意味。実践や行動を重んじることが特徴。思考・観念の真理性は、環境に対する行動の結果の有効性から検証をとおして導かれるとする。

用語
新教育運動
子どもの自主的な活動を尊重し、個性に応じた教育を行おうとする運動。

(13) キルパトリック

デューイの教育理念に沿った**キルパトリック**の**プロジェクト・メソッド**[*11]は、学習者自身が生活のなかで課題をみつけ、自

でた問!!
***11 プロジェクト・メソッド**
キルパトリックのプロジェクト・メソッドについて出題。
H31前、R5後

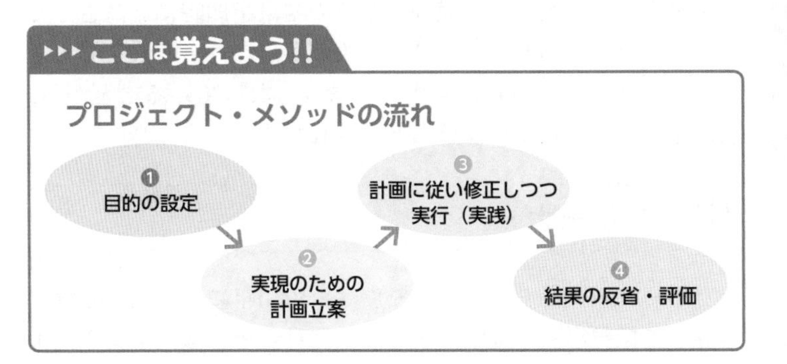

キルパトリック
Kilpatrick, W. H.
1871～1965年。デューイとともに進歩主義教育協会の指導者として活動。アメリカの新教育は、デューイの哲学により基礎づけられ、キルパトリックにより発展、一般化した。

主的に解決するというものです。これは、職業教育のメソッドを、普通教育に活用したものです。

(14) ヴィゴツキー

ロシアの**ヴィゴツキー**（Vygotsky, L.S.）は、発達理論を唱え、特に**発達の最近接領域**[*12]に注目しました。発達の最近接領域とは、ある課題を１人で解決できたときの水準と、ほかの人の援助や協力を得て達成できたときの水準との「ひらき」を指します。このひらきが、その子どもの次に発達する領域と可能性を示しているとしました。

***12 発達の最近接領域**
ヴィゴツキーの発達の最近接領域について出題。
R2後

(15) オコン

ポーランドの教育学者**オコン**（Okon, W.）は、教師・生徒・教材という教授過程三要素のうちの教師の役割に着目し、科学的に分析して科学的道筋に従って知識を教授する方法を研究しました。教授過程の法則性を**『教授過程』**という著書のなかで検証しています。

(16) スキナー

スキナー（Skinner, B. F.）は、**ティーチング・マシーン**とよばれる問題提示装置を考案するとともに、**プログラム学習**[*13]の理論を提唱しました。彼の理論は、①学習過程を細分化した**スモールステップの原理**、②各スモールステップで積極的に反応を求める積極的反応の原理、③その結果を即時に確認させるフィードバックの原理、の３つの原理からなり、階段を昇るように一歩ずつ、一直線にすすめる構成となっていることから、**直線型（リニア）プログラム**とよばれます。

でた問!!

***13 プログラム学習**
スキナーのプログラム学習について出題。
R1後、R4後

(17) ブルーナー

ブルーナー[*14]（Bruner, J. S.）は、1960年に著した**『教育の過程』**で**発見学習**を提唱しました。発見学習とは、学問や文化

でた問!!

***14 ブルーナー**
ブルーナーの考え方について出題。
R2後

の基本的構造に関する内容について、結果として学ぶだけではなく、学習者自らがその発見の過程に参加することにより、発見的に学ぶことを意図した学習方法です。

(18) オーズベル

オーズベル（Ausubel, D. P.）は、受容的に意味を把握（はあく）するような学習の意義を見直し、すでにもっている知識と関連づけることで学習者の認知構造に意味のある変化をもたらし知識の定着を図る**有意味受容学習**[*15]を提唱しました。学習者にあらかじめ与える情報を**先行オーガナイザー**といいます。

(19) ブルーム

ブルーム（Bloom, B. S.）は、これまでの教育が、生徒の3分の1程度の者しか十分な理解ができないということを前提に行われてきたことを批判し、**完全習得学習**（**マスタリー・ラーニング**）を提唱しました。そして、個々の生徒の学習状況を把握し、適切な指導を行うために**診断的評価**、**形成的評価**、**総括的評価**の重要性を説きました。ブルームは、これら3つの評価を適切に行い、学習条件を整備すれば、大多数の児童生徒にとって完全習得学習は可能であると考えたのです。

(20) レイヴとウェンガー

レイヴ（Lave, J）と**ウェンガー**（Wenger, E.）は、学習というものを分析的にみて理解する一つの方法として**正統的周辺参加**[*16]を提唱しました。これは、熟練した者のようすを見学した子どもが、見よう見まねでその方法を習得していく方法とされています。これ自体は教育形態ではなく、教授技術的方略や教えるためのテクニックでもないとされています。

(21) イリイチ

イリイチ（Illich, I.）は、著書『**脱学校の社会**[*17]』で、脱学

でた問!!

***15 有意味受容学習**
オーズベルの有意味受容学習について出題。
R1後

プラス1

ブルームの評価論
- 診断的評価…事前に学習者の実態を把握し、それに合った学習計画を立てるための評価。
- 形成的評価…教授活動の過程において学習者の理解度を確認し、必要ならば指導方針を修正するための評価。
- 総括的評価…従来の中間・期末試験による評価。これにより学習者は自身の努力の成果を知ることができる。

でた問!!

***16 正統的周辺参加**
レイヴとウェンガーの正統的周辺参加について出題。
H31前

でた問!!

***17『脱学校の社会』**
イリイチの『脱学校の社会』について出題。
R1後

校論と自律的学習を訴えました。

著書のなかで、学校制度を通じて「教えられ、学ばされる」ことにより、「自ら学ぶ」など、学習していく動機をもてなくなるようすを「学校化」として批判的に分析しています。

(22) フレイレ

フレイレ(Freire, P.)は、ブラジルで土地をもたない貧農に対して識字教育を展開し、『**被抑圧者(ひよくあつしゃ)の教育学**[*18]』を著しました。そのなかで、学校を通じて子どもに知識が一方的に授けられるようすを空の銀行口座にただ預金する例えから「銀行型教育」と批判し、これに代わって教育では「対話」が重視されるべきだとしました。

***18『被抑圧者の教育学』**
フレイレの『被抑圧者の教育学』について出題。
R1後

(23) フレネ

フレネ(Freinet, C.)は、学校教育において教師による知識のつめ込みを批判し、教育は子どもの生活と表現を中心として、子どもが主体となって行われるべきだと説きました。

具体的には、子どもたちが日常のなかで発見し、表現したいと思ったことを自由に記述する作文、絵画や演劇などのアトリエ活動などをとおして、子どもの自由な表現による学習を重視しました。1935年にフランスでフレネ学校が開校し、現在では、**フレネ教育**として世界にその教育方法が広まっています。

フレネ
Freinet, C.
1896〜1966年。フランスの学校教師。教科書中心の授業を行わず、子ども自身がつくった「活動計画」にのっとって学ぶなど、特色ある教育実践(フレネ教育)を行った。

(24) シュタイナー

シュタイナー(Steiner, R.)は、現在のクロアチア出身の哲学者、教育者で、人間の真の姿を認識しようとする学問として、**人智学(じんちがく)**を打ち立てました。1919年、ドイツのシュトゥットガルトで**自由ヴァルドルフ学校**を設立しました。子どもたちの成長段階に合わせ、自由意思を尊重した教育の実践を試み、現在ではシュタイナー教育としてさまざまな教育機関にその教育方法が取り入れられています。

ポイント確認テスト

穴うめ問題

□□ **Q1** 過R2後

18世紀末から19世紀初頭にかけてのイギリスでは、(中略) 生徒集団の中から優秀な生徒を助教 (モニター) として任用し、助教が教師の指示を他の生徒に伝えるという (　　　) 法をとった。この方法が一斉授業の起源といわれている。>>> p90

□□ **Q2** 過R5後

プロジェクト・メソッドは、デューイ (Dewey, J.) の後継者の一人であった (　　　) によって提唱されたもので、問題解決学習の一種と考えられる。>>> p95

□□ **Q3** 過R2後

「教育学は、子どもの発達の昨日にではなく、明日に目を向けなければならない。その時にのみ、それは発達の最近接領域にいま横たわっている発達過程を教授の過程において現実によび起こすことができる」としたのは (　　　) である。>>> p96

□□ **Q4** 過R1後

『被抑圧者の教育学』(1979年) で、学校を通じて子どもに知識が一方的に授けられる様子を「銀行型教育」と批判し、これに代わって教育では「対話」が重視されるべきだとしたのは (　　　) である。>>> p98

○×問題

□□ **Q5** 過R3後

ロックは、人間の精神は本来白紙 (tabula rasa) のようなものであるとした。>>> p91

□□ **Q6** 過R4後

『児童の世紀』を著したエレン・ケイ (Key, E.) は、性善説の立場をとり、本来子ども一人一人のなかにある固有の価値を認め、それを伸ばしていこうとする考えであった。子どもはおとなに無理に教えられなくとも、自ら学び、成長していく力をもっているとした。>>> p91

□□ **Q7** 過R5後

プロジェクト・メソッドでは、目標の設定→計画の立案→実践→反省・評価、という一連の学習活動を生徒自身が行うことになる。>>> p95

□□ **Q8** 過R4後

ブルーナー (Bruner, J.S.) は、学習者が反応 (解答) した際に、正しかったかどうかについてフィードバックがあるように、ティーチング・マシーンを考案した。問題は綿密にプログラム化されており、プログラム学習といわれる。>>> p96

解答・解説

Q1 助教 (ベル・ランカスター)　**Q2** キルパトリック (Kilpatrick, W.H.)　**Q3** ヴィゴツキー (Vygotsky, L.S.)　**Q4** フレイレ (Freire, P.)

Q5 ○　**Q6** ×『エミール』を著したルソー (Rousseau, J.J.) の考え方である。

Q7 ○　**Q8** × ブルーナーではなくスキナー (Skinner, B.F.)。

教育原理 Lesson 3

日本の教育思想と歴史

頻出度 Level 4

日本ではどのような教育が行われてきたのでしょうか。教育制度と思想の歴史を学んでいきましょう。

ココに注目!!

- ✔ 学制の目的と内容
- ✔ 倉橋惣三の児童中心主義
- ✔ 東京女子師範学校附属幼稚園設立の経緯
- ✔ 幼稚園の位置づけ(学校教育法)

1 近代以前の教育の歴史

諸外国と同じように、古くは日本においても、子どもは**大人の所有物**として扱われました。そうした状況は、幕末から明治期にかけての近代化を経て、現在では大きく変化しています。いまや子どもは社会の一員であるとともに尊ばれる存在となりました。

「日本国憲法」の定めるところによれば、子どもは**教育を受ける権利**を持ち、保護者は子どもに**教育を受けさせる義務**を負います。「**児童の権利に関する条約**」にもあるように、子どもを**権利の行使者**と捉(とら)える見方がますます一般化しています。以下では、現代に至るまでの日本の教育の歴史を概観しましょう。

「児童の権利に関する条約」
⇨子福p212

(1) 平安時代までの教育

大化の改新（645年）以降、隋(ずい)や唐の制度を取り入れ、国による教育機関が設置されたのち、奈良時代から平安時代にかけては、私設の教育機関も出現しました。

奈良時代	・官僚の組織的養成のため、中央に大学寮を設置。 ・地方教育機関として国学と府学（太宰府）を設置。
平安時代	・空海による、はじめての庶民のための学校、綜芸種智院[*1]（儒教・道教・仏教の三教一致の教育）の設立。 ・石上宅嗣（いそのかみのやかつぐ）による、儒仏二教の典籍を収蔵した日本最古の私立図書館、芸亭（うんてい）の設立。 ・平安中期から往来物が教材として使われるようになる。

でた問!!

*1 綜芸種智院（しゅげいしゅちいん）
空海の綜芸種智院について出題。
H31前、R4前

(2) 中世社会の教育

貴族の時代から武士の時代に変化していくなかで、中世にはさまざまな教育機関が生まれました。武家文庫として代表的な金沢文庫、日本最古の大学といわれる足利(あしかが)学校、16世紀にイエズス会が開設したキリシタン学校、庶民の子どもを教育する寺子屋などがありました。

用語

往来物
和語と漢語の混じった書簡文章例の模範教材。平安中期から明治初期まで、広く使われた寺子屋などの初等教科書・教材の総称。

■中世の教育機関

武家文庫	自分の屋敷内に書庫を設けたもの。北条実時が一族の菩提寺に構えた金沢文庫[*2]が代表的。
足利学校	漢籍や易学に加え、戦国時代には医学・兵学・天文学も講じられた。
キリシタン学校	1549年のザビエル来日後、イエズス会により開設。
寺子屋	寺院による民衆教育の場。武士・僧侶・医者・神職などを師として、庶民の子どもに読み書きやそろばん、生活態度などを教えた。往来物が教科書に編成されて使われていた。

でた問!!

*2 金沢文庫
北条実時が構えた金沢文庫について出題。
R6前

(3) 近世社会の教育

江戸時代は、幕藩体制が安定して維持された時代でした。そのため武士の教育においては、武芸のみならず、指導者にふさわしい学識や教養・道徳を身につける文武(ぶんぶ)両道に重点が置かれました。また、庶民の生活においても、貨幣経済の発達にともない、読み・書き・そろばんの習得が求められるようになりました。こうした時代背景から、官立・私立ともにさまざまな教育機関が生まれました。

藩士の教育のために各地に設置された藩学(はんがく)や郷学(ごうがく)、職能教育を施す**徒弟制度**(とてい)、民間の学者が高度な教育を行う**私塾**などがありました。

■近世の教育機関・制度

藩学(校)	有能な藩士となるために必要とされた漢学などの教養を授けるため各地に設置された。幕藩体制の崩壊が色濃くなるにつれ、庶民にも門戸が開かれるようになり、学習内容も多様化した。
郷学	藩校の分校的存在で、**藩主**あるいは**民間の有志**が設立した。幕末から明治にかけて増加。代表的なものに岡山県の**閑谷(しずたに)学校**がある。
徒弟制度	商人や職人となるために親方に弟子入りして修業する制度で、庶民の職能教育にあたる。商人社会では「丁稚(でっち)奉公」、職人の場合は「年季奉公」とよばれた。奉公以前の基礎教養は**寺子屋**で行われた。
私塾	寺子屋より高度な教育を行う場所。民間の学者が自宅を教室にするなどのかたちで広まった。漢学を主に教えるものが大半だったが、幕末には洋学や西洋医学の私塾もみられた。伊勢の鈴屋(本居宣長)や大阪の適塾(**緒方洪庵**)、日田の咸宜園(広瀬淡窓)、長崎の鳴滝塾(シーボルト)などが代表的である。

❶貝原益軒

貝原益軒(かいばらえきけん)*3は、6~20歳までの各発達段階に即した教授法と教材として、**随年教法**(ずいねんきょうほう)(教育課程論)を構想しました。日本初の体系的教育書といわれる著書**『和俗童子訓』**(わぞくどうじくん)のなかで、人間の尊厳は「人の道」を学ぶことによって確保されると述べています。子どもがもつ成長力の発現を待ち、子ども独自の世界を尊重する姿勢が特徴といえます。「日本のロック」とよばれることもあります。

❷中江藤樹

中江藤樹(なかえとうじゅ)*4は、著書**『翁問答』**(おきなもんどう)のなかで、子どもに対する幼少期からの道徳教育を重視する思想を示しました。そこでは、教育における父母の役割にもふれられています。

❸佐藤信淵

佐藤信淵(さとうのぶひろ)は、幕末期に農村の再建のために「**慈育院**(じいくいん)」という乳児院を構想しましたが、実現しませんでした。このことから佐藤は、日本で最初に保育施設を構想した人物として知られています。

プラス1

風姿花伝
芸の維持向上のために、世阿弥が著した日本最古の能楽の伝書で、年齢別の教育にもふれている。

用語

郷学
明治期の学制によって、小・中学校に改編されたものも多い。

閑谷学校
庶民に開放した学校としては日本最古といわれる。

でた問!!

***3 貝原益軒**
『和俗童子訓』について出題。
H31前、R2後、R5前
随年教法について出題。
R6前

***4 中江藤樹**
中江藤樹について出題。
H31前、R5後

貝原益軒
1630~1714年。江戸時代の朱子学者。朱子学は儒学の一派。

中江藤樹
1608~1648年。江戸時代の儒学者。日本における陽明学の祖とされる。「近江聖人」ともいわれた。

佐藤信淵
1769~1850年。幕末期に活躍した農政学者。著書『垂統秘録(すいとうひろく)』を残す。

2 近・現代の教育の歴史

(1) 明治期の教育制度

❶学制

文部省（現:文部科学省）が設置された翌年の1872（明治５）年、明治政府は**日本初の教育法規**である「**学制**[*5]」を制定・公布しました。富国強兵策をすすめていくうえで、教育の近代化を図り統一的な国民教育を推進することをめざした法令であり、これにより、現在の中央集権的な教育行政機構が形成されたといわれています。

「学制」では、全国を大学区に、さらに各大学区を32の中学区、各中学区を210の小学区に分け、各学区に大学・中学・小学を１校ずつ設置することが計画されました。1876（明治９）年末、全国の小学校数は約２万5,000にもなりましたが、家庭内の労働力不足などが原因で就学忌避の動きがでたため、文部省は画一的な「学制」を改める目的で新制度の作成に着手しました。

❷「教育令」

1879（明治12）年、「学制」を廃して「**教育令**[*6]」が制定・公布されました。田中不二麿文部大輔（大臣）が中心となり**アメリカ**の教育制度にならって作成したもので、学区制を廃止し、自由と自治を尊重、地域の実情を重視しています。しかし小学校の設置や就学義務が著しく緩和された結果、学校閉鎖や不就学児童が増加、政府の放任が問われました。

❸「改正教育令」

1880（明治13）年、「教育令」を修正するために「**改正教育令**」が制定されました。これにより、就学義務の強化、学級委員に加えて**戸長**を置き府県知事にその任免権が与えられる、修身（今でいう道徳教育）の筆頭教科化など、国や府県知事の権限が強化され、統制色の強い教育制度となりました。また、私学は届出制から認可制になりました。

❹「小学校令」と義務教育制度

1886（明治19）年、初代文部大臣**森有礼**[*7]が国家主義教育政

でた問!!
***5 学制**
学制の内容について出題。
R4前

教育原理

でた問!!
***6 教育令**
制定のいきさつについて出題。
R5後

プラス1
府県知事
このころ北海道は内閣が治めていたため知事は置かれていなかった。また東京都は東京府とよばれていた。

森有礼
1847～1889年。
明治時代の外交官・政治家。

***7 森有礼**
森有礼の功績について出題。
R4前

策を成立させるために定めた「諸学校令」の一つとして「**小学校令**」が定められました。小学校を臣民（しんみん）教育機関として位置づけたことにより、就学義務、授業料徴収の原則、教科書検定制度による臣民教育という３つの特徴をもった**義務教育制度**が確立しました。また、小学校は、尋常（じんじょう）科・高等科の２段階編成となりました。

❺「教育勅語」

> **用語**
> **「教育勅語」**
> 井上毅（いのうえこわし）ほかの起草による。儒教倫理の色彩が濃く、天皇の「臣民」である国民に対する天皇の勅語として神聖で絶対的なものとされた。1945（昭和20）年まで日本国民の倫理規範となった。

1890（明治23）年、政治状況に左右されない不変的な教育の指針が求められたことから「**教育勅語**（ちょくご）」が発布（はっぷ）されました。学校管理・教育内容などは国の事業とし、小学校の目的は「道徳教育及国民教育ノ基礎」を授けることと明示され、第二次世界大戦前の教育の根幹となりました。

❻義務教育制度の変遷

1890年、前年に施行された市町村制にともなって「小学校令」は改正され、市町村は国の委任により小学校の設置・維持に携わることになりました。

その後、1907（明治40）年の「小学校令」の改正により、尋常科は６年間の義務教育となりました。1941（昭和16）年には「**国民学校令**」により小学校は**国民学校**と名称を改め、義務教育の年限は８年間に延長されました。

▸▸▸ ここは覚えよう!!

小学校の変遷

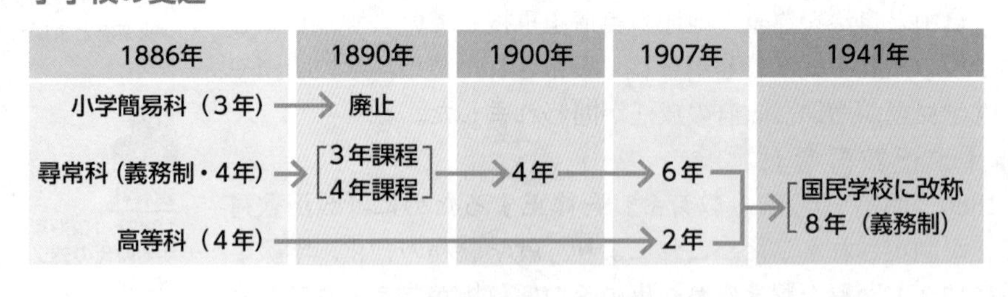

（２）明治期の教育機関・保育施設

❶幼稚園

日本初の官立幼稚園は、**東京女子師範学校附属幼稚園**です。

文部大輔（大臣）の田中不二麿が**東京女子師範学校**（現：お茶の水女子大学）校長の**中村正直**の協力を得て1876（明治９）年に設立したもので、学齢未満児の本来の才能を開発することを目標としていました。初代監事（園長）の**関信三**[*8]は、フレーベル主義に影響を受けた幼稚園教育を提唱し、フレーベル門下生だった主任保母の**松野クララ**とともに実務にあたりながら、当時の日本にとっては新しい子ども観を示しました。

1899（明治32）年には文部省令により、最初の幼稚園教育要領である「**幼稚園保育及設備規程**」が制定されました。これにより、１園の総園児数は100名以内、３歳から小学校就学までの幼児を対象とすること、１日の保育時間は５時間以内、保母１人あたりの保育児数は40名以内とされました。その後、1900（明治33）年の「改正小学校令」で幼稚園が小学校に付設できるようになり、1912（明治45）年には全国で公私の幼稚園が合計533園に達しました。

❷託児事業

託児事業の始まりとしては、**赤沢鍾美**が1890（明治23）年に**新潟静修学校**を設立し、通ってくる子どもが連れてくる弟や妹を預かるための託児所を併設しました。

1900（明治33）年には、東京・麹町に**野口幽香**と**森島峰**が**二葉幼稚園**を開設し、1906（明治39）年には四谷に移り、本格的な無料幼稚園（貧民幼稚園）に発展させました。

東京女子師範学校に勤め、のちに目白幼稚園を開園することになる**和田実**は、日本で初めて「幼児教育」という言葉を使ったことで知られています。1908（明治41）年に著した『**幼児教育法**』は、幼児教育を体系的に論じたもので、遊びから誘導して感化していく**誘導保育**の理論が示されました。

（3）大正期・昭和前期の教育

❶「幼稚園令」の制定

幼稚園教育はその後も広まり、大正末期には園数が1,000に達して法制化が望まれるようになりました。1926（大正15）年には日本初の独立した幼稚園を規定した法令として、「**幼稚園令**」と「**幼稚園令施行規則**」が制定・公布されました。「幼稚

中村正直
1832～1891年。幕末から明治初期に活躍した教育学者。1873（明治6）年に『西国童子鑑』を著した。フレーベルの「Kindergarten」を「幼稚園」と訳すなど、その理論を日本に紹介した。

関信三
1843～1880年。イギリス留学を経て、東京女子師範学校の英語教師となる。

***8 関信三**
関信三の功績について出題。
R3後

1876（明治9）年、日本にフレーベルの教具が紹介されたとき、関信三が「恩物」と訳しました。

プラス１

守孤扶独幼稚児保護会
赤沢鍾美が主宰していた私塾・新潟静修学校に通う生徒の幼い弟や妹を世話することから始まった託児所を、1908（明治41）年に守孤扶独幼稚児保護会として本格的な保育施設とした。

教育原理

園令」では、幼稚園は「家庭教育を補う」施設で、保育項目が従来の4項目から5項目（**遊戯**・**唱歌**・**観察**・**談話**・**手技等**）となりました。また従来の1日5時間以内という保育時間の制限がなくなり、幼稚園の**保育所的機能**も考慮した制度になりました。

❷教育思想

大正デモクラシーを背景に、**児童中心主義**の子ども観が浸透していったこの時代、さまざまな新しい教育思想が生まれました。

- **倉橋惣三**……このころのフレーベル主義が、本来の考え方から離れて形式主義に陥っていることを批判し、子どもの自発的活動による遊び中心の保育をめざした。保育論「**誘導保育**」では、「**生活を生活で生活へ**」という理論のもと、幼児たちに自由遊びをさせながら、保育の目的に導く環境として自然を重視し、小動物の飼育や草花の栽培、園外保育などを採用した。
- **城戸幡太郎**……ロシアの教育者マカレンコの集団教育理論の影響を受け、1936（昭和11）年に発足した保育問題研究会を率いた。倉橋惣三の楽観的な子ども観と児童中心主義に対し、大人が子どもを導くことの重要性や集団生活の必要性を説く社会中心主義を提唱した。
- **新たな教育理論**…大正初期に新たな教育理論として**モンテッソーリ・メソッド**の自由主義教育論が紹介された。次いで**キルパトリック**による**プロジェクト・メソッド***9（子ども自身の考えに基づく問題解決学習）、**パーカースト**の**ドルトン・プラン**（子どもの個性や成長段階などを重視した自学システム）が紹介された。

❸児童文化

大正期には**自由画**や**童謡**、律動遊戯、リトミックなどが採用され始めました。児童文芸運動では、夏目漱石門下の**鈴木三重吉**が芸術至上主義の立場から児童雑誌**『赤い鳥』**を刊行しました。また、民俗学者の**柳田国男**は各地に伝わる子どもの遊びや年中行事を**『子ども風土記』**にまとめています。

プラス1

日本の新教育運動
自主的な活動の尊重、個性に応じた教育を重視する新教育運動が私立小学校や（高等）師範学校を中心に展開された。及川平治が明石師範学校附属小学校・幼稚園で児童中心主義に基づいて行った分団式動的教育、成城小学校を創設した澤柳政太郎、合科教育を実践した木下竹次などが代表的である。

倉橋惣三
⇨保原p67

城戸幡太郎
⇨保原p67

キルパトリック
⇨p95

でた問!!

***9 プロジェクト・メソッド**
プロジェクト・メソッドについて出題。
R5後

人物

パーカースト
Parkhust, H.
1887～1973年。
アメリカの女性教育家。

プラス1

自由画教育運動
画家の山本鼎（かなえ）らによって提唱、実践された運動。お手本を模写することが中心だったそれまでの美術教育から、子どもが感じたものを表す自由画による教育をすすめた。

(4) 第二次世界大戦後の幼児教育

❶新しい教育の法体制

第二次世界大戦後は民主主義教育への転換をめざして1947（昭和22）年に「（旧）教育基本法」と「学校教育法」が公布され、幼稚園は学校として位置づけられました。一方、保育所については、1947年の「児童福祉法」の制定により、児童福祉施設として位置づけられ、従来の託児所も保育所として統一されました。

❷「保育要領」と「幼稚園教育要領」

文部省（現：文部科学省）は1948（昭和23）年に「保育要領～幼児教育の手引き～」を試案として発表しました。

これは幼稚園と保育所のための保育内容の基準と位置づけられたもので、幼児の興味や要求を考慮し、生活経験を重視した12項目が保育内容に盛り込まれています。

1956（昭和31）年には「保育要領」を改訂して「幼稚園教育要領*10」とし、指導上の留意点の明確化、小学校と幼稚園の一貫性、幼稚園教育目標の具体化を図りました。これにより、保育内容は健康・社会・自然・言語・音楽リズム・絵画製作の6つの領域に分けられました。

こののち1964（昭和39）年に、「幼稚園教育要領」は指導内容に道徳教育を加えて改訂され、領域は「ねらい」をもとにしてまとめられました。さらに、1989（平成元）年の改訂では、それまでの6領域が5領域に改められました。5領域とは、「健康」「人間関係」「環境」「言葉」「表現」の5つで、「幼児の発達の側面」に沿ったものです。

❸「児童福祉施設最低基準」

厚生省（現：厚生労働省）は1948年に「児童福祉施設最低基準」（現：児童福祉施設の設備及び運営に関する基準）」を公布しました。これは保育所などの児童福祉施設が満たすべき基準を定め、自分で自分の身を守ることができない乳幼児の安全確保について配慮するためのものです。ここでは、保育所について、保育の内容も規定されました。現在は第35条として次のように規定されています。

＋プラス1

童謡運動
北原白秋（はくしゅう）、野口雨情らが中心となって展開された芸術性の高い詩に旋律を付け、真に子どものための歌を作ろうとした運動。

律動遊戯
歌曲に動作を振りつけたもの。土川五郎が考案した。

リトミック
リズム教育を体系化した音楽教育の方法。日本では小林宗作（そうさく）らによって広められた。

12項目の保育内容
見学、リズム、休息、自由遊び、音楽、お話、絵画、制作、自然観察、ごっこ遊び・劇遊び・人形芝居、健康保育、年中行事。

でた問!!

***10「幼稚園教育要領」**
「幼稚園教育要領」前文について出題。
R5前

＋プラス1

「幼稚園教育要領」の改訂
1998（平成10）年、2008（平成20）年にも新たな内容で告示された。

「幼稚園教育要領」
⇨p117

5領域
⇨p119

> **「児童福祉施設の設備及び運営に関する基準」第35条**
> （保育の内容）
> 保育所における保育は、養護及び教育を一体的に行うことをその特性とし、その内容については、内閣総理大臣が定める指針に従う。

❹「保育所保育指針」

「**保育所保育指針**」（1965年）は、1989年告示の「幼稚園教育要領」に合わせ、1990（平成２）年に改定されました。改定前の保育内容の領域は、子どもの発達過程に即して２～６つの領域に区分されていましたが、この改定では、それを「健康」「人間関係」「環境」「言葉」「表現」の５つとし、それらを**３歳以上児**に適用することとしていました。また、保育所は地域に開かれた施設として、「地域の医療・保健関係機関、福祉関係機関などと十分な連携をとる」ものと位置づけられるようになりました。

その後、1999（平成11）年、2008（平成20）年（このとき厚生労働省の告示となる）、2018（平成30）年に改定されました。

現在使われている2018年改定の「保育所保育指針」では、**育**（はぐく）**みたい資質・能力**についての３つの柱、**幼児期の終わりまでに育ってほしい10の姿**[*11]が新たに示されたほか、乳児保育、１歳以上３歳未満児の保育に関する記述が充実しました。

***11 幼児期の終わりまでに育ってほしい10の姿**
豊かな感性と表現について出題。
R5前
社会生活との関わりについて出題。
R6前

❺「幼保連携型認定こども園教育・保育要領」

「**幼保連携型認定こども園教育・保育要領**」は、2015（平成27）年４月に創設された新たな幼保連携型認定こども園の教育課程その他の教育および保育の内容として、2014（平成26）年に策定されました。

このなかで「教育」とは義務教育およびその後の教育の基礎を培（つちか）うものとして満３歳以上の子どもに対して「**教育基本法**」に規定される学校で行われる教育をいい、「保育」は保育を必要とする子どもに対して「児童福祉法」の規定に基づいて行われる保育をいいます。この教育・保育要領は、幼保連携型以外の認定こども園もその内容を踏まえることとされています。

幼保連携型認定こども園
⇨保原p71

ポイント確認テスト

穴うめ問題

□ **Q1** □ 過R4前

（　　）は、一般の庶民にも開かれた教育機関である綜芸種智院を設立し、総合的な人間教育をめざした。 >>> **p101**

□ **Q2** □ 過R5後

1872（明治5）年の「学制」に代わる教育に関する基本法制として、1879（明治12）年9月に公布されたのは、「（　　　）」である。 >>> **p103**

□ **Q3** □ 過R3後

（　　）は愛媛県出身の心理学者・教育学者。1936（昭和11）年に保育問題研究会を結成し、その会長に就任。研究者と保育者の共同による幼児保育の実証的研究を推進した。 >>> **p106**

□ **Q4** □ 過R5前

「保育所保育指針」の「幼児期の終わりまでに育ってほしい姿」コ　豊かな感性と表現では、「心を動かす出来事などに触れ感性を働かせる中で、様々な（　a　）の特徴や表現の仕方などに気付き、感じたことや（　b　）を自分で表現したり、友達同士で表現する（　c　）を楽しんだりし、表現する喜びを味わい、意欲をもつようになる」としている。 >>> **p108**

○×問題

□ **Q5** □ 過R5前

貝原益軒は、子どもの年齢に応じた教え方として「随年教法」を示した。「和俗童子訓」において「其おしえは、予めするを先とす。予とは、かねてよりといふ意。小児の、いまだ悪にうつらざる先に、かねて、はやくをしゆるを云」と述べた。 >>> **p102**

□ **Q6** □ 過R5後

伊藤仁斎は、『翁問答』を著し、人が単に外的な規範に形式的に従うことをよしとせず、人の内面の道徳的可能性を信頼し、聖人の心を模範として自らの心を正しくすることこそが真の正しい行為と正しい生き方をもたらすと説いた。 >>> **p102**

□ **Q7** □ 過R3後

欧州を数年旅した後、1875（明治8）年に東京女子師範学校の創設とともに英語教師として招かれ、翌年、東京女子師範学校附属幼稚園の開設に伴い初代監事に任じられたのは、松野クララである。 >>> **p105**

□ **Q8** □ 過R5後

プロジェクト・メソッドでは、生徒の学習が生徒自身の自発的な活動として展開されることに力点がおかれる。 >>> **p106**

解答・解説

Q1　空海　**Q2**　教育令　**Q3**　城戸幡太郎　**Q4**　a 素材／b 考えたこと／c 過程
Q5　○　**Q6**　×　中江藤樹である。　**Q7**　×　関信三である。　**Q8**　○

教育原理 Lesson 4

教育の制度と評価

頻出度 Level 5

教育制度とその評価のしかたについて主に学校教育を中心に学びます。制度の基礎となる原理と、評価の考え方を理解しましょう。

ココに注目!!
- 公教育の3つの原理
- 教育委員会の権限
- 単線型と分岐型の違い
- 教育の評価方法

1 教育制度の3つの原理

用語
公教育
法規に基づき、公費をあてて設置された教育施設で営まれる、制度化された教育のことをいう。

日本の**公教育**は、定められた法規に基づき制度化されています。教育制度には次の３つの原理があります。

- **義務制**……「日本国憲法」第26条によって国民は「子女に普通教育を受けさせる義務」が課せられ、さらに「教育基本法」第５条では、子どもを保護する国民だけでなく、国、地方公共団体が義務教育の**機会の保障**、**水準の確保**の責任を負うことを定めている。
- **無償制**……「日本国憲法」第26条では「義務教育は、これを無償とする」とし、また「教育基本法」第５条では「国又は地方公共団体の設置する学校における義務教育については、**授業料を徴収しない**」と定めている。
- **中立性**……「教育基本法」第14条では、法律に定める学校での特定の**政党支持**や**政治教育**を禁止し、第15条では「国及び地方公共団体が設置する学校は、特定の宗教のための**宗教教育**その他**宗教活動**をしてはならない」としている。

2 日本の教育行政

でた問!!
*1 文部科学省
文部科学省の役割について出題。
H31前

国の教育行政は、**文部科学省**[*1]が中心となります。幼児教育を管轄する初等中等教育局では、教職員の養成や学校環境の整備、児童生徒の修学支援やいじめ等への対応、特別支援教育の推進などを担っています。

地方教育行政を担ううえで重要なのは、都道府県、市町村に置かれる教育委員会です。教育委員会とは次のようなものです。

- **「地方教育行政の組織及び運営に関する法律」（地方教育行政法）において、委員の選任方法や資格、組織構成、職務権限などが規定されている。**
- **主な職務権限として、学校などの教育機関の設置・管理・廃止、教職員の任免、教科書などの教材の取り扱いなどがあげられる。**

＋プラス1
教育委員会の組織
教育委員会は、教育長および４人の委員で組織される。ただし、条例で定める場合には、この限りではない。

3 各国の教育制度

（1）日本の教育制度[*2]

修学年数は小学校６年、中学校３年、高等学校３年、大学４年という体系になっています。これは、どの学校を卒業しても次の上級学校への進学の機会が平等に与えられる**単線型**とよばれる体系です。第二次世界大戦後、**アメリカ型**のモデルを採用

でた問!!
***2 日本の教育制度**
日本の教育制度について出題。
R1後

ここは覚えよう!!

日本の教育制度

就学前教育		幼稚園（1〜3年）、特別支援学校の幼稚部（1〜3年）	「学校教育法」第1条が規定する学校	文部科学省所管の学校
初等教育	義務教育（9年）	小学校（6年）、特別支援学校の小学部（6年） 義務教育学校前期（6年）	「学校教育法」第1条が規定する学校	文部科学省所管の学校
中等教育	義務教育（9年）	中学校（3年）、特別支援学校の中学部（3年） 義務教育学校後期（3年） 中等教育学校前期（3年）	「学校教育法」第1条が規定する学校	文部科学省所管の学校
中等教育		高等学校（3年）、特別支援学校の高等部（3年） 通信制高校、定時制高校、中等教育学校後期（3年）	「学校教育法」第1条が規定する学校	文部科学省所管の学校
高等教育		大学（4〜6年）、短大（2年）、大学院 高等専門学校（5年）	「学校教育法」第1条が規定する学校	文部科学省所管の学校
		専修学校		文部科学省所管の学校
		各種学校		文部科学省所管の学校

用語

チャータースクール
地域・教員・保護者などが主体となって、独自の理念に基づく教育を行う公立学校。教育の内容について外部からの制限は受けないが、教育成果を契約期限内に達成しないと閉校となる。

したものです。第二次世界大戦前は**ドイツ**をモデルとし、基礎学校を卒業後、年限や教育の内容、進路によって学校が分かれる**分岐型**が取り入れられていました。

（2）諸外国の教育制度

義務教育の年限やコースの分け方は国によって異なっており、各国で特徴ある教育制度が展開されています。

国名	制度の特徴
アメリカ	**単線型**だが、州によって義務教育年限が異なる。公立小学校における**就学前教育**の実施、ハイスクールの無償制、**コミュニティ・カレッジ**の普及や大学院の位置づけなど、日本の制度とは異なる部分がある。また、**フリースクール**、**チャータースクール**など、従来の学校制度の範囲に属さない学校も増加している。
ドイツ[*3]	中等学校の入学時または就学中に進学希望者と就職希望者を区別し、異なる学校で異なる教育を与える制度（**分岐型**）。州により多少異なるが、一般的には4年制の基礎学校卒業後、生徒の能力・適性に応じて進学する。就職して職業訓練を受ける者はハウプトシューレ、卒業後に職業教育学校進学または中級職につく者は実科学校、大学進学希望者はギムナジウムと大きく分けられる。
フランス	ほとんどの学校が国民教育省の管轄下にあり、**保育ママ**などの家庭的保育が普及している。義務教育は**3～16**歳で、初等教育は6～10歳を対象に小学校で実施、前期中等教育は11～14歳を対象にコレージュで実施。後期中等教育はリセ（3年）及び職業リセ（2～3年）の途中で義務教育の年限となる。
イギリス	初等教育の段階から、さまざまな種類の学校や修業年限が併存する教育制度（**複線型**）。義務教育は**5～16**歳。幼児教育においては、すべての子どもに対して充実した教育を保障することを目的とした「**シュア・スタート**」というプログラムがある。
ニュージーランド[*4]	義務教育は6～16歳の10年。就学前教育は、3～4歳児を中心に幼稚園や**プレイセンター**、0～4歳児を対象とする多様な就学前教育機関において提供されている。また、マオリの言語・文化を教える機関**コハンガ・レオ**も設置されている。幼児教育の統一カリキュラムである**テ・ファリキ**が制定されているが、具体的内容・方法については各施設が自由に策定できる。
フィンランド	0～6歳児を対象とした就学前教育を、国が**デイケアセンター**で行っている。義務教育は**7～16**歳の9年間で、6年制の前期課程と3年制の後期課程に分かれている。
デンマーク	子どもたちが森の中で自然と関わり、それを通してさまざまなことを感じ、感性が育っていくような保育を行う**森の幼稚園**があり、ほとんどが公立である。自然を通した保育の中で、問題解決能力を身につけていく。

4 教育の評価

(1) 教育の評価

教育の「**評価**」は、子どもたちの学力や能力に順位をつけるだけではなく、教師の指導計画の内容が適切であったか、子どもたちが十分に理解できたか、子どもたちが設定した目標に達したかなどを評価し、その後の授業や**生徒指導の改善**に活用するために行われます。その際、教師が子どもたちを評価するだけでなく、子どもたちや保護者、教育関係者などが**教師の指導**を評価することも教育の「評価」に含まれます。

でた問!!

***3 ドイツの教育制度**
ドイツの教育制度について出題。
R3前

***4 ニュージーランドの教育制度**
ニュージーランドの教育制度について出題。
R3後、R4後、R5後

(2) 評価の方法

代表的な評価の方法として、**相対評価**、**絶対評価**、診断的評価、形成的評価、総括的評価、**ポートフォリオ評価**などがあります。それぞれの内容は次のようになります。

たとえば、入学試験では評価者の主観が入らない相対評価が用いられます。

名称	内容・特徴
相対評価	5段階評価のように、子どもが集団のなかでどのレベルにあるかを表す。5は集団全体の何%というようにあらかじめ割合を決めておき、**成績が上位の者から**配分していく。子どもたちを集団としてとらえ、その集団の能力が低ければほかの集団の最下位であってもトップに位置づけられることもあるように、集団の質により結果が左右される。
絶対評価	相対評価に対するもので、子どもが**どこまで到達したか**によって評価する。評価の観点には、関心・意欲・態度、思考・判断、技能・表現、知識・理解の4つも含まれる。全員が目標に到達していれば、全員がAということもある。現在は、**目標準拠評価**ともよばれる。
診断的評価	子どもたちの実態を把握したうえで**指導計画**を立てるために、指導前に行われる実態評価。
形成的評価	指導計画に沿って指導を行っていく過程で行われる。指導内容を子どもたちが**どの程度理解しているか**を評価する。
総括的評価	1つの学習が終了した際に行われ、目標をどの程度習得したかをみる。学習の成果を総合的に判断することができる。
ポートフォリオ評価	**点数で評価できない内容**について用いられる。学習の過程で生じるレポートや作品などを子ども自身が集め、それをもとに教師が評価し、子どもの自己評価を促す。保護者が評価に加わることもある。

ポイント確認テスト

できたらチェック！

穴うめ問題

☐ **Q1**
☐ 過R3前

（　　）では、州ごとに教育制度が定められている。初等教育は、基礎学校で行われる。初等教育修了後、中等教育の進学先としては、ハウプトシューレ、実科学校、ギムナジウム等である。そのうちギムナジウムは、大学進学希望者が主に進む。>>> **p112**

☐ **Q2**
☐ 過R3後

ニュージーランドの就学前教育は、3～4歳児を中心に幼稚園やプレイセンター、また、0～4歳児を対象とする多様な就学前教育機関において提供されている。また、マオリの言語・文化を教える機関「（　a　）」も設置されている。子どもの「今、ここにある生活」を重視し、実践者、研究者、マオリの人々の意見を集めて作られたカリキュラム「（　b　）」により幼児教育が展開されている。>>> **p112**

☐ **Q3**
☐ 過R5後

（　　）において、「学びの物語 Learning Stories」と呼ばれる、子ども一人一人にフィードバックされ、蓄積される保育記録が開発された。>>> **p112**

☐ **Q4**
☐ 過H30前

集団に準拠した評価であり、集団の質によって結果が左右されるのは（　　）である。>>> **p113**

○×問題

☐ **Q5**
☐ 過H31前

文部科学省は、少子高齢社会への総合的な対応に関する関係行政機関の事務の調整に関する事務をつかさどる。>>> **p110**

☐ **Q6**
☐ 過R2後

現行の「学校教育法」では、学校を「幼稚園、保育所、小学校、中学校、義務教育学校、高等学校、中等教育学校、特別支援学校、大学及び高等専門学校」と定めている。>>> **p111**

☐ **Q7**
☐ 予想

教育委員会は教育長および4人の委員をもって組織する。ただし、条例で定める場合には、この限りではない。>>> **p111**

☐ **Q8**
☐ 過R4後

テ・ファリキは、1950年代半ばに親たちが始めた活動が発祥で、子どもたちは朝集合場所の幼稚園に集まり、そこでその日の計画を話し合い、必要なものをかばんに入れて支度をし、1日野外で過ごす。>>> **p112**

解答・解説

Q1　ドイツ　**Q2**　a コハンガ・レオ／b テ・ファリキ　**Q3**　ニュージーランド　**Q4**　相対評価

Q5　×　文部科学省は国の教育行政を担っている。　**Q6**　×　保育所は学校ではなく児童福祉施設。　**Q7**　○　**Q8**　×　テ・ファリキではなく森の幼稚園。

教育原理 Lesson 5

教育課程と幼稚園教育要領

頻出度 Level 3

幼稚園における教育課程の意義や、「幼稚園教育要領」などに基づく教育課程の編成について学びましょう。

ココに注目!!
- 教育課程とは何か
- カリキュラムの種類と特徴
- 学校の教育内容を形づくる学習指導要領
- 幼稚園教育のガイドライン「幼稚園教育要領」

1 教育課程の意義と実際

(1) 教育課程の趣旨

教育課程は**カリキュラム**ともいい、教育活動をどのようにすすめていくかを決めた教育指導計画のことです。小・中・高等学校などの**教育目的**や**目標**に合わせて学年や学期ごとに構成されるもので、目的や目標を達成するためにはどのような教育内容を選択し、どのように指導していくかが重要になります。

(2) カリキュラムの種類

カリキュラムは、「**教科**」「**教材**」から構成される学問中心・教材中心の**教科カリキュラム**と、子どもの興味や関心、自発性に基づいた活動や学習を重視する**経験カリキュラム**[*1]の２つに大きく分けられます。

さらに、方法や特性により次のような種類に分けられます。

用語
教科
知識や技術を学問や芸術の領域に分類して系統づけたもの。

プラス1
教科カリキュラムと経験カリキュラム
「幼児期の教育と小学校教育の円滑な接続の在り方について（報告）」（文部科学省）では、幼児期の教育は経験カリキュラム、小学校の教育は教科カリキュラムを中心に展開されると述べられている。

でた問!!
***1 経験カリキュラム**
幼児期の教育が経験カリキュラムであることについて出題。
R3前

■カリキュラムの種類

融合カリキュラム	教科間の枠を取り外し、複数の教科における共通要素を統合して広い領域で編成したカリキュラム（例：日本史・世界史・地理・政治経済などを「社会科」にまとめる）

コアカリキュラム	中核（コア）となる教材や学習内容と、それに関連する基礎的な知識や技術によって編成されるカリキュラム
顕在的カリキュラム	意図的に編成された一般的なカリキュラム
潜在的カリキュラム*2	学校の伝統や教師の人柄といった環境を通じ、社会規範や慣習などを子どもが自然と身につけていく、目にみえないカリキュラム

でた問!!

*2 潜在的カリキュラム
ジェンダー・バイアスを助長するおそれのあるものについて出題。
R5後

*3 カリキュラム・マネジメント
カリキュラム・マネジメントについて出題。
R4後、R5前

*4 学習指導要領
「小学校学習指導要領」の内容について出題。
R4前

プラス1

「小学校学習指導要領」
教育課程の編成において、低学年～中学年以降の教育が円滑に接続されるよう、生活科を中心に教科等間の関連を図ることとしている。

（3）カリキュラム・マネジメント

カリキュラムは、計画（Plan）を実施（Do）し、それを評価（Check）し、改善（Action）につなげていくというPDCAサイクルの考え方にのっとって編成されます。これを**カリキュラム・マネジメント***3とよび、カリキュラムは常に教育活動の質の向上をめざして、改善されていくものでなければなりません。

（4）教育課程の編成と「学習指導要領」

❶「学習指導要領」とは

「**学習指導要領***4」とは、子どもたちの発達に合わせてどの教科をどのように指導するかという教育課程の基準を、文部科学大臣が「学校教育法施行規則」に基づいて告示するものです。具体的には小学校・中学校・高等学校・特別支援学校が編成する教育内容や学習事項の学年別配当、授業時間などが、「学習指導要領」に基づいて設定されます。

❷「学習指導要領」の改訂

「学習指導要領」は、1947（昭和22）年、文部省（当時）が、従来の教授要目、国定教科書教師用書に代わるもの、また、学校の教育課程の基準を示すものとして「学習指導要領・一般編」を発行して以来、数回にわたり改訂されてきました。

■近年の改訂の主なポイント

2002（平成14）年度	・完全学校週五日制を導入。 ・「総合的な学習の時間」を新設。 ・「生きる力」の育成を理念とする。
2011（平成23）年度	・「生きる力」の育成という基本理念を継承。 ・知（知識）・徳（道徳）・体（体力）の3つをバランスよく育てることが大切であるとする。 【具体的なポイント】 ①言語力の育成をあらゆる教科の基礎と位置づけ、各教科で論述を重視する。 ②算数・数学、国語、社会、理科、外国語、体育・保健体育の時間数の増加。

	③「総合的な学習の時間」の削減。 ④道徳教育は教科として取り扱うのではなく、学校全体で取り組む。
2017・2018・2019（平成29・30・31）年度	・育成すべき資質・能力として以下の３つの柱が示される。 ①知識・技能（何を理解して何ができるか） ②思考力・判断力・表現力等（理解していること・できることをどう使うか） ③学びに向かう力・人間性等（どのように社会・世界と関わり、よりよい人生を送るか） ・３つの柱は、生きる力として必要な「確かな学力」「健やかな体」「豊かな心」を総合的にとらえて構造化したもの。 ・道徳教育を「特別の教科　道徳」として新たに位置づける。検定教科書が導入され、数値ではなく文章での評価も行われる。

ここは覚えよう!!

子どもたちに必要な資質・能力の３つの柱

学びに向かう力・人間性等
どのように社会・世界と関わり、
よりよい人生を送るか

「確かな学力」「健やかな体」「豊かな心」を
総合的にとらえて構造化

知識・技能
何を理解しているか
何ができるか

思考力・判断力・表現力等
理解していること・
できることをどう使うか

「３つの柱」は、各教科等で習得する知識や技能が個別の知識としてではなく、相互に関連づけられて確実に定着し、社会のなかのさまざまな場面で活用できる知識・技能にしていくという考え方を指しています。

2 「幼稚園教育要領」

「**幼稚園教育要領**[*5]」は、「**学校教育法**」**第25条**を根拠として、文部科学大臣が告示する、幼稚園での教育に関するガイドラインです。「保育所保育指針」と同様、**法的な拘束力**をもっています。

「幼稚園教育要領」で示されている、幼児教育における規範の主な内容は次のようなものです。

❶幼稚園教育の基本

「幼児期の教育は、生涯にわたる**人格形成の基礎**を培う重要なものであり、幼稚園教育は、学校教育法に規定する目的及び目標を達成するため、幼児期の特性を踏まえ、環境を通して行

でた問!!

***5「幼稚園教育要領」**
「幼稚園教育要領」第3章について出題。 **H31前**
第1章について出題。 **R3後、R4前**
総則について出題。 **R1後、R3前**
前文について出題。 **H31前、R5前**

うものであることを基本とする」と述べられ、教師の留意事項として、次の３つがあげられています。

「幼稚園教育要領」は、小・中・高の「学習指導要領」にあたるものです。

「幼稚園教育要領」「保育所保育指針」はともに2017（平成29）年度に改訂（定）され、2018（平成30）年度から施行されています。

「幼稚園教育要領」第1章　総則

1　幼児は安定した情緒の下で自己を十分に発揮することにより発達に必要な体験を得ていくものであることを考慮して、幼児の主体的な活動を促し、幼児期にふさわしい生活が展開されるようにすること。

2　幼児の自発的な活動としての遊びは、心身の調和のとれた発達の基礎を培う重要な学習であることを考慮して、遊びを通しての指導を中心として第２章に示すねらいが総合的に達成されるようにすること。

3　幼児の発達は、心身の諸側面が相互に関連し合い、多様な経過をたどって成し遂げられていくものであること、また、幼児の生活経験がそれぞれ異なることなどを考慮して、幼児一人一人の特性に応じ、発達の課題に即した指導を行うようにすること。

❷幼稚園教育において育みたい資質・能力および「幼児期の終わりまでに育ってほしい姿」

＋プラス１

「幼稚園教育において育みたい資質・能力」および「幼児期の終わりまでに育ってほしい姿」は、「保育所保育指針」「幼保連携型認定こども園教育・保育要領」にも共通して示されている。

幼稚園では、生きる力の基礎を育（はぐく）むため、幼稚園教育の基本を踏まえて、①豊かな体験を通じて、感じたり、気付いたり、分かったり、できるようになったりする「**知識**及び技能の基礎」、②気付いたことや、できるようになったことなどを使い、考えたり、試したり、工夫したり、表現したりする「思考力、**判断力**、表現力等の基礎」、③心情、意欲、態度が育つ中で、よりよい生活を営もうとする「学びに向かう力、**人間性**等」を一体的に育むように努めるとされています。

さらに、「幼児期の終わりまでに育ってほしい姿」として、①健康な心と体、②**自立心**、③協同性、④道徳性・規範意識の芽生え、⑤**社会生活**との関わり、⑥思考力の芽生え、⑦自然との関わり・**生命尊重**、⑧数量や図形、標識や文字などへの関心・感覚、⑨言葉による伝え合い、⑩豊かな感性と表現をあげています。

❸幼稚園の教育課程の編成

各幼稚園は、「教育基本法」「学校教育法」、その他の法令および「幼稚園教育要領」に従いながら、創意工夫を生かし、幼児の心身の発達と幼稚園及び地域の実態に即応した適切な教育課程を編成します。

- **教育課程に係る教育期間や幼児の生活経験や発達の過程などを考慮して具体的な「ねらい」と「内容」を組織するものとする。**
- **幼稚園の毎学年の教育課程に係る教育週数は、特別の事情のある場合を除き、39週を下ってはならない。**
- **幼稚園の1日の教育課程に係る教育時間は、4時間を標準とする。**

❹ 5領域の「ねらい」および「内容」

「幼稚園教育要領」第2章では、「**健康**」「**人間関係**」「**環境**」「**言葉**」「**表現**」の5領域に分け、それぞれについて、「ねらい」と「内容」をまとめています。「ねらい」は、幼稚園教育において育みたい資質・能力を幼児の生活する姿からとらえたものであり、「内容」は「ねらい」を達成するために指導する事項によって構成されます。

▸▸▸ ここは覚えよう!!

幼稚園教育要領の変遷

1948(昭和23)年
『保育要領-幼児教育の手引き-』の刊行

1956(昭和31)年
「保育要領」が改訂され「幼稚園教育要領」が制定
・教育内容が6領域(健康、社会、自然、言語、音楽リズム、絵画製作)に分類される
・主に幼稚園の教育課程の基準を示すもの

1964(昭和39)年
「幼稚園教育要領」が改訂されて告示となり、教育内容に道徳教育が追加

1989(平成元)年
「幼稚園教育要領」の再改訂
教育内容が6領域から5領域(健康、人間関係、環境、言葉、表現)に

「保育所保育指針」第2章の「保育に関わるねらい及び内容」で示されている5領域は、「幼稚園教育要領」の「ねらい」「内容」とほぼ同じものとなっています。

ポイント確認テスト

できたらチェック！

穴うめ問題

☐☐ **Q1** 過R6前

学ぶ内容をそれぞれの分野に分けて系統的に教えるような編成をしたカリキュラムは、(　　　) である。 >>> **p115**

☐☐ **Q2** 過R2後

(　　　) とは、主として学校において、子どもたちが学校の文化ひいては近代社会の文化としての価値、態度、規範や慣習などを知らず知らず身につけていく一連のはたらきのことである。無意図的に、目に見えない形ではあるが、子どもたちに影響を及ぼし、その発達を方向づけていく。 >>> **p116**

☐☐ **Q3** 過R4前

「小学校学習指導要領」の「教育課程の編成」では「低学年における教育全体において、例えば（　a　）において育成する自立し生活を豊かにしていくための資質・能力が、他教科等の学習においても生かされるようにするなど、教科等間の関連を積極的に図り、（　b　）及び中学年以降の教育との円滑な接続が図られるよう工夫すること」としている。 >>> **p116**

☐☐ **Q4** 過R4後

「幼稚園教育要領」第1章「総則」では、「教育課程の実施に必要な人的又は物的な体制を確保するとともにその改善を図っていくことなどを通して、教育課程に基づき組織的かつ計画的に各幼稚園の教育活動の質の向上を図っていくこと (以下「(　　　)」という。) に努めるものとする」としている。 >>> **p116**

○×問題

☐☐ **Q5** 過R5前

教育課程とは、学校教育の目的や目標を達成するために、教育の内容を子供の心身の発達に応じ、授業時数との関連において総合的に組織した学校の教育計画のことである。 >>> **p115**

☐☐ **Q6** 過R5後

授業中に泣いている男児に対して、「男なのだから泣くのはやめなさい」と言って注意する指導は、潜在的カリキュラムとしてジェンダー・バイアスを助長する恐れがある。 >>> **p116**

☐☐ **Q7** 予想

平成29・30・31年度の「学習指導要領」の改訂では、道徳教育が「特別の教科　道徳」として位置づけられた。 >>> **p117**

☐☐ **Q8** 予想

「幼稚園教育要領」は、1989年の改訂によって教育内容が5領域から6領域に変更された。 >>> **p119**

解答・解説

Q1　教科カリキュラム　Q2　潜在的カリキュラム　Q3　a 生活科／b 幼児期の教育
Q4　カリキュラム・マネジメント
Q5　○　Q6　○　Q7　○　Q8　×　6領域から5領域に変更された。

教育原理 Lesson 6

生涯学習社会における教育

頻出度 Level 4

教育は学校で行われるものだけではありません。
教育のあり方についての多様な考え方を学びましょう。

ココに注目!!

- 社会教育に含まれるものとは
- 生涯教育と生涯学習
- キャリア教育の必要性
- ESD（持続可能な開発のための教育）とは

1 社会教育

（1）社会教育の法による規定

社会教育とは、学校・家庭以外の広く社会で行われる教育のことです。日本では、義務教育で通学している時期以外の人生のすべての時期においても、教育や学習が公的に支援されており、その法的根拠として、2006（平成18）年改正の「**教育基本法**」と1949（昭和24）年制定の「**社会教育法**」があります。

「社会教育」は、第二次世界大戦後、学習の自発性と生活における教育の必要性を特徴としてかたちづくられてきた、重要な考え方です。

「教育基本法」第12条

個人の要望や社会の要請にこたえ、社会において行われる教育は、国及び地方公共団体によって奨励されなければならない。

第２項　国及び地方公共団体は、図書館、博物館、公民館その他の社会教育施設の設置、学校の施設の利用、学習の機会及び情報の提供その他の適当な方法によって**社会教育**の振興に努めなければならない。

プラス１

「教育基本法」
「教育基本法」は1947（昭和22）年制定、その後2006（平成18）年に大幅改正された。

「社会教育法」では、社会教育に関して国や地方公共団体の果たすべき役割が定められています。

(2) 社会教育の領域

社会教育とは次のようなものがあげられます。

職業に関する学習	資格取得のための学習も含む
家庭・日常生活に関する学習	調理・栄養、健康・保健衛生など
教養に関する学習	文学、外国語、社会科学、自然科学など
芸術・芸能・趣味に関する学習	茶道・華道など
体育・スポーツに関する学習	釣り、登山など

2 生涯学習

(1) 生涯教育の成り立ち

「生涯教育」という概念が国際的に注目されたのは、1965（昭和40）年、パリで行われたユネスコの第3回成人教育推進国際委員会においてでした。教育担当官**ランググラン***1（Lengrand, P.）が、「学校教育」と「成人教育」を統合した「**生涯にわたって統合された教育**」を提案したことに始まります。これを機に、人間が全生涯をとおして教育・訓練を継続的に行えるように、下表のようなさまざまな生涯学習のプランが議論されました。

■生涯学習のプラン

学習社会	1968（昭和 43）年、アメリカの**ハッチンス***2（Hutchins, R.M.）、が著書『学習社会論』で提唱。
「未来の学習」報告	1972（昭和 47）年、教育開発国際委員会（フランスのフォール〔Faure, E.〕が委員長）によって提唱。
リカレント教育論	1973（昭和 48）年、経済協力開発機構（OECD）の教育研究革新センターによって提唱。
「成人教育の発展に関する勧告」決議	1976（昭和 51）年、アフリカのナイロビで行われたユネスコ第 19 回総会にて提唱。
「限界なき学習」	1979（昭和 54）年、ローマクラブ報告書によって提唱。

でた問!!

*1 ラングラン
「生涯にわたって統合された教育」について出題。
R2後

*2 ハッチンス
ハッチンスの提唱する「学習社会」について出題。
R2後

用語

リカレント教育論
義務教育修了後に、一定の労働体験ののち再び教育を受ける機会をすべての人に保障することで、平等・職業的柔軟性・教育と生活の積極的統合を果たそうとするもの。

(2) 日本における生涯学習

日本では、1967（昭和42）年に文部省（現：文部科学省）から出版された『社会教育の新しい方向～ユネスコの国際会議を中心として～』において「生涯教育」の言葉がはじめて使われました。その後、1980年代に生涯教育に代わって「**生涯学習**」という言葉が使われるようになります。文部科学省が策定する**教育振興基本計画**では、教育政策の目標の一つに「生涯学び、活躍できる環境整備」を掲げています。

プラス1

教育振興基本計画
政府の教育に関する基本方針や目標を定めたもの。2023年度から2027年度まで実施される第４期計画では、目標の実現に必要な施策として、前期に引き続きESD、キャリア教育、リカレント教育が挙げられているほか、教育DX（デジタル技術を活用した教育）、探究・STEAM教育（子ども自身が課題をみつけて取り組む教科横断的な学習）が新たに掲げられた。

3 キャリア教育

現在、若者の社会的自立や職業的自立は困難な状況にあります。若者の完全失業率や非正規雇用率は高く、働かない若者（無業者）や就業してもすぐに辞めてしまう若者（早期離職者）も多く存在します。

そのため、学校教育における**キャリア教育**[*3]や職業教育についても、より一層充実していかなければならないことが中央教育審議会の答申である「**今後の学校におけるキャリア教育・職業教育の在り方について**」（平成23年１月）で示されました。このなかでは、キャリア、キャリア教育について下記のように定義しています。

キャリア	人が、生涯のなかでさまざまな役割を果たす過程で、自らの**役割の価値**や自分と役割との関係を見いだしていく連なりや積み重ね
キャリア教育	一人ひとりの**社会的・職業的自立**に向け、必要な基盤となる能力や態度を育てることをとおして、キャリア発達を促す教育

また、キャリアを獲得していくためには、幼児期から高等教育まで、発達段階に応じて体系的にキャリア教育を実施していくことや、さまざまな教育活動を通じた**基礎的・汎用**（はんよう）**的能力**を中心とする育成が必要です。各学校段階でのキャリア教育の推進のポイントは、次のように示されています。

でた問!!

***3 キャリア教育**
「教育振興基本計画」（平成30年 閣議決定）で示された教育政策の目標を実現するために必要となる施策としてキャリア教育について出題。
R3後

用語

基礎的・汎用的能力
①人間関係形成・社会形成能力、②自己理解・自己管理能力、③課題対応能力、④キャリアプランニング能力

幼児期	**自発的・主体的**な活動を促す。
小学校	社会性、自主性・自立性、**関心・意欲**等を養う。
中学校	自らの役割や将来の生き方・働き方等を考えさせ、目標を立てて計画的に取り組む態度を育成し、進路の選択・決定に導く。
後期中等教育	生涯にわたる多様な**キャリア形成**に共通して必要な能力や態度を育成。またこれを通じ、**勤労観・職業観**等の価値観を自ら形成・確立する。
特別支援教育	個々の障害の状態に応じたきめ細かい指導・支援の下で行う。
高等教育	後期中等教育修了までを基礎に、学校から社会・職業への移行を見据え、教育課程の内外での学習や活動を通じ、高等教育全般においてキャリア教育を充実する。

特別支援教育
⇨p129

*4 ESD
ESDについて出題。
R3後

4 ESD（持続可能な開発のための教育）

ESD[*4]とはEducation for Sustainable Developmentの略で、「持続可能な開発のための教育」と訳されます。

（1）ESDの概要

ESDでは、環境・貧困・人権・平和・開発といった地球規模の現代的課題を「自らの問題として捉え、身近なところから取り組む（think globally, act locally）ことにより、それらの課題の解決につながる新たな価値観や行動を生み出すこと、そしてそれによって**持続可能な社会**を創造していくこと」が目指されます。そのため「持続可能な社会づくりの担い手を育（はぐく）む教育」ともいわれます。

（2）ESDの目標

ESDの目標は、①すべての人が**質の高い教育**の恩恵を享受（きょうじゅ）すること、②持続可能な開発のために求められる原則、価値観および行動が、あらゆる教育や学びの場に取り込まれること、③環境、経済、社会の面において**持続可能な将来**が実現できるような価値観と行動の変革をもたらすことの3つです。

プラス1

ESDに関するグローバル・アクション・プログラム
2013年、ユネスコで採択されたプログラム。ESDの可能性を最大限に引きだし、万人に対する持続可能な開発の学習の機会を増やす行動を生みだすものとされる。

GIGAスクール構想
2019（令和元）年に文部科学省から示された。1人1台端末及び高速大容量の通信ネットワークを一体的に整備する、多様な子供たちを誰一人取り残すことのない、公正に個別最適化された学びを全国の学校現場で持続的に実現させるとしている。

ポイント確認テスト

穴うめ問題

Q1 過R2後

ユネスコの成人教育推進国際委員会において、「生涯にわたって統合された教育」を提唱したのは（　　　）である。 >>> p122

Q2 過R2後

成人の教育の目的を、人間的になることとして、すべての制度をその実現のために方向づけるように価値の転換に成功した社会を「学習社会」と呼んだのは（　　　）である。 >>> p122

Q3 予想

第4期教育振興基本計画では、目標の実現に必要な施策として、（　　）（デジタル技術を活用した教育）が掲げられている。 >>> p123

Q4 過R3後

「教育振興基本計画」（平成30年 閣議決定）では、「地域の多様な関係者（学校、教育委員会、大学、企業、NPO、社会教育施設など）の協働による（　　）の実践を促進するとともに、学際的な取組などを通じてSDGs（持続可能な開発目標）の達成に資するような（　　）の深化を図る」としている。 >>> p124

○×問題

Q5 過R3後

「教育振興基本計画」（平成30年 閣議決定）では、「幼児期の教育から高等教育まで各学校段階を通じた体系的・系統的なアクティブ・ラーニングを推進する。初等中等教育段階においては、地域を担う人材育成に資するためにも、地元企業等と連携した起業体験、職場体験、インターンシップの普及促進を図るとともに、特色ある教育内容を展開する専門高校への支援と成果の普及に取り組む」としている。 >>> p123

Q6 予想

キャリア教育とは、一人一人の社会的・職業的自立に向け、必要な基盤となる能力や態度を育てることを通して、キャリア発達を促す教育をいう。 >>> p123

Q7 予想

キャリアを獲得していくためには、幼児期から高等教育まで、発達段階に応じて体系的にキャリア教育を実施していくことや、さまざまな教育活動を通して、基礎的・汎用的能力を中心とした育成が必要である。 >>> p123

Q8 過R5前

2019（令和元）年12月に文部科学省から示されたGIGAスクール構想では、1人1台端末及び高速大容量の通信ネットワークを一体的に整備する。 >>> p124

解答・解説

Q1 ラングラン　Q2 ハッチンス　Q3 教育DX　Q4 ESD
Q5 × アクティブ・ラーニングではなくキャリア教育。　Q6 ○　Q7 ○　Q8 ○

教育原理 Lesson 7

現代の教育の動向と課題

頻出度 Level 5

社会の変化は子どもの教育にも影響を及ぼします。
教育の現状や、さまざまな課題と対策を学びましょう。

ココに注目!!

- いじめ・不登校の定義
- チームとしての学校の3つの視点
- SDGsとは何か
- 特別支援教育の考え方

1 いじめ

2013（平成25）年に制定された「**いじめ防止対策推進法**[*1]」では、いじめについて「児童等に対して、当該児童等が在籍する学校に在籍している等当該児童等と一定の**人的関係**にある他の児童等が行う**心理的又は物理的な影響**を与える行為（**インターネット**を通じて行われるものも含む。）であって、当該行為の対象となった児童等が**心身の苦痛**を感じているものをいう」と定義しています（第２条）。

同法は学校の**内外を問わず**（第３条）いじめを防止するために、「学校の設置者及びその設置する学校は、児童等の**豊かな情操**と**道徳心**を培い、心の通う対人交流の能力の素地を養うことがいじめの防止に資することを踏まえ、全ての教育活動を通じた**道徳教育**及び**体験活動**等の充実を図らなければならない」と定めています（第15条）。またその際、学校は、子どもの保護者や地域住民その他の関係者と**連携**をとりながら、いじめの防止の措置（そち）を講ずることとされました。

また、**ネット上のいじめ**[*2]も問題視されています。その対策として、早期発見の観点から**学校ネットパトロール**の実施がポイントとされているほか、SNSなどを利用したいじめは発見しにくいため学校における**情報モラル教育**が必要であるとされています。

プラス1

「いじめ防止対策推進法」における学校
同法における学校とは、小学校、中学校、高等学校、中等教育学校、特別支援学校とされ、幼稚園や特別支援学校の幼稚部は除かれている。

「人権教育の指導方法等の在り方について」
児童生徒の人権感覚の育成には、正規の教育課程と並んでいわゆる「隠れたカリキュラム」が重要であるとし、いじめを許さない雰囲気が浸透する学校・学級で生活することを通じ人権感覚を身につけることができるとしている。

でた問!!

***1「いじめ防止対策推進法」**
「いじめ防止対策推進法」について出題。
R2後

ここは覚えよう!!

いじめの認知件数

区分	2021（令和3）年度（件）	2022（令和4）年度（件）
小学校	50万562	55万1,944
中学校	9万7,937	11万1,404
高等学校	1万4,157	1万5,568
特別支援学校	2,695	3,032
合計	61万5,351	68万1,948

★平成25年度調査からは高等学校に通信制課程を含めている。
出典：文部科学省「令和４年度　児童生徒の問題行動・不登校等生徒指導上の諸課題に関する調査結果について」

2 不登校

登校する意思がありながらも、心理的な要因などにより、登校できない状態を**不登校**といいます。文部科学省は、不登校について「何らかの**心理的**、**情緒的**、**身体的**あるいは**社会的要因・背景**により、児童生徒が登校しないまたはしたくてもできない状況にあること（ただし、病気や経済的理由によるものを除く）」で、年度間に連続または断続して30日以上学校を欠席した場合としています。令和４年度の小中学校における不登校児童生徒数は299,048人でした。

学校内での**スクールカウンセラー**の配置や関係機関との連携による教育相談体制の充実が急務だといえます。

3 ひきこもり

厚生労働省では、ひきこもりを「様々な要因の結果として、**社会的参加**（義務教育を含む就学、非常勤職を含む就労、家庭外での交流など）を回避し、原則的には**6か月**以上にわたって概ね家庭にとどまり続けている状態」と定義しています。

最近は学校を卒業した社会人の間にも**ひきこもり**が広まっています。社会と関わることへの不安や抵抗感、人間関係の拒

でた問!!

***2 ネット上のいじめ**
ネット上のいじめへの対策について出題。
R3後

プラス1

スクールソーシャルワーカー
いじめ・暴力・不登校など、学校生活に適応できない児童生徒をケアするための人材。スクールカウンセラーが心理的な面から個人にアプローチするのに対し、スクールソーシャルワーカーは個人と環境への働きかけを視野に入れた専門的援助を行う。

不登校の定義
「教育機会確保法」では、不登校児童生徒を「相当の期間学校を欠席する児童生徒であって、学校における集団の生活に関する心理的な負担その他の事由のために就学が困難である状況として文部科学大臣が定める状況にあると認められるもの」としている。

ひきこもりの推計人数
内閣府の調査「こども・若者の意識と生活に関する調査（令和４年度）」によれば、ひきこもり状態にある人は、15～39歳で2.05%、40～64歳で2.02%おり、全国で約146万人と推計されている。

絶、無気力、自信喪失、家庭環境などが原因とされています。

さらに、**長期・高齢化**するひきこもりの当事者や家族を継続的に支援するため、2013（平成25）年度から各都道府県、指定都市において訪問支援などを行う**ひきこもりサポート事業**が行われています。養成研修を修了したひきこもりサポーターが地域に派遣され、相談や情報発信などの支援を行います。

プラス1

ひきこもり支援推進事業
2018（平成30）年度からは、市町村においてもひきこもり地域支援センターのバックアップ機能を強化し、相談窓口や情報発信といった取り組みを行っている。

小学校における暴力行為
小学校での学校の管理下における暴力行為の発生件数は2010（平成22）年度以来増加し続けていた。2020（令和2）年度には若干減少したものの、41,056件で、2022（令和4）年度には61,455件に増加した。
「令和4年度　児童生徒の問題行動・不登校等生徒指導上の諸課題に関する調査結果について」（文部科学省）

4 学級崩壊

学校において、授業中の私語、立ち歩き、暴力などにより授業が妨害される**学級崩壊**とよばれる現象が目立っています。「令和４年度　児童生徒の問題行動・不登校等生徒指導上の諸課題に関する調査結果について」（文部科学省）によると、**校内暴力**の低年齢化がかなり以前からみられます。

学級崩壊のおそれがある場合、担任教師１人の力で対応するのは不可能です。教職員が一丸となって担任教師と学級づくりを支援する連携体制の確立が求められています。

5 SDGs（持続可能な開発目標）

SDGs（エスディージーズ）[*3]では、持続可能な世界を実現するために、主に17の目標（ゴール）と、各目標それぞれに具体的な指針を示した全部で169のターゲットが設定されています。

教育はSDGsの目標４に位置づけられますが、教育はすべてのSDGsの基礎であるともいえ、SDGsを達成するために欠かせないものです。特に、ターゲット4.7に記載のあるESDは、17の目標すべてに貢献するものであり、ESDを推進していくことがSDGsの達成につながっていくと考えられています。

用語

SDGs
持続可能な世界を実現するために、2015年9月の国連サミットで採択された、国連加盟193か国が2016～2030年で達成するために掲げた目標。

でた問!!

***3 SDGs**
SDGsについて出題。
R4前

ESD
⇨p124

6 チームとしての学校

現在の複雑化、多様化した学校の課題に対応しながら、子どもたちの豊かな学びを実現していくためには、「**チームとしての学校**[*4]」体制をつくり上げていくことが求められています。

具体的には、次の３つの視点をもちながら、学校としての組織や業務のあり方を見直していきます。

①専門性に基づくチーム体制の構築	学校の教員に加え、多様な専門性をもつ職員を配置することで、双方が１つのチームとなって連携しながら課題の解決にあたっていく。
②学校のマネジメント機能の強化	教員や専門性をもつ職員がチームとして機能するように、校長や管理職がリーダーシップを発揮できる体制を整えていく。
③教職員一人ひとりが力を発揮できる環境の整備	組織におけるすべての教職員が、力を発揮し、さらにその能力を伸ばしていけるように、組織の見直しや人材育成、業務改善などの取り組みをすすめていく。

7 特別支援教育

特別支援教育は、障害のある子どもの自立や社会参加に向けた主体的な取り組みを支援するという視点に立ち、子ども一人一人の教育的ニーズを把握(はあく)し、適切な指導及び必要な支援を行うものです。

このような取り組みは、障害の有無にかかわらず、すべての子どもにとってよい効果が生じることが期待されています。特別支援教育は「共生社会の形成に向けて」（文部科学省）により、次のような考え方に基づいて推進されます。

- 障害のある子どもが能力や**可能性**を最大限に伸ばし、**自立**し社会参加することができるよう、医療、保健、福祉、労働等との連携を強化する。
- 障害のある子どもが、**地域社会**の中で積極的に活動し、その一員として豊かに生きることができるようにする。
- 障害者理解を推進し、周囲の人々が障害のある人や子どもと共に学び合い生きる中で、**公平性**を確保しつつ社会の構成員としての基礎を作る。

障害のある子どもは、学習上や生活上の困難を有しているため、周囲の理解と支援が不可欠です。学校においては、**特別支援教育コーディネーター**をはじめ、養護教諭、スクールカウンセラー等と連携し、円滑に学習や生活ができるように、必要な配慮を行うことが求められます。

＋プラス１

SDGsの目標４
SDGsの目標４では、「すべての人々に包摂的かつ公平で質の高い教育を提供し、生涯学習の機会を促進する」としている。

SDGsのターゲット4.7
ターゲットの4.7では、「2030年までに、持続可能な開発と持続可能なライフスタイル、人権、ジェンダー平等、平和と非暴力の文化、グローバル市民、および文化的多様性と文化が持続可能な開発にもたらす貢献の理解などの教育を通じて、すべての学習者が持続可能な開発を推進するための知識とスキルを獲得するようにする」としている。

でた問!!

***4 チームとしての学校**
チームとしての学校について出題。
H31前

＋プラス１

インクルーシブ教育
障害のある子どもとない子どもが、分け隔てなく、ともに学ぶことをめざす教育。人間の多様性の尊重を強化し、障害者が精神的および身体的な能力などを可能な限り発達させ、自由な社会への効果的な参加を可能にすることを目的として、障害のある者と障害のない者がともに学ぶしくみ。

ポイント確認テスト

穴うめ問題

□Q1
□過R2後

「いじめ防止対策推進法」第3条では、いじめの防止等のための対策は、(中略) 国、地方公共団体、学校、地域住民、家庭その他の関係者の(　　)の下、いじめの問題を克服することを目指して行われなければならないとされている。 >>> p126

□Q2
□過R4後

「人権教育の指導方法等の在り方について[第三次とりまとめ]」では、児童生徒の人権感覚の育成には、体系的に整備された正規の教育課程と並び、いわゆる「(　　)」が重要であるとの指摘がある。 >>> p126

□Q3
□過R3後

学校におけるいじめの対策として、早期発見の観点から、学校の設置者等と連携し、(　　) を実施することにより、ネット上のトラブルの早期発見に努める。 >>> p126

□Q4
□予想

SDGsでは、持続可能な世界を実現するために、主に(　　)の目標を設定している。 >>> p128

○×問題

□Q5
□過R2後

「いじめ防止対策推進法」第3条では、いじめの防止等のための対策は、(中略) 児童等が安心して学習その他の活動に取り組むことができるよう、学校内ではいじめが行われなくなるようにすることを旨として行われなければならないとされている。 >>> p126

□Q6
□過R1後

「特別支援教育の推進について (通知)」では、特別な支援が必要と考えられる幼児児童生徒については、担任一人が責任をもって保護者の理解を得ることができるよう慎重に説明を行い、学校や家庭で必要な支援や配慮について、保護者と連携して検討を進めることとしている。 >>> p129

□Q7
□過R1後

「特別支援教育の推進について (通知)」では、特別支援教育は、これまでの特殊教育の対象の障害だけでなく、知的な遅れのない発達障害も含めて、特別な支援を必要とする幼児児童生徒が在籍する全ての学校において実施されるものであるとしている。

□Q8
□過R4前

「持続可能な開発目標(SDGs)と日本の取組」(外務省)では、「すべての人に包摂的かつ公正な質の高い教育を確保し、初等教育レベルの学力を獲得する」としている。 >>> p129

解答・解説

Q1 連携　Q2 隠れたカリキュラム　Q3 学校ネットパトロール　Q4 17
Q5 × 「学校内では」ではなく「学校の内外を問わず」。　Q6 × 「担任一人が責任をもって」ではなく「特別支援教育コーディネーター等と検討を行った上で」。　Q7 ○
Q8 × 「初等教育レベルの学力を獲得する」ではなく「生涯学習の機会を促進する」。

社会福祉

社会福祉

人々の幸せな生活の実現をめざす社会福祉の考え方や制度について学ぶ科目です。子育て家庭だけでなく、高齢者や障害者なども含む広範な福祉について学習します。

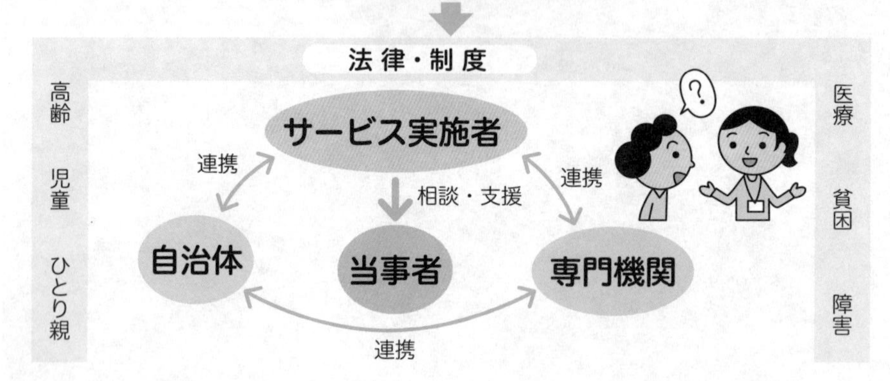

合格のコツは？

社会福祉関連の法律を制定順に並べる問題、年金・介護・医療などの**社会保障**関連の問題がよく出題されます。ていねいに学習することで確実に得点できる問題のため、**法律の制定年**は確実に理解しておきましょう。また、社会福祉の歴史についても出題されます。ソーシャルワークについては、ケースワークだけでなくグループワークについても理解しておきましょう。そのほかに、苦情解決、第三者評価、情報提供などの利用者の権利擁護についても押さえておきましょう。

関連法律・制度

・社会福祉法　・児童福祉法　・こども基本法　・児童扶養手当法　・母子及び父子並びに寡婦福祉法　・年金・介護・医療・労災・雇用保険制度　・生活保護法

関連統計・資料

・人口動態統計　・厚生労働白書　・国民生活基礎調査

関連が強い科目

（上）子ども家庭福祉／社会的養護

出題分析 出題数：20問

- 令和５年後期・令和６年前期試験では、**ソーシャルワーク**に関する問題（ソーシャルワークの展開過程、バイステックの７原則、地域福祉、相談援助の原理・原則）が20問中４～５問出題された。
- 令和６年前期試験では**医療保険**、**介護保険**、**国民年金**、**労災保険**について出題。雇用保険についてもしっかりと確認しておきたい。
- **人口動態統計**に関する問題も出題されることがあるので、総人口や出生数の減少、世帯の動向について確実に理解しておきたい。
- 地域福祉、福祉関連法の制定順、社会保障、第三者評価事業、福祉サービス利用援助事業、成年後見制度についても頻出。

■過去6回の項目別出題数実績一覧　※項目名は出題範囲の小項目を学習しやすいように改変しています

項目		R3後	R4前	R4後	R5前	R5後	R6前
現代社会における社会福祉の意義と歴史的変遷							
社会福祉の理念と概念	L1	1	0	1	1	1	0
社会福祉の歴史的変遷	L2	1	0	2	1	1	1
社会福祉と子ども家庭福祉							
社会福祉の一分野としての子ども家庭福祉	L2	1	2	1	0	3	0
子どもの人権擁護と社会福祉	L7	0	0	0	1	0	2
家庭支援と社会福祉	L3	2	0	0	1	1	1
社会福祉の制度と実施体系							
社会福祉の制度と法体系	L3	2	4	3	2	1	3
社会福祉行財政と実施機関	L4	0	0	1	0	0	1
社会福祉施設等	L3,4	0	2	2	1	1	0
社会福祉の専門職・実施者	L5	1	0	1	4	1	0
社会保障及び関連制度の概要	L3	2	2	0	1	1	1
社会福祉における相談援助							
相談援助の意義と原則	L6	1	2	1	4	2	1
相談援助の方法と技術	L6	4	3	4	1	2	3
社会福祉における利用者の保護にかかわる仕組み							
情報提供と第三者評価	L7	1	1	1	0	1	1
利用者の権利擁護と苦情解決	L7	1	0	1	1	3	3
社会福祉の動向と課題							
少子高齢化社会への対応	L2,8	1	2	0	0	1	1
在宅福祉・地域福祉の推進	L5	2	2	2	2	1	2
保育・教育・療育・保健・医療等との連携とネットワーク	L5	0	0	0	0	0	0
諸外国の動向	L1,2	0	0	0	0	0	0

社会福祉 Lesson 1

社会福祉の理念と概念

頻出度 Level 2

社会福祉は、子どもを守るための広範な施策の根本となるものです。まずはその考え方の基礎を学びましょう。

ココに注目!!
- 日本国憲法による社会福祉の理念
- ニィリエによるノーマライゼーションの8原則
- 社会福祉法の「目的」とは何か
- 福祉ニーズとは何か

1 社会福祉とは

(1) 社会福祉の定義

「福」と「祉」はどちらも「幸せ」を意味する漢字です!

「福祉」とはもともと「幸せ」を意味する言葉で、現代では通常、公的な施策などによって人々の幸せな生活環境を整えようとする営みのことをいいます。この言葉の上に「社会」がつく「社会福祉」とは、社会のすべての人々の安定した幸せな生活を実現しようとする目標や理想、またそのためのさまざまな施策のことを意味しています。

家庭への支援により子どもの福祉を実現しようとする「子ども家庭福祉」、家庭を離れて暮らす子どもを社会全体で守り育てる「社会的養護」も社会福祉の考え方に深く根ざしています。

子どもは、社会福祉の主な対象と考えられています。何らかの理由で幸せな家庭生活や健全な発達が奪われている子どもに対し、社会福祉の考え方や制度の枠組みのなかから適切な対応や連携すべき機関を選択することも、保育士の専門性として求められています。

(2)「日本国憲法」

社会福祉という言葉は、日本では「**日本国憲法**[*1]」**第25条**で初めて公的に使用されました。

*1「日本国憲法」第25条について出題。R4後、R6前

「日本国憲法」第25条

第１項　すべて国民は、**健康で文化的な最低限度の生活**を営む権利を有する。
第２項　国は、すべての生活部面について、**社会福祉、社会保障及び公衆衛生の向上及び増進**に努めなければならない。

この条文にみられるように、国民は最低限度の生活を送り人間らしく生きる権利（**生存権**）をもっており、国はそれを保障するために社会福祉・社会保障・公衆衛生（えいせい）という取り組みに努めなければなりません。

「日本国憲法」は日本の法体系の頂点にある最高法規であり、そのなかで社会福祉という言葉が使用され、その理念が示されたことは、その後の社会福祉の発展に大きな影響を与えました。

＋プラス１
「日本国憲法」
「日本国憲法」は最高法規として位置づけられているが、法律ではない。法律は国会が制定する決まりで複数あるが、憲法は１つしかない。

(3)「社会福祉法」

では、具体的には社会福祉としてどのようなものが国民に提供されるのでしょうか。**「社会福祉法」第１条、第３条**[*2]をみてみましょう。

でた問!!
***2「社会福祉法」第１条、第３条**
「社会福祉法」第1条、第3条について出題。
R4前、R6前

社会福祉

「社会福祉法」

(目的)
第１条　この法律は、社会福祉を目的とする事業の全分野における共通的基本事項を定め、社会福祉を目的とする他の法律と相まつて、**福祉サービスの利用者の利益の保護**及び地域における**社会福祉**（以下「**地域福祉**」という。）の推進を図るとともに、社会福祉事業の公明かつ適正な実施の確保及び社会福祉を目的とする事業の健全な発達を図り、もつて社会福祉の増進に資することを目的とする。

(福祉サービスの基本的理念)
第３条　福祉サービスは、**個人の尊厳**の保持を旨とし、その内容は、福祉サービスの利用者が**心身ともに健やかに育成**され、又はその有する能力に応じ**自立した日常生活**を営むことができるように支援するものとして、良質かつ適切なものでなければならない。

条文にみられるように、社会福祉は地域に暮らす福祉を必要とする人に対して、具体的には**福祉サービス**として提供されます。そして、サービスの質は、利用者が心身ともに健やかであり、かつその人ができる範囲の自立した生活が保たれるようなものでなければならないとされています。

プラス1
基本的人権
第25条に規定する生存権のほかに、自由権（思想・表現の自由など）、社会権（生存権など）、参政権（投票権など）、受益権（国や地方公共団体に対する賠償請求権など）などがある。

2 社会福祉の理念

（1）基本的人権の尊重

社会福祉の理念の根底には、**基本的人権**の尊重という考え方があります。「**日本国憲法**[*3]」**第11条**に次のように明記されています。

「日本国憲法」第11条
国民は、**すべての基本的人権の享有を妨げられない**。この憲法が国民に保障する基本的人権は、侵すことのできない**永久の権利**として、現在及び将来の国民に与へられる。

この条文から、日本における基本的人権には次のような特徴があることがわかります。

- **すべての国民に普遍（ふへん）的に保障された権利**
- **国民が生まれながらにもっている（享有（きょうゆう））ものであり、誰からも侵（おか）されることのない権利**
- **国民すべてに等しく与えられた永久の権利**

でた問!!
*3「日本国憲法」
第11条、第13条について出題。
R4後、R6前

用語
公共の福祉
社会全体に共通する幸福や利益のこと。

また、「**日本国憲法**[*3]」**第13条**では、**人権の尊重**と**個人の尊重**を明らかにしています。

「日本国憲法」第13条
すべて国民は、個人として尊重される。生命、自由及び**幸福追求**に対する国民の権利については、**公共の福祉**に反しない限り、立法その他の国政の上で、最大の尊重を必要とする。

▸▸▸ ここは覚えよう!!

社会福祉の理念に関わる「日本国憲法」の主な条文

第11条	第13条	第25条
基本的人権	個人の尊重と生命、自由及び幸福追求権の尊重	生存権と国による保障の努力義務

（2）ノーマライゼーション

ノーマライゼーション*4とは、子どもや障害者、高齢者などが、地域社会から隔絶されて生きるのではなく、一般の人々と同じようにノーマル（当たり前）に生活することができる社会をつくるという考え方です。日本でも1980年代に広まり、社会福祉の基本的な理念として尊重されてきました。

この理念を最初に理論化したのは、デンマークの**バンク-ミケルセン**です。また、スウェーデンの**ニィリエ**は知的障害者の生活様式を平常化させるためのノーマライゼーションの８原則を提唱し、バンク-ミケルセンの理論をより具体化させました。

でた問!!

***4 ノーマライゼーション**
ノーマライゼーションの内容について出題。
R1後、R4後
ノーマライゼーションの位置づけについて出題。
R2後

社会福祉

人物

バンク-ミケルセン
Bank-Mikkelsen, N. E.
1919～1990年。
知的障害者の福祉向上に尽力した。

ニィリエ
Nirje, B.
1924～2006年。
ノーマライゼーションの育ての父といわれる。

■ニィリエの８原則

① １日のノーマルな生活のリズムの確保
② １週間のノーマルな生活のリズムの確保
③ １年間のノーマルな生活のリズムの確保
④ 一生涯（ライフサイクル）におけるノーマルな経験
⑤ ノーマルな要求や自己決定の尊重
⑥ 異性（両性）のいる世界で暮らすこと
⑦ ノーマルな経済的水準の確保
⑧ その地域におけるノーマルな住環境水準

ノーマライゼーションの考え方は、デンマークの知的障害児をもつ親の会の運動から生まれました。

日本の施設においても、たとえば決まった時刻に食事や入浴を行うことで生活のリズムを確保する（①）、年中（ねんちゅう）行事を楽しむことで季節を感じられるようにする（③）、卒業など人生の節目を祝う（④）、地域の人々との交流の機会を設ける（⑧）

といったかたちでノーマルな生活を保障しています。

（3）ソーシャル・インクルージョン

***5 ソーシャル・インクルージョン**
ソーシャル・インクルージョンの内容について出題。
R2後、R3前、R4後

ソーシャル・インクルージョン*5とは社会的包摂とももいい、人々をあらゆる差別、貧困、抑圧、排除、暴力、環境破壊などから守り、包摂的な社会をめざす考え方のことです。

もともとヨーロッパで生みだされた考え方ですが、日本でも障害や病気を抱える人、外国人労働者やホームレスなどが社会から排除され、社会福祉制度があってもサービスが届かず利用できないことが問題とされるなかで、この理念の必要性が認められるようになりました。

（4）バリアフリー

設備を整えること以外にも、さまざまなところでバリアフリーの考え方が生かされているんですね。

バリアフリーとは、障害者や高齢者などと、そうでない人との間にある障壁（バリア）を取り除こうという考え方です。今日ではバリアフリーはさまざまな観点からとらえられ、福祉の向上が図られています。

- **物理的なバリアフリー**……車いすに配慮したスロープ、手すり、点字ブロック、バリアフリートイレなど。
- **心のバリアフリー**……高齢者や障害者自身あるいは健常者が心のなかから偏見や差別意識を取り除く。
- **制度や情報のバリアフリー**……障害者、高齢者も、制度やさまざまな情報を享受できるようにし、コンピュータなどIT関連の使用を可能にする。

（5）ユニバーサルデザイン

でた問!!

***6 ユニバーサルデザイン**
ユニバーサルデザインの考え方について出題。
R2後

ユニバーサルデザイン*6とは、あらかじめ、障害の有無、年齢、性別、人種などにかかわらず多様な人々が利用しやすいよう都市や生活環境をデザインする考え方です。

バリアフリーとの違いは、バリアフリーが障害者・高齢者などに配慮する考え方であるのに対し、ユニバーサルデザインはすべての人が対象となっていることです。

厚生労働省「**バリアフリー・ユニバーサルデザイン推進要綱**」（2008年）では、まずは障害者、高齢者、妊婦や子ども連れの人などが生活するうえでバリアとなるものを取り除く（バリアフリー）とともに、新しいバリアが生じないよう、誰にとっても利用しやすいような施設や製品をデザインする（ユニバーサルデザイン）ことが必要であるとしています。

3 社会福祉の対象

（1）社会福祉六法の対象

社会福祉はもともと一部の貧困者や孤児の救済から始まりましたが、戦後は障害者、高齢者などその対象は拡大していきました。現在、「社会福祉法」を基礎として日本の社会福祉法制の中心となっているのは、以下の**社会福祉六法**です。それぞれ次のような人々を社会福祉の対象としています。

社会福祉六法は レッスン３でもでてきます。

■社会福祉六法とその対象

法律	対象
「児童福祉法」	子ども
「母子及び父子並びに寡婦福祉法」	ひとり親家庭
「老人福祉法」	高齢者
「身体障害者福祉法」	身体障害者
「知的障害者福祉法」	知的障害者
「生活保護法」	低所得者

（2）福祉ニーズ

❶福祉ニーズとは

福祉ニーズとは、生活をするために必要なものを指し、社会福祉においては日常生活を送るうえで解決する必要のある課題のことをいいます。現代では、社会福祉の対象を典型的な例に限定せず、福祉ニーズをもつ人であれば誰もが社会福祉の対象になり得ると考えられています。

たとえば、働く女性が増えることによって、共働き家庭では日中子どもを保育所に預けるという福祉ニーズが発生します。

❷福祉ニーズと社会環境

福祉ニーズは社会環境の変化によって新しく生まれたり、変わったりします。日本では、少子高齢化や地縁・血縁の希薄化などによって福祉ニーズが**多様化・複雑化**しています。

❸潜在的なニーズ

課題を抱える本人自身が気づいていない、本人や家族の抑圧などの理由により表出されない福祉ニーズを**潜在的なニーズ**（せんざい）*7といいます。

たとえば、保育所にわが子を通わせている保護者が、子どもの発達に関して不安や疑問を抱いているにもかかわらず、「こんなことはわざわざ相談するようなことではないのではないか」という思いから保育士に相談できないでいる場合などがあげられます。このような保護者の子は**要支援児童**にあたり、児童福祉の対象となります。

潜在的なニーズの発見も社会福祉の役割の一つです。援助者がクライエントのニーズを積極的に発見したり、地域のネットワークのなかでまわりの人々がニーズに気づいたりして、必要な援助へとつなげていきます。

でた問!!

***7 潜在的なニーズ**
潜在的なニーズについて出題。
H31前

用語

要支援児童
保護者の養育を支援することが特に必要と認められる児童であって要保護児童にあたらない児童のことをいう。

要保護児童
⇨保原p41

ポイント確認テスト

穴うめ問題

☐☐ **Q1** 過R4後

「日本国憲法」第25条では、「すべての国民に健康で文化的な（　a　）の生活を営む権利を認め、それを実現するために、国は、社会福祉、社会保障および（　b　）の向上および増進に努めなければならない」とされる。>>> **p135**

☐☐ **Q2** 予想

（　　）は、ノーマライゼーションの理論を具体化し、ノーマライゼーションの8原則を提唱した。>>> **p137**

☐☐ **Q3** 過R3前

（　　）は、ノーマライゼーション思想とも共通し、社会福祉の理念として用いられる場合、すべての人がそれぞれの違いを尊重され、社会の一員として認められ、人権を保障されることも意味することが多い。>>> **p138**

☐☐ **Q4** 過R2後

（　　）という考え方の一つに、どのような人にとっても役立つように使えるということが挙げられている。>>> **p138**

○×問題

☐☐ **Q5** 過R4前

「社会福祉法」では、その目的に地域福祉の推進を図ることがあげられている。>>> **p135**

☐☐ **Q6** 過R4後

「日本国憲法」第13条では、すべての国民は、個人として尊重され、生命、自由および幸福追求に対する国民の権利については、公共の福祉に反しない限り、立法その他国政の上で、最大の尊重を必要とされる。>>> **p136**

☐☐ **Q7** 過R4後

ノーマライゼーションとは、障害の有無にかかわらず、だれもが地域で普通に暮らせる社会を目指す理念である。>>> **p137**

☐☐ **Q8** 過R5前

保護者の養育を支援することが特に必要と認められる要支援児童は、児童福祉の対象ではない。>>> **p140**

解答・解説

Q1　a 最低限度／b 公衆衛生　Q2　ニィリエ　Q3　ソーシャル・インクルージョン
Q4　ユニバーサルデザイン
Q5　○　Q6　○　Q7　○　Q8　×　要支援児童も対象である。

社会福祉 Lesson 2

社会福祉の歴史

頻出度 Level 4

社会福祉は現在までどのような道筋をたどってきたのでしょうか。
その成り立ちや救済の対象などに着目して学びましょう。

ココに注目!!

- ✓ エリザベス救貧法成立の背景
- ✓ 慈善組織化運動（COS運動）
- ✓ 恤救規則による救済
- ✓ 福祉三法・社会福祉六法

1 諸外国の社会福祉の歴史

社会福祉が国家の責任と捉えられ、すべての国民が社会保険や福祉サービスを受けられるようになったのは戦後になってからのことです。

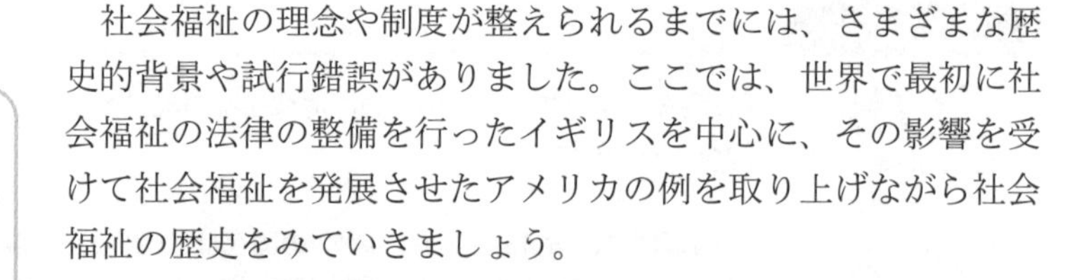

社会福祉の理念や制度が整えられるまでには、さまざまな歴史的背景や試行錯誤がありました。ここでは、世界で最初に社会福祉の法律の整備を行ったイギリスを中心に、その影響を受けて社会福祉を発展させたアメリカの例を取り上げながら社会福祉の歴史をみていきましょう。

(1) 社会福祉の芽生え

❶「エリザベス救貧法」（イギリス）

15世紀のエンクロージャーは毛織物産業の隆盛にともなって牧羊地の確保のために行われたため、「羊が人間を食う」といわれました。

1601年、貧困者を救済するため「**エリザベス救貧法**」が制定されました。イギリスでは、領主や地主が農地を囲い込んで私的に所有し（エンクロージャー）、農地から追いだされた農民が貧困者となり街にあふれたため、国は対策を迫られました。この法律では働くことのできない貧困者のみを保護し、働くことのできる者には子どもでも労働を強制しました。

❷「工場法」（イギリス）

1802年、労働者を保護する最初の法律である「**工場法**」が制定されました。世界で最も早く資本主義経済が確立したイギリスでは、機械化された大規模工場で製品を大量生産するために多くの子どもが低賃金で酷使され、心身の発達が阻害されることが社会問題となっていたため、この法律では労働者の年齢や労働時間などに制限が設けられました。

❸「新救貧法」(イギリス)

1834年、「エリザベス救貧法」への批判に基づき「**新救貧法**[*1]」が成立しました。この法律の特徴は以下の3つの原則です。

■「新救貧法」の3つの原則

均一処遇の原則
貧困者に対する処遇を全国一律とする

院内保護の原則
救済は原則として施設内に限る

劣等(れっとう)処遇の原則
救済の水準は、独立自活している最低階層の労働条件を上回ってはならない

これらは貧困の原因を労働者自身の責任とみなす考え方に基づいており、公的な救済の範囲を制限するものでした。

(2) 社会福祉運動

❶慈善事業

国家的な施策としての救済に対して、宗教心や道徳心から貧困者などを助けようとする行動を慈善(じぜん)といい、こうした救済活動を組織的に行うことを慈善事業といいます。19世紀後半には富裕な資本家などによって各所で慈善活動が行われましたが、個々の事業が統括されないまま行われたため、必要のない者まで保護される(濫救(らんきゅう))、あるいは本来必要とする者が保護を受けられない(漏救(ろうきゅう))といった問題がありました。

❷慈善組織化運動(COS運動)

慈善活動の問題を解決するため、イギリスのロンドンで**慈善組織化運動**(COS(コス)運動[*2])が始まりました。この運動では、市民による救済事業を組織的に統括するため、貧困家庭を訪ねて

「エリザベス救貧法」は市民革命後も引き継がれ、自宅で生活する貧困者に手当を支給する「院外保護」が行われていました。

でた問!!
***1 新救貧法**
新救貧法の内容について出題。
R5後

社会福祉

プラス1
チャルマーズの隣友運動
1819年、教区を分けて貧困家庭を訪問する活動を実施。のちにCOS運動へとつながった。

でた問!!
***2 COS運動**
COS運動の創設について出題。
R6前

用語
慈善組織化運動
慈善組織協会による運動で、神学者であったチャルマーズ(Chalmers,T.)の隣友運動がもとになっている。

調査・指導を行う**友愛訪問**を行いました。このような活動は**ソーシャルワーク**（**社会福祉援助技術**）の先駆けともいわれています。

アメリカでも慈善組織化運動（COS運動）は展開され、**リッチモンド**（Richmond, M.E.）がケースワークをはじめて実践・理論化し、ケースワークの母ともよばれています。

❸セツルメント運動

セツルメント運動とは、settle（住み込む）という言葉の意味が示すように、学生や宗教家など運動の主体者がスラムに**セツルメント・ハウス**（隣保館（りんぽ））を建て、そこに暮らして貧困者と交流しながら支援を行うという活動です。イギリスでは、**バーネット夫妻**がロンドンに設立した**トインビーホール**[*3]がその先駆けです。

アメリカでもセツルメント運動が行われ、**アダムズ**がシカゴに世界最大規模の**ハル・ハウス**[*3]を設立して社会改良運動をリードしました。

❹貧困調査

貧困の実態を究明するための調査を**貧困調査**[*4]といい、**ブース**のロンドン調査、**ラウントリー**のヨーク調査が代表的です。調査の結果、貧困の原因は個人ではなく社会（低賃金など）にあることが明らかになりました。これらの調査では貧困状態の判断の基準となる**貧困線**という概念がはじめて取り入れられ、貧困調査の基礎となりました。

（3）社会保障制度

❶「国民保険法」（イギリス）

1911年、「**国民保険法**」が制定されました。この法律では健康保険と世界初の失業保険を定めており、イギリスの社会福祉国家としての基礎となるものです。

❷「ベヴァリッジ報告」（イギリス）

1942年、経済学者**ベヴァリッジ**（Beveridge, W. H.）によって「**ベヴァリッジ報告**[*5]」（「社会保険と関連サービス」）がまとめられました。これは、戦後「**ゆりかごから墓場まで**」をスローガンとして福祉国家としての道を歩み始めるイギリスを大

ソーシャルワーク ⇨p182
リッチモンド ⇨p184
ケースワーク ⇨p184

でた問!!

＊3 トインビーホール、ハル・ハウス
トインビーホール、ハル・ハウスについて出題。
R1後

＋プラス1

トインビーホール
セツルメント運動の最初の拠点であるトインビーホールは、慈善事業の半ばで没した活動家のトインビーを記念し、バーネット夫妻が設立した。

でた問!!

＊4 貧困調査
ブースの貧困調査について出題。
R6前

用語

貧困線
最低限の生活を送るための所得の統計上の水準。ラウントリーは貧困線を下回る状態を第一次貧困、わずかに上回る状態を第二次貧困として区別した。

でた問!!

＊5 ベヴァリッジ報告
救貧法の制定、慈善組織化協会（COS）の設立、ベヴァリッジ報告の提出の年代順について出題。
R3後

きく方向づけるものでした。

「ベヴァリッジ報告」のなかでは、解決すべき課題が**5つの巨人**（貧困、疾病（しっぺい）、不潔、無知、怠惰）という象徴的な言葉で示され、これを解決するために必要な社会保障制度のあり方が明確に示されています。

その中核をなすのが、社会保険について定められた3つの原則であり、1946年にはアトリー内閣のもとで「**国民保険法**」が改正されました。

「ゆりかごから墓場まで」とは、生まれてから死ぬまでという意味です。国民が国家の社会保障制度に守られながら一生安心して暮らせる、というたとえとして、戦後イギリスの社会保障政策のスローガンになりました。

■「ベヴァリッジ報告」社会保険の3つの原則

①**均一給付**・均一拠出の原則…… 所得によらず全ての人が同じ分を拠出し、同じ分の給付を受ける
②**ナショナルミニマム**の原則……給付は最低限の生活を保障する
③**一般性**の原則……全国民を対象者とする

「ベヴァリッジ報告」に基づいて1944年に社会保険省を創設したイギリスでは、ほかにも次のような制度を立法化し、福祉国家として歩み始めました。

- **「家族手当法」**……1945年
- **「国民保健サービス法」**……1946年
- **「国民扶助（ふじょ）法」**……1948年

社会福祉

2 日本の社会福祉の歴史

（1）救済事業の歴史（明治時代～昭和初期）

❶「恤救規則（じゅっきゅうきそく）」

1874（明治7）年、「**恤救規則**[*6]」が制定されました。この規則は日本で初めて統一的な基準をもつ救貧法ですが、救済の対象が「**無告の窮民（きゅうみん）**」（身寄りのない貧困者）に限られていること、救済の責任を国家は負わず「**人民相互の情誼（じょうぎ）**」（血縁や地縁など人情的な関わり）とすることなど、救済は限定的で小規模なものに留まりました。

***6 恤救規則**
恤救規則の人民相互の情誼について出題。
R5後

❷民間による救済活動

国による救済が不十分であるなか、民間の社会事業家による次のような救済活動*7が行われました。

留岡幸助	家庭学校（巣鴨家庭学校〔児童自立支援施設〕）を設立。のちに北海道にも設立。
石井亮一	孤女学院（現：滝乃川学園〔知的障害児施設〕）を設立。
石井十次	岡山孤児院を設立。今日のケースワークに似た個別的な指導（岡山孤児院十二則）を行っていた。
糸賀一雄	近江学園（知的障害児施設）、びわこ学園（重症心身障害児施設）を設立。
賀川豊彦	『死線を越えて』を著す。キリスト教の考え方に基づいてスラムに住みこみ、救済事業と伝道活動を行った。
片山潜	イギリスのトインビーホールにならったセツルメント・ハウスであるキングスレー館を東京の神田に設立。

***7 救済活動**
家庭学校、滝乃川学園、岡山孤児院の創設者について出題。
R4後

留岡幸助
⇨保原p67

石井亮一
⇨保原p66

横山源之助
『日本之下層社会』(1899〔明治32〕年）を著して日清戦争勃発以来の貧困階層の実情を紹介し、対策の急務を説いた。

セツルメント・ハウス
⇨p144

❸済世顧問制度と方面委員制度

第一次世界大戦後の1920年前後から、それまでの救済事業に代わる次のような事業が実施されました。

- **済世顧問制度**……岡山県知事笠井信一が防貧を目的として1917（大正６）年に創設。市の有力者が顧問となって貧困者の調査や相談、就職斡旋などを行う。
- **方面委員制度***8……大阪府知事林市蔵、小河滋次郎らが、ドイツのエルバーフェルト制度を模倣して1918（大正７）年に創設。方面委員が生活困窮者の救護事務を行う。のちに全国に普及し、1936（昭和11）年の「方面委員令」により法制化された。

***8 方面委員制度**
方面委員制度と創設者について出題。
R4後

方面委員制度は民生委員制度の前身です。

❹「救護法」

1929（昭和４）年の世界恐慌を背景に失業者や貧困者が増加し、小作争議や労働争議が頻発しました。同じ年に「救護法*9」が制定、1932（昭和７）年に施行され、これによって「恤救規則」は廃止されました。

***9 救護法**
救護法の対象について出題。
R5後

■「救護法」の概要

目的	貧困のため生活できない者の扶助。
扶助の種類	生活扶助、医療扶助、助産扶助、生業扶助。
対象者	65 歳以上の老衰者、13 歳以下の児童、妊産婦、疾病（しっぺい）、傷病、精神または身体の障害により働けない者で、扶養義務者が扶養できない場合に限定。生活態度に問題がある者や、なまけ者は除外。原則として居宅者が対象とされたが、場合によっては施設へ収容して救護することもあった。
その他	要救護者は、公民としての選挙権も被選挙権も停止された。

「救護法」の対象は貧困線以下の極貧者だけで、劣等処遇の原則は相変わらず貫かれていました。

❺「救護法」以外の救済

- 1933（昭和８）年に「児童虐待（ぎゃくたい）防止法（旧）」を制定。
- 1937（昭和12）年に「軍事扶助法」や「母子保護法」などを制定。

プラス1

「児童虐待防止法（旧）」
現在の「児童虐待防止法」（正式名称は「児童虐待の防止等に関する法律」）とは異なる。1947（昭和22）年に「児童福祉法」が制定されたことによって廃止された。

（2）社会福祉制度の発展（昭和後期）

敗戦後、日本はアメリカの占領政策を施行するかたちでさまざまな福祉政策を進めました。現在の社会福祉制度につながる基礎はほぼこの時期に形づくられました。

❶「公的扶助に関する覚書」

1946（昭和21）年２月27日、GHQは社会救済の基本方針として、「公的扶助に関する覚書（おぼえがき）」を日本政府に提示しました。ここには①無差別平等、②国家責任による最低限の生活保障の実施、③公私の分離、④救済費無制限という４つの原則が示されています。

用語

GHQ
連合国最高司令官総司令部。1945年、第二次世界大戦後の日本を占領・管理するために東京に置かれた。1952年にサンフランシスコ講和条約の発効にともない廃止されるまでの間、GHQの指令に基づいて行われた政策のことを占領政策という。

❷「日本国憲法」の制定と福祉関連法

1946年に「日本国憲法」が制定され、その第25条において、国民の生存権の保障と、それに対する国家の義務が明確に規定されました。

「日本国憲法」第25条 ⇨p134

「日本国憲法」の制定と前後して、社会福祉に関するさまざまな法律が制定されていきます。

- 「（旧）生活保護法」……1946（昭和21）年に制定される。方面委員は生活保護行政を補助する者として民生委員に改められた。
- 「生活保護法*10」……1950（昭和25）年に「（旧）生活保

でた問!!

*10「生活保護法」
「生活保護法」の目的について出題。
R3後

社会福祉

「(新)生活保護法」によって、日本の公的扶助の根底にあった惰民育成、劣等処遇などの価値観が改められました。

護法」を全面的に改め制定。その主な内容は次の通り。①国民の「自立助長」を目的とする、②国の責任と保護請求権の明確化、③実施者は有給専門職員であること、④教育扶助、住宅扶助の創設。

- **「国民年金法」**……1955（昭和30）年に厚生省（現：厚生労働省）が「社会保障５か年計画」を発表して**国民皆年金**と**国民皆保険**の構想を示し、1959（昭和34）年に制定される。国民年金が創設されたのは1961（昭和36）年。
- **「母子福祉法」**……1964（昭和39）年に母子家庭の福祉のため制定。のち、1982（昭和57）年の改正で「母子及び寡婦福祉法」となり、さらに2014（平成26）年の改正で「母子及び父子並びに寡婦福祉法」と改称されている。
- **福祉三法**……第二次世界大戦後、「(旧）生活保護法」(1946年)、「**児童福祉法**」(1947年)、「**身体障害者福祉法**」(1949年）からなる**福祉三法**が制定された。

プラス1

「児童扶養手当法」
1961（昭和36）年に生別母子家庭を対象として制定。2010（平成22）年度からは父子家庭にも児童扶養手当が支給されるようになった。

「知的障害者福祉法」
1998（平成10）年に「精神薄弱者福祉法」が改正され、1999（平成11）年からこの名称で施行されている。

「社会福祉事業法(現：社会福祉法)」
1951（昭和26）年３月制定。社会福祉事業の全分野に共通する基本的事項を定める。同年10月には、生活保護行政を中心とした一般福祉行政の第一線機関としての福祉事務所が発足した。

「児童手当法」
1971（昭和46）年制定。家庭における生活の安定に寄与し、次代の社会を担う児童の健全育成と資質向上を目的としており、児童を養育している家庭などを支給対象としている。

ここは覚えよう!!

昭和後期に制定された社会福祉関連法

制定年	名称
1946年	「(旧）生活保護法」㊂
1947年	「児童福祉法」㊂㊅
1949年	「身体障害者福祉法」㊂㊅
1950年	「生活保護法」(〔旧〕生活保護法を改正）㊅
1951年	「社会福祉事業法」(現：「社会福祉法」)
1958年	「国民健康保険法」
1959年	「国民年金法」
1960年	「精神薄弱者福祉法」(現：「知的障害者福祉法」) ㊅
1961年	「児童扶養手当法」
1963年	「老人福祉法」㊅
1964年	「母子福祉法」(現：「母子及び父子並びに寡婦福祉法」) ㊅
1971年	「児童手当法」

㊂は福祉三法、㊅は社会福祉六法

● **社会福祉六法**（ろっぽう）*11……高度経済成長期に、福祉三法（「(旧)生活保護法」は改正）に「**知的障害者福祉法**」（1960年）、「**老人福祉法**」（1963年）、「母子及び父子並びに寡婦福祉法」（1964年）を加えた社会福祉六法の体制が整えられた。

でた問!!

***11 社会福祉六法**
社会福祉六法などの児童福祉関連法令の成立順について出題。
R2後

（3）平成以降の福祉政策

社会福祉六法
⇨p152

平成以降は、高齢化社会に対応するための施策が行われたほか、児童や障害者など、利用者ごとのニーズを満たすために福祉政策が見直されました。

❶社会福祉関係八法改正

1990年、**社会福祉関係八法改正**（「老人福祉法等の一部を改正する法律」）が行われました。主な改正点は次の３点です。

- 福祉各法への在宅サービスの位置づけ。
- 高齢者や身体障害者の入所措置（そち）権の都道府県から市町村への移譲。
- 都道府県・市町村への老人保健福祉計画の策定の義務づけ。

用語

社会福祉関係八法
①「老人福祉法」
②「身体障害者福祉法」
③「知的障害者福祉法」
④「児童福祉法」
⑤「母子及び父子並びに寡婦福祉法」
⑥「社会福祉法」
⑦「高齢者の医療の確保に関する法律」
⑧「独立行政法人福祉医療機構法」

❷対象別の施策

平成期の高齢者福祉と子ども家庭福祉では、少子高齢化を背景に施策が講じられました。高齢者施策では、在宅福祉・施設福祉の充実をはかる**ゴールドプラン***12が、児童施策では、子育て支援の充実を図るエンゼルプランが策定され、５年ごとに見直されてきました。

また、障害者施策では、ノーマライゼーションの理念に基づく「障害者プラン」の策定と見直しがすすめられました。

***12 ゴールドプラン**
ゴールドプランについて出題。
R1後

社会福祉

■高齢者施策

1989（平成元）年	「高齢者保健福祉推進 10 か年戦略」（ゴールドプラン）策定。
1994（平成６）年	「高齢者保健福祉推進 10 か年戦略の見直しについて」（**新ゴールドプラン**）策定。 「21 世紀福祉ビジョン」が報告される。
1995（平成７）年	「高齢社会対策基本法」制定。
1996（平成８）年	「高齢社会対策大綱」の決定。
1997（平成９）年	「**介護保険法**」制定。
2000（平成12）年	「介護保険法」施行。 「今後５か年間の高齢者保健福祉政策の方向」（**ゴールドプラン 21**）策定。

■児童施策

1994（平成６）年	「今後の子育て支援のための施策の基本的方向について」（エンゼルプラン）*13 策定。
1999（平成11）年	「重点的に推進すべき少子化対策の具体的実施計画について」（新エンゼルプラン）策定。
2004（平成16）年	「少子化社会対策大綱に基づく重点施策の具体的実施計画について」（子ども・子育て応援プラン）策定。
2010（平成22）年	「子ども・子育てビジョン」策定。
2012（平成24）年	「子ども・子育て関連３法」制定。
2015（平成27）年	子ども・子育て支援新制度の施行。
2016（平成28）年	「ニッポン一億総活躍プラン」閣議決定。
2020（令和２）年	「新子育て安心プラン」公表。
2022（令和４）年	「こども基本法」制定。
2023（令和５）年	こども家庭庁創設。 「こども大綱」策定（こどもまんなか社会）。 「こども未来戦略」閣議決定。

でた問!!
*13 エンゼルプラン
エンゼルプランの策定年について出題。
R2後

「子ども・子育て関連３法」
⇨子福p230

■障害者施策

1993（平成５）年	「障害者対策に関する新長期計画」策定。 「心身障害者対策基本法」が「障害者基本法」に改正。
1995（平成７）年	「障害者プラン～ノーマライゼーション７か年戦略 *14」策定。
2002（平成14）年	「新障害者基本計画」策定。 「新障害者プラン（前期）」策定。
2006（平成18）年	国際連合が「障害者権利条約」を採択。
2007（平成19）年	「新障害者プラン（後期）」策定。
2013（平成25）年	「障害者差別解消法」制定。 第３次障害者基本計画
2014（平成26）年	日本が「障害者権利条約」に批准。
2018（平成30）年	第４次障害者基本計画

でた問!!
*14 障害者プラン
ゴールドプラン、エンゼルプラン、障害者プランの策定順について出題。
R1後

社会福祉基礎構造改革による施策の具体的な内容については、レッスン７でくわしくみていきましょう！

社会福祉基礎構造改革
⇨p194

❸社会福祉基礎構造改革にともなう法改正

1998（平成10）年、社会福祉基礎構造改革が中央社会福祉審議会社会福祉基礎構造改革分科会により提言されました。

これにともない、2000（平成12）年に「社会福祉の増進のための社会福祉事業法等の一部を改正する等の法律」が制定・施行されました。「社会福祉事業法*15」は改正・改称され「社会福祉法」となりました。

*15「社会福祉事業法」
「社会福祉事業法」の改正について出題。
R1後、R2後

ポイント確認テスト

穴うめ問題

Q1 過R6前

イギリスの（　　　）（慈善組織協会）の創設は、都市に急増した貧困者、浮浪者等に対する慈善の濫救、漏救を防ぎ、効率的に慈善を行う意図があった。 >>> p143

Q2 過R4後

（　　　）は、非行少年を対象とした「家庭学校」を設立した。 >>> p146

Q3 過R4後

（　　　）は、知的障害児を対象とした「孤女学院」（現：滝乃川学園）を設立した。 >>> p146

Q4 過R4後

（　　　）は、孤児などを対象とした「岡山孤児院」を設立した。 >>> p146

○×問題

Q5 過R1後

ケースワークの源流は、イギリスにおけるチャルマーズ（Chalmers, T.）の隣友運動とロンドンの慈善組織協会の活動である。 >>> p143

Q6 過R1後

セツルメント活動は、ロンドンのバーネット夫妻（Barnett, S&H）によるハル・ハウス、さらにアダムズ（Addams, J.）の設立したシカゴのトインビーホールを拠点として展開された。 >>> p144

Q7 過R3後

イギリスの福祉政策等を年代の古い順に並べると、「救貧法」（Poor Law）の制定、慈善組織（化）協会（COS）の設立、『社会保険および関連サービス』（通称『ベヴァリッジ報告：Beveridge Report』）の提出、となる。 >>> p144

Q8 過R5後

「恤救規則」（1874（明治7）年）では、血縁や地縁などの無い窮民に対してのみ公的救済を行ったが、救済の責任は、本来血縁や地縁などの人民相互の情誼によって行うべきであるとした。 >>> p145

解答・解説

Q1 COS　**Q2** 留岡幸助　**Q3** 石井亮一　**Q4** 石井十次
Q5 ○　**Q6** ×　バーネット夫妻がトインビーホール、アダムズがハル・ハウスを設立した。　**Q7** ○　**Q8** ○

社会福祉 Lesson 3

社会福祉の制度と法体系

頻出度 Level 5

難

日本ではさまざまな社会福祉関連法が定められています。
福祉の対象と法律を結び付けて理解しましょう。

ココに注目!!

- 社会福祉法と社会福祉六法の関係
- 第一種・第二種社会福祉事業とは何か
- 社会福祉関連法の目的と対象
- 社会保障制度の種類としくみ

1 社会福祉の法制度

(1) 社会福祉法制の体系

日本の社会福祉法制は、「社会福祉法」を基礎として、社会福祉六法(ろっぽう)が中心をなし、「**障害者総合支援法**」や「**介護保険法**」などのさまざまな法制が関連して形づくられています。社会福祉六法は、「**児童福祉法**」「**身体障害者福祉法**」「**生活保護法**」「**知的障害者福祉法**」「**老人福祉法**」「**母子及び父子並びに寡婦(かふ)福祉法**」から構成されています。

■社会福祉法制の体系

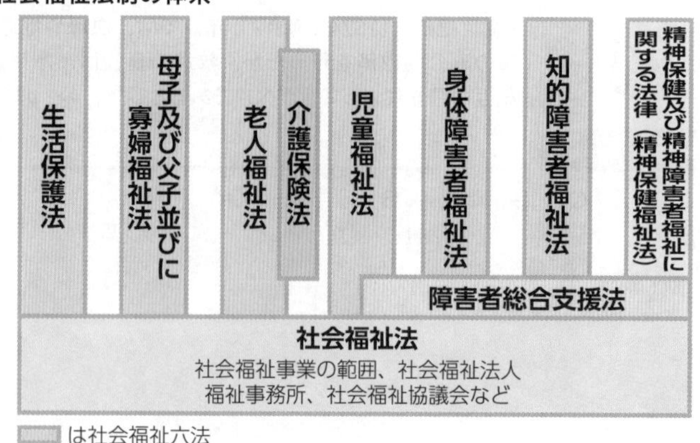

プラス1

「社会福祉法」の目的
社会福祉事業の共通的基本事項を定めて、ほかの社会福祉法制とともに、社会福祉事業が公明で適正に行われることを確保し、社会福祉の増進を図ること。

「障害者総合支援法」⇨p157

「児童福祉法」⇨保原p23

ここにでてくる法律は「子ども家庭福祉」「社会的養護」の科目でもよく出題されます!

(2)「社会福祉法」による事業の分類

社会福祉に関する事業は、次のように分類されます。

❶第一種社会福祉事業*1

公共性の高い社会福祉事業で、主として入所・保護施設を経営する事業などです。利用者への影響が大きいため、国、地方公共団体または**社会福祉法人**以外は、原則として経営できません。設置・運営主体を法律で限定し、届け出や許可が必要となります。

***1 第一種社会福祉事業**
第一種社会福祉事業について出題。
R1後、R4後、R5後
第一種社会福祉事業の設置・運営主体について出題。
R2後

社会福祉法人
⇨p170

関連する法令	第一種社会福祉事業
生活保護法	救護施設、更生施設、生計困難者を無料または低額な料金で入所させて生活の扶助を行う施設、生計困難者に対して助葬（法定の葬祭扶助費の範囲内で行われる葬儀のこと）を行う事業
児童福祉法	**乳児院**、母子生活支援施設、**児童養護施設**、障害児入所施設、児童心理治療施設、児童自立支援施設
老人福祉法	養護老人ホーム、特別養護老人ホーム、軽費老人ホーム
障害者総合支援法	障害者支援施設
困難な問題を抱える女性への支援に関する法律	女性自立支援施設
その他	授産施設、生計困難者に対して無利子または低利で資金を融通する事業、**共同募金***2を行う事業

社会福祉

***2 共同募金**
共同募金事業の運営主体について出題。
R2後

***3 第二種社会福祉事業**
第二種社会福祉事業について出題。
R1後、R2後、R4後、R5後

❷第二種社会福祉事業*3

第一種社会福祉事業に比べ、公的規制の必要性が低く、社会福祉の増進に貢献する事業です。保育所などのようにほかの法律に規定があるものを除き、原則として**都道府県知事**に届け出る必要があります。

経営主体に制限はなく、届け出をすることにより事業経営が可能となる事業です。主な事業として、次の内容が規定されています。

関連する法令	第二種社会福祉事業
生活困窮者自立支援法	認定生活困窮者就労訓練事業
児童福祉法	障害児通所支援事業、障害児相談支援事業、児童自立生活援助事業、**放課後児童健全育成事業**、子育て短期支援事業、乳児家庭全戸訪問事業、養育支援訪問事業、地域子育て支援拠点事業、一時預かり事業、小規模住居型児童養育事業、小規模保育事業、病児保育事業、子育て援助活動支援事業、**親子再統合支援事業**、社会的養護自立支援拠点事業、**意見表明等支援事業**、妊産婦等生活援助事業、子育て世帯訪問支援事業、児童育成支援拠点事業、親子関係形成支援事業、助産施設、**保育所**、児童厚生施設、児童家庭支援センター、**里親支援センター**、児童福祉増進相談事業
就学前の子どもに関する教育、保育等の総合的な提供の推進に関する法律	**幼保連携型認定こども園**
民間あっせん機関による養子縁組のあっせんに係る児童の保護等に関する法律	養子縁組あっせん事業
母子及び父子並びに寡婦福祉法	**母子家庭日常生活支援事業**、父子家庭日常生活支援事業、寡婦日常生活支援事業、母子・父子福祉施設
老人福祉法	**老人居宅介護等事業**、老人デイサービス事業、老人短期入所事業、小規模多機能型居宅介護事業、認知症対応型老人共同生活援助事業、複合型サービス福祉事業、老人デイサービスセンター、老人短期入所施設、老人福祉センター、老人介護支援センター
障害者総合支援法	**障害福祉サービス事業**、一般相談支援事業、特定相談支援事業、移動支援事業、地域活動支援センター、福祉ホーム
身体障害者福祉法	身体障害者生活訓練等事業、手話通訳事業、介助犬訓練事業、聴導犬訓練事業、盲導犬訓練施設、**身体障害者福祉センター**、補装具製作施設、**視聴覚障害者情報提供施設**、身体障害者更生相談事業
知的障害者福祉法	知的障害者更生相談事業
その他	生計困難者にその住居で衣食その他日常の生活必需品もしくはこれに要する金銭を与え、または生活に関する相談に応じる事業、無料または低額な料金で診療を行う事業、無料または低額な料金で簡易住宅を貸し付け、または宿泊所その他を利用させる事業（日常生活支援住居施設）、無料または低額な料金で介護老人保健施設または介護医療院を利用させる事業、隣保事業、**福祉サービス利用援助事業**（日常生活自立支援事業）、第一種・第二種社会福祉事業に関する連絡・助成を行う事業

「生活困窮者自立支援法」
⇨p161

まずは、第一種（入所中心）・第二種（通所・利用中心）の特徴を押さえておくとどちらの事業に属するかが覚えやすくなりますね。下線のついている事業は2024（令和6）年4月から加わりました。

2 社会福祉の法律と対象

（1）ひとり親家庭の福祉

❶「母子及び父子並びに寡婦福祉法[*4]」（1964〔昭和39〕年「母子福祉法」として制定）

母子家庭、父子家庭、寡婦（夫と死別または離婚し再婚せずに子どもを育てていた女性）の福祉を目的とする法律です。2014年に「母子及び寡婦福祉法」から名称が変更されました。

福祉資金などの貸し付け、日常生活支援事業、**母子・父子自立支援員**による生活相談、母子・父子福祉センターにおける就業支援事業、母子家庭の母と父子家庭の父および児童の就職先の開拓、公共施設内における売店等の優先的設置、公営住宅の確保などが規定されています。

でた問!!
*4「母子及び父子並びに寡婦福祉法」
「母子及び父子並びに寡婦福祉法」に定められている事業について出題。
R3後

母子・父子自立支援員
⇨子福p268

（2）高齢者の福祉

❶「老人福祉法」（1963〔昭和38〕年制定）

高齢者（65歳以上の者）の福祉を目的とする法律です。その基本理念は、「老人は、多年にわたり社会の進展に寄与してきた者として、かつ、豊富な知識と経験を有する者として敬愛されるとともに、生きがいを持てる健全で安らかな生活を保障されるものとする」と規定されています。

この法律には次の７つの老人福祉施設が規定されています。

- **老人短期入所施設**
- **老人デイサービスセンター**
- **養護老人ホーム**
- **特別養護老人ホーム**
- **軽費老人ホーム**
- **老人福祉センター**
- **老人介護支援センター**

（3）障害者の福祉

障害の概念や定義については、法律によって異なる場合があります。障害とはどのような状態かについて、広く用いられている考え方としては、WHOが2001（平成13）年に定めた「**国際生活機能分類－国際障害分類改訂版－**」（**ICF**[*5]）の障害モデルがあります。

ICFでは、健康状態を人間と環境との相互作用としてとらえ、**心身機能・身体構造、活動、参加**に何らかの問題が生じ、制限が加わったときにはじめて障害であるととらえています。

*5 ICF
ICFの構成要素について出題。
R2後

たとえば足が不自由で車いすで移動をしている人でも、階段のほかにスロープが用意されているなどの環境が整っていれば「社会的不利」は生じないと考えられます。

ここは覚えよう!!

ICF（国際生活機能分類）の構成要素間の相互作用

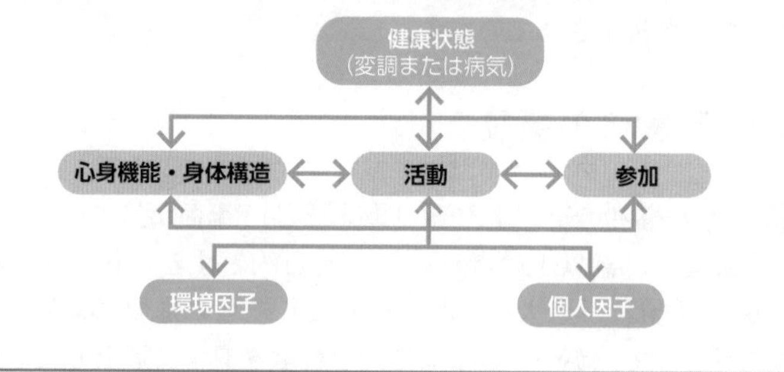

❶「身体障害者福祉法[*6]」（1949〔昭和24〕年制定）

身体障害者の自立と社会経済活動への参加の促進を目的とする法律です。

この法律で「身体障害者」とは、視覚障害、聴覚または平衡機能障害、音声機能・言語機能または咀（そ）しゃく機能障害、肢体不自由、心臓・腎臓・呼吸器・膀胱（ぼうこう）・直腸・小腸・肝臓の機能障害、ヒト免疫（めんえき）不全ウイルスによる免疫機能障害のいずれかについて一定以上の障害のある18歳以上の者とされています。障害の程度は、１～７級に分類されています。

障害を認定された者には、**身体障害者手帳**が都道府県知事、政令指定都市・中核市市長のいずれかから交付されます。

*6「身体障害者福祉法」
社会参加の促進について出題。
R5前

❷「知的障害者福祉法」（1960〔昭和35〕年制定）

18歳以上の知的障害者に対して、その更生を援助するとともに、必要な保護を行い、知的障害者の福祉を図ることを目的とする法律です。1998（平成10）年に「精神薄弱者福祉法」から名称が変更されました。

なお、この法律では知的障害という概念についての定義は明記されていません。

❸「精神保健及び精神障害者福祉に関する法律」（精神保健福祉法）（1995〔平成7〕年「精神保健法」から改正）

精神障害者の医療および保護、社会復帰の促進および自立と社会経済活動への参加の促進を目的とする法律です。

この法律で「精神障害者」とは、「統合失調症、精神作用物質による急性中毒又はその依存症、知的障害、精神病質その他の精神疾患を有する者」とされています。

知的障害者を除き、精神障害者には、精神障害者保健福祉手帳が都道府県知事、政令指定都市市長から交付されます。障害の程度は１～３級とされています。

❹「障害者総合支援法」（2005〔平成17〕年制定）

障害者・障害児に対し必要な障害福祉サービスの給付や、地域生活支援事業などの支援を総合的に行うための法律です。**自立支援給付**と**地域生活支援事業**について規定しています（次ページの「ここは覚えよう !!」を参照）。

自立支援給付を利用するには、まず市町村へ申請して障害支援区分の認定を受ける必要があります。支給が決定すると、サービス担当者会議、**サービス等利用計画**の作成などを経て、利用者に適したサービスが提供されます。

この法律は2013（平成25）年に「障害者自立支援法」から改正・改称されました。このときの主な改正内容は以下の通りです。

- 障害者（児）を権利の主体と位置づけた基本理念を定める
- 障害児について児童福祉法を根拠法に整理しなおす
- 難病を対象に含める

＋プラス1

知的障害児の保護

1948（昭和23）年施行の「児童福祉法」で国の責任による知的障害児の保護が初めて規定された。

2005（平成17）年に厚生労働省が行った「知的障害児（者）基礎調査」では、「知的障害者とは、知的機能障害が発達期（おおむね18歳まで）に現れ、日常生活に支障が生じているため、何らかの特別な援助を必要とする状態にある者」としています。

＋プラス1

療育手帳

児童相談所または知的障害者更生相談所で知的障害と判定された者に対して、都道府県知事または政令指定都市の市長から交付される手帳。

▸▸▸ ここは覚えよう!!

「障害者総合支援法」による障害福祉サービス *7 の体系

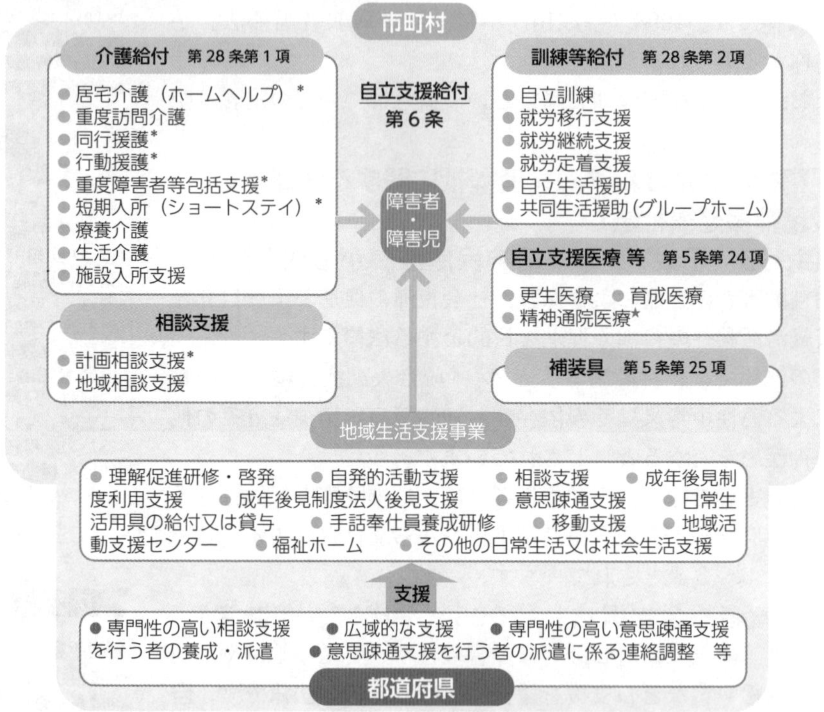

市町村

介護給付 第28条第1項
- 居宅介護（ホームヘルプ）*
- 重度訪問介護
- 同行援護*
- 行動援護*
- 重度障害者等包括支援*
- 短期入所（ショートステイ）*
- 療養介護
- 生活介護
- 施設入所支援

自立支援給付 第6条

訓練等給付 第28条第2項
- 自立訓練
- 就労移行支援
- 就労継続支援
- 就労定着支援
- 自立生活援助
- 共同生活援助（グループホーム）

障害者・障害児

相談支援
- 計画相談支援*
- 地域相談支援

自立支援医療 等 第5条第24項
- 更生医療
- 育成医療
- 精神通院医療★

補装具 第5条第25項

地域生活支援事業

- 理解促進研修・啓発
- 自発的活動支援
- 相談支援
- 成年後見制度利用支援
- 成年後見制度法人後見支援
- 意思疎通支援
- 日常生活用具の給付又は貸与
- 手話奉仕員養成研修
- 移動支援
- 地域活動支援センター
- 福祉ホーム
- その他の日常生活又は社会生活支援

支援

- 専門性の高い相談支援
- 広域的な支援
- 専門性の高い意思疎通支援を行う者の養成・派遣
- 意思疎通支援を行う者の派遣に係る連絡調整 等

都道府県

＊＝障害児が利用できるサービス　★自立支援医療のうち精神通院医療の実施主体は都道府県等

出典：全社協「障害福祉サービスの利用について」（2021年4月版）をもとに作成

でた問!!

*7 障害福祉サービス
「障害者総合支援法」に定められている障害福祉サービスの種類について出題。
R3前

発達障害
⇨下巻 保健p155

❺「発達障害者支援法」（2004〔平成16〕年制定）

発達障害を早期に発見し、発達障害者（児）の自立や社会参加に向けた支援を行うことを目的とする法律です。国や地方公共団体の責務を明らかにするとともに、学校教育における支援、就労支援などについて定めています。法律上の障害者の定義は、知的障害、身体障害、精神障害の３つに限られていましたが、この法律によって新たに発達障害が位置づけられました。

この法律では、発達障害を「**自閉症**、**アスペルガー症候群**その他の**広汎性発達障害**（こうはん）、**学習障害**、**注意欠陥多動性障害**（けっかん）その他これに類する脳機能の障害であってその症状が通常低年齢において発現するもの」と規定しています。発達支援については、「心理機能の適正な発達を支援し、及び円滑な社会生活を促進するため行う個々の発達障害者の特性に対応した医療的、福祉的及び教育的援助」と規定しています。

また、発達障害者（児）への発達支援や就労の支援を行う**発達障害者支援センター**についてもこの法律で規定されています。

養護学校などが特別支援学校に再編されたことで、2007（平成19）年4月から、発達障害の子どもが特別支援学校に入学することが可能になっています。

（4）低所得者施策と公的扶助

❶「生活保護法」（1950〔昭和25〕年制定）

国民の健康で文化的な最低限度の生活を保障し、その自立を助長することを目的とする法律です。生活保護制度について定めています。

生活保護は日本の公的扶助（ふじょ）制度です。公的扶助とは、貧困に陥（おちい）った人に対して国が経済的援助を行い、国民の最低限度の生活水準（**ナショナルミニマム**）を保障することをいいます。

第二次世界大戦後の1946（昭和21）年に、GHQの覚書をもとに「(旧）生活保護法」が制定されました。その後、1950（昭和25）年には、不服申し立ての制度、教育扶助・住宅扶助の追加などを規定した、新しい「**生活保護法**」が制定されました。

「生活保護法」の基本原理は、次の４つです。

プラス1

発達障害者支援センター
都道府県・政令指定都市自ら、または都道府県知事が指定した社会福祉法人、特定非営利活動法人などによって運営されている。

社会福祉

■「生活保護法」の基本原理

国家責任の原理（第１条）	「**日本国憲法**」第25条の理念に基づき、国が生活に困窮するすべての国民に最低限度の生活を保障する。
無差別平等の原理（第２条）	「日本国憲法」第14条に基づき、人種、信条、性別、社会的身分や門地などにかかわらず、生活に困窮したすべての国民が**無差別平等**に生活保護を受ける権利を有していることを示している。
最低生活の原理（第３条）	「生活保護法」によって保障される最低限度の生活は、健康で**文化的**な生活水準を維持できるものでなければならない。この原理に基づいて生活保護基準が厚生労働大臣によって策定される。
保護の補足性の原理（第４条）	生活維持のために資産や能力など活用できるものを活用して、なお、生活に困窮した場合に、はじめて生活保護は開始される。「生活保護法」よりも「**民法**」に定める扶養義務者の扶養やその他の法律に定める扶助が優先されるが、この補足性の原理は、急迫した理由がある場合に必要な保護を妨げるものではない。

生活保護を実施するうえでの原則は、次の4つです。

でた問!!

***8 生活保護実施上の原則**
生活保護実施上の原則について出題。
R3前、R5後

■生活保護実施上の原則[*8]

申請保護の原則（第7条）	保護は、要保護者、その扶養義務者および同居の親族の**申請**に基づいて開始することが原則だが、急迫した状況にあるときには、申請がなくても、必要な保護を行うことができるようになっている。
基準および程度の原則（第8条）	保護は、厚生労働大臣が定める基準（保護基準）によって測定した要保護者の需要に基づいて、本人の金品によって充足できない不足分を補う程度で行われる。ただし、保護基準は、厚生労働大臣によって厚生労働省の**告示**とすることが定められている。この告示には、申請者が保護を受けることができるのか否かを判定する機能と、実際の最低限の生活を維持するために必要な基準を示す機能がある。
必要即応の原則（第9条）	保護は、機械的・画一的に実施するのではなく、要保護者の年齢、性別、健康状態など、その個人や世帯の実際に必要な程度や実情を十分に考慮して、有効かつ適切に実施しなければならないとしている。
世帯単位の原則（第10条）	保護の要否判定や程度などを決める単位は、原則として同一居住、同一生計の**世帯**としている。ただし、これによることが難しいときは「世帯分離」を行い、例外的に、個人を単位として保護の判定を行うことができるようになっている。

***9 生活保護**
生活保護の扶助について出題。
R1後、R3後、R5後

生活保護[*9]の実施機関は**福祉事務所**で、福祉事務所の**社会福祉主事**が事務を行い、地区の**民生委員**が協力します。

「生活保護法」第11条に規定される扶助の種類は、次のようになっています。

福祉事務所
⇨p169

社会福祉主事
⇨p175

民生委員
⇨p178

■生活保護の扶助

生活扶助	食費や被服費、光熱費など日常生活を営むうえでの基本的な生活費が給付される。生活扶助は、居宅保護が原則で、**金銭**によって給付される。やむをえない場合は、救護施設、更生施設などでの保護が行われる。
教育扶助	**義務教育**を受けるために必要な教科書などの学用品、通学費、学校給食などの費用が、**金銭**によって給付される。義務教育にかかる費用であり、大学は教育扶助の対象とはならない。
住宅扶助	家賃や地代などの住居費、また家屋の修理に必要な費用などが、**金銭**によって給付される。
医療扶助	疾病などで治療を必要とする場合、治療は「指定医療機関」に委託して給付される。診察、投薬、手術、入院、またはそれにともなう世話や看護などがあり、**現物給付**が原則。
出産扶助	分娩の介助、分娩前後の処置などの助産、その他衛生材料などにかかる費用が**金銭**によって給付される。

生業扶助	要保護者が生業を行うために必要な資金、器具購入費、資材費など、また生業に必要な技術の修得、高校就学に必要な資金、就職のために必要な費用が、**金銭**によって給付される。
葬祭扶助	遺体の運搬、火葬または埋葬、納骨、そのほかの葬祭のために最低限必要な費用が、**金銭**によって給付される。
介護扶助	「介護保険法」の施行にともなって創設された。居宅介護（居宅介護支援計画に基づいて行われるものに限る）、福祉用具の貸与・購入や住宅改修など。**現物給付**が原則。

給付の形態を覚えておきましょう。現物給付とは、金銭ではなく物品や医療行為そのものが給付されることです。

2005（平成17）年からは高校就学に必要な資金が**生業扶助**に組み込まれています。

生活扶助は原則として被保護者の居宅で行いますが、それができない場合や、居宅では保護の目的を達するのが難しい場合には適当な施設に入所します。

保護施設[*10]は「生活保護法」第38条に規定されています。

■保護施設

救護施設	身体上または精神上**著しい障害**があるために自分１人では日常生活を営めない要保護者を入所させ、生活扶助を行う。
更生施設	身体上または精神上の理由により、養護や生活指導を必要とする要保護者を入所させ、生活扶助を行う。
医療保護施設	医療を必要とする要保護者に対して医療の給付を行う。
授産施設	身体上または精神上の理由や世帯の事情により、就業能力が限られている要保護者に対して、就労や技能修得に必要な機会や便宜を与えて自立を助ける。
宿所提供施設	住居のない要保護者の世帯に対して、**住宅扶助**を行う。

＋プラス１

日常生活支援住居施設
保護施設のほかに、日常生活支援住居施設も規定されている。

でた問!!

＊10 保護施設
授産施設が「生活保護法」に規定されていることについて出題。 **R4後**
生活保護法による施設について出題。 **R5後**

❷「生活困窮者自立支援法[*11]」（2013〔平成25〕年制定）

経済的に困窮し、最低限度の生活を維持できなくなるおそれがある人の**自立促進**を図ることを目的とする法律です。生活保護受給に至る前の支援として、自立相談支援事業、住居確保給付金の支給、就労準備支援事業、一時生活支援事業、**家計改善支援事業**、子どもの学習・生活支援事業などを規定しています。福祉事務所を設置している地方公共団体が実施主体となります。

宿所提供施設
配偶者の暴力から逃れてきた女性や母子が、一時的に利用することがある。

でた問!!

＊11「生活困窮者自立支援法」
「生活困窮者自立支援法」が規定する事業について出題。 **H31前**

(5) その他の福祉

❶「配偶者からの暴力の防止及び被害者の保護等に関する法律[*12]」(2001〔平成13〕年制定)

DV(ドメスティック・バイオレンス)
⇨社養p320

通称DV防止法といい、配偶者等からの暴力を防止し、被害者の自立支援も含めた適切な保護を図るための法律です。

この法律での配偶者からの「暴力」とは、身体に対する暴力、心身に有害な影響を及ぼす言動をいいます。また、「配偶者」には婚姻(こんいん)の届け出をしていないが事実上婚姻関係と同様の事情にある者も含み、離婚後の元配偶者やそれと同様の状態にあった者も対象とされます。ただし、婚姻関係における共同生活に類する共同生活を営んでいない者は対象とはなりません。

配偶者暴力相談支援センター[*13]についての規定では、都道府県が設置する**女性相談支援センター**などがセンターとしての役割を果たすこととしています。

具体的には次のような業務を行います。

- **相談対応、女性相談支援員もしくは相談に応じる機関の紹介**
- **医学的または心理学的な指導その他の必要な指導**
- **安全の確保および一時保護**
- **自立して生活することを促進するための情報提供などの援助**

内閣府男女共同参画局がまとめた「配偶者暴力相談支援センターにおける相談件数等」によると、令和4年度のDV相談の件数は122,211件にのぼります。

***12「配偶者からの暴力の防止及び被害者の保護等に関する法律」**
「配偶者からの暴力の防止及び被害者の保護等に関する法律」の内容について出題。
R1後

***13 配偶者暴力相談支援センター**
配偶者暴力相談支援センターについて出題。
H31前、R4前

3 社会保障制度

(1) 医療保険制度

❶医療保険の種類

被保険者には基本的に医療行為が給付されますが、一部現金が給付されます。**医療保険の種類**[*14]と現金給付には、次のようなものがあります。

でた問!!

***14 医療保険の種類**
公的医療保険の種類について出題。
R5前

種類	対象	現金給付
健康保険（協会けんぽ）	中小企業に勤務する人とその家族	傷病手当金 出産手当金 出産育児一時金 埋葬料(埋葬費を含む)
健康保険[*15]（組合管掌）	大企業に勤務する人とその家族	傷病手当金 出産手当金 出産育児一時金 埋葬料(埋葬費を含む)
共済組合	公務員と私立学校教職員	
船員保険	船員とその家族が対象	
国民健康保険[*15]	上記以外の自営業者などとその家族	葬祭費 出産育児一時金
後期高齢者医療保険	原則 75 歳以上の高齢者	葬祭費

***15 健康保険、国民健康保険**
健康保険と国民健康保険の保険者と負担割合について出題。
R2後

❷医療費の自己負担割合

原則として次のように決められています。

- **義務教育就学前**…２割
- **義務教育就学～70歳未満**…３割
- **70～74歳**…２割あるいは３割
- **75歳以上**…１割～３割

国民健康保険では、出産手当金の給付はありません。

社会福祉

（2）介護保険制度

❶介護保険制度の概要

介護保険制度[*16]の保険者は**市町村**です。被保険者は65歳以上の**第１号保険者**、40～64歳かつ医療保険加入者の**第２号保険者**に分けられます。

介護サービスを受けるには、まず市町村に申請し、市町村による２段階の判定のあと、要支援１～２、要介護１～５までの７区分による**要介護・要支援認定**を受けます。要介護者には居宅・施設（入所）サービスの両方から、要支援者には介護予防サービスから、利用者が自分の意思で選択したものが給付されます。

利用者の負担は、原則として介護サービスにかかった費用の**１**割（一定以上所得者の場合は**２**割または**３**割）を負担する**応益負担**です。施設を利用する場合は、別途食費、居住（滞在）費を利用者が負担します。

でた問!!

***16 介護保険制度**
介護保険の認定等について出題。
R4前
介護保険の保険者について出題。
H31前、R5前
被保険者について出題。
R5後

ここは覚えよう!!

介護保険制度のしくみ

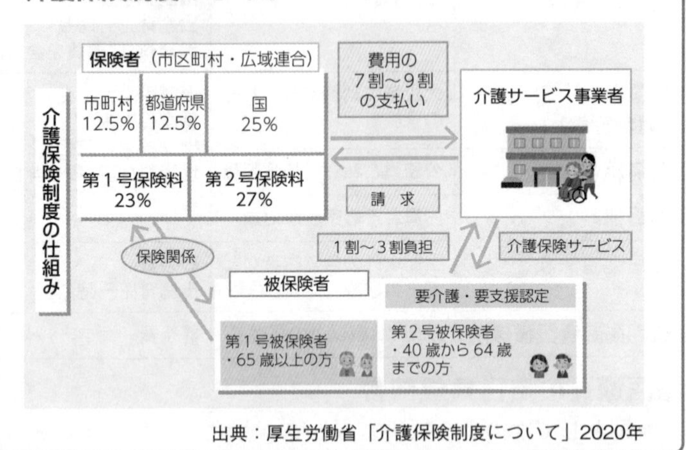

出典：厚生労働省「介護保険制度について」2020年

プラス1

第2号被保険者
脳血管疾患など16の特定疾病に該当していなければ、介護認定を受けることができない。

認定結果への不服申し立て
認定に納得がいかない場合は、結果通知を受け取った日の翌日から３か月以内に都道府県の介護保険審査会に不服申し立てができる。

❷地域支援事業

被保険者が要介護状態または要支援状態になることを予防し、地域で自立した日常生活を営むことができるよう支援することを目的としています。総合事業、包括的支援事業、任意事業で構成されています。

包括的支援事業を実施する機関として**地域包括支援センター**[*17]が位置づけられており、介護予防ケアマネジメントや相談支援を行っています。社会福祉士、主任介護支援専門員、保健師が配置されています。

でた問!!

***17 地域包括支援センター**
支援の内容について出題。
H31前
根拠法と配置職員について出題。
R2後

（3）年金制度

❶年金保険の種類

日本では、20歳以上の国民はいずれかの年金制度に加入する、国民皆（かい）年金制度となっています。

- **国民年金**…原則として国内に住んでいる20歳以上60歳未満のすべての国民が加入する。保険料の納付は20歳から始まるが、学生は申請により納付が猶予（ゆうよ）される学生納付特例制度が設けられている。
- **厚生年金**…会社員、公務員などが加入する。

❷被保険者の分類

被保険者*18は職業により３種類に分かれており、受給できる年金の種類も異なります。

でた問!!

*18 被保険者
年金制度の被保険者について出題。
R4前、R5後

分類	第１号 被保険者	第２号 被保険者	第３号 被保険者
職業	自営業者、学生、フリーター、無職など	サラリーマンや公務員など	専業主婦など（第２号被保険者に扶養されている人）
受給できる年金	基礎年金のみ	基礎年金＋厚生年金	基礎年金のみ※厚生年金に加入したことがない場合

*19 給付の形態
老齢年金、遺族年金、障害年金について出題。
R6前

❸主な給付の形態*19

- **老齢年金**…高齢になった際に給付（原則として65歳から）
- **遺族年金**…老齢年金の受給資格者が死亡した際にその人により生計を維持されていた遺族に給付。子のある配偶者または子に給付される遺族基礎年金と、厚生年金保険の被保険者で受給要件を満たしている場合に配偶者、子、孫などに給付される遺族厚生年金がある。
- **障害年金**…被保険者が障害を負った際に給付

国民年金は、保険料を40年間納付することで満額を受給することができます。保険料を納付していない期間があったとしても、最低10年納付していれば、納付期間に応じた額の年金を受給することができます。

社会福祉

（4）その他の社会保障

次のものも社会保障に含まれます。

- **保健**…乳幼児健康診査などを行う母子保健など。
- **労災・雇用保障*20（労災保険、雇用保険）**…すべての労働者を対象とした業務上での災害や事故にあった場合に保障する労働者災害補償保険や、失業した場合に保障する雇用保険がある。雇用保険の失業等給付には、**求職者給付**、**就職促進給付**、**教育訓練給付**、**雇用継続給付**がある。
- **その他**…上・下水道などの公衆衛生、低所得者のための生活福祉資金貸付制度、災害が起こったときに保障を行う災害保障など。

*20 労災・雇用保障
労災保険、雇用保険について出題。
R5前・後、R6前

ポイント確認テスト

穴うめ問題

☐☐ **Q1** 過R2後

母子家庭日常生活支援事業は、「（　　　）」に定められている。 >>> **p154**

☐☐ **Q2** 予想

家計改善支援事業は、「（　　　）」に定められている。 >>> **p161**

☐☐ **Q3** 過R5前

介護保険制度の保険者は、国民に最も身近な行政単位である（　　　）（特別区を含む）とされている。 >>> **p163**

☐☐ **Q4** 予想

国民年金制度の被保険者は、（ a ）歳から（ b ）歳未満である。 >>> **p164**

○×問題

☐☐ **Q5** 過R2後

第一種社会福祉事業は、国、地方公共団体または社会福祉法人が経営することを原則とする。 >>> **p153**

☐☐ **Q6** 過R3前

就労継続支援は、「障害者総合支援法」に定められている障害福祉サービスである。 >>> **p158**

☐☐ **Q7** 過R5後

介護保険の被保険者は、第一号被保険者と第二号被保険者と第三号被保険者の3つに大別されている。 >>> **p163**

☐☐ **Q8** 過R1後

雇用保険の失業等給付には、求職者給付、就職促進給付、教育訓練給付、雇用継続給付の4つがある。 >>> **p165**

解答・解説

Q1　母子及び父子並びに寡婦福祉法　Q2　生活困窮者自立支援法　Q3　市町村　Q4　a 20／b 60

Q5　○　Q6　○　Q7　×　第一号と第二号である。　Q8　○

社会福祉 Lesson 4

社会福祉行財政と実施機関

頻出度 Level 3

社会福祉の行政機関・実施機関にはそれぞれ役割が定められています。施策を実現するための財政の実情についても知っておきましょう。

ココに注目!!
- 社会福祉における地方公共団体の役割
- 各社会福祉実施機関の役割
- 社会保障関係費の内訳
- 共同募金とは

1 社会福祉の行政

（1）厚生労働省

日本の社会福祉行政を担う行政機関は、主に厚生労働省です。厚生労働省の社会福祉関係の主な部局は、社会・援護局、老健局、保険局、年金局、雇用環境・均等局などです。

（2）都道府県・政令指定都市、市町村

都道府県・政令指定都市は、**社会福祉法人**の認可・監督、社会福祉施設の設置認可・監督・設置、保育所を除いた**児童福祉施設**の入所事務、関係する行政機関や市町村への指導、連絡調整などを行います。

市町村は、在宅福祉サービスの提供や障害福祉サービスの利用事務など住民に身近な事務を行います。

福祉行政の実施機関として代表的な**福祉事務所**には、都道府県が設置するものと市町村が設置するものがあります。「社会福祉法」では、それぞれの処理する事務について、次のように規定しています。

- **都道府県が設置する福祉事務所**…生活保護法、児童福祉法、母子及び父子並びに寡婦（かふ）福祉法に定める援護、育成の

措置に関する事務のうち、都道府県が処理するもの

- **市町村が設置する福祉事務所**…生活保護法、児童福祉法、母子及び父子並びに寡婦福祉法、老人福祉法、身体障害者福祉法、知的障害者福祉法に定める援護、育成、更生の措置に関する事務のうち、市町村が処理するもの

■社会福祉の実施体制の概要

出典：厚生労働省「令和５年版厚生労働白書：資料編」を一部改変

2 社会福祉の実施機関

（1）福祉事務所

福祉事務所[*1]は、「**社会福祉法**」によって規定されています。都道府県、政令指定都市、市、特別区に設置が義務づけられています。町村には任意設置となっています。

福祉事務所は、**社会福祉六法**（ろっぽう）に定められた福祉サービスに関する事務などを行うとともに、地域住民や利用者の生活上の問題を把握（はあく）し、個別的な福祉サービスとして、**社会資源**を幅広く活用した援助や調整なども行います。

（2）児童相談所

児童相談所[*2]は、**都道府県**、**政令指定都市**に設置が義務づけられ、**児童相談所設置市**（令和６年６月現在は東京都港区、世田谷区、中野区、荒川区、江戸川区、板橋区、豊島区、葛飾区、横須賀市、金沢市、明石市、奈良市）にも設置されています。

児童相談所では、**児童**に関する相談に応じ、児童や家庭・地域環境などについての調査や、医学・心理学・教育学・社会学的および精神保健上の判定を行い、それに基づいて必要な指導や援助を行います。

また、「**児童福祉法**」第32条（**権限の委任**）により、都道府県知事が児童相談所長に委任することができる業務として、児童の一時保護、**児童福祉施設への入所措置**や里親への委託、家庭裁判所の審判（しんぱん）が適当であると認められる児童の家庭裁判所への送致があります。

さらに、保護者による児童虐待（ぎゃくたい）が発生した場合などに、施設入所の措置も行っています。

（3）女性相談支援センター

女性相談支援センターは、「困難な問題を抱える女性への支援に関する法律」に規定され、都道府県に設置が義務づけられ

でた問!!

***1 福祉事務所**
福祉事務所に配置される職員について出題。 **R2後**
市町村の福祉事務所の業務について出題。 **R6前**

用語

社会資源
福祉のニーズを充足するための施設・機関、個人・集団、資金、法律、知識、技能などの総称。

***2 児童相談所**
児童相談所に配置される職員について出題。 **R2後**
児童相談所の業務について出題。 **R6前**

児童相談所
⇨子福p236

女性相談支援センターはDV被害にあった女性に対しても開かれた施設となっています。

ています。政令指定都市は任意設置となっています。

女性相談支援センターでは、困難な問題を抱える女性に関する相談、必要な援助、一時保護などを行います。

また、配偶者暴力相談支援センターとしての機能ももち、DVにあった女性や母子の一時的な避難所としても利用できます。

（4）身体障害者更生相談所

身体障害者更生相談所は、都道府県には**必置**、政令指定都市には**任意設置**されます。

身体障害者更生相談所では、**身体障害者福祉司**が、相談や指導、医学的・心理学的・職能的判定、補装具の処方や適合判定、更生援護施設への入所手続きや連絡調整などを行います。

それらの業務は、巡回（じゅんかい）して行われることもあります。

（5）知的障害者更生相談所

知的障害者更生相談所は、都道府県には**必置**、政令指定都市には**任意設置**されます。

知的障害者更生相談所では、**知的障害者福祉司**が、知的障害者の福祉に関する相談、また、知的障害者を医学的・心理学的・職能的に判定して必要な指導を行います。

（6）社会福祉法人

社会福祉法人は、社会福祉事業を行うことを目的として設立された民間の法人です。社会福祉法人として認可された法人でなければ社会福祉法人を名乗ったり、紛らわしい名称を使用したりすることができません。

「社会福祉法」に規定された事業のほかに、社会福祉事業に支障がない限りで、**公益事業**や**収益事業**を行うことができます。

用語

公益事業
「社会福祉法」に規定された事業以外の公益を目的とする事業。

収益事業
その収益を社会福祉事業、または一定の公益事業の財源にあてるために行われる事業。

(7) 社会福祉協議会

社会福祉協議会[*3]は、「社会福祉法」に規定され、市区町村に任意設置されている民間の自主団体です。社会調査の実施やボランティア活動を推進し、社会福祉の啓発、福祉関係の人材育成などを図り、地域福祉の推進に努めています。その上に連合体として都道府県社会福祉協議会と全国社会福祉協議会があります。

都道府県・指定都市社会福祉協議会[*3]には福祉活動指導員、**市区町村社会福祉協議会**[*3]には**福祉活動専門員**[*4]がそれぞれ配置され、ボランティア団体などに対して専門的な指導・助言を行います。

社会福祉法人と社会福祉協議会は、民間の組織であることを覚えておきましょう!

でた問!!

***3 社会福祉協議会**
社会福祉協議会について出題。
H31前、R2後、R4後、R5前、R6前

***4 福祉活動専門員**
福祉活動専門員の配置について出題。
R5前

3 社会福祉の財政

社会福祉サービスは、被保険者の保険料納付が必要な各種社会保険を除き、**国**と**地方公共団体**による公費負担が原則となっています。

(1) 国の社会福祉財政

社会福祉の国家財源は、**社会保障関係費**[*5]として、一般会計から年度ごとに支出されますが、その内訳は**社会保険料**によるものが大きくなっています。

社会保障関係予算の内訳は次のようになります。

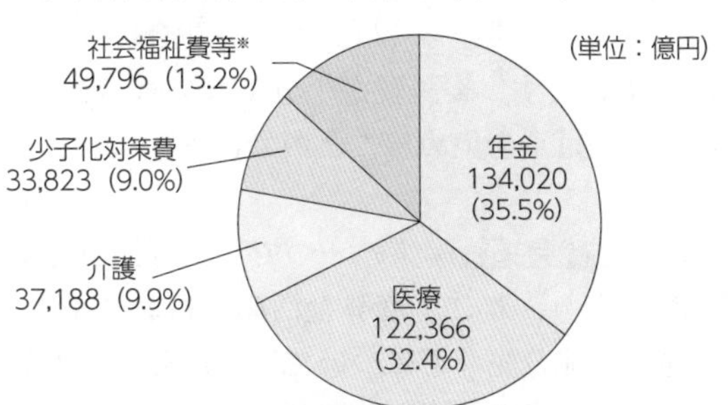

※生活扶助等社会福祉費、保健衛生対策費及び雇用労災対策費を含む

出典：財務省「令和6年度社会保障関係予算のポイント」

でた問!!

***5 社会保障関係費**
社会保障関係費の内訳について出題。
R3後

社会福祉

最も割合が高いのは**年金医療介護保険給付費**で、2024（令和6）年度には約78%を占めています。

（2）地方公共団体の社会福祉財政

地方公共団体の財源は、地方税、地方譲与税、地方交付税、地方特例交付金、国庫支出金、地方債、そのほかです。

地方財政のなかで支出の大きな割合を占めているのが民生費です。民生費は、**国庫支出金**を算入して予算を編成する社会福祉関係費です。地方財政に占める民生費の割合は近年23～26%程度で、その内訳は、**社会福祉費**（身体障害者対策など）、**老人福祉費**、**児童福祉費**、**生活保護費**、**災害救助費**となっています。

（3）国と地方公共団体の負担区分

1985（昭和60）年に、国と地方公共団体の費用負担の見直しが始まり、翌年、社会保障関係費の国庫負担率が引き下げられました。具体的な負担率は、事業の種類や内容によって異なっていますが、国が直接運営する施設や国の責任によって行われる事業などは、全額国庫負担とされています。

（4）民間社会福祉事業の財政

❶委託費

民間施設には、「委託費」として、国や地方公共団体から費用が支出されます。民間の施設の多くは、この委託金によって大部分の費用を賄(まかな)っています。委託費が十分でない場合には、自己資金を投じるか、寄付金を集めることができます。

❷ 共同募金

共同募金[*6]は、**第一種社会福祉事業**の一つです。各都道府県の共同募金会が主体となり、年に一度募金活動が行われます。目標額や受配者の範囲、配分先などについては、あらかじめ都道府県社会福祉協議会の意見を聞き、共同募金会に設置された**配分委員会**の承認を得て、告示しなければなりません。

用語

国庫支出金
国が地方公共団体に交付する資金。

プラス1

老人福祉費
老人医療費と老人ホームの運営費がほとんどを占めている。

児童福祉費
保育所など児童福祉施設の運営費の割合が非常に高い。

でた問!!

***6 共同募金**
共同募金について出題。
H31前、R4前、R6前

第一種社会福祉事業
⇨p153

プラス1

共同募金制度
「社会福祉事業法」（現：「社会福祉法」）の公私の分離の原則により、委託費以外の公費を民間施設に助成・補助することが禁じられたため、民間社会福祉事業団体は、その解決策として、1947（昭和22）年から全国的に共同募金を展開した。

ポイント確認テスト

穴うめ問題

□ **Q1** □ 予想

福祉事務所は（　a　）に定められた福祉サービスに関する事務などを行うとともに、（　b　）や利用者の生活上の問題を把握し、（　c　）な福祉サービスを提供する。 >>> **p169**

□ **Q2** □ 過R6前

市町村（　　）は、社会福祉を目的とする事業の企画や実施を通して地域福祉の推進を図ることとされている。 >>> **p171**

□ **Q3** □ 過H31前

社会福祉協議会は、「（　　　）」に規定されている。 >>> **p171**

□ **Q4** □ 過R3後

社会保障給付費を「医療」「年金」「福祉その他」の3つの部門に分けた場合、全体に占める割合が一番多いのは「（　　）」である。 >>> **p171**

○×問題

□ **Q5** □ 過R6前

市町村の福祉事務所は、知的障害者援護を行う。 >>> **p169**

□ **Q6** □ 過R6前

児童相談所は、児童福祉施設への入所措置を行う。 >>> **p169**

□ **Q7** □ 過R4後

社会福祉協議会は、市区町村、都道府県・指定都市、全国の各段階に組織されている。 >>> **p171**

□ **Q8** □ 過R4前

共同募金は、「社会福祉法」における第一種社会福祉事業に定められている。 >>> **p172**

解答・解説

Q1　a 社会福祉六法／b 地域住民／c 個別的　**Q2**　社会福祉協議会　**Q3**　社会福祉法
Q4　年金
Q5　○　**Q6**　○　**Q7**　○　**Q8**　○

社会福祉の従事者

頻出度 Level 4

さまざまな資格や職種の人々が社会福祉の仕事に従事しています。それぞれの主な職場や業務を覚えておきましょう。

ココに注目!!
- 社会福祉の国家資格と主な業務
- 任用資格とは何か
- 行政協力員の位置づけ
- ボランティアの役割と活動

1 社会福祉従事者と主な業務

(1) 社会福祉の国家資格

社会福祉の仕事に従事する人々は、主に社会福祉施設、児童福祉施設、行政機関、社会福祉協議会などを職場として働いています。

社会福祉士、介護福祉士、精神保健福祉士、保育士などは法的な根拠をもつ国家資格です。国家試験の合格、国が指定する養成校の卒業などの条件を満たしたうえで、登録手続きを経て資格を得ることができます。

■社会福祉の国家資格

資格・職種	根拠法	主な職場	主な業務
社会福祉士*1	社会福祉士及び介護福祉士法	社会福祉施設、社会福祉協議会、地域包括支援センター、行政機関、医療機関	福祉に関する相談対応、助言、指導、連絡、調整などの援助
介護福祉士*1	社会福祉士及び介護福祉士法	介護保険施設、老人福祉施設	利用者の介護、在宅介護者への介護指導、在宅の高齢者や障害者への訪問介護

でた問!!
*1 社会福祉士、介護福祉士
社会福祉士、介護福祉士について出題。
R1後、R5前

精神保健福祉士	精神保健福祉士法	障害者福祉施設、精神科病院、精神保健福祉センター	精神障害者の相談対応、助言、指導
保育士	児童福祉法	児童福祉施設	子どもの保育、保護者への保育に関する指導

(2) 国家資格以外の資格・職種

社会福祉主事、児童指導員、児童福祉司、身体障害者福祉司、知的障害者福祉司などは、**任用資格**といい、一定の条件を満たしたうえで公務員などに採用され、業務につくことではじめて資格として認められます。

社会福祉主事[*2]の任用資格は、福祉事務所で現業員、査察指導員、老人福祉指導主事、家庭相談員などとして働く場合や、各種相談所で福祉司として働くために必要となる基礎的な資格です。

福祉事務所
⇨p169

[*2] 社会福祉主事、児童福祉司、身体障害者福祉司
社会福祉主事、児童福祉司について出題。
R5前
児童福祉司、身体障害者福祉司について出題。
R3前

■行政等に関わる資格・職種

資格・職種	根拠法	主な職場	主な業務
児童福祉司[*2]	児童福祉法	児童相談所	子どもの保護、保護者などに対する相談・助言・指導
身体障害者福祉司[*2]	身体障害者福祉法	身体障害者更生相談所、福祉事務所	福祉事務所員への身体障害者福祉に関する技術的指導、身体障害者福祉に関する専門的な業務
知的障害者福祉司	知的障害者福祉法	知的障害者更生相談所、福祉事務所	福祉事務所員への知的障害者福祉に関する技術的指導、知的障害者福祉に関する専門的な業務
精神保健福祉相談員	精神保健福祉法	精神保健福祉センター、保健所	精神障害者に対する相談対応、訪問指導
社会福祉主事	社会福祉法	福祉事務所	来所者の面接や家庭訪問、社会福祉各法に定める援護、育成または更生の措置に関する事務

児童相談所
⇨p169

身体障害者更生相談所
⇨p170

知的障害者更生相談所
⇨p170

資格・職種	根拠法	主な職場	主な業務
査察指導員	社会福祉法	福祉事務所	生活保護事務の指揮監督、現業員の教育、嘱託医などの関係機関との連絡調整
現業員（ケースワーカー）	社会福祉法	福祉事務所	査察指導員の指導監督を受け、主に生活保護などについての面接・助言・指導
老人福祉指導主事	老人福祉法	福祉事務所	老人福祉に関する調査・指導、相談対応、現業員の指導監督、老人ホームへの入所措置
家庭相談員	厚生省通知「家庭児童相談室の設置運営について」	福祉事務所	家庭児童相談室における相談・指導
母子・父子自立支援員	母子及び父子並びに寡婦福祉法	福祉事務所	母子・父子・寡婦家庭の自立のための情報提供や指導、就職や生業に関する支援
女性相談支援員	困難な問題を抱える女性への支援に関する法律	女性相談支援センター、福祉事務所	困難な問題を抱える女性に関する相談・必要な援助など

女性相談支援員は、これまで売春防止法に基づいて「婦人相談員」の名称で、要保護女子等の保護更生を担っていた専門職です。令和３年前期・令和４年前期試験で出題されていました。

■**児童福祉に関わる資格・職種**

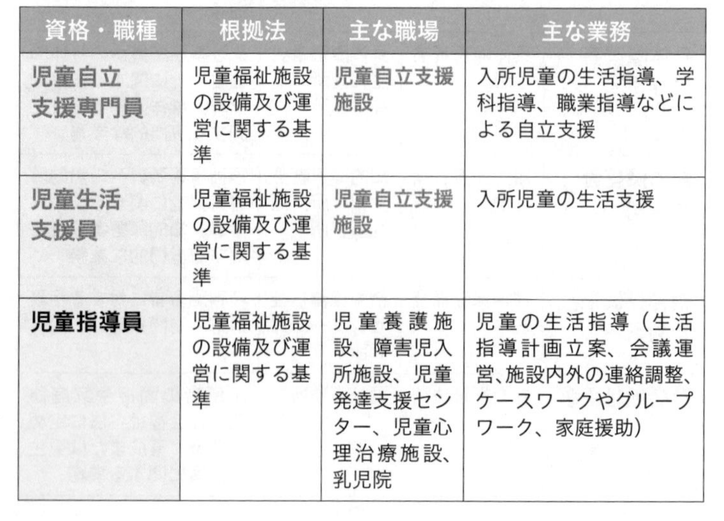

資格・職種	根拠法	主な職場	主な業務
児童自立支援専門員	児童福祉施設の設備及び運営に関する基準	児童自立支援施設	入所児童の生活指導、学科指導、職業指導などによる自立支援
児童生活支援員	児童福祉施設の設備及び運営に関する基準	児童自立支援施設	入所児童の生活支援
児童指導員	児童福祉施設の設備及び運営に関する基準	児童養護施設、障害児入所施設、児童発達支援センター、児童心理治療施設、乳児院	児童の生活指導（生活指導計画立案、会議運営、施設内外の連絡調整、ケースワークやグループワーク、家庭援助）

児童自立支援専門員は、個別の児童自立支援計画に基づいて児童の生活指導、職業訓練、学科指導、家庭環境調整を担います。

資格・職種	根拠法	主な職場	主な業務
児童の遊びを指導する者（児童厚生員）	児童福祉施設の設備及び運営に関する基準	児童厚生施設	音楽、劇、絵画、紙芝居など、児童の情操教育を充実させる遊びの指導
母子支援員	児童福祉施設の設備及び運営に関する基準	**母子生活支援施設**	母子の生活支援
家庭支援専門相談員*3	児童福祉施設の設備及び運営に関する基準	児童養護施設、乳児院、児童心理治療施設、児童自立支援施設	入所児童の早期家庭復帰などを図るための総合的な家庭調整
個別対応職員	児童福祉施設の設備及び運営に関する基準	児童養護施設、乳児院、児童心理治療施設、児童自立支援施設、母子生活支援施設	虐待された子どもや母親の個別ケア

***3 家庭支援専門相談員**
家庭支援専門相談員について出題。
H31前、R3前

社会福祉

■**地域福祉に関わる資格・職種**

資格・職種	根拠法	主な職場	主な業務
福祉活動指導員	厚生労働省通知「社会福祉協議会活動の強化について」	都道府県・政令指定都市社会福祉協議会	都道府県の民間社会福祉活動の推進方策についての調査研究・企画立案、広報、指導、市町村社会福祉協議会の指導育成
日常生活自立支援事業専門員	厚生労働省通知「日常生活自立支援事業実施要領」	市町村社会福祉協議会	日常生活自立支援事業に関する相談・調査、契約の締結、支援計画の作成、生活支援員に対する監督・指導。原則として**社会福祉士**あるいは**精神保健福祉士**
日常生活自立支援事業における生活支援員	厚生労働省通知「日常生活自立支援事業実施要領」	市町村社会福祉協議会	認知症高齢者・知的障害者・精神障害者などに対する福祉サービス利用の援助、権利擁護のための直接的援助

社会福祉協議会
⇨p171

ケアマネジメント
⇨p191

*4 介護支援専門員
介護支援専門員について出題。
R1後

介護支援専門員（ケアマネジャー）の資格は国家資格ではありませんが、資格を得るためには試験に合格し、研修を修了する必要があります。

■その他の資格・職種

資格・職種	根拠法	主な職場	主な業務
介護支援専門員（ケアマネジャー）*4	介護保険法	指定居宅介護支援事業所、介護保険施設、認知症高齢者グループホーム、地域包括支援センター、市町村社会福祉協議会	市町村や保健・医療・福祉関連の施設と介護サービス事業者などの連絡・調整、ケアプランの作成（ケアマネジメント）
介護職員（寮母・寮父）	−	老人福祉施設、生活保護施設、障害者支援施設	利用者の日常生活の介助、行事の企画やサークル活動の援助
医療ソーシャルワーカー	−	病院などの医療機関	患者やその家族などの経済的・心理的・社会的問題の相談対応、助言・援助

2 行政協力員と主な業務

でた問!!
*5 民生委員、児童委員
民生委員・児童委員の役割、位置づけなどについて出題。
H31前、R2後、R3前・後、R5前

行政協力員は、都道府県知事などの委託などを受け、それぞれの専門性に応じて指導・援助を行います。

行政協力員の活動内容は、次の通りです。

名称	根拠法	主な職場	主な業務
民生委員*5	民生委員法	市町村の各担当区域（都道府県知事の推薦を受け厚生労働大臣が委嘱）	担当区域の住民の生活状態の把握、相談・助言・情報提供、社会福祉関係者との連携と支援
児童委員*5	児童福祉法	市町村の各担当区域（民生委員として委嘱された者が兼務）	担当区域の児童・妊産婦・ひとり親家庭の生活環境の把握、保護、保健、その他の福祉についての指導・援助

＋プラス1

民生委員
2000（平成12）年の「民生委員法」の改正により、「社会奉仕の精神をもって、常に住民の立場に立って相談に応じ、及び必要な援助を行い、もって社会福祉の増進に努めるものとする」と定められた。

名称	根拠法	主な職場	主な業務
身体障害者相談員	身体障害者福祉法	自宅を拠点に活動（都道府県知事、政令指定都市・中核市の市長による委託）	身体障害者の相談対応、更生のために必要な援助、地域住民への啓発 ※原則として身体障害者がその任にあたる
知的障害者相談員	知的障害者福祉法	自宅を拠点に活動（都道府県知事、政令指定都市・中核市の市長による委託）	知的障害者の相談対応、施設入所・就学・就職などに関わる関係機関や行政などとの連絡、地域住民への啓発 ※原則として知的障害者の保護者がその任にあたる

主任児童委員
児童委員のなかから指名を受けた者は、主任児童委員として、児童の福祉に関する機関と児童委員との連絡調整や、児童委員の活動に対する援助などの活動を行う。

民生委員・児童委員は、福祉行政に対する協力員です。無給で、民間ボランティアの性格ももっています。

3 住民参加活動の推進

インフォーマルな在宅福祉をすすめるためには、公的機関や専門職によるフォーマルなサービスだけではなく、地域住民によるインフォーマルなサービスも重要な役割を担います。代表的な住民参加活動として、ボランティアがあげられます。

（1）ボランティアの役割

ボランティア*6は①自発性、②無償性、③社会性、④創造性・先駆（せんく）性の４原則に基づき、制度の枠組みにとらわれず社会福祉の課題を解決していくことが期待されています。

具体的には、高齢者や障害者の見守りや交流の場づくり、子どもへの学習援助や電話相談などさまざまな活動が広く地域住民によって行われています。

***6 ボランティア**
ボランティア活動について出題。
R5後

（2）特定非営利活動法人（NPO）

特定非営利活動法人（NPO）は、ボランティア活動を推進するために、その団体を法人化したものです。地域における生活支援活動を、より組織的・継続的に行っています。

社会福祉

(3) ボランティアセンター

社会福祉の専門職に関する問題は毎年出題されています。じっくり覚えて試験に備えましょう。

ボランティアセンターは市区町村と社会福祉協議会が連携して設置されます。ボランティアの拠点として機能し、ボランティアに関する情報収集や登録・あっせんなどの事務を通じて、必要な人のところへ活動が及ぶよう、ボランティアと地域とを結びつけています。

▸▸▸ ここは覚えよう!!

児童相談所・福祉事務所の主な職員

児童相談所の職員

受付相談員
インテーク（初回面接）などを行う

児童心理司
子どもや保護者などの相談に応じ、心理診断を行う

児童福祉司
担当区域の子どもや保護者などの相談に応じ、専門技術に基づいて必要な指導を行う

医師
子どもや保護者などの身体的・精神的な診断をし、指導するとともに、医学的治療も行う

児童指導員・保育士
一時保護をしている子どもの生活指導、学習指導など一時保護業務全般に関することを担う

看護師
一時保護所で保護している子どもの健康管理や医師の補助的業務を行う

福祉事務所の職員

知的障害者福祉司
- 知的障害者福祉における専門的技術や知識を必要とする相談を受ける
- 市町村の福祉事務所に任意配置

社会福祉主事
都道府県、市および福祉事務所を設置する町村には必置

家庭相談員
福祉事務所内に設置されている家庭児童相談室に配置される

身体障害者福祉司
- 身体障害者福祉における専門的技術や知識を必要とする相談を受ける
- 市町村の福祉事務所に任意配置

母子・父子自立支援員
母子家庭の母、父子家庭の父、寡婦からの相談に応じ、指導を行う

ポイント確認テスト

穴うめ問題

□□ **Q1** 過R3前

都道府県に配置される（　　　）は、身体障害者更生相談所の長の命を受けて、身体障害者の福祉に関し専門的な知識及び技術を必要とする業務を行う。>>> p175

□□ **Q2** 過R5前

「（　　　）」において、都道府県、市及び福祉に関する事務所を設置する町村に、社会福祉主事を置く、と規定されている。>>> p175

□□ **Q3** 予想

介護支援専門員は、「（　　　）」に基づく資格である。>>> p178

□□ **Q4** 過H30後

（　　　）は、ボランティア活動の拠点となり、ボランティアの登録及びあっせん、啓発、グループの組織化、情報提供などを行う。>>> p180

○×問題

□□ **Q5** 過R3後

「児童福祉法」第18条の4によると、保育士とは（中略）登録を受け、保育士の名称を用いて、専門的知識及び技術をもつて、児童の保育及び児童の保護者に対する保育に関する指導を行うことを業とする者をいう。

□□ **Q6** 予想

女性相談支援員は、配偶者のない者で現に児童を扶養している者および寡婦に対し、相談に応じ、その自立に必要な情報提供および指導を行う。>>> p176

□□ **Q7** 過R2後

民生委員及び児童委員は、地域社会の福祉を増進することを目的として市町村の区域に置かれている民間奉仕者である。>>> p178

□□ **Q8** 過R3後

児童委員は、児童および妊産婦について、生活および取り巻く環境の状況を適切に把握する。>>> p178

解答・解説

Q1　身体障害者福祉司　Q2　社会福祉法　Q3　介護保険法　Q4　ボランティアセンター
Q5　○　Q6　×　女性相談支援員ではなく母子・父子自立支援員である。　Q7　○
Q8　○

社会福祉 Lesson 6

相談援助と援助技術

頻出度 Level 4

一人ひとりの課題を解決するための支援として相談援助が行われます。それぞれの援助技術の方法について理解しましょう。

ココに注目!!

- ソーシャルワークの実践モデル
- ケースワークのアプローチ方法
- グループワークの特徴
- 関連援助技術の種類

1 ソーシャルワーク

(1) ソーシャルワークの基本事項

ソーシャルワーク（**社会福祉援助技術**）とは、社会福祉におけるさまざまな相談援助の方法の総称です。クライエント（相談者）が抱えているさまざまな問題を、ソーシャルワーカー（専門家）が適切な相談援助によって解決へと導いていきます。

問題解決にあたっては、クライエントの問題整理を助け、解決に有効な情報を提供するとともに、クライエントの**ワーカビリティ**（**問題解決能力**）を引きだし、最終的にクライエントが自己決定して問題解決できるよう援助することが大切です。

国際ソーシャルワーカー連盟（IFSW）と国際ソーシャルワーク学校連盟（IASSW）が2014年に採択した「**ソーシャルワーク専門職のグローバル定義**[*1]」では、ソーシャルワークを次のように定義しています。

クライエントから話を聞くときは、クライエントとの間のラポール（相互信頼関係）を大切に、共感的な態度で接することが大切です。

*1「ソーシャルワーク専門職のグローバル定義」
「ソーシャルワーク専門職のグローバル定義」の内容について出題。
R3後

ソーシャルワークの原点は、19世紀末のイギリスで行われた慈善組織化運動（COS運動）にあります。

「ソーシャルワーク専門職のグローバル定義」

ソーシャルワークは、社会変革と**社会開発**、社会的結束、および人々の**エンパワメント**と解放を促進する、実践に基づいた専門職であり学問である。**社会正義**、人権、集団的責任、および多様性尊重の諸原理は、ソーシャルワークの中核をなす。ソーシャルワークの理論、社会科学、人文学、および地域・民族固有の知を基盤として、ソーシャルワークは、生活課題に取り組みウェルビーイングを高めるよう、人々やさまざまな構造に働きかける。

(2) ソーシャルワークの体系

ソーシャルワークは個人および集団を対象とする直接援助技術、地域を対象とする間接援助技術、よりよい支援を行うための諸技術としての関連援助技術の３つに大別されます。

相談援助を行う際には、クライエントの性格や状況に応じて、適切な方法で支援していきます。2のケースワーク以降で詳しくみていきましょう。

■ソーシャルワークの体系

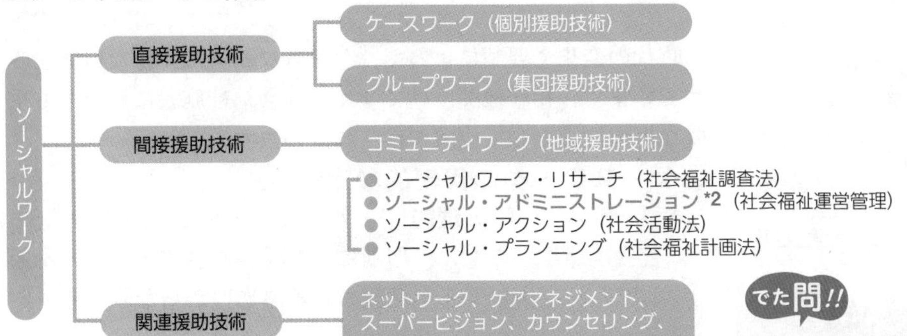

(3) ソーシャルワークの実践モデル

ソーシャルワークを実践していく方法を**実践モデル**といいます。代表的なモデルとして以下のものがあります。

- **治療モデル**……クライエントの抱える問題を把握（はあく）し、援助の方法や手順を判断する考え方。判断の過程を患者の治療になぞらえて**社会診断**という。リッチモンドが提唱。
- **生活モデル**……クライエントを援助する過程で、人と社会環境との交互作用を利用する考え方。人や環境そのものの問題ではなく、両者の交互作用に生じる問題をみつけだそ

用語

ソーシャルワーク・リサーチ
地域社会の問題解決のため、実情や原因を科学的に調査すること。

ソーシャル・アドミニストレーション
福祉サービスが効率的に行われるよう、組織の見直しや運営管理をする方法のこと。国や地方自治体が行う福祉政策から、社会福祉施設の運営管理まで広く適用される。

でた問!!

***2 ソーシャル・アドミニストレーション**
ソーシャル・アドミニストレーションについて出題。
R4後

うとする。ジャーメイン、ピンカス、ミナハンらが提唱。

- **ストレングスモデル**……クライエントが本来もっている力（強み）を促進することで問題解決をめざす考え方。サリーベイ、ラップらが提唱。

リッチモンド
Richmond, M.E.
1861～1928年。
ケースワークをはじめて実践・理論化し、「ケースワークの母」とよばれる。著書に『社会診断』『ソーシャルケースワークとは何か』など。
リッチモンド
⇨p144

2 ケースワーク

ケースワーク（個別援助技術）とは、問題を抱える個人や家族に対して、問題を解決に導いていくように援助する直接援助技術です。アメリカにおける**リッチモンド**の活動によって誕生し、ソーシャルワークの中心として発展してきました。

（1）ケースワークの定義

時代の変化や要請によって、ケースワークは多様な展開をみせています。相談機関だけでなく、社会福祉施設においても重要な専門技術として位置づけられています。

*3 リッチモンド
リッチモンドのソーシャルワークの定義について出題。
R3後、R5前

*4 パールマン
パールマンについて出題。
R1後、R3前

❶ケースワークの代表的な定義

- **リッチモンド[3]の理論**……ケースワークは、「人間とその**社会的環境**との間に、個別に、**意識的**に調整することを通して**パーソナリティ**を発展させる諸過程からなり立っている」とした。
- **パールマン[4]の理論**……ケースワークを、「人々が社会的に機能する際に起こる問題を、より効果的に解決することを助けるために、福祉機関によって用いられる過程である」と定義した。
- **バワーズの理論**……ケースワークを、「クライエントとその環境の全体または一部との間に、よりよい適応をもたらすのに役立つような、個人の**内的**な力、および社会の資源を動員するために、人間関係についての科学的知識および対人関係における熟練した技能を活用する**芸術（アート）**である」と定義した。

パールマン
Perlman, H.H.
1905～2004年。
アメリカのソーシャルワーカー。ケースワークの構成要素を「４つのP」として示した。
4つのP
⇨p188

❷ケースワークのアプローチ方法

ケースワークでは、クライエントのニーズに合わせてさまざまなアプローチ方法がとられます。代表的なものに次のようなものがあります。

- **心理社会的アプローチ**[*5]……クライエントが置かれた社会的状況と、その心理状態との相互作用から問題をとらえようとするアプローチ方法。
- **問題解決アプローチ**……相談援助の過程のなかで、ワーカーがクライエントの問題解決能力を診断しつつ、クライエント自身の問題解決を促（うなが）していくアプローチ方法で、パールマンが提唱した。
- **課題中心アプローチ**[*5]……短期間での問題解決をめざし、具体的な課題を設定することで、計画的援助を行うアプローチ方法。
- **危機介入アプローチ**……危機状態にあるクライエントに対し、ワーカーが直接危機への介入を行い、短期間での問題解決をめざすアプローチ方法。
- **行動変容アプローチ**……クライエントの問題行動について、条件反射の消去または強化によって、問題行動の変容を促すアプローチ方法。
- **ナラティブアプローチ**……クライエントの体験を物語（ナラティブ）として自身の口から語ってもらい、解決のきっかけを見いだすアプローチ方法。
- **解決志向アプローチ**……問題の原因ではなく「どのように解決するか」を考えることで、短期解決をめざすアプローチ方法。
- **エンパワメントアプローチ**[*5]……社会的無力状態に置かれているクライエントの潜在（せんざい）的能力に気づき、クライエント自身がその能力を発揮し、対処することで問題解決をめざすアプローチ方法。
- **機能的アプローチ**[*5]……利用者の潜在的可能性を前提に、社会的機能を高めることで問題解決を図るアプローチ方法。

❸ケースワークの展開過程

個別援助技術（ケースワーク）は、基本的には、次のような過程をたどってすすめられます。

***5 アプローチ**
心理社会的アプローチ、課題中心アプローチ、エンパワメントアプローチ、機能的アプローチなどについて出題。
R2後、R4前

エンパワメントアプローチ
⇨p196

社会福祉

ケースワークの一連の流れをしっかり覚えましょう！

■ケースワークの展開過程*6

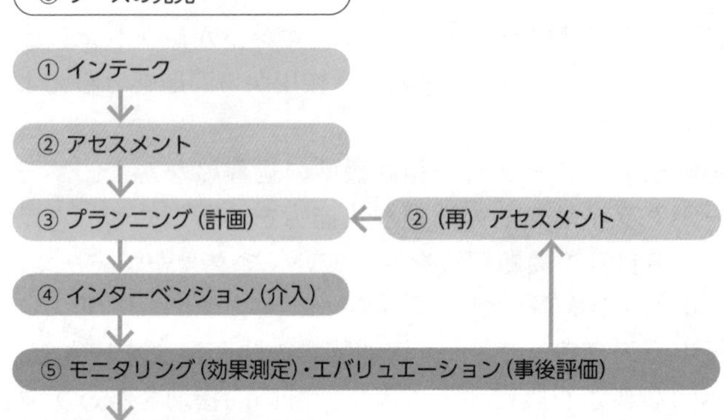

*6 ケースワークの展開過程
ケースワークの展開過程について出題。
R1後、R3前、R4前・後、R5後、R6前

展開過程の順序について出題。
R2後、R3後

➕プラス1

アセスメント
アセスメントでは、全体を明確にするためにジェノグラムやエコマップを用いることがある。

①**インテーク（受理面接）**……相談に入るための導入段階。クライエントの状況を聞き、問題を明確にするとともに、クライエントが援助を受けるかどうか意思確認する。

②**アセスメント・再アセスメント**……問題を正確に把握し、問題周辺の状況をとらえるため、原因、経過、解決したいことを調べ援助すべき課題を選定する。

③**プランニング（計画）**……援助の具体的方法を選び、実施するための計画を立てて、決定する。

インターベンションでは、自分の権利を表明できない認知症高齢者や障害者、子どもなどに代わって権利擁護するアドボカシーなどの活動が必要です。

④**インターベンション（介入）**……直接的介入（クライエント本人に行う直接的援助）と、間接的介入（家族への働きかけ、ほかの施設や機関と連携、新たに援助するための資源の開発など）がある。

⑤**モニタリング（効果測定）・エバリュエーション（事後評価）**……援助過程が目標を達成しているかどうかを見極める。達成していれば終結へ向かい、達成していなければ再アセスメントを行う。

目標を達成していなくても、次の援助につながると判断された場合、いったん終結させることもあります。

⑥**ターミネーション（終結）**……クライエントの希望が反映されたかたちでの終結が望ましい。

（2）ケースワーカーの基本的態度

バイステック
Biestek, F. P.
1912～1994年。アメリカの社会福祉学者。

バイステックは、著書『ケースワークの原則』のなかで、援助者の基本的態度として次の７つの原則（**バイステックの７原則**）*7を示しました。

①**個別化**…クライエントを**個人**としてとらえ、一人ひとりが抱える問題の特性を理解する。
②**意図的な感情表出**…クライエントが自由に感情を表せるよう配慮する。
③**統制された情緒的関与**…クライエントの感情に引きずられず、援助者自身の感情をコントロールする。
④**受容**…クライエントの考え方や行動をあるがままに受け止める。
⑤**非審判的態度**…クライエントを一方的に批判・評価しない。
⑥**クライエントの自己決定***8…クライエント自身の考えや決定を促し尊重する。
⑦**秘密保持**…クライエントの情報を他者に漏らさない。

***7 バイステックの７原則**
バイステックの７原則に基づく援助について出題。
R3前、R3後、R5前・後、R6前

***8 自己決定**
自己決定の原則について出題。
R3後

これらの原則は保育所での保護者への対応などでも基本的姿勢として用いられています。次の事例から考えてみましょう。

クライエントが迷うことがあっても、自分の考え方を押しつけたり、誘導したり、代わりに決定するようなことがあってはなりません。

■**バイステックの７原則に基づく対応事例**

子育てに悩んでいる母親が、「いつもいうことを全然聞いてくれないんです」と相談に訪れたので、保育士は「○○ちゃんはたとえばどんなことをよく嫌がりますか？」①と尋ねた。
「朝登園するとき、私は仕事に行かなきゃいけないのに子どもが車から降りようとしないんです。それで、『早く降りなさいよ！』ときつくいってしまうと、いつも大泣きして……」話しているうちに、母親は感情が高ぶり泣きだし、「ごめんなさい」といって嗚咽を抑えようとした。
保育士は、「大丈夫ですよ。気持ちを聞かせてくださってありがとうございます②」といい、母親が落ち着くのを待った。
母親は少し迷ってから「私、自分の子どもをかわいいと思えないんです」と悩みを打ち明けた。保育士は内心、子どもに同情する気持ちも沸き起こったが、そのことは口にださずに③「ただでさえ仕事で忙しいのに子育てが思うようにならないと、本当に大変ですよね。同じように思いを打ち明けてくださる方もいますよ」とその気持ちを受け止めた④⑤。そして、保護者同士の交流ができる近隣の地域子育て支援拠点の利用を提案した⑥。相談の最後には、今回聞いた内容は誰にも話さないこと⑦、また気軽に相談に来てほしいことを伝えた。

囲みの①～⑦は本文中の①～⑦に対応しています！

相談を受ける際には、保護者やその子どもが抱える問題は一人ひとり異なっていると考えて聞き取りを行います（①**個別**

化）。感情的になりすぎることを恐れ、気持ちを抑えようとする保護者もいますが、感情を表すことが問題解決につながることも少なくないため、積極的に気持ちを表してもらえるよう配慮することが大切です（**②意図的な感情表出**）。一方で、保育士は保護者の感情に引きずられるあまり、冷静な対応ができなくなることを避けるため、自分の感情を自覚したうえでコントロールします（**③統制された情緒的関与**）。

聞き取りをすすめるうちに、倫理的によくないと思われたり、自分の考えとは相いれない保護者の言動が明らかになることもありますが、話を聞く段階ではその気持ちを共感的に受け止め（**④受容**）、批判をしたり持論を押しつけたりすることは慎みます（**⑤非審判的態度**）。

相談内容を受け、保育士は必要な助言や利用できる機関の紹介を行いますが、具体的にどのように問題解決を図っていくかについてはあくまでも保護者自身の決定を尊重します（**⑥クライエントの自己決定**）。

相談で知りえた保護者の情報は、当然、他言してはなりません。保育士によって関係機関につなぐ際に伝えたほうがよい場合なども、必ず事前に本人の同意を得る必要があります（**⑦秘密保持**）。

（3）ケースワークの構成要素

パールマンは著書『ソーシャル・ケースワーク』において、**４つのP**[*9]という構成要素がそろうことにより、機能的にケースワークが行われると主張しました。

***9　４つのP**
4つのPについて出題。
R1後、R5前

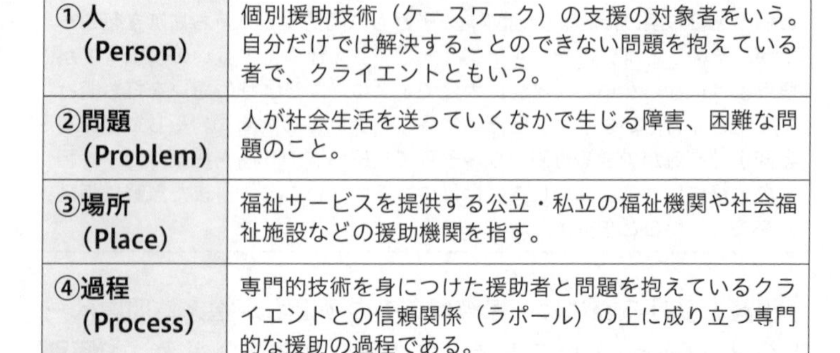

①人（Person）	個別援助技術（ケースワーク）の支援の対象者をいう。自分だけでは解決することのできない問題を抱えている者で、クライエントともいう。
②問題（Problem）	人が社会生活を送っていくなかで生じる障害、困難な問題のこと。
③場所（Place）	福祉サービスを提供する公立・私立の福祉機関や社会福祉施設などの援助機関を指す。
④過程（Process）	専門的技術を身につけた援助者と問題を抱えているクライエントとの信頼関係（ラポール）の上に成り立つ専門的な援助の過程である。

3 グループワーク

コノプカは、**グループワーク**[*10]（**集団援助技術**）を「**意図的な**グループ経験を通じて、個人の**社会的に機能する力**を高め、また個人、集団、地域社会の諸問題に、より効果的に対処し得るよう、人びとを援助するものである」と定義しました。グループでの体験がメンバー一人ひとりの思考や行動に影響を与え、パーソナリティの成長と問題の克服が促されるよう、援助者は活動を方向づけます。

グループワークのモデルとなる展開過程は次の通りです。

①**準備期**……ワーカーによって目的や活動内容が決められ、グループが構成される時期。子どもの場合は、感情表現をしっかりと受け止めることが重要。

②**開始期**……活動内容を明確にし、メンバー全員が積極的に参加できるよう役割分担を明確にする。

③**作業期**……自己決定に基づいて活動が活発に展開されるよう、側面的な援助を行う。グループとしての機能を発揮できるよう援助する。

④**終結・移行期**……終結するのは、目標が達成され、援助の必要がなくなったとき、計画していた期間が経過したとき、続けても効果が期待できないと判断したときなど。終結によって、次の段階へスムーズに移行できるよう配慮する。

❶相互作用モデル

相互作用モデルは、媒介モデルともいいます。グループとメンバーの媒介者としてグループワーカーを配置し、グループとメンバーの双方に働きかけることにより、両者の相互作用関係を促進させます。

❷セルフヘルプグループ

セルフヘルプグループとは、共通の問題を抱える当事者やその家族が自主的に活動するグループです。仲間同士の密接な関わりによる相互作用の働きで、問題解決へとつなげていきます。

自助組織なので、専門の職員が主導しているわけではないという点に特徴があります。活動を行うなかで、議会や行政に対する政策提言活動を行うなどの**ソーシャル・アクション**[*11]機

コノプカ
Konopka, G.
1910～2003年。
ドイツ出身のアメリカのグループワーク研究者。

でた問!!
***10 グループワーク**
グループワークの定義について出題。
R5前
グループワークの過程について出題。
R3前、R5前

プラス1
セルフヘルプグループ
交通事故被害者やアルコール、薬物の依存症などを乗り越えるために支え合うのが目的の自助団体。家族会や患者会が代表的。

用語
ソーシャル・アクション
社会福祉を実現するため、国や地方公共団体、または一般の人々に対して世論を喚起しながら、組織的で合法的に行う啓蒙活動のこと。

***11 ソーシャル・アクション**
ソーシャル・アクションについて出題。
R3前、R4後、R5前

能をもつこともあります。

4 コミュニティワーク

***12 コミュニティワーク**
コミュニティワークとは何かについて出題。
R3後、R5前

コミュニティワーク（地域援助技術）*12とは、地域に共通の福祉の問題を住民自ら解決できるよう、地域の組織化などを通じて援助する間接援助技術です。日本では、社会福祉協議会や民生委員などが中心となって実践しています。

イギリスで発展した地域援助のための包括的な援助技術であり、アメリカを中心に**コミュニティオーガニゼーション**とよばれていた概念もこれに含まれます。一定の地域社会での問題の解決や、福祉に対する意識向上などのため、必要な資源を求めて公私が協力して援助を展開します。

5 関連援助技術

関連援助技術とは、クライエントの多様なニーズに対応するため、直接的または間接的に援助を行うことと合わせて、より多角的にクライエントの援助を行ったり、援助者への教育や支援を施したりするものです。

（1）ネットワーク（ネットワーキング）

でた問!!

***13 ネットワーク**
ネットワーク（ネットワーキング）について出題。
R1後、R4後、R5後

ネットワーク（ネットワーキング）*13とは、援助を必要とする人が地域の社会資源を活用してニーズを満たせるよう、フォーマルな社会資源（機関や専門職、制度など）とインフォーマルな社会資源（家族、近隣住民、ボランティアなど）を結び付ける援助技術です。近年は、「ソーシャル・サポート・ネットワーク」などの概念が注目されています。これは、クライエントのために構築される地域住民や福祉機関の支援者、福祉サービスを提供する実務担当者などによる援助関係網のことです。

（2）ケアマネジメント

ケアマネジメント*14とは、援助を必要としている人に対して、福祉・保健・医療などのサービスの情報を提供し、クライエントの自己決定に基づいて適切なサービスを組み合わせてケアプランを作成し、効果的な援助を継続的に提供する援助方法です。クライエントの視点に立ち、クライエントやその家族のニーズと社会資源を結び付けます。

ケアマネジメントは、ケースワークと同様に①インテーク（受理面接）→②アセスメント→③プランニング（計画）→④インターベンション（介入）→⑤モニタリング（効果測定）→⑥エバリュエーション（事後評価）→⑦ターミネーション（終結）で援助を終了するという過程をたどります。

③プランニング（計画）においては、援助者はクライエントの個別的なニーズを把握したうえでケアプランを作成しますが、このとき、作成前にサービス内容を説明したうえでクライエントに選択してもらうこと（インフォームド・チョイス）、作成後には計画の内容を文書によって説明し、クライエントの同意を得ること（インフォームド・コンセント）が大切となります。

また、⑤モニタリング（効果測定）、⑥エバリュエーション（事後評価）においては、援助の途中または終結後に提供したサービスなどがクライエントのニーズに合っているか測定・評価し、新しいニーズが発生している場合には再アセスメントが行われます。

***14 ケアマネジメント**
ケアマネジメントの内容について出題。
R1後、R4後

（3）スーパービジョン

スーパービジョン*15とは、主に対人支援に携わる職種でサービスの質や技術の向上を目指して行う教育です。熟練の援助専門家（スーパーバイザー）が、経験の浅いソーシャルワーカーなど（スーパーバイジー）に対し、専門的な能力を発揮できるよう指導、援助します。

スーパービジョン
⇨社養p317

***15 スーパービジョン**
スーパービジョンの機能について出題。
R1後、R3後、R4後

社会福祉

■スーパービジョンの機能

管理的機能	ワーカーが組織の一員として適切な仕事ができるようにその環境を整えること。
教育的機能	ワーカーが職務を遂行するために必要な知識や技術を教育すること。
支持的機能	ワーカーが仕事への意欲をもてるように、精神的に支えること。
評価的機能	ワーカーの成長を効果的に援助すること。

■スーパービジョンの種類

個人 スーパービジョン	スーパーバイザーとスーパーバイジーの1対1で行われる。密度の高い指導・援助を受けられるが、スーパーバイザーの個人的な影響を受けやすい。
グループ スーパービジョン	5～10人程度のグループによるスーパービジョン。メンバー同士の相互作用による質的な向上をめざす。
ライブ スーパービジョン	スーパーバイザーとスーパーバイジーが事例に一緒にあたる。事例に対し、時間差なく指導できる。
ピア スーパービジョン	ワーカーが互いに事例検討を行う。個人・グループどちらのスーパービジョンにも適用できる。

（4）コンサルテーション

コンサルテーションとは、ワーカーが、他領域の専門的な知識や技術について、関連機関や関連領域の複数の専門職（医師や臨床心理士、弁護士など）に相談し、意見や情報を求め、援助のあり方を話し合うことです。

（5）カウンセリング

カウンセリングとは、臨床心理学などを学んだ専門家により行われる心理的問題を中心とした援助のことです。家族を対象としたファミリーカウンセリング、集団で行うグループカウンセリング、同じ立場の者がカウンセリングの技法を習得して行うピアカウンセリングなどがあります。

心理療法
カウンセリングは社会生活を目標に援助を行い、心理療法は精神病理に焦点を当てて援助を行う、ということができる。

ポイント確認テスト

穴うめ問題

Q1 過R5前

リッチモンド（Richmond, M. E.）は、ソーシャル・ケースワークを「人間とその（　a　）との間を個別に、（　b　）に調整することを通して（　c　）を発達させる諸過程からなり立っている」と定義している。>>> p184

Q2 過R2後

プランニング、インテーク、モニタリング、アセスメントをソーシャルワークの過程順に並べると（　a　）（　b　）（　c　）（　d　）になる。>>> p186

Q3 過R6前

相談援助に際しての原則としては、（　　）の7つの原則が重要である。>>> p187

Q4 過R1後

（　　）は、ケースワークの構成要素として「4つのP（人、問題、場所、過程）」をあげている。>>> p188

○×問題

Q5 過R5後

インテークでは、信頼関係を形成するためにも、話しやすい雰囲気や環境を整える。>>> p186

Q6 過R4後

プランニングでは、アセスメントに基づき、問題解決に向けての目標を設定し、実際の支援をどのように行うかなど、具体的な支援内容を計画する。>>> p186

Q7 過R4前

モニタリングとは、プランニングを元に、実際に問題解決に向けて支援を行う段階である。>>> p186

Q8 過R1後

ネットワーク（ネットワーキング）とは、サービスを必要とする人が、地域の社会資源を活用するために、有効な組織化を推進していく方法である。>>> p190

解答・解説

Q1　a 社会的環境／b 意識的／c パーソナリティ　**Q2**　a インテーク／b アセスメント／c プランニング／d モニタリング　**Q3**　バイステック（Biestek, F.P.）　**Q4**　パールマン（Perlman, H.H.）

Q5　○　**Q6**　○　**Q7**　×　モニタリングではなくインターベンションである。　**Q8**　○

社会福祉 Lesson 7

利用者の権利擁護

頻出度 Level 5

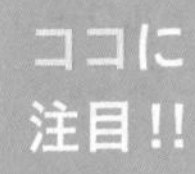

社会福祉基礎構造改革で日本の社会福祉は大きく転換し、利用者の不利にならないような諸制度が設けられました。

ココに注目!!

- 社会福祉基礎構造改革の基本的方向
- 権利擁護とは何か
- 「措置から契約へ」(福祉サービスの転換)
- 第三者評価の規定

1 社会福祉基礎構造改革

(1) 改革の背景

社会福祉基礎構造改革とは、2000(平成12)年の「社会福祉法」改正(1951〔昭和26〕年の「社会福祉事業法」から改正・改称)に基づく社会福祉制度の根本的な改革です。

改革の背景には、少子高齢化の進行や家庭機能の変化、バブル経済の崩壊などによって、従来の「社会福祉事業法」に基づく制度が時代に合わなくなり、国民の多様化する福祉ニーズに対応できなくなっていることなどが指摘されるようになり、制度の改革が進められました。

(2) 7つの基本的方向

社会福祉を利用者の目線からとらえ直していますね。

社会福祉基礎構造改革では、「個人が尊厳を持って、その人らしい自立した生活を送れるよう支える」という理念に基づき、7つの基本的方向が示されました。

① 対等な関係の確立
② 地域での総合的な支援
③ 多様な主体の参入促進
④ 質と効率性の向上

⑤ 透明性の確保
⑥ 公平かつ公正な負担
⑦ 福祉の文化の創造

①「対等な関係の確立」という方向性は、「**措置**(そち)から**契約**へ」という一連の法改正を貫く大きな転換へとつながっています。また、⑤「透明性の確保」は、「**情報提供**」など利用者の不利益を防ぐ内容へとつながりました。

「保育所保育指針」においても保護者に対する支援の部分で情報提供についてふれています。

（3）社会福祉に関連する法律の改正

社会福祉基礎構造改革では、「社会福祉事業法」から「社会福祉法」への改正・改称のほか、社会福祉に関連する多くの法律が改正されました。

児童福祉では、1997（平成９）年に「**児童福祉法**」が改正され、利用者が保育所を選択できるようになりました。

高齢者福祉では、2000（平成12）年に「**介護保険法**」が施行され、契約制度が導入されました。

障害者福祉では、2003（平成15）年に**支援費制度**が導入されました。支援費制度はその後2006（平成18）年に「障害者自立支援法（現：障害者総合支援法）」の制度に移行しました。

2 権利擁護の理念と基本原理

（1）権利擁護の理念

福祉サービスの利用者と社会福祉事業者が対等な関係を結ぶということは、利用者が自らの権利を自覚し行使するということです。しかし、福祉を必要とする人のなかにはそれが難しい人も少なくありません。

権利擁護(ようご)とは、こうした人々が自立した生活のために必要な援助を受けることができるよう、その権利を守ろうとする考え方です。

（2）権利擁護の基本原理

利用者の権利を守るための基本原理には次のようなものがあります。

❶エンパワメント

エンパワメント[*1]とは、利用者に自分のもっている力に気づかせ、活用できるようにすることをいい、それを実現するための支援を**エンパワメントアプローチ**といいます。支援者は、利用者にはそもそも力がないのだとは考えず、力を奪っている要因を取り除けば本来もっている力を取り戻すことができるととらえて支援を行います。力を取り戻すことで、利用者自身がさまざまな判断ができるようになり、地域のなかでその人らしい生活を続けることができるような支援をめざします。

でた問!!

*1 エンパワメント
エンパワメントの意味について出題。
R4後、R5前

❷アドボカシー

アドボカシー[*2]とは、自分の意思をはっきり表明できない認知症高齢者や知的障害者、精神障害者、子どもなどに代わり、援助者がその意思を代弁することをいいます。ソーシャルワークの方法の一つで、自分の意思を表明するのが困難な人たちの権利を守るために必要な取り組みです。

でた問!!

*2 アドボカシー
保育士の役割としてアドボカシーについて出題。
R1後、R5前

3 利用者優先の制度

社会福祉基礎構造改革では、利用者優先の福祉サービスを実現するため、以下のようなしくみが整備されました。

（1）措置から契約へ

従来の福祉サービスは、行政が利用の可否や利用サービスなどすべてを決定し、利用者はそれに沿ったサービスを受けるという**措置**（そち）**制度**によって運営されていました。

これが、介護保険サービスや障害福祉サービスなどにみられるように、利用者がサービス利用の認定を受けたあと、利用したいサービスを選択し、施設やサービス事業者と直接契約する**契約制度**へと転換されました。

ここは覚えよう!!

福祉サービスの契約制度のしくみ

市町村
都道府県知事（指定都市・中核市長）
①支援費の支給申請
②支給決定
③契約
④サービスの提供
⑤利用者負担の支払い
⑥支援費支払い（代理受領）の請求
⑦支援費の支払い（代理受領）
指定
利用者
指定事業者・施設

（2）情報提供

社会福祉事業経営者は、福祉サービスを利用しようとする者に対して、適切、円滑にサービスが利用できるように**情報提供**[*3]するよう努めなければならないことが「社会福祉法」に規定されています。保育所においても、「児童福祉法」に保育に関する情報提供に努めるよう規定されています。

***3 情報提供**
「社会福祉法」における情報提供の規定について出題。
R3後、R4後
市町村や保育所、児童福祉施設、国および地方公共団体の情報提供について出題。
R2後

（3）誇大広告の禁止

「社会福祉法」第79条では、利用者の利益の保護と事業者同士の不正競争の防止のため、著しく優良であり、有利であると誤解を招くような**誇大広告**（こだい）を行うことを禁止しています。

（4）個人情報保護

「**個人情報の保護に関する法律**」が2003（平成15）年に制定され、生存している個人に関する情報で、個人を特定できる情

社会福祉

報を保護することを目的としています。

（5）第三者評価

*4 第三者評価
福祉サービスの第三者評価について出題。
R1後、R3前、R4前、R5後、R6前

第三者評価*4は、サービス提供事業者以外の第三者が、中立・公正な立場から、専門的・客観的にサービスの質を評価する制度です。

認証を受け、研修を終了した評価調査者によって行われ、その結果は、都道府県推進組織が策定した「福祉サービス第三者評価結果の公表ガイドライン」に基づいて公表されます。改善の必要がある場合、サービス提供事業者は改善計画を作成します。

「児童福祉施設の設備及び運営に関する基準」の規定では、児童福祉施設のうち、乳児院、母子生活支援施設、児童養護施設、児童心理治療施設、児童自立支援施設、里親支援センターは、３年に１回以上第三者評価を受け、その結果を**公表**する義務があります（里親支援センターの年限は未定）。保育所の受審は努力義務とされています。

（6）日常生活自立支援事業

でた問!!

*5 日常生活自立支援事業
日常生活自立支援事業について出題。
R3前、R4前、R5前・後

*6 成年後見制度
成年後見制度について出題。
R3前、R4後、R6前

日常生活自立支援事業[*5]は、「社会福祉法」に福祉サービス利用援助事業（第二種社会福祉事業）として規定されており、認知症高齢者や知的障害者、精神障害者等で判断能力が十分ではない者が、地域で自立した生活が送れるよう支援していくための事業です。利用者が契約できる能力がある間に、市区町村社会福祉協議会と契約を結び、支援が必要になると、生活支援員による支援が開始されます。

具体的な支援内容は、**福祉サービスの利用援助**、苦情解決制度の利用援助、さまざまな手続きの援助、日常の金銭管理などとされています。利用料は、原則として利用者が負担します。

（7）成年後見制度

成年後見（こうけん）**制度**[*6]は、「民法」に規定される制度です。法定後見制度と任意後見制度からなり、法定後見制度では、判断能力が衰え始めたときに家族などが家庭裁判所に申し立てを行います。家庭裁判所は審判を行い、判断能力の低下の程度によって後見、**保佐**、**補助**のいずれかを選任します。

また、任意後見制度は、本人の判断能力が低下する前に本人が任意後見人を選任して契約を結び、必要になった時点で、任意後見人の支援が開始されます。

用語

保佐
知的障害、精神障害、認知症などによって判断能力が著しく不十分な者を保護・支援すること。

補助
知的障害、精神障害、認知症などによって判断能力が不十分な者を保護・支援すること。

ここは覚えよう!!

後見制度の体系

●**未成年後見制度**……親権者のない未成年者を保護

●**成年後見制度**
判断能力がないまたは不十分な人（認知症患者・知的障害者・精神障害者など）の権利を擁護
- **法定後見**……本人の判断能力の程度に応じて補助・保佐・成年後見に分類
- **任意後見**……判断能力のある時点で将来に備え、後見の内容等や後見人を決めておく

（8）苦情解決

苦情解決[*7]は、利用者からの苦情を受けつけ、それを解決していくしくみです。サービス内容に不満や要望がある場合、まず利用者と事業者の話し合いのしくみを設け、利用者が希望すれば**第三者委員**を交えた話し合いを行います。

それでも解決できない場合は、都道府県の社会福祉協議会に設置されている**運営適正化委員会**[*8]を交えて解決をめざすことになります。

「児童福祉施設の設備及び運営に関する基準」では、児童福祉施設が行った援助に関して、入所している児童や保護者等からの苦情に迅速、適切に対応するために必要な**措置**を講じなければならないとしています。

社会福祉

でた問!!
***7 苦情解決**
サービス提供者による苦情解決について出題。
R3前、R3後、R5前・後、R6前

苦情解決
⇨保原p51

プラス1
第三者委員
事業の経営者の責任において選任される。

でた問!!
***8 運営適正化委員会**
運営適正化委員会の業務について出題。
H31前、R5後

ポイント確認テスト

穴うめ問題

☐☐ **Q1** 過R2後

（　　）は、社会的に無力状態に置かれている利用者の潜在的能力に気づき対処することで問題解決することを目的としたアプローチである。 >>> p196

☐☐ **Q2** 過H31前

児童心理治療施設は、（　　）か年度毎に1回、第三者評価を受審しなければならない。 >>> p198

☐☐ **Q3** 過R6前

「成年後見人、保佐人、補助人」は、（　　）が選任する。 >>> p199

☐☐ **Q4** 過H31前

運営適正化委員会は、（　　）社会福祉協議会に設置し、利用者等からの苦情を適切に解決する。 >>> p199

○×問題

☐☐ **Q5** 過R4後

「社会福祉法」では、社会福祉事業の経営者に対して、福祉サービスの利用者が、適切かつ円滑に福祉サービスを利用することができるように、その経営する社会福祉事業に関する情報の提供を行うよう努めなければならないと定めている。 >>> p197

☐☐ **Q6** 過R3前

すべての児童福祉施設においては、サービスの質の向上に向けて、福祉サービス第三者評価事業が義務付けられている。 >>> p198

☐☐ **Q7** 過R6前

福祉サービス利用援助事業（日常生活自立支援事業）の支援内容に、日常的な金銭管理は含まれない。 >>> p198

☐☐ **Q8** 過R3後

「児童福祉法」で定められている児童福祉施設では、「児童福祉施設の設備及び運営に関する基準」の中で、苦情を受け付けるための必要な措置を講じなければならないと定められている。 >>> p199

解答・解説

Q1　エンパワメントアプローチ　**Q2**　3　**Q3**　家庭裁判所　**Q4**　都道府県

Q5　○　**Q6**　×　児童福祉施設のうち、乳児院、母子生活支援施設、児童養護施設、児童心理治療施設、児童自立支援施設、里親支援センターにおいて義務づけられている。

Q7　×　日常的な金銭管理も含まれている。　**Q8**　○

社会福祉 Lesson 8

社会福祉の動向と課題

頻出度 Level 5

社会の変化とともに生じるさまざまな課題に対し、どのような施策が講じられているか理解しましょう。

ココに注目!!
- 核家族世帯の割合
- ひとり親家庭の定義
- 育児休業制度の内容
- 合計特殊出生率の低下

1 家庭生活と福祉

(1) 核家族化

近年の日本では、**核家族世帯**が著しく増加しています。核家族には、配偶者を失ったり、失業・疾病(しっぺい)が生じた際に、経済的・精神的負担が大きいため、ただちに福祉による援助が必要になりやすい、という問題があります。

2022(令和4)年の日本の世帯総数は約5,431万世帯で、その約60%を核家族世帯が占めています。全世帯のうち児童がいるのは約992万世帯で18.3%、そのうち核家族世帯は84.4%となっています(「2022(令和4)年**国民生活基礎調査**[*1]」)。

(2) ひとり親家庭

離婚や死別などによって主として家庭生活の中心となる人が欠けていることを、**ひとり親家庭(母子家庭・父子家庭)**といいます。また、家庭としての形態は存在していても、意識的に関係を断っている状態のことを、**遺棄(いき)家庭**といいます。

ひとり親の困っていることとして母子世帯の場合、「家計」が49.0%、「仕事」が14.2%、父子世帯の場合は「家計」が38.2%、「家事」が14.1%となっています(「2021〔令和3〕年

用語

核家族
夫婦のみ、または夫婦と未婚(非婚)の子のみの世帯、ひとり親と未婚(非婚)の子のみの世帯をいう。

ひとり親家庭
離婚、未婚(非婚)、死別などの理由で、現に配偶者のいない女性(男性)と、20歳未満の実子または養子で構成している世帯。

でた問!!

***1 国民生活基礎調査**
世帯人員の状況について出題。
R5後

度全国ひとり親世帯等調査結果報告」)。

(3) 育児休業

子どもをもつ人や家族の介護をする人が、育児や介護と仕事を両立できるようにするため、「**育児・介護休業法**」に基づいて育児休業、介護休業が制度として定められています。

育児休業は、原則として満1歳未満の子を養育する労働者は、1人の子につき1回取得することができます。両親がともに取得する場合は1歳2か月まで期間が延長できます（**パパ・ママ育休プラス制度**）。父、母1人ずつが取得できる休業期間は1年間です。育児休業中は、要件を満たせば雇用保険から育児休業給付金が支給されます。

「雇用均等基本調査」によれば、2022（令和4）年度の**育児休業取得率**は女性80.2%、男性17.13%です。男性の取得率は近年上昇傾向にあります。

2021（令和3）年6月に「育児・介護休業法」が改正され、男性の育児休業取得を促進するための**産後パパ育休**がつくられました。育児休業の**分割取得**が可能になるほか、育児休業を取得しやすい雇用環境整備、取得状況の公表の義務づけなどが定められており、2022年4月から段階的に施行されています。

■産後パパ育休の内容

対象期間、取得可能期間	子の出生後8週間以内に4週間まで取得可能
申出期限	原則休業の2週間前まで
分割取得	分割して2回取得可能
休業中の就業	労働者と事業主の合意した範囲内で、事前に調整した上で休業中に就業することが可能

用語

高齢化社会・高齢社会
国際連合では、高齢化率（総人口に占める65歳以上の人口）が7%以上になった社会を「高齢化社会」、14%以上になった社会を「高齢社会」、21%以上になった社会を「超高齢社会」と定義している。

2 高齢者と福祉

(1) 少子高齢化の進行

日本では総人口に占める65歳以上の高齢者の割合（高齢化率）は、1970（昭和45）年に7%を超えて**高齢化社会**とな

2022年の簡易生命表によると、男性の平均寿命は81.05歳、女性の平均寿命は87.09歳です。

り、1994（平成６）年には14%を超えて**高齢社会**を迎えました。2023（令和５）年10月１日現在では、**日本の総人口**[*2]は約１億2,435万人で、65歳以上の高齢者の割合は29.1%に達し、**超高齢社会**を迎えています。2023（令和５）年の将来推計人口によれば、**高齢化率**は2045年には36.3%となり、2070年には38.7%に達すると予想されています。

高齢化と出生率低下による少子化が関連していることから、今の社会を**少子高齢社会**といいます。また、1950年代は３人を上回っていた**夫婦の出生児数**が、2021（令和３）年調査では1.90人となっています。日本の**合計特殊出生率**[*3]は、2022（令和４）年には1.26（確定値）まで下がっています。

０～14歳の年少者人口は1935（昭和10）年の36.9%を最高に毎年減少し、2023年10月１日現在は11.4%となり、この減少傾向は今後も続くとみられています。

また、老年人口（65歳以上）と年少人口（０～14歳）の比較をみると、1997（平成９）年には、老年人口が年少人口を上回りました。生産年齢人口（15～64歳）と老年人口の比較では、生産年齢人口２人で老年人口１人を支える状況になっています。

ここは覚えよう!!

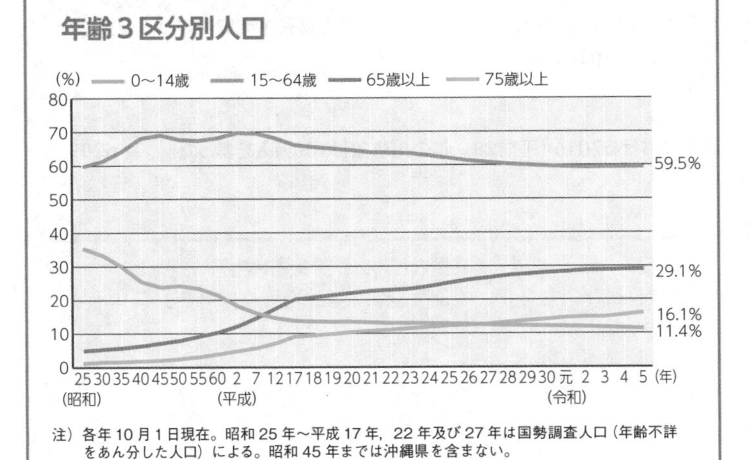

注）各年10月１日現在。昭和25年～平成17年，22年及び27年は国勢調査人口（年齢不詳をあん分した人口）による。昭和45年までは沖縄県を含まない。

出典：総務省統計局「人口推計」2023年をもとに作成

でた問!!

***2 日本の総人口**
日本の総人口、出生数、生産年齢人口について出題。
R3前、R4前

***3 合計特殊出生率**
合計特殊出生率について出題。
R1後

日本の出生数は2016（平成28）年にはじめて100万人を下回りました。

社会福祉

プラス１

2022（令和４）年の出生数
2022（令和４）年の出生数は過去最少の77万759人を記録した。

合計特殊出生率
⇨下巻 保健p97

プラス１

高齢者の医療問題
高齢者には、何らかの疾病を抱えている人が数多くみられる。2020（令和２）年の推計患者数（全国の医療施設で受療した患者の数）を年齢別にみると、65歳以上が入院の約７割、同じく外来の約５割を占め、1999（平成11）年から入院、外来ともに増加傾向にあり、この高齢者医療費が大きな社会問題になっている。

ポイント確認テスト

穴うめ問題

□□ **Q1** 予想
2022（令和4）年の日本の総世帯数は約5,431万世帯で、その約60%を（　　　）世帯が占めている。>>> **p201**

□□ **Q2** 過R6前
「令和4年版男女共同参画白書」（2022（令和4）年 内閣府）によると、近年、男性の育児休業取得率は（　　）している。>>> **p202**

□□ **Q3** 過R1後
厚生労働省の人口動態統計によると、わが国の合計特殊出生率は、2022（令和4）年で1.26と国際的にも（　　　）水準である。>>> **p203**

□□ **Q4** 過R6前
「令和4年版男女共同参画白書」（2022（令和4）年 内閣府）によると、雇用者の（　a　）数は増加傾向にある。一方で、2021（令和3）年における（　b　）は、妻が64歳以下の世帯では、夫婦のいる世帯全体の23.1%となっている。

○×問題

□□ **Q5** 過H31前
「2021年国民生活基礎調査の概況」によると、母子世帯は、父子世帯より多い。

□□ **Q6** 過H31前
「2022年国民生活基礎調査の概況」によると、全世帯のうち、最も多い世帯構造は、三世代世帯である。>>> **p201**

□□ **Q7** 過H31前
仕事をしている男性の2022（令和4）年度の育児休業取得率は、２割以上である。>>> **p202**

□□ **Q8** 過R3後
日本における2016（平成28）年の出生数は100万人を割った。>>> **p203**

解答・解説

Q1　核家族　Q2　上昇　Q3　低い　Q4　a 共働き世帯／b 専業主婦世帯
Q5　○　Q6　×　核家族世帯が最も多い。　Q7　×　「雇用均等基本調査」によると、17.13%で２割以下である。　Q8　○

子ども家庭福祉

子ども家庭福祉

子どもや子育て家庭への支援に関する科目です。子どもの権利についての思想や社会福祉制度、少子化や児童虐待問題などについて学びます。

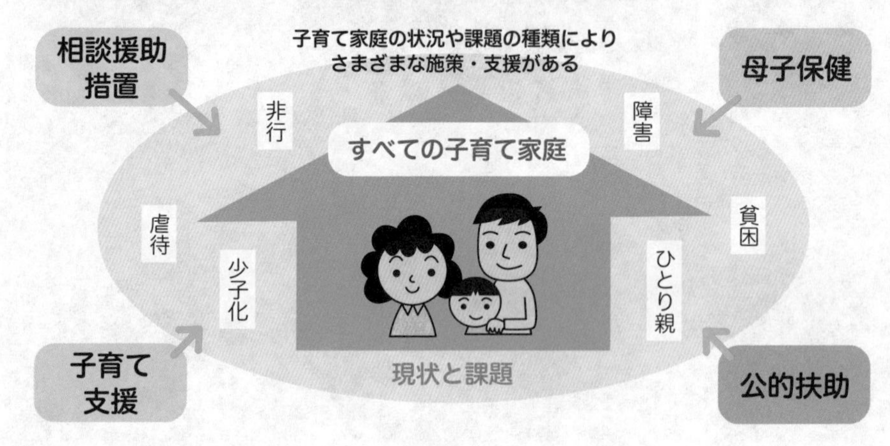

合格のコツは？

児童福祉関連の法律や条約の条文からの出題が５問程度あります。このため、法の目的などの条文を確実に理解しておくことが得点につながります。また、子ども家庭福祉の流れを法律や条約の**制定年の順**で問う問題も出題されています。主要な法律の制定年も確実に覚えておきましょう。**児童虐待**が増加していることを受けて、虐待関連、DV関連の事例問題が出題されています。保育士としての対応を考えられるようにしておきましょう。

関連法律・制度

・児童福祉法　・児童の権利に関する条約　・児童憲章
・児童福祉施設の設備及び運営に関する基準　・児童虐待の防止等に関する法律

関連統計・資料

・福祉行政報告例　・児童養護施設入所児童等調査結果

関連が強い科目

（上）社会福祉／社会的養護

出題分析 出題数：20問

- 20問の出題中、「**児童福祉法**」「**児童の権利に関する条約**」「**児童虐待の防止等に関する法律**」など法律や条約に関する問題が５問前後ある。また、法律や条約の制定年順を問う問題も１～２問程度出題される。
- 毎回、事例問題が出題される。特に**虐待**に関連した事例が多く、要保護児童対策地域協議会や保育士の対応等を確実に理解しておくことが得点につながる。
- 「**児童福祉法**」に規定されている児童福祉施設の目的、「**児童福祉施設の設備及び運営に関する基準**」の職員規定についてもよく出題される。

■過去6回の項目別出題数実績一覧 ※項目名は出題範囲の小項目を学習しやすいように改変しています

項目		R3後	R4前	R4後	R5前	R5後	R6前
現代社会における子ども家庭福祉の意義と歴史的変遷							
子ども家庭福祉の理念と概念	L1	3	2	2	1	1	0
子ども家庭福祉の歴史的変遷	L1	0	0	1	2	1	2
現代社会と子ども家庭福祉	L10	1	1	1	2	3	2
子ども家庭福祉と保育							
子ども家庭福祉の一分野としての保育	L2	0	0	0	0	0	0
児童の人権擁護と子ども家庭福祉	L1	1	2	2	1	1	0
子ども家庭福祉の制度と実施体系							
子ども家庭福祉の制度と法体系	L3	5	3	2	0	3	1
子ども家庭福祉行財政と実施機関	L4	0	0	0	1	0	0
児童福祉施設等	L4	0	2	3	3	2	1
子ども家庭福祉の専門職・実施者	L5	1	1	1	1	2	1
子ども家庭福祉の現状と課題							
少子化と子育て支援サービス	L6,10	2	2	2	2	1	4
母子保健と児童の健全育成	L7	0	0	0	1	0	1
多様な保育ニーズへの対応	L6	1	3	1	0	1	0
児童虐待防止・DV	L2,3,10	3	2	2	3	3	4
社会的養護	L4	1	0	0	1	0	1
障害のある児童への対応	L8	1	1	1	1	1	2
少年非行等への対応	L9	0	0	1	0	0	0
子ども家庭福祉の動向と展望							
次世代育成支援と子ども家庭福祉の推進	L6	1	1	1	1	1	1
保育・教育・療育・保健・医療等との連携とネットワーク	L5	0	0	0	0	0	0
諸外国の動向	L1	0	0	0	0	0	0

子ども家庭福祉 Lesson 1

子ども家庭福祉の意義と歴史

頻出度 Level 3

まずは、子ども家庭福祉とは何か、子どもの権利の歴史とともに学びましょう。

ココに注目!!

- 児童福祉法における子どもの権利
- 児童憲章の児童観
- 子ども家庭福祉の対象
- 子ども観の変遷

1 子ども家庭福祉の意義

(1) 子ども家庭福祉の理念

子ども家庭福祉とは、子どもが安全で安定した家庭のなかで適切な養育を受け、その**最善の利益**が守られるようにするための考え方、またそのためのさまざまな施策のことです。

「福祉」という言葉が含まれている通り、子ども家庭福祉は社会福祉の考え方に基づいています。子どもが権利の主体としてウェルビーイング (well-being) を実現することができるよう、社会全体で子どもの育つ環境を支えます。

これを実現するための土台となる法律が「児童福祉法」です。

❶「児童福祉法」の理念

「児童福祉法」は、第二次世界大戦後間もない1947（昭和22）年に制定されました。2016（平成28）年には、児童福祉の権利と保障についての原理・理念を示す第１条から第３条が大幅に改正されています。

ここで重要なのは、すべての子どもたちは愛され健やかに育つ権利をもっていること、その権利を保障することは国や地方公共団体などの公的機関の責務であることが述べられていることです。

＋プラス1

ウェルビーイング (well-being)
ウェルフェア（welfare ＝福祉）をさらに高めた用語で、人権思想を踏まえて「個人の権利や自己実現が保障され、身体的・精神的・社会的に良好な状態にあること」を意味している。個人の尊重につながる考え方である。

子どもの最善の利益
「児童の権利に関する条約」第3条に規定されており、子どもとの関わりにおいて常に考慮すべきであるとされている。

「児童福祉法」

第１条[*1] 全て児童は、児童の権利に関する条約の精神にのっとり、適切に養育されること、その生活を保障されること、愛され、保護されること、その心身の健やかな成長及び発達並びにその自立が図られることその他の福祉を等しく保障される権利を有する。

第２条[*1] 全て国民は、児童が良好な環境において生まれ、かつ、社会のあらゆる分野において、児童の年齢及び発達の程度に応じて、その意見が尊重され、その最善の利益が優先して考慮され、心身ともに健やかに育成されるよう努めなければならない。

第２項 児童の保護者は、児童を心身ともに健やかに育成することについて第一義的責任を負う。

第３項 国及び地方公共団体は、児童の保護者とともに、児童を心身ともに健やかに育成する責任を負う。

第３条 前二条に規定するところは、児童の福祉を保障するための原理であり、この原理は、すべて児童に関する法令の施行にあたつて、常に尊重されなければならない。

でた問!!

*1「児童福祉法」
第1条について出題。
R2後、R4前
第2条について出題。
R2後、R3前

❷「児童憲章」の理念

「児童福祉法」制定から４年後の1951（昭和26）年の「こどもの日」（５月５日）に、「児童憲章[*2]」が制定・宣言されました。ここでは、「子どもは社会の一員である」という新たな児童観が掲げられています。

*2「児童憲章」
前文について出題。
R1後、R3後、R4後

「児童憲章」前文

われらは日本国憲法の精神にしたがい、児童に対する正しい観念を確立し、すべての児童の幸福をはかるために、この憲章を定める。

児童は、人として尊ばれる。

児童は、社会の一員として重んぜられる。

児童は、よい環境の中で育てられる。

児童憲章のポイントは、「日本国憲法の精神にしたがい」とあるように、日本独自の子どもの権利を掲げたものであることです。

子ども家庭福祉

（2）子ども家庭福祉の対象

❶これまでの子ども家庭福祉の対象

これまでの対象は、家庭養育環境の問題（虐待（ぎゃくたい）、育児放棄

限局性学習症（SLD）
⇨下巻 保健p158

など）、心身の機能障害（肢体不自由、言語の機能障害、限局性学習症〔SLD〕など）、情緒や行動上の問題（不登校〔園〕、緘黙（かんもく）など）などの問題や障害をもち、保護を必要とする子どもが中心でした。

❷現在の子ども家庭福祉の対象

現在では、生活の質（QOL）を重視する考え方が一般化し、社会福祉は貧困者に「健康で文化的な最低限度の生活」を保障するだけのものではなくなってきています。

子ども家庭福祉においては、子どもはもちろんのこと、妊産婦や子育て家庭、さらに子どもと家庭が暮らす地域社会も対象に含み、社会全体で子どもの福祉を支援する考え方になっています。

❸「児童福祉法」における子ども家庭福祉の対象

「児童福祉法*3」では児童に加えて妊産婦が対象となっており、それぞれ以下のように定義されています。

でた問!!

*3「児童福祉法」
児童の定義について出題。
R1後、R6前

「児童福祉法」

第4条　児童とは、満18歳に満たない者をいい、児童を左のように分ける。
　一　乳児　満1歳に満たない者
　二　幼児　満1歳から、小学校就学の始期に達するまでの者
　三　少年　小学校就学の始期から、満18歳に達するまでの者
第5条　妊産婦とは、妊娠中又は出産後1年以内の女子をいう。

妊娠中とは、現に妊娠していることを指し、妊娠の届け出の有無によるものではありません。

2　子ども家庭福祉の歴史

（1）子ども観のはじまりと変遷

人は「子ども」をどのようにとらえてきたのでしょうか。子ども観は文化や時代によって異なりますが、現代に通じる子ども観を最も早い時期に示したのはフランスのルソーだといわれています。

✚プラス1

子ども家庭福祉の対象の定義
法律によって異なる。
・母子及び父子並びに寡婦福祉法……20歳に満たない者を「児童」という。
・少年法……20歳に満たない者を「少年」という。
・民法……20歳に満たない者を「未成年」という。

■ヨーロッパにおける子ども観の変遷

近代に至るまで
● ヨーロッパにおいて子どもは親や社会の所有物、もしくは働き手とみなされ、「小さな大人」と考えられていた。
18世紀後半～
● フランスの思想家**ルソー**を中心に、年齢相応の子どもらしさを認めようという動きが生まれてきた。 「子どもには乳幼児から青年へと至る自然な発達段階があり、自然は子どもが大人になる前に子どもであることを望んでいる」（ルソー『**エミール**』） ● 「人間は本来、創造力、活動力を備えているもので、それを発揮することに人間の生活があり、成長がある」（**フレーベル**） ● 「本来善である人間の性格は、環境によって悪くもなる。幼児期によい環境を与えることで、よい人格形成が促される」（**オーエン**）
19世紀末
● 子どもの保護、育成を積極的にすすめる行政が始まった。 ● 1870 年、イギリスで**バーナード**[*4] が児童養護施設「**子どもの家**」（のちのバーナードホーム）を開設。
20世紀以降
● スウェーデンの女性思想家**エレン・ケイ**[*5] が「**20 世紀は児童の世紀である**」と主張。子ども家庭福祉の前進に大きく貢献した。 ● **ワロン**は「子どもの権利とは、子どもが子どもであることの権利である」と主張。

(2) 子どもの権利に関する宣言・条約

日本を含む世界的な規模でみると、20世紀には子どもの権利に関するさまざまな宣言や条約が採択されています。

■子どもの権利に関する宣言・条約[*6]

1909年　第１回児童福祉ホワイトハウス会議（白亜館会議）
● アメリカでT.ルーズベルト大統領が開催。「**家庭は文明の最高の創造物**」と唱え、子どもにとっての家庭の重要性を強調。
1924年　「児童の権利に関するジュネーブ宣言」
● 1924 年国際連盟によって採択。 ● 子どもの権利を保障（**児童の最善の利益**）。

ルソー
⇨保原p59

『エミール』
⇨保原p59

フレーベル
⇨保原p56

オーエン
⇨保原p55

＊4 バーナード
バーナードについて出題。
R6前

＊5 エレン・ケイ
エレン・ケイについて出題。
R6前

エレン・ケイ
⇨教原p94

ワロン
Wallon, H.
1879～1962年。
フランスの心理学者・精神病理学者。

でた問!!

＊6 子どもの権利に関する宣言・条約
子どもの権利に関する宣言・条約の制定順について出題。
R1後、R6前

子ども家庭福祉

子どもの権利尊重の理念を主張し続けたポーランドの教育者コルチャック先生も忘れてはならない人物です。

1948年 「世界人権宣言」
●1948年国際連合によって採択。 ●子どもの生活の保障や教育の権利を含んだ宣言。
1959年 「児童権利宣言（児童の権利に関する宣言）」
●「児童の権利に関するジュネーブ宣言」「世界人権宣言」を踏まえ、1959年国際連合によって採択。 ●子どもの人権の保障に加え、成長のために必要な精神的・物質的利益（発達権、幸福追求権、教育権、レクリエーション権）の享受について掲示。
1989年 「児童の権利に関する条約*7」（通称：「子どもの権利条約」）
●1989年国際連合によって採択。 ●先行する宣言・条約を踏まえている。 ●子どもの基本的人権が国際的に保障されることを定めている。日本は1994（平成6）年に批准。

プラス1

1989年
「児童権利宣言」30周年、国際児童年10周年にあたる。「児童の権利に関する条約」が採択された年でもある。

でた問!!

***7「児童の権利に関する条約」**
第3条、第5条、第9条、第20条について出題。
R1後
第3条、第9条、第12条について出題。
R3後
第3条、第9条、第12条、第28条、第31条について出題。
R4前・後、R5前
第3条について出題。
R3前
第23条について出題。
R5後

❶「児童権利宣言」（児童の権利に関する宣言）

なかでも重要なのは、1959（昭和34）年に国際連合によって採択された「児童権利宣言」です。全10条で構成され、その前文には「人類は、児童に対し、最善のものを与える義務を負う」という表現がみられます。

「児童権利宣言」前文

（前略）児童は、身体的及び精神的に未熟であるため、その出生の前後において、適当な法律上の保護を含めて、特別にこれを守り、かつ、世話することが必要であるので、（中略）**人類は、児童に対し、最善のものを与える義務を負う**ものであるので、よってここに国際連合総会は、児童が幸福な生活を送り、かつ、自己と社会の福利のためにこの宣言に掲げる権利と自由を享受することができるようにするため、この児童権利宣言を公布し（後略）

❷「児童の権利に関する条約」（子どもの権利条約）

「**児童の権利に関する条約**」は、「児童権利宣言」の精神を踏まえ、1989（平成元）年に採択されました。この条約の最大の特徴は子どもを権利行使の主体とし、能動的権利を保障した点にあります。大きく分けて、**生存権**（生きる権利）、**発達権**（育つ権利）、**保護権**（守られる権利）、**意見表明権***8（参加・発言する権利）が明示されています。

「児童の権利に関する条約」

第3条

第1項　児童に関するすべての措置をとるに当たっては、公的若しくは私的な社会福祉施設、裁判所、行政当局又は立法機関のいずれによって行われるものであっても、**児童の最善の利益**が主として考慮されるものとする（児童の最善の利益）。

第12条

第1項　締約国は、自己の意見を形成する能力のある児童がその児童に影響を及ぼすすべての事項について**自由に自己の意見を表明する権利を確保する**（**意見表明権**[*8]）。この場合において、児童の意見は、その児童の**年齢**及び**成熟度**に従って相応に考慮されるものとする。

第2項　このため、児童は、特に、自己に影響を及ぼすあらゆる司法上及び行政上の手続において、国内法の手続規則に合致する方法により直接に又は代理人若しくは適当な団体を通じて聴取される機会を与えられる。

この条文により、子どもは保護されるだけの存在から、自分自身が実現したいことを考え、それを周囲に表明できる（**セルフアドボカシー**）存在へと転換したといえます。

ここは覚えよう!!

「児童の権利に関する条約」に先行する宣言・条約

- 「児童の権利に関するジュネーヴ宣言」（1924年）
- 「世界人権宣言」（1948年）
- 「児童の権利に関する宣言」（1959年）
- 「市民的及び政治的権利に関する国際規約」（1966年）
- 「経済的、社会的及び文化的権利に関する国際規約」（1966年）

↓

これらを踏まえて1989年に国際連合が採択　**「児童の権利に関する条約」**

でた問!!

***8 意見表明権**
子どもの意見表明権について出題。
R2後

用語

アドボカシーとセルフアドボカシー
第三者が子どもの意見を代弁して子どもの権利を擁護するアドボカシーに対し、子ども自身が権利、利益、ニーズなどを自ら主張することをセルフアドボカシーという。

アドボカシー
⇨社福p196

プラス1

「児童の権利に関する条約」締約国
署名国・地域数140
締約国・地域数196
アメリカは条約に署名したが批准していない（2021年11月時点。外務省ホームページより）。

「国際人権規約」
人権に関する条約のなかで最も基本的かつ包括的なものとして1966年に国際連合で採択された。

（3）日本の子ども家庭福祉のあゆみ

日本の子ども家庭福祉の流れ[*9]をみておきましょう。

❶最古の子ども家庭福祉

最も古い事例として、723年に設けられたとされる**悲田院**があげられます。その後、仏教伝来やキリスト教の布教活動にともない、特定の地区で孤児の救済活動がすすめられました。

❷明治期の子ども家庭福祉

明治になると、日本は西欧にならって近代国家の道を歩み始めます。1872（明治5）年には「学制」が発布され、近代的な教育制度を導入しますが、依然として農村部の暮らしは貧しく、一番の犠牲者は子どもたちでした。

そのようななか、1874（明治7）年に日本初の救貧法とよばれる「恤救規則」が施行されたものの、限定的な救貧法であり、子どもが恩恵を受けることはほとんどありませんでした。

一方で、宗教心などに基づく篤志家が各地に孤児などを保護・養育する施設を設立する動きが広がりました。特に有名なのは、**石井十次**[*10]が1887（明治20）年に設立した岡山孤児院です。この施設は、家族主義、非体罰主義など岡山孤児院12則に基づいて運営され、のちの児童養護施設のモデルになりました。

1890（明治23）年には**赤沢鍾美**が新潟静修学校を開校し、保育施設を併設しました。1908（明治41）年には、この施設を守孤扶独幼稚児保護会として保育事業を本格的に始めています。

また、非行少年たちを保護・教化して気持ちを変化させることを目的とする「感化院」も設立されました。1899（明治32）年には、**留岡幸助**[*11]によって東京の巣鴨に巣鴨家庭学校が設立され、同校は翌年制定の「感化法」によって国が設置を義務づけた公的な感化院のモデル施設となっています。

❸大正期の子ども家庭福祉

大正期に入ると、児童相談所の先駆けともいえる活動が東京や大阪で始まりました。肢体不自由児を対象とする援助活動も始まり、相談事業や保護施設が創設されたのもこの時期です。

1900（明治33）年、スウェーデンの思想家**エレン・ケイ**は『児童の世紀』と題する著作を発表し、「20世紀は児童の世紀である」と述べました。それが日本で英語から翻訳出版された

でた問!!
*9 子ども家庭福祉の流れ
施設と創設者について出題。
R1後

でた問!!
*10 石井十次
設立した施設について出題。
R5後、R6前

石井十次
⇨保原p67

赤沢鍾美
⇨保原p65

でた問!!
*11 留岡幸助
設立した施設について出題。
R5後、R6前

留岡幸助
⇨保原p67

巣鴨家庭学校の後身となるのが、杉並区の東京家庭学校です。現在は児童養護施設として運営されています。

エレン・ケイ
⇨教原p94

のは、1916（大正5）年のことでした。同書は当時の児童中心主義の立場に立った教育改造運動に、多大な影響を与えたといわれています。

❹昭和期（第二次世界大戦直後まで）の子ども家庭福祉

1929（昭和4）年、「恤救規則」に代わり、新しく「救護法」が制定され、制限つきではあるものの13歳以下の子どもと妊産婦が保護の対象となりました。1933（昭和８）年には、かつての「感化法」が「少年教護法」に改められ、新しく「児童虐待防止法」が制定されています。

第二次世界大戦が終わると「日本国憲法」が公布され、その理念に基づいて「児童福祉法」や「児童憲章」など、子どもを主体とする法の整備がすすめられました。

昭和8年の「児童虐待防止法」は、昭和21年の「児童福祉法」制定によって廃止されました。現在の「児童虐待防止法」は正式名称を「児童虐待の防止等に関する法律」といい、平成12年に公布されたものです。

■明治～昭和期（第二次世界大戦直後まで）の子ども家庭福祉

時代	年	出来事
明治	1874（明治７）年	「恤救規則」制定・施行。
	1883（明治16）年	池上雪枝（いけがみゆきえ）が私設の池上感化院を開設。
	1887（明治20）年	石井十次が岡山孤児院を開設。
	1890（明治23）年	赤沢鍾美が新潟静修学校を開設して保育施設を併設。
	1891（明治24）年	石井亮一（いしいりょういち）が滝乃川学園*12を開設。
	1899（明治32）年	留岡幸助が家庭学校（巣鴨）を創設。現在の児童自立支援施設の原型となる。
	1900（明治33）年	「感化法」公布。 野口幽香（のぐちゆか）*13、森島峰（もりしまみね）が二葉幼稚園（東京・麹町（こうじまち））を開設（後に四谷に移転）。
大正	1916（大正５）年	『児童の世紀』（エレン・ケイ）の翻訳、出版。
昭和	1929（昭和４）年	「救護法」制定（施行は1932年）。
	1933（昭和８）年	「感化法」が「少年教護法」に改正。 「児童虐待防止法」制定・施行。
	1937（昭和12）年	「母子保護法」制定（施行は翌年）。
	1942（昭和17）年	高木憲次（たかぎけんじ）が整肢療護園（肢体不自由児施設）を開設。
	1945（昭和20）年	終戦。日本の敗戦。
	1946（昭和21）年	「日本国憲法」公布（施行は翌年）。
	1947（昭和22）年	「児童福祉法」制定（施行は翌年）。
	1951（昭和26）年	「児童憲章」宣言。

でた問!!

*12 滝乃川学園
滝乃川学園と石井亮一について出題。
R5前・後

*13 野口幽香
野口幽香と二葉幼稚園について出題。
R5後

石井亮一
⇨保原p66

野口幽香、森島峰
⇨保原p65

ポイント確認テスト

できたらチェック！

穴うめ問題

☐☐ **Q1** 過R3前

「児童福祉法」第2条では、全て国民は、児童が良好な環境において生まれ、かつ、社会のあらゆる分野において、児童の（　a　）の程度に応じて、その意見が尊重され、その（　b　）が優先して考慮され、心身ともに健やかに育成されるよう努めなければならないとしている。>>> **p209**

☐☐ **Q2** 過H30前

「児童憲章」は、（　　　　）の精神にしたがい、児童に対する正しい観念を確立し、すべての児童の幸福をはかるために定められた。>>> **p209**

☐☐ **Q3** 過R6前

「児童福祉法」で定められる「乳児」とは、（　　　　）者である。>>> **p210**

☐☐ **Q4** 過R4後

「児童の権利に関する条約」第9条では、「1 締約国は、児童がその父母の意思に反してその父母から分離されないことを確保する。ただし、権限のある当局が司法の審査に従うことを条件として適用のある法律及び手続に従いその分離が児童の（　a　）のために必要であると決定する場合は、この限りでない。2 すべての関係当事者は、1の規定に基づくいかなる手続においても、その手続に参加しかつ（　b　）を述べる機会を有する」としている。>>> **p213**

○×問題

☐☐ **Q5** 過R1後

石井十次は、「岡山孤児院」を創設し、小舎制による養育や里子委託等の先駆的な実践方法を展開した。>>> **p214**

☐☐ **Q6** 過R5後

留岡幸助は、1899（明治32）年に東京巣鴨に私立の感化院である「家庭学校」を設立した。>>> **p214**

☐☐ **Q7** 過R1後

糸賀一雄は、日本で最初の知的障害児施設である「滝乃川学園」を創設した。>>> **p215**

☐☐ **Q8** 過R5後

野口幽香らは、東京麹町に「二葉幼稚園」を設立し、日本の保育事業の草分けの一つとなった。>>> **p215**

解答・解説

Q1　a 年齢及び発達／b 最善の利益　**Q2**　日本国憲法　**Q3**　満１歳に満たない　**Q4**　a 最善の利益／b 自己の意見

Q5　○　**Q6**　○　**Q7**　×　滝乃川学園を創設したのは石井亮一である。糸賀一雄は、知的障害児施設である近江学園を創設した。　**Q8**　○

子ども家庭福祉 Lesson 2

保育と子ども家庭福祉

頻出度 Level 5

保育士は保育の専門家として子ども家庭福祉に関わります。
その役割や連携のあり方について学びましょう。

ココに注目!!
- 保護者に対する支援の内容
- 保育所保育指針の地域における子育て支援とは
- 家庭支援に必要な連携とは
- 要保護児童対策地域協議会の役割

1 保育士と子ども家庭福祉

保育士は１日の大半を子どもと過ごすことから、養育に関する問題にいち早く気づくことのできる立場にいます。状況に応じて、子どもの最善の利益を守るために関係機関につなぐことも保育所の役割です。

また、保育所は家庭の外にある養育施設ですが、保護者とのコミュニケーションを通じて築いた信頼関係を基本に子育て家庭の支援ができます。子育てに関する**専門性**をもつ保育士は、その特性を生かすことで子ども家庭福祉においても重要な役割を担っています。

＋プラス1

「保育所保育指針」の「保育所の特性を生かした子育て支援」
- 相互の信頼関係を基本に、保護者の自己決定を尊重すること。
- 保育士等の専門性や（中略）保育所の特性を生かし、保護者が子どもの成長に気付き子育ての喜びを感じられるように努めること。

2 保護者に対する支援

保育所における**子どもの保護者に対する支援**[*1]として、具体的には以下のようなことがあげられます。

- **保育所への送迎時や行事などをとおした支援。**
- **多様なニーズに対応するためのさまざまな形態での保育。**
- **育児不安を抱えている保護者や、子どもに障害や発達上の問題がみられる保護者に対する個別支援。**
- **虐待（ぎゃくたい）が疑われる場合の地域内関係機関との連携。**

でた問!!

[*1] 子どもの保護者に対する支援
好き嫌いの多い子どもの保護者の相談対応について出題。
H31前

保育士がサポートするのは、入所している子どもやその保護者だけではありません。広く地域の子育て家庭のニーズにこたえることが求められています。

ここは覚えよう!!

保育士の業務

保育士の専門性
→ 子どもへの保育
→ 保護者に対する保育に関する指導（＝保育指導）
　→ 入所している子どもの保護者に対する支援
　→ 地域の子育て家庭への支援（主に一時預かり）

用語

保育指導
専門性を有する保育士が行う援助のこと。子どもの養育（保育）に関する相談、助言、行動見本の掲示その他の援助業務の総称。

3 地域における子育て支援

「保育所保育指針」では、保育所は、行っている保育に支障がない限り、地域の保護者等に対する支援を積極的に行うように努めることとしています。具体的には、市町村が主体となって行う**一時預かり事業***2があげられます。

***2 一時預かり事業**
市町村が主体となって行う事業について出題。
R3後

「保育所保育指針」第4章

子育て支援
3　地域の保護者等に対する子育て支援
（1）地域に開かれた子育て支援
ア　保育所は児童福祉法第48条の４の規定に基づき、その行う保育に支障がない限りにおいて、地域の実情や当該保育所の体制等を踏まえ、地域の保護者等に対して、保育所保育の専門性を活かした子育て支援を積極的に行うよう努めること。
イ　地域の子どもに対する一時預かり事業などの活動を行う際には、**一人一人の子どもの心身の状態などを考慮する**とともに、日常の保育との関連に配慮するなど、柔軟に活動を展開できるようにすること。
（2）地域の関係機関等との連携
ア　市町村の支援を得て、地域の関係機関等との積極的な連携及び協働を図るとともに、子育て支援に関する地域の人材との積極的な連携を図るよう努めること。

イ　地域の要保護児童への対応など、地域の子どもを巡る諸課題に対し、要保護児童対策地域協議会など関係機関等と連携及び協力して取り組むよう努めること。

4 関係機関との連携

(1) 要支援家庭への対応

核家族化がすすむなか、子育てへの不安や地域での孤立感を抱える家庭が増えています。このような家庭に対し適切な支援を行うことは、子どもたちへの**虐待予防**にもつながります。

保育所は家庭への支援と並行して、市町村や児童相談所など、地域における子どもや子育て家庭に関するソーシャルワークの中核機関と連携をとり、社会的な支援を行う必要があります。

子どもの最善の利益を優先することが重要で、子どもの意見を**代弁**すること（**アドボカシー**）が保育所（保育士）に求められる場合もあります。

(2) 要保護児童対策地域協議会

虐待を受けている子どもやその疑いのある子どもを発見したときは、市町村や児童相談所、**要保護児童対策地域協議会***3（子どもを守る地域ネットワーク）などの関係機関と密接に連携します。

要保護児童対策地域協議会は、要保護児童の適切な保護や、要支援児童、特定妊婦への適切な支援を図るために地方公共団体に設置されています。2004（平成16）年の「児童福祉法」の改正により法定化されました。令和元年度の要保護児童対策地域協議会を設置している市町村は1,738か所、設置割合は99.8%です（こども家庭庁「要保護児童対策地域協議会の設置運営状況調査結果の概要」令和２年度）。

具体的には、対象児童やその保護者に関する情報、適切な保護や支援を図るために必要な情報の交換や、支援対象児童に対する支援の内容に関する協議を行います。

＋プラス１

市区町村子ども家庭総合支援拠点
市区町村は、区域の子ども、その家庭、妊産婦等の福祉に関して必要な支援に係る業務を行い、特に要支援・要保護児童等への支援業務を強化するため市区町村子ども家庭総合支援拠点を整備するよう努めなければならない（民間委託も可能）。

アドボカシー
⇨社福p196

でた問!!

***3 要保護児童対策地域協議会**
要保護児童対策地域協議会について出題。
H31前、R1後

＋プラス１

要保護児童対策地域協議会への情報提供
「児童福祉法」第25条の3第2項の規定により、要保護児童対策地域協議会から情報提供等の求めがあった関係機関等は、これに応ずるよう努めなければならない。

「児童福祉法」第25条の5では、要保護児童対策地域協議会の職員と元職員の守秘義務を定めています。

子ども家庭福祉

ポイント確認テスト

穴うめ問題

☐ **Q1** ☐ 過R2後

「保育所保育指針」では、保護者に育児不安等が見られる場合には、保護者の希望に応じて（　　　）を行うよう努めることとしている。 >>> **p217**

☐ **Q2** ☐ 過H30後

「保育所保育指針」では、保育及び子育てに関する知識や技術など、保育士等の（　a　）や子どもが常に存在する環境など、保育所の特性を生かし、保護者が子どもの成長に気付き子育ての（　b　）を感じられるように努めることとしている。 >>> **p217**

☐ **Q3** ☐ 過H30後

「保育所保育指針」では、保護者に対する子育て支援を行う際には、各地域や家庭の実態等を踏まえるとともに、保護者の気持ちを受けとめ、相互の（　a　）を基本に、保護者の（　b　）を尊重することとしている。 >>> **p217**

☐ **Q4** ☐ 過R2後

「保育所保育指針」では、保護者に不適切な養育等が疑われる場合には、（　a　）や関係機関と連携し、（　b　）で検討するなど適切な対応を図ること。また、虐待が疑われる場合には、速やかに（　a　）又は児童相談所に通告し、適切な対応を図ることとしている。 >>> **p219**

○×問題

☐ **Q5** ☐ 過R6前

保育所に通所している父子家庭の児童とその兄の養育状況が心配なため、保育所長に相談し、要保護児童対策地域協議会担当者に連絡する保育士の対応は適切である。 >>> **p219**

☐ **Q6** ☐ 過R2後

地方公共団体は、要保護児童対策地域協議会を必ず設置しなければならない。

☐ **Q7** ☐ 過R4後

令和元年6月19日に成立した「児童虐待防止対策の強化を図るための児童福祉法等の一部を改正する法律」（令和元年法律第46号）では、要保護児童対策地域協議会から情報提供等の求めがあった関係機関等は、これに応ずるよう努めなければならないこととされた。 >>> **p219**

☐ **Q8** ☐ 過R4前

細かな個人情報の取り扱いが求められることから、市区町村子ども家庭総合支援拠点の実施主体を民間に委託することはできない。 >>> **p219**

解答・解説

Q1　個別の支援　**Q2**　a 専門性／b 喜び　**Q3**　a 信頼関係／b 自己決定　**Q4**　a 市町村／b 要保護児童対策地域協議会

Q5　○　**Q6**　×　設置するように努めなければならない。　**Q7**　○　**Q8**　×　民間に委託することは可能である。

子ども家庭福祉 Lesson 3

子ども家庭福祉の法律

頻出度 Level 5

子どもと子育て家庭の健全な育成と生活を支えるために、さまざまな法律が定められています。成立順や主な事業を覚えましょう。

ココに注目!!
- 児童福祉法の内容と変遷
- 児童扶養手当法の支給要件
- 子ども・子育て関連3法による支援
- 生活保護法の扶助の種類

1 「児童福祉法」の概要

(1)「児童福祉法」で定められているもの

1947（昭和22）年に制定された「**児童福祉法**」は、子ども家庭福祉施策の中心となるものであり、子ども家庭福祉の基本理念を示すとともに次のような諸規定があります。

- **児童等（児童・妊産婦・保護者の定義）についての規定**
- **児童自立生活援助事業等についての規定**
- **児童福祉施設等についての規定**
- **児童福祉審議会、児童福祉司、児童委員、都道府県、市町村、児童相談所、保健所の業務についての規定**
- **療育の指導などの福祉の保障や措置についての規定**

(2)「児童福祉法」の実施体系

「児童福祉法」を円滑かつ適正に実施するために、次の３つの法令が定められています。

- **「児童福祉法施行令」**……「児童福祉法」による「福祉の保障」のうち、**医療・療育・保育・養育里親・児童福祉施設・保育士試験**などについての実施基準（政令）。
- **「児童福祉法施行規則」**……児童相談所、児童福祉司、福

「児童福祉法」には、本文の内容のほかに子ども家庭福祉行政のために必要な経費について、国・都道府県・市町村の負担割合が示されています。

祉の保障、児童福祉施設、保育士養成施設、保育士試験などについての実施基準（厚生労働省令）。

- **「児童福祉施設の設備及び運営に関する基準」**……「児童福祉法」第45条の規定による児童福祉施設の設備および運営についての最低基準（内閣府令）。各児童福祉施設における**設備の基準**、**職員**、**養育・養護**、**保育の内容**、保護者・関係機関との連絡などについて示されている。

2 「児童福祉法」の改正

1947（昭和22）年に制定された「児童福祉法」は、子どもを取り巻く環境の変化にともない、その後何度も改正されています。

そのうち1997（平成9）年の改正は、同法制定以来はじめての大きな改正でした。ここでは、1997年以降の改正について、ポイントを絞って表にしています。

任用資格
⇨社福p175

用語

名称独占
資格をもっている者だけが名乗ることのできる資格。保育士資格をもたない者は、保育士と名乗ることはできない。

児童委員
市町村の各区域に置かれている子ども家庭福祉のための民間の奉仕者。厚生労働大臣の委嘱により任命され、民生委員が兼任する。担当区域内において子どものいる家庭や妊産婦の生活・環境を把握し、必要な援助や指導を行う。また、社会福祉主事、児童福祉司の職務に協力する。

主任児童委員
区域を担当せず、子ども家庭福祉に関する事項を専門的に担当する児童委員。厚生労働大臣が児童委員から指名する。

■「児童福祉法」改正のポイント

1997（平成９）年の改正／1998（平成10）年４月から施行
● 保育所への入所選択利用可。 ● 放課後児童健全育成事業の法定化。 ● **児童家庭支援センター**の創設。
2001（平成13）年の改正
● ①保育士の資格が**任用資格**から国家資格に移行し、**名称独占**に。②認可外保育施設への監督強化。③**児童委員**の職務の明確化、**主任児童委員**の法定化。
2004（平成16）年の改正
● 市町村の役割を明確化。**児童相談所**は、要保護性の高い困難事例への対応を中心とした業務を行うこととされた。 ● 地方公共団体は、「要保護児童対策地域協議会」を設置し、情報提供や協力を求めることができるようになった。 ● **家庭裁判所**の承認による施設入所の措置は、原則として２年以内と規定された。 ● 小児慢性特定疾患治療研究事業の法定化。

2008（平成20）年の改正

- 子育て支援事業として、次の事業が追加された。①**乳児家庭全戸訪問事業**（こんにちは赤ちゃん事業） ②養育支援訪問事業 ③**地域子育て支援拠点事業** ④一時預かり事業
- 小規模住居型児童養育事業（**ファミリーホーム**）の創設。
- 家庭的保育事業（保育ママ）の法定化。

2010（平成22）年の改正／2012（平成24）年から施行

- 障害児の定義に精神障害児が加えられ、**精神障害児**に**発達障害児**が含まれるようになった。
- **障害児入所施設**と**児童発達支援センター**の創設。
- 障害児に対する支援として、**放課後等デイサービス**や**保育所等訪問支援**の創設。

2011（平成23）年「児童福祉法施行規則」の改正

- おじ、おばが親族里親から**養育里親**に変更され、里親手当の支給対象とされた。

2012（平成24）年の改正

- 障害児の定義に**難病等の児童**が追加。

2015（平成27）年4月「子ども・子育て関連3法」が施行

- **子ども・子育て支援新制度**のスタートにともない、「児童福祉法」第39条における保育所を利用できる子どもの要件が「保育に欠ける」子どもから「**保育を必要とする**」子どもに変更。
- **幼保連携型認定こども園**が児童福祉施設に加わり12種類となった。
- 小規模保育事業、居宅訪問型保育事業、事業所内保育事業、病児保育事業、子育て援助活動支援事業（ファミリー・サポート・センター事業）の法定化。

2016（平成28）年の改正

- 「児童福祉法」の理念の明確化。第1条、第2条の改正、国及び地方公共団体の責務の追加。
- 児童相談所に**弁護士**を配置するか、それに準ずる措置（そち）を講じることとされた。

2016（平成28）年の改正／2017（平成29）年4月から施行

- 東京23区の児童相談所設置が可能に。
- 自立援助ホームの対象年齢が、大学等に就学中の者については、**22歳の年度末**まで延長が可能に。
- 要保護児童対策地域協議会を調整する市町村担当部署に**専門職**配置の義務化。
- 情緒障害児短期治療施設が**児童心理治療施設**に改称。施設の定義も改正。
- 養子縁組希望里親の法定化。
- 都道府県の児童相談所の業務として、里親の開拓から児童の自立支援までの一貫した里親支援や、養子縁組に関する相談・支援の位置づけ。

乳児家庭全戸訪問事業
⇨p267

地域子育て支援拠点事業
地域の育児相談や子育て中の親子の交流促進等を行う場を設ける事業。実施主体は市町村（特別区を含む。社会福祉法人等への委託も可）で、常設の子育て拠点を設ける一般型と、児童福祉施設等に親子が集う場を設ける連携型に分かれる。

ここでいう専門職とは、児童福祉司、保健師、保育士等を指します。

2017（平成29）年の改正
●虐待を受けている児童等の保護者に対する指導に家庭裁判所の関与が可能に。 ●児童相談所長等が親権者等の意に反して２か月を超える一時保護を行う場合、家庭裁判所の承認を得なければならないとされた。 ●親権者等の意に反した施設入所の場合だけでなく、一時保護や同意を得て行われた施設入所等の場合も親権者等の接近禁止が可能に。

2019（令和元）年の改正
●児童相談所長、児童福祉施設長、小規模住居型児童養育事業の養育者、里親が体罰を加えることができないとされた。

2022（令和４）年の改正／2024（令和６）年４月から施行
●こども家庭センターの設置（市区町村の努力義務）。 ●医療型発達支援をすべての障害児を対象にする児童発達支援に一元化。 ●放課後等デイサービス対象児童の拡大。 ●親子再統合支援事業、社会的養護自立支援拠点事業、意見表明等支援事業、妊産婦等生活援助事業、子育て世帯訪問支援事業、児童育成支援拠点事業、親子関係形成支援事業の創設。 ●児童福祉施設として里親支援センターを追加（第二種社会福祉事業）。 ●児童をわいせつ行為から守る環境整備（保育士の資格管理の厳格化）。

プラス１

こども家庭センター
これまで、児童福祉分野では子ども家庭総合支援拠点が、母子保健分野では子育て世代包括支援センターが支援や実情把握等を担ってきたが、それぞれが把握していた事案の情報共有に課題がみられたことなどから、両者を一体化し、すべての妊産婦・子育て世帯・子どもの一体的な相談を行うこども家庭センターを創設することとなった。

3 子ども家庭福祉の法律

子ども家庭福祉に関する法律[*1]には、「児童福祉法」以外にも、さまざまな手当、支援策や措置（そち）などを規定する法律などがあります。

でた問!!

***1 子ども家庭福祉に関する法律**
法律の制定順について出題。
H31前、R3前、R5前

用語

措置
一般的には、ものごとを取りはからって問題を解決することの意味。社会福祉領域においては、対象者への給付の実施を行政機関の権限として決定することを指す場合が多い。

（1）「児童扶養手当法[*2]」（1961〔昭和36〕年制定）

❶対象

父または母と生計を同じくしていない児童が育成される家庭（支給要件に該当する児童を監護している者）。

❷目的

対象家庭の生活の安定と自立の促進に寄与することで、児童の福祉の増進を図る。

❸内容

支給要件に該当する者に対し、児童扶養手当を支給する。この手当の支給に要する費用は、国が1/3、都道府県が2/3を負担する。

***2「児童扶養手当法」**
「児童扶養手当法」について出題。
R5後

■支給要件

- 父母が婚姻を解消した児童
- 父または母が死亡した児童
- 父または母が政令で定める程度の障害の状態にある児童
- 父または母の生死が明らかではない児童
- その他各支給要件に準ずる状態にある児童で、政令で定める者（父等が「配偶者からの暴力の防止及び被害者の保護等に関する法律」の規定により、「母等の身辺へのつきまといの禁止等に係る命令を受けた児童」など）のいずれかに該当するときに母または監護者

都道府県知事が行った手当の支給に関する処分に不服がある場合は、異議を申し立てることができます。

（2）「特別児童扶養手当等の支給に関する法律」（1964〔昭和39〕年制定）

❶対象

- **特別児童扶養手当**……在宅で20歳未満の障害児を監護する父・母または養育者
- **障害児福祉手当**……在宅の重度障害児
- **特別障害者手当**……在宅で精神または身体に障害を有する者

用語

障害児
規定の障害等級に該当する程度の障害の状態にある20歳未満の者。

❷目的

障害に応じた各種手当を支給することで、福祉の増進を図る。

❸内容

支給要件に該当する者に対し、該当する福祉手当を支給する。

■支給要件

特別児童扶養手当	在宅で20歳未満の障害児の父もしくは母がその障害児を監護するとき、または父母以外の者が養育するときに、その父・母または養育者に対して支給
障害児福祉手当	在宅の重度障害児（精神または身体に障害を有する児童のうち、政令で定める程度の重度の障害の状態にあるため、日常生活において常時の介護を必要とする者）に支給
特別障害者手当	在宅の特別障害者（20歳以上であって、政令で定める程度の著しく重度の障害の状態にあるため、日常生活において常時特別の介護を必要とする者）に支給

(3)「母子及び父子並びに寡婦福祉法」（1964〔昭和39〕年「母子福祉法」として制定）

❶対象

母子家庭等（母子家庭および父子家庭）、寡婦（かふ）。

❷目的

対象家庭等の生活の安定と向上に必要な措置を講じることによって福祉を図る。

❸内容

対象によって、次のような支援を行う。

母子及び父子家庭	日常生活支援事業、保育所の入所に関する特別の配慮、福祉資金の貸し付け、売店等の設置の許可、公営住宅の供給に関する特別の配慮など
寡婦	寡婦福祉資金の貸し付け、寡婦日常生活支援事業、売店等の設置の許可など

なお、この法律の「児童」は20歳未満の者を指します。

(4)「母子保健法*3」（1965〔昭和40〕年制定）

❶対象

妊産婦、乳児、幼児。

❷目的

母性並びに乳児及び幼児の健康の保持及び増進を図るため、母子保健に関する原理を明らかにするとともに、母性並びに乳児及び幼児に対する保健指導、健康診査、医療その他の措置を講じ、もって国民保健の向上に寄与する。

❸内容

- **母子保健の向上に関する措置**……妊産婦への保健指導、母子健康手帳の交付、１歳６か月児・３歳児健康診査、妊娠や低出生体重児の届け出、養育医療の給付など。
- **母子健康包括支援センター（子育て世代包括支援センター）についての規定**……新生児や未熟児の訪問指導、栄養摂取に関する援助など。

妊産婦やその子どもの住む地域に密着した措置である性格から市町村が実施主体となっています。

＋プラス１

「母子及び父子並びに寡婦福祉法」
1964（昭和39）年に「母子福祉法」として制定、1981（昭和56）年に「母子及び寡婦福祉法」に改正・改称、2014（平成26）年に「母子及び父子並びに寡婦福祉法」に改正・改称。

用語

寡婦
配偶者のない女子で、かつて配偶者のない女子として児童を扶養していたことのある女子（母子家庭の母であった者）。

でた問!!

***3「母子保健法」**
「母子保健法」について出題。
R1後、R3後、R5前

用語

妊産婦、乳児、幼児
「児童福祉法」の定義と同じである。
⇨p210

新生児
生後28日までの乳児のこと。

(5)「児童手当法*4」(1971〔昭和46〕年制定)

*4「児童手当法」
「児童手当法」について出題。
R3前

❶対象

中学校卒業までの児童を養育している者。

❷目的

父母その他の保護者が子育てについての**第一義的責任**を有するという基本的認識のもとに、家庭等における**生活の安定**に寄与するとともに、次代の社会を担う**児童の健やかな育成及び資質の向上**に資する。

❸内容

対象となる児童を養育している者に、児童手当を支給する。

児童手当は、「子ども・子育て支援法」では、子どものための現金給付として規定されています。2024年10月からは所得制限の撤廃と18歳までの給付に拡大される予定です。

ここは覚えよう!!

児童福祉六法の制定年

子ども家庭福祉にかかわる次の6つの法律をあわせて**児童福祉六法**という。

法律	制定年
児童福祉法	1947(昭和22)年
児童扶養手当法	1961(昭和36)年
母子福祉法 (現:母子及び父子並びに寡婦福祉法)	1964(昭和39)年
特別児童扶養手当法	1964(昭和39)年
母子保健法	1965(昭和40)年
児童手当法	1971(昭和46)年

(6)「児童買春、児童ポルノに係る行為等の規制及び処罰並びに児童の保護等に関する法律」(児童買春・児童ポルノ禁止法*5)(1999〔平成11〕年制定)

でた問!!

*5「児童買春・児童ポルノ禁止法」
「児童買春・児童ポルノ禁止法」について出題。
R3後、R6前

❶対象

児童(満18歳に満たない者)。

❷目的

児童を**性的搾取**および**性的虐待**から守る。

子ども家庭福祉

➕プラス1

児童買春・児童ポルノの検挙件数

2023（令和5）年の児童買春事件の検挙件数は577件で前年より増加、児童ポルノ事件の検挙件数は2,789件で、前年に比べ減少した。2010年代以降、児童買春は減少傾向にある。児童ポルノは2018（平成30）年以降は3,000件前後で推移している。

＊6「児童虐待の防止等に関する法律」

「児童虐待の防止等に関する法律」の目的について出題。

R3前

第8条の2について出題。

R5前

第14条について出題。

R3前、R6前

❸内容

国外犯も含め、処罰の対象となる行為（児童買春やその周旋、児童ポルノの所持、児童買春目的の人身売買等）や罰則などについて規定している。

（7）「児童虐待の防止等に関する法律＊6」（児童虐待防止法）（2000〔平成12〕年制定）

❶対象

児童（満18歳に満たない者）。

❷目的

児童虐待の禁止、その予防や早期発見。児童の権利利益の擁護。

❸内容

国・地方公共団体の責務、国民の通告義務、被虐待児を保護するための措置などを規定している。また、親がしつけとして体罰を加えることを禁止している。

> **「児童虐待の防止等に関する法律」**
>
> **第1条**
>
> この法律は、児童虐待が児童の人権を著しく侵害し、その心身の成長及び**人格の形成**に重大な影響を与えるとともに、我が国における将来の世代の育成にも懸念を及ぼすことにかんがみ、児童に対する虐待の禁止、児童虐待の予防及び**早期発見**その他の児童虐待の防止に関する国及び地方公共団体の責務、児童虐待を受けた児童の**保護**及び自立の支援のための措置等を定めることにより、児童虐待の防止等に関する施策を促進し、もって**児童の権利利益の擁護に資すること**を目的とする。
>
> **第14条**
>
> **第1項**　児童の**親権**を行う者は、児童のしつけに際して、児童の**人格**を尊重するとともに、その年齢及び発達の程度に配慮しなければならず、かつ、**体罰**その他の児童の心身の健全な発達に有害な影響を及ぼす言動をしてはならない。

「児童虐待防止法」については「社会的養護」、「社会福祉」からも出題されています。

（8）「子どもの貧困対策の推進に関する法律[7]」（子どもの貧困対策法）（2013〔平成25〕年制定）

❶対象

児童（満18歳に満たない者）。

❷目的

すべての子どもが健やかに育成され、**教育の機会均等**が保障され、一人ひとりが夢や希望をもつことができるよう、子どもの貧困対策を総合的に推進する。

❸内容

政府は子どもの貧困対策を総合的に推進するための**大綱**（たいこう）を策定することとし、関係閣僚で構成された子どもの貧困対策会議を内閣府に設置することを定める。

でた問!!

*7「子どもの貧困対策の推進に関する法律」
「子どもの貧困対策の推進に関する法律」について出題。
R4前、R5後
子供の貧困対策に関する大綱について出題。
R3後

ここは覚えよう!!

子ども家庭福祉関連法の対象者

法律	対象者
児童福祉法	児童（満18歳に満たない者）、妊産婦、保護者
児童扶養手当法	父または母と生計を同じくしていない児童（18歳に達する日以後の最初の3月31日までの間にある者または20歳未満で政令で定める程度の障害の状態にある者）が育成される家庭
特別児童扶養手当等の支給に関する法律	在宅で精神または身体に障害を有する者（特別障害者手当）、および20歳未満の障害児を監護する父・母または養育者（特別児童扶養手当、障害児福祉手当）
母子及び父子並びに寡婦福祉法	母子および父子家庭、寡婦
母子保健法	妊産婦、乳児（1歳未満）、幼児（満1歳～小学校就学の始期）
児童手当法	中学校卒業までの児童を養育している者
児童買春・児童ポルノ禁止法	児童（満18歳に満たない者）
児童虐待防止法	児童（満18歳に満たない者）
子どもの貧困対策法	児童（満18歳に満たない者）
こども基本法	心身の発達の過程にある者

「子どもの貧困対策の推進に関する法律」第2条

子どもの貧困対策は、社会のあらゆる分野において、子どもの年齢及び発達の程度に応じて、その意見が尊重され、その最善の利益が優先して考慮され、子どもが心身ともに健やかに育成されることを旨として、推進されなければならない。

2　子どもの貧困対策は、子ども等に対する教育の支援、生活の安定に資するための支援、職業生活の安定と向上に資するための就労の支援、経済的支援等の施策を、子どもの現在及び将来がその生まれ育った環境によって左右されることのない社会を実現することを旨として、子ども等の生活及び取り巻く環境の状況に応じて包括的かつ早期に講ずることにより、推進されなければならない。

3　子どもの貧困対策は、子どもの貧困の背景に様々な社会的な要因があることを踏まえ、推進されなければならない。

4　子どもの貧困対策は、国及び地方公共団体の関係機関相互の密接な連携の下に、関連分野における総合的な取組として行われなければならない。

(9)「子ども・子育て関連3法」(2012〔平成24〕年制定、2015〔平成27〕年施行)

「子ども・子育て関連３法」は、幼児期の学校教育・保育、地域の子ども・子育て支援を総合的に推進することを目的としています。具体的には、施設型給付（認定こども園、幼稚園、保育所を通じた共通の給付）と地域型保育給付（小規模保育等への給付）、子育てのための施設等利用給付、地域子ども・子育て支援事業、子ども・子育て会議の設置などが盛り込まれています。

(10)「こども基本法」(2022〔令和4〕年制定、2023〔令和5〕年施行)

「こども基本法」は、「日本国憲法」と「児童の権利に関する条約」の精神にのっとり、すべての子どもがひとしく健やかに成長することができ、権利の擁護が図られ、将来にわたって幸福な生活を送ることができる社会の実現を目指して、こども施策を総合的に推進することを目的としています。こども施策を総合的に推進するため、こども家庭庁が2023（令和５）年４月に創設されました。

プラス1

「子ども・子育て関連3法」
「子ども・子育て支援法」「就学前の子どもに関する教育、保育等の総合的な提供の推進に関する法律の一部を改正する法律」「子ども・子育て支援法及び就学前の子どもに関する教育、保育等の総合的な提供の推進に関する法律の一部を改正する法律の施行に伴う関係法律の整備等に関する法律」をいう。

こども大綱の策定
「こども基本法」に基づき、それまでの「少子化社会対策大綱」「子供・若者育成支援推進大綱」「子供の貧困対策に関する大綱」を一本化し、子ども施策に関する基本的な方針や重要事項等を一元的に定めるものである。

「こども大綱」
⇨p257

4 子どもの健全な養育に関わる法律

子育てが行われる家庭の生活環境を保護し、子どもが健全に養育されることを支援する法律として、次のようなものがあります。

(1)「生活保護法」(1950〔昭和25〕年制定)

「生活保護法」
⇨社福p159

生活保護制度では、資産、能力等あらゆるものを活用することを前提として必要な保護が行われます。扶養義務者からの扶養は保護に優先されます。

❶対象

生活に困窮(こんきゅう)するすべての国民。

❷目的

「日本国憲法」第25条に規定する理念に基づき、国民の最低限度の生活を保障し、その自立を助長する。

❸内容

子ども家庭福祉関連では、**分娩費**(ぶんべんひ)(助産費)を支給する**出産扶助**(ふじょ)、義務教育を受けるための学用品費として**教育扶助**がある。

(2)「母子家庭の母及び父子家庭の父の就業の支援に関する特別措置法」(2012〔平成24〕年制定)

❶対象

母子家庭の母、父子家庭の父。

❷目的

母子家庭の母や**父子家庭の父**が置かれている**特別の事情**に対して、就業の支援に関する特別の措置を講じ、母子家庭、父子家庭の福祉を図る。

❸内容

国および地方公共団体は、次の業務に従事する人材の育成・資質の向上に留意して施策を充実する。

- **情報通信技術等に関する職業能力の開発・向上**
- **多様な就業の機会の確保(情報通信ネットワークを利用した在宅就業など)**

また、民間事業者に対しては、母子家庭の母や父子家庭の父の優先雇用や**就業の促進**を図るために必要な協力を求める。

✚プラス1

特別の事情
〈母子家庭の母〉
子育てと就業との両立が困難、就業に必要な知識や技能を習得する機会の不足など。
〈父子家庭の父〉
子育てと就業との両立が困難であることなど。

ポイント確認テスト

穴うめ問題

Q1 過R5前

子ども家庭福祉に関する法律である児童扶養手当法、児童福祉法、児童手当法、児童虐待の防止等に関する法律、少年法を制定年の古い順に並べると（ a ）（ b ）（ c ）（ d ）（ e ）になる。 >>> p227

Q2 過R3前

「児童手当法」第1条では、「この法律は、（中略）（ a ）の適切な実施を図るため、父母その他の保護者が子育てについての（ b ）を有するという基本的認識の下に、児童を養育している者に児童手当を支給することにより、家庭等における（ c ）に寄与するとともに、次代の社会を担う児童の健やかな成長に資することを目的とする」としている。 >>> p227

Q3 過R3前

「児童虐待の防止等に関する法律」第1条では、「児童に対する虐待の禁止、児童虐待の予防及び（ a ）その他の児童虐待の防止に関する国及び地方公共団体の責務、児童虐待を受けた児童の（ b ）及び自立の支援のための措置等を定める」としている。 >>> p228

Q4 過R4前

「子どもの貧困対策の推進に関する法律」第2条では、「子どもの貧困対策は、子ども等に対する（ a ）、生活の安定に資するための支援、（中略）子ども等の生活及び取り巻く環境の状況に応じて（ b ）かつ早期に講ずることにより、推進されなければならない」としている。 >>> p230

○×問題

Q5 過R1後

「母子保健法」では、市町村は、妊娠の届出をした者に対して、母子健康手帳を交付しなければならないとしている。 >>> p226

Q6 過R1後

「母子保健法」では、市町村は、（中略）内閣府令の定めるところにより、健康診査を行わなければならないとしている。 >>> p226

Q7 過R6前

「児童虐待の防止等に関する法律」第14条では、「児童の養育を行う者は、児童のしつけに際して、児童の人格を尊重する」としている。 >>> p228

Q8 過R6前

「児童虐待の防止等に関する法律」第14条では、「懲戒その他の児童の心身の健全な発達に有害な影響を及ぼす言動をしてはならない」としている。 >>> p228

解答・解説

Q1 a 児童福祉法／b 少年法／c 児童扶養手当法／d 児童手当法／e 児童虐待の防止等に関する法律 **Q2** a 子ども・子育て支援／b 第一義的責任／c 生活の安定 **Q3** a 早期発見／b 保護 **Q4** a 教育の支援／b 包括的

Q5 ○ **Q6** ○ **Q7** × 養育ではなく親権。 **Q8** × 懲戒ではなく体罰。

子ども家庭福祉 Lesson 4

子ども家庭福祉の実施体系

頻出度 Level 4

このレッスンでは、児童福祉行政のしくみと12の児童福祉施設について学びます。それぞれが担っている役割を理解しましょう。

ココに注目!!
- 子ども家庭福祉に関わる行政組織
- 児童相談所の業務内容
- 福祉事務所の業務内容
- さまざまな児童福祉施設の目的

1 子ども家庭福祉の行政

（1）国

福祉に関する国の代表機関は厚生労働省ですが、2023（令和5）年4月に**こども家庭庁**が創設され、子ども及び子育て家庭の福祉の増進・保健の向上、子どもの健やかな成長・子育て支援、子どもの権利利益の擁護に関する事務を行っています。

用語
厚生労働省
社会福祉、社会保障および公衆衛生の向上と増進、ならびに労働条件その他の労働者の働く環境の整備、職業の確保を図ることを任務とし、国の行政事業を一体的に遂行する責任を負う機関。

（2）地方公共団体

- **都道府県**……児童家庭課、子育て支援課などが子どもの福祉に関する事務を、衛生部、公衆衛生部、保健課などが母子の**保健指導**などを担当。
- **政令指定都市（以下、指定都市という）**……都道府県とほぼ同等の権限をもつ。
- **中核市**……児童福祉施設の設置許可など、一部の子ども家庭福祉行政について、都道府県、指定都市の事務を処理。
- **一般の市**……福祉部、民生部、保健福祉部などに児童課、保育課を置き、子ども家庭福祉行政の事務を処理。
- **町村**……福祉全般の事務を担当する住民課、保育課、厚生課などが子ども家庭福祉関係の事務を処理。

用語

政令指令都市
人口50万人以上で特に政令により指定されている都市。2024（令和６）年３月時点で全国に20都市ある。

中核市
地方分権を推進するために定められた、人口20万人以上の市。都道府県の業務のうち、福祉、衛生、都市計画など日常生活に関わりの深い事務を処理。

▸▸▸ ここは覚えよう!!

行政組織

「国及び地方公共団体は、児童の保護者とともに、児童を心身ともに健やかに育成する責任を負う」（「児童福祉法」第２条第３項）

国

厚生労働省
- 福祉に関する中央行政機関
- 国の行政事業を一体的に遂行する責任を負う

子ども家庭庁
- こども成育局
  - ・妊娠・出産の支援、母子保健、成育医療等
  - ・就学前のすべてのこどもの育ちの保障
  - ・すべてのこどもの居場所づくり
  - ・こどもの安全
- こども支援局
  - ・困難を抱えるこどもや家庭に対する切れ目ない包括的支援
  - ・児童虐待防止、社会的養護の充実・自立支援
  - ・こどもの貧困対策・ひとり親家庭の支援
  - ・障害児支援

地方公共団体

- 都道府県と特別区（東京23区）、および市町村に分けられる
- 政令指定都市は、都道府県とほぼ同様の権限をもち、子ども家庭福祉に関する業務を行う
- 1994（平成６）年の「地方自治法」改正により、中核市が創設され、児童福祉施設の設置認可など、一部の子ども家庭福祉行政において都道府県、政令指定都市と同様の業務を行うことができるようになった

2 子ども家庭福祉の実施機関

（1）市町村

でた問!!

*1 市町村
市町村の児童と妊産婦の福祉に関する業務について出題。
H31前、R1後

住民にとって最も身近な**市町村**[*1]は、児童および妊産婦の福

祉に関し、実情の把握(はあく)に努め、情報の提供を行うとともに、家庭その他からの相談に応じて必要な調査・指導、支援を行います。また、必要に応じて、**児童相談所の技術的援助**や**助言**、**判定**を求めなければなりません。

(2) こども家庭センター

市町村は、児童・妊産婦福祉に関する実情の把握・情報提供・調査・指導、関係機関との連絡調整などを行うため、**こども家庭センター**を設置するよう努めなければなりません。また、こども家庭センターは、包括的な支援が必要な**要支援児童**、その保護者、特定妊婦等に対して、支援の種類・内容その他の事項を記載した計画を作成し、その他の包括的・計画的な支援を行います。

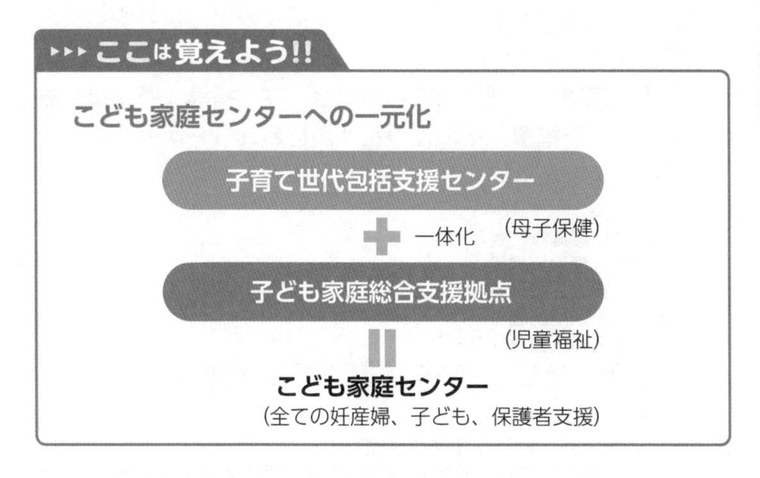

(3) 都道府県

都道府県[*2]は、市町村に対して必要な援助を行い、児童および妊産婦の福祉に関して、広域的見地から実情の把握に努め、児童とその保護者について調査・**判定**に基づき必要な指導と支援を行います。**里親**、**養子縁組**についてもさまざまな業務を行います。

また、都道府県知事は、必要があると認められるときに**市町村**に対して**必要な助言**を行うことができます。

でた問!!

*2 都道府県
「児童福祉法」に規定される都道府県の業務について出題。
R4前

プラス1

里親、養子縁組に関する都道府県の業務

里親…①里親に関する普及啓発 ②里親に対する相談対応、情報提供、助言、研修その他の援助 ③里親と乳児院、児童養護施設、児童心理治療施設、児童自立支援施設の入所児童との交流の場の提供 ④里親の選定および里親と児童との間の調整 ⑤里親に委託しようとする児童の養育に関する計画の作成

養子縁組…養子、養親、実方の父母など、養子縁組に関する者に対する相談対応、情報提供、助言その他の援助

(4) 児童相談所

「児童福祉法」に基づく重要な行政機関です。「児童虐待(ぎゃくたい)の防止等に関する法律」(児童虐待防止法)の第一線実施機関でもあります。都道府県、指定都市に設置義務があります。

❶職員

所長、社会福祉士、児童福祉司、児童心理司、医師、保健師、弁護士、児童指導員、保育士など。

❷主な業務

- **相談の受付から調査・診断・判定**……相談を受けた事項については主に児童福祉司、相談員が児童およびその家庭の調査を行い、環境や問題性などを明らかにする社会診断を行う。必要に応じて、児童心理司や医師などが参加して総合的な調査・診断・判定を行い、個々の児童に対する援助指針を立てる。
- **指導と措置**……判定結果に基づき、在宅指導、児童福祉施設への入所措置、その他の援助が行われる。次の施設が措置の対象となる。

①乳児院
②児童養護施設
③児童心理治療施設
④児童自立支援施設
⑤障害児入所施設*
⑥児童発達支援センター*
*の施設は、入所・利用決定後、保護者と施設が直接利用契約を結ぶ。

■児童相談所で受け付ける相談の種類*3

種類	主な内容
養護相談	養育困難など家庭環境に関する相談、児童虐待の相談、養子縁組に関する相談
保健相談	未熟児、虚弱児、内部機能障害、小児喘息、その他の疾患(精神疾患を含む)等に関する相談
障害相談	障害や発達の相談(肢体不自由、視聴覚障害、言語発達障害等、重症心身障害、自閉症等)
非行相談	虞犯行為(暴力、飲酒、喫煙等)に関する相談、触法行為に関する相談
育成相談	不登校やいじめ、家庭内暴力等の相談、しつけや子どもの行動に関する相談

✚プラス1

児童福祉施設への措置手続き
①児童福祉施設への入所措置等について、児童相談所長は、児童と保護者の意向を聴取しなければならない。
②都道府県知事が児童福祉施設への入所措置等の決定および解除、停止、変更を行う場合にあって、児童および保護者の意向と一致しないときは、都道府県児童福祉審議会に意見を聴かなければならない(緊急を要する場合を除く)。

児童相談所の権限
そのまま放置することが子どもの福祉を阻害すると認められるため一時保護を行おうとする場合、子どもや保護者などの同意を得られたときや親権者や未成年後見人がいないときを除いて、一時保護を開始した日から起算して7日以内に裁判所に一時保護状を請求しなければならない(2024年4月施行)。

***3 相談の種類**
種類別の相談内容について出題。
R5前

- **児童の一時保護**……児童虐待、家出などの理由により、緊急に児童を保護する必要があると、児童相談所長または都道府県知事が認めた場合などに行われる。

(5) 児童福祉審議会

児童・妊産婦および知的障害者の福祉に関する事項を調査審議するための行政機関です。施策の計画に広く国民の意見を反映します。**都道府県**、**指定都市**は必置、市町村は任意設置です。

❶委員

審議会の権限に属する事項に関し、公正な判断をすることができる者であって、かつ子ども家庭福祉、知的障害者福祉関係事業従事者、関係団体代表、学識経験者から任命される。

❷主な業務

- **次の場合に、都道府県および指定都市児童福祉審議会からの求めに応じ、調査・審議を行う。**
  - ・児童福祉施設の設置者に対し、業務の停止、施設の封鎖(ふうさ)を命ずる場合。
  - ・**里親の認定**をする場合。
  - ・施設入所等の措置または解除の決定をする場合。
- **芸能、出版物、玩具(がんぐ)、遊戯(ゆうぎ)などの文化財を推薦(すいせん)し、それらの製作者などに対して必要な勧告を行う。**

(6) 福祉事務所

主に**社会福祉六法**(ろっぽう)に関わる業務を行う、福祉行政における第一線の現業機関です。**都道府県**、**市**、**特別区**は必置、町村は任意設置です。

❶職員

所長、**査察指導員**、老人福祉指導主事、現業職員、事務職員など。

❷子ども家庭福祉に関する主な業務

- **家庭児童相談室の開設**……**社会福祉主事**の資格をもった専任の職員と非常勤の**家庭相談員**[*4]が育児や児童に関する相談に応じる。

プラス1

児童福祉審議会の委員
都道府県児童福祉審議会と市町村児童福祉審議会の委員は、知事または市町村長が委嘱し、任期は2年。

用語

査察指導員
現業員の指導監督を行う。所長が兼務する場合には、査察指導員を置かなくてもよい。

でた問!!

***4 家庭相談員**
配置場所について出題。
R6前

プラス1

福祉事務所の職員
査察指導員、現業員、老人福祉指導主事は、社会福祉主事でなければならない。

家庭児童相談室
⇨p246

子ども家庭福祉

- **子どもおよび妊産婦の福祉の向上**……**実情の把握**や**相談対応**、**調査**、**指導**および援助を行う。

（7）保健所

「地域保健法」に規定される広域的・専門的な公衆衛生のための機関です。都道府県、指定都市、中核市、保健所設置市（指定された市）、特別区が設置します。

❶職員

医師、保健師、看護師、薬剤師、社会福祉士、精神保健福祉士、理学療法士、作業療法士、言語聴覚士、診療放射線技師、臨床検査技師、獣医師、管理栄養士など（保健所により異なる）。

❷子ども家庭福祉に関する主な業務

- **児童の保健について正しい衛生知識の普及を図る。**
- **健康相談や健康診査、必要に応じて保健指導の実施。**
- **身体に障害のある児童、疾病（しっぺい）により長期療養を要する児童への療育指導。**
- **児童福祉施設に対し、栄養の改善その他の衛生に関し、必要な助言を行う。**
- **妊産婦や児童に対する健康診査。**
- **新生児に対する訪問指導のサービスなど。**

用語

療育指導

療育とは、身体に障害がある子どものために行う医療と保育・養育のこと。早期に適切な指導を行うことにより、障害の軽減や治療をめざす。必要と認められる場合は、福祉の措置がとられる。

（8）保健センター（市町村保健センター）

「地域保健法」に基づき、地域の住民に身近な総合的保健サービスを行います。保健所が都道府県、指定都市、中核市などに置かれるのに対し、市町村による設置ができます。

❶職員

保健師、看護師、栄養士など。

❷子ども家庭福祉に関する主な業務

母子保健・老人事業、一般的な健康相談や保健指導、乳幼児健診、予防接種、定期健診など。

3 児童福祉施設

「児童福祉法」第７条に規定される**児童福祉施設**[*5]は次の13種類です。令和６年４月から里親支援センターが加わっています。施設の利用形態は「**入所**」「**通所**」「**利用**」があります。

（1）助産施設[*6]〈入所〉（第36条）

❶対象者

保健上必要があるにもかかわらず、経済的理由により、入院助産を受けられない**妊産婦**。

❷目的

助産施設とは産科のある病院や診療所、助産所などのことであり、対象者を入所させることで、安全な助産を支援する。

（2）乳児院〈入所〉（第37条）

❶対象者

保護者がいない、または保護者の事情（病気や家族関係、経済的理由など）により家庭で養育できない**乳児**（特に必要のある場合は幼児を含む）。

❷目的

施設内の専門職のもとで養育を行う。あわせて、退院後についての相談、その他の援助を行う。

（3）母子生活支援施設[*7]〈入所〉（第38条）

❶対象者

原則18歳未満の子どもを養育している**母子家庭**等で、離婚やＤＶなど生活上の問題を抱えた母親と子ども。

❷目的

対象となる母子の保護、生活の安定を図る。自立促進のための支援、あわせて、退所後の支援も行う。

でた問!!

***5 児童福祉施設**
「児童福祉法」第７条に規定されている児童福祉施設について出題。
R2後

***6 助産施設**
助産施設の目的について出題。
R4前

***7 母子生活支援施設**
母子生活支援施設の目的について出題。
R4前・後

✚プラス１

助産施設、母子生活支援施設の利用方式
2001(平成13)年4月より、従来の措置制度から、利用者が希望する施設を都道府県等に申し込む方式へと改められている。

母子生活支援施設が法律上位置づけられたのは、1932（昭和7）年で、母子寮から1998（平成10）年に改称されたものが母子生活支援施設です。

✚プラス１

母子生活支援施設
「配偶者からの暴力の防止及び被害者の保護に関する法律」の一時保護施設としても重要な役割を果たしている。

（4）児童養護施設*8〈入所〉（第41条）

❶対象者

保護者がいない、虐待されているなど、環境により**養護**を必要とする児童。原則として乳児をのぞく18歳未満の子どもを対象としているが、特に必要のある場合は乳児も対象となり、20歳まで延長することもできる。

❷目的

できるだけ家庭的な環境のなかで、心身の健やかな発達のために養護を行う。専門の職員や同様に入所している子どもたちと一緒に日常生活を送る。この施設から学校に通うことで教育を支え、施設退所後の自立支援なども行われる。

（5）障害児入所施設〈入所〉（第42条）

❶対象者

身体に障害のある児童、知的障害のある児童、または精神に障害のある児童（**発達障害児**を含む）。

❷目的

障害のある児童を入所させて、保護、日常生活における基本的動作・独立自活に必要な知識技能の習得のための支援、肢体不自由児に対する治療を行う。食事や排泄（はいせつ）、入浴などの介助のほか、身体能力や日常生活能力の維持・向上のための訓練などを行う「**福祉型障害児入所施設*9**」と、福祉型に加えて疾病の治療や看護を行う「**医療型障害児入所施設*10**」がある。

（6）児童心理治療施設*11〈入・通所〉（第43条の2）

❶対象者

家庭環境、学校における交友関係、その他の環境上の理由により**社会生活**への適応が困難となった児童。

❷目的

対象となる児童を短期間入所させ、または保護者のもとから通わせることで、社会生活に適応できるよう心理的な治療や生活指導を行い、あわせて退所した者について相談その他の援助

***8 児童養護施設**
児童養護施設の目的について出題。
R4前

でた問!!

***9 福祉型障害児入所施設**
福祉型障害児入所施設の目的について出題。
H31前、R5後

***10 医療型障害児入所施設**
医療型障害児入所施設の目的について出題。
R5前

+プラス1

福祉型と医療型の違い

・福祉型障害児入所施設
主に知的障害児、自閉症児、盲ろうあ児、肢体不自由児を入所させる施設がある。
・医療型障害児入所施設
主に自閉症児、肢体不自由児、重症心身障害児を入所させる施設がある。いずれも医療法に定める病院である。

でた問!!

***11 児童心理治療施設**
児童心理治療施設の目的について出題。
H31前、R3前、R4前、R5前

を行う。

（7）児童自立支援施設[*12]〈入・通所〉（第44条）

❶対象者

不良行為を行った児童または行うおそれのある児童、家庭環境その他の環境上の理由により生活指導等を要する児童。

❷目的

対象となる児童を入所させ、または保護者のもとから通わせることで、個々の児童の状況に応じて必要な指導を行い、その自立を支援する。あわせて、退所した者について相談その他の援助を行う。

でた問!!

***12 児童自立支援施設**
児童自立支援施設の目的について出題。
R3前、R4前、R5前・後

「児童福祉法」で「児童」とは、満18歳未満の者をいいます。

（8）保育所〈通所〉（第39条）

❶対象者

保育を必要とする乳児・幼児。

❷目的

対象となる乳幼児を日々保護者のもとから通わせて保育を行う（利用定員が20人以上であるものに限り、幼保連携型認定こども園を除く）。

（9）幼保連携型認定こども園〈通所〉（第39条の2）

❶対象者

満３歳以上の幼児、保育を必要とする乳児・幼児。

❷目的

教育と保育を一体的に行う。就学前の子どもを通所させ、幼児教育と保育を提供する。

子ども家庭福祉

（10）児童発達支援センター〈通所〉（第43条）

❶対象者

身体に障害のある児童、知的障害のある児童または精神に障害のある児童（発達障害児を含む）。

＋プラス１

児童発達支援センターの一元化
2024（令和6）年4月から医療型児童発達支援センターと福祉型児童発達支援センターが一元化された。

❷目的

地域の障害児を通所させて、専門的な知識・技術を必要とする**児童発達支援**を行うとともに、障害児の家族や事業者などに相談・助言などの援助を行う。肢体不自由児に対する**治療**も行う。

(11) 児童厚生施設〈利用〉(第40条)

❶対象者

18歳未満のすべての児童。

❷目的

児童に健全な遊びを与えることで健康を増進し、情操を豊かにする。具体的には**児童遊園**、**児童館**等を指す。

用語

児童遊園

屋外型の児童厚生施設で、住宅密集地・事故多発地域など、子どもの安全な遊び場が必要な地域に設置される。

児童館

機能や規模により、大型児童館、児童センター、小型児童館、その他の児童館に分類される。

(12) 児童家庭支援センター[*13]〈利用〉(第44条の2)

❶対象者

18歳未満の児童、家庭、地域住民など。

❷目的

地域の子ども家庭その他からの相談のうち、専門的な知識及び技術を必要とするものに対し、必要な助言や指導、**情報提供**などを行う。あわせて、児童相談所、児童福祉施設等との連絡調整も行う。

でた問!!

***13 児童家庭支援センター**

児童家庭支援センターの目的について出題。

R3前、R4後、R5前

(13) 里親支援センター〈利用〉(第44条の3)

❶対象者

里親、里親に養育される児童、**里親になろうとする者**。

❷目的

里親支援事業を行うほか、対象者の相談に応じ、その他の援助を行う。あわせて、関係機関と協力して緊密な連携を図るよう努める。

ポイント確認テスト

穴うめ問題

☐ **Q1** ☐ 過H31前

「児童福祉法」第10条の規定によると、(　　　) は、児童と妊産婦の福祉に関する必要な実状把握に努め、必要な情報提供を行う。 >>> **p234**

☐ **Q2** ☐ 過R4前

里親に関する (　　) を行うことは、「児童福祉法」第11条に規定される都道府県の業務である。 >>> **p235**

☐ **Q3** ☐ 過R5前

(　　　) は、保健上必要があるにもかかわらず、経済的理由により、入院助産を受けることができない妊産婦を入所させて、助産を受けさせる。 >>> **p239**

☐ **Q4** ☐ 過R5後

不良行為をなし、又はなすおそれのある児童及び家庭環境その他の環境上の理由により生活指導等を要する児童を入所させ、又は保護者の下から通わせて、個々の児童の状況に応じて必要な指導を行い、その自立を支援し、あわせて退所した者について相談その他の援助を行うことを目的とする施設は (　　　) である。 >>> **p241**

○×問題

☐ **Q5** ☐ 予想

児童福祉審議会は、都道府県、指定都市に置かれなければならない。 >>> **p237**

☐ **Q6** ☐ 予想

福祉型障害児入所施設は、入所児童の保護、日常生活における基本的な動作及び独立自活に必要な知識技能の習得のための支援、肢体不自由児に対する治療を目的としている。 >>> **p240**

☐ **Q7** ☐ 過R5前

児童心理治療施設は、児童を短期間入所させ、または保護者の下から通わせて、社会生活に適応するために必要な心理に関する治療及び生活指導を主として行い、あわせて退所した者について相談その他の援助を行う。 >>> **p240**

☐ **Q8** ☐ 過R5前

児童自立支援施設は、地域の児童の福祉に関する各般の問題につき、児童に関する家庭その他からの相談のうち、専門的な知識及び技術を必要とするものに応じ、必要な助言を行う。 >>> **p242**

解答・解説

Q1　市町村　Q2　普及啓発　Q3　助産施設　Q4　児童自立支援施設
Q5　○　Q6　○　Q7　○　Q8　×　児童家庭支援センターの目的である。

子ども家庭福祉 Lesson 5

子ども家庭福祉の従事者

頻出度 Level 2

保育士以外にも、さまざまな専門職やボランティアの人々が子ども家庭福祉を支えています。

ココに注目!!

- ✓ 児童相談所の職員とその業務
- ✓ 福祉事務所の職員とその業務
- ✓ 児童福祉施設の職員とその業務
- ✓ 子ども家庭福祉に関わるボランティア

1 子ども家庭福祉の従事者

子ども家庭福祉に従事する職員には高い専門性が求められることから、多くの従事者は福祉系や心理学系の大学や養成施設を卒業しているほか、規定された講習を受けるなどのかたちで養成されています。

> **「児童福祉施設の設備及び運営に関する基準」第7条**
>
> 児童福祉施設に入所している者の保護に従事する職員は、健全な心身を有し、豊かな人間性と倫理観を備え、児童福祉事業に熱意のある者であつて、できる限り児童福祉事業の理論及び実際について訓練を受けた者でなければならない。

さらにこうした要件に加え、「児童福祉法」や「児童福祉施設の設備及び運営に関する基準」「社会福祉法」に定められた各資格要件を満たしている必要があります。

児童福祉機関・施設に従事している主な職種の職務内容について、みていきましょう。

(1) 児童相談所の職員

❶児童福祉司[*1]

児童相談所に配置することが義務づけられた職員（公務員）

プラス1

児童福祉司の資格要件

児童虐待を受けた児童など専門的対応が必要な児童・保護者に対する相談・指導等などを的確に実施できる知識・技術をもつ者、児童福祉司を養成する学校などを卒業し、または都道府県知事の指定する講習会の課程を修了した者、社会福祉主事として2年以上相談援助業務に従事し、内閣総理大臣が定める講習会の課程を修了した者、大学において心理学、教育学、社会学を修めた者、医師、社会福祉士、精神保健福祉士など（「児童福祉法」第13条）。

です。児童相談所長の命を受けて、子どもの保護をはじめ、幅広く子どもの福祉に関して**相談**に応じ、専門的技術に基づいて必要な**指導**を行います。配置される人数は、政令で定める基準を標準として都道府県が定めます。また、担当区域内の児童に関して児童相談所長または市町村長に状況を通知し、意見を述べることが義務づけられています。

❷児童心理司

子どもや保護者からの相談に応じ、診断面接、心理検査、観察などによる心理診断と心理療法、カウンセリングなどを行います。

❸受付相談員

新しく相談に来る人に対して**インテーク**（**初回面接**）や応急の援助を行い、**受理会議**にともなう業務も担当します。

❹医師

精神科医や小児科医が担当し、児童虐待（ぎゃくたい）や発達障害、非行など心身の発達に課題をもつ子どもに対して、診断と必要な治療を行います。児童心理司の資格要件にも含まれています。

❺看護師

一時保護所で保護している子どもの健康管理を行うほか、医師の診察のもと補助的な業務を行います。

❻保健師

子どもの健康や心身の発達に関する専門的な知識と技術をもって、育児相談や保健指導、健康管理を行います。

❼弁護士

法律に関する専門的な知識をもって、児童相談所の業務が適切かつ円滑に行えるように支えます。

❽児童指導員

一時保護している子どもの生活指導、学習指導、行動観察、行動診断、緊急時の対応など、一時保護の業務全般に携わります。また、児童福祉司や児童心理司等と連携して、子どもや保護者等への指導を行います。

❾一時保護所関係職員

家庭から離れた子どもの不安な心情や行動に柔軟に対応しながら、一時保護所の業務にあたります。

でた問!!

***1 児童福祉司**
児童福祉司について出題。
R4前、R5前

用語

受理会議
相談を受け付けたケースに対し、主な担当者、調査や診断の方法、安全確認の方法、一時保護の要否などを検討する会議のこと。

＋プラス1

児童相談所の規模別職員構成
児童相談所の規模は、人口150万人以上の地方公共団体の中央児童相談所はA級、その他の児童相談所はB級を標準とする。規模により、次の職員を置くことが標準とされている。
B級…指導教育担当児童福祉司（スーパーバイザー）、児童福祉司、相談員、精神科医（嘱託も可）、小児科医（嘱託も可）、保健師、指導および教育を行う児童心理司（児童心理司スーパーバイザー）、児童心理司、心理療法担当職員、弁護士、その他必要とする職員
A級…B級に定める職員のほか理学療法士等（言語治療担当職員を含む）、臨床検査技師

(2) 福祉事務所の職員

＋プラス1

社会福祉主事
福祉事務所を設置していない町や村も、任意で社会福祉主事を置くことができる。

❶社会福祉主事

都道府県や市の福祉事務所に配置される職員の任用資格で、現業員や査察指導員は社会福祉主事でなければなりません。

現業員（ケースワーカー）は、福祉事務所を訪れる人の相談対応、各種申請書などの受け付け、実際の生活状況の調査・記録、生活改善に向けた情報提供などの業務を行います。

また、**査察指導員（スーパーバイザー）**は、現業員の指導・助言・監督などを担当します。

❷家庭相談員[*2]

福祉事務所内の**家庭児童相談室**に配置されます。子どもの心身障害や発達に関する相談、学校での人間関係やいじめ、不登校などさまざまな問題に関して、社会福祉主事と連携して子どもや保護者の相談に応じ、必要な指導・支援を行います。

でた問!!

***2 家庭相談員、母子・父子自立支援員**
業務と配置について出題。
R6前

❸母子・父子自立支援員[*2]

ひとり親家庭の母や父、寡婦などからの相談に応じ、求職活動や就職・能力開発に関する情報提供など、自立に必要な支援や指導を行います。

❹その他、任意配置の職員

- **知的障害者福祉司**……**知的障害者更生相談所**に配置され、知的障害者福祉についての専門的な知識と技術を必要とする相談に応じ、必要な指導・支援を行う。
- **身体障害者福祉司**……**身体障害者更生相談所**に配置され、身体障害者福祉についての専門的な知識と技術を必要とする相談に応じ、必要な指導・支援を行う。

市の福祉事務所に配置されている知的障害者福祉司・身体障害者福祉司は、これらの職員を配置していない福祉事務所から助言を求められたときには協力する必要があります。

(3) 児童福祉施設の職員

❶児童指導員

家庭の事情などにより児童福祉施設で生活している子どもが健全に成長できるように、保護者に代わって生活全般を指導します。

子どもと生活をともにする**児童養護施設**の場合、基本的な生活習慣（食事づくりや着替え、掃除、小遣いの使い方など）の確立、豊かな人間性や社会性の育成、自立への支援を行います。退所した子どもたちへのアフターケア（相談その他の援助）も必要になります。

❷保育士*3

専門的な知識と技術をもって、子どもたちの健やかな成長を支えるとともに、保護者への保育指導を行います。

*3 保育士
「児童福祉法」における保育士の規定について出題。
R2後

❸保育教諭

幼稚園教諭と保育士の資格をもち、**幼保連携型認定こども園**において、子どもたちの教育と保育を行います。

❹児童自立支援専門員

児童自立支援施設において、子どもたちと寝食をともにしながら、生活全般や教育、進路や職業などについて指導を行い、社会人として生きていけるように自立を支援します。退所した子どもたちへのアフターケア（相談その他の援助）も行います。

❺児童生活支援員

児童自立支援施設において、児童自立支援専門員と協力して子どもたちの日常生活や自立を支援します。

❻児童の遊びを指導する者

児童厚生施設（児童館や児童センターなど）で、遊びをとおして子どもたちの創造性や社会性を育（はぐく）みます。

❼母子支援員

母子生活支援施設において、母子の生活支援を行うとともに、児童への学習指導や母親への就労支援を行います。

❽家庭支援専門相談員

ファミリーソーシャルワーカーともよばれ、乳児院、児童養護施設、児童心理治療施設、児童自立支援施設に配置が義務づけられています。児童相談所と密接な連携をとりながら、入所している子どもができるだけ早く家庭に復帰できるよう家族関係を調整したり、**里親委託**などを目的とした相談・指導を行ったりします。

❾個別対応職員

乳児院、児童養護施設、児童心理治療施設、児童自立支援施設において、虐待を受けた子どもに対して個別の対応が必要な場合に、配置されます。また、母子生活支援施設において、配偶者からの暴力を受けた者に対して個別の対応が必要な場合も、配置されます。

⑩心理療法担当職員

乳児院、母子生活支援施設、児童養護施設、児童心理治療施設、児童自立支援施設において、入所している子どもや母子の心理状態を把握(はあく)し、個別または集団による心理療法や家族支援などを行います。

⑪心理担当職員

福祉型障害児入所施設などにおいて、障害特性への細やかな配慮をしながら生活全般への心理療法、必要な心理的ケアなどを行います。

（4）子ども家庭福祉に関わるボランティア

❶行政委嘱型のボランティア

- **地域における子どもの健全育成に関する者**……社会教育指導員、体育指導員、母子保健推進員。
- **要保護児童の福祉に関する者**……保護司、少年補導員、少年警察協助員。
- **障害児（者）の福祉に関する者**……身体障害者相談員、知的障害者相談員。
- **子ども家庭福祉全般に関わる者**……児童委員。

❷民間の自主的なボランティア

VYS、BBS、更生保護女性会、地域スポーツ指導員、少年スポーツ指導員、各社会福祉施設における施設ボランティア、NPOなどによる保育ボランティアなどがあります。

❸子育て援助活動支援事業*4（ファミリー・サポート・センター事業）

利用会員の就労と育児の両立を支援するために1994（平成6）年から、労働省（現：厚生労働省）の補助事業として実施され、現在は地域子ども・子育て支援事業の一つになっています。地域に設置されたファミリー・サポート・センターに、子どもを預ける人、保育する人がそれぞれ依頼会員・提供会員として登録し、提供会員が保育所への送迎、病児・病後児保育などを行うための連絡、調整を行います。

プラス1

心理療法担当職員
10人以上の児童（乳児院と母子生活支援施設は保護者を含む）に心理療法を行う場合に配置される。児童心理治療施設は人数にかかわらず必置。

心理担当職員
福祉型障害児入所施設の心理担当職員については、児童5人以上に心理支援を行う場合に配置される。

用語

保護司
保護観察官とともに保護観察などを行う民間のボランティア。職務を遂行する際は、非常勤の国家公務員となる。

VYS
(Voluntary Youth Social Worker)
地域の子ども会を指導する、あるいは児童厚生施設において子どもの指導などを行うボランティア。

BBS
(Big Brothers and Sisters Movement)
非行少年との交流や地域浄化活動を行うボランティア。

***4 子育て援助活動支援事業**
子育て援助活動支援事業について出題。
R2後

■主な児童福祉機関・施設における主な職種

機関・施設	主な職種
児童相談所	受付相談員、児童福祉司、児童心理司、医師、看護師、児童指導員、保育士、社会福祉士、弁護士など。
福祉事務所	社会福祉主事、査察指導員、家庭相談員など。
助産施設	第一種助産施設は医療法の病院または診療所に規定する職員、第二種助産施設は医療法の助産所に規定する職員。
乳児院（乳幼児10人以上を入所させる施設）	小児科診療に相当の経験を有する医師または嘱託医、看護師、栄養士、調理員、家庭支援専門相談員、心理療法担当職員、個別対応職員（看護師に代えて一部は保育士・児童指導員でも可）。里親支援専門相談員（任意）。
乳児院（乳幼児10人未満を入所させる施設）	嘱託医、看護師、家庭支援専門相談員、調理員またはこれに代わるべき者。里親支援専門相談員（任意）。
母子生活支援施設	母子支援員、嘱託医、少年を指導する職員、個別対応職員、調理員またはこれに代わるべき者、心理療法担当職員。
保育所	保育士、嘱託医、調理員。
幼保連携型認定こども園	主幹保育教諭、保育教諭、調理員。
児童厚生施設	児童の遊びを指導する者。
児童養護施設	児童指導員、保育士、嘱託医、栄養士、調理員、心理療法担当職員、家庭支援専門相談員、個別対応職員、職業指導員。里親支援専門相談員（任意）。看護師（乳児が入所している施設には必置。医療的ケアを必要とする児童が 15 人以上いる施設には置くことができる）。
児童心理治療施設[*5]	医師、心理療法担当職員、児童指導員、保育士、看護師、栄養士、調理員、家庭支援専門相談員、個別対応職員。
児童自立支援施設	児童自立支援専門員、児童生活支援員、嘱託医、精神科診療に相当の経験を有する医師または嘱託医、栄養士、調理員、家庭支援専門相談員、個別対応職員、心理療法担当職員、職業指導員。
児童家庭支援センター	相談・支援担当職員、心理療法等を担当する職員。

■福祉型障害児入所施設における主な職種

機関・施設の対象	主な職種
知的障害児	嘱託医、児童指導員、保育士、児童発達支援管理責任者、心理担当職員、職業指導員、栄養士、調理員。
自閉症児	医師、嘱託医、児童指導員、保育士、看護職員[※]、児童発達支援管理責任者、心理担当職員、職業指導員、栄養士、調理員。
盲ろうあ児	嘱託医、児童指導員、保育士、児童発達支援管理責任者、心理担当職員、職業指導員、栄養士、調理員。

肢体不自由児	嘱託医、児童指導員、保育士、看護職員※、児童発達支援管理責任者、心理担当職員、職業指導員、栄養士、調理員。

※看護職員…保健師、助産師、看護師または准看護師のこと。

■医療型障害児入所施設における主な職種

機関・施設の対象	主な職種
自閉症児	医療法に規定する病院として必要な職員、児童指導員、保育士、児童発達支援管理責任者。
肢体不自由児	医療法に規定する病院として必要な職員、児童指導員、保育士、理学療法士または作業療法士、児童発達支援管理責任者。
重症心身障害児	医療法に規定する病院として必要な職員、児童指導員、保育士、理学療法士または作業療法士、心理支援を担当する職員、児童発達支援管理責任者。

■児童発達支援センターにおける主な職種

機関・施設の対象	主な職種
障害児	嘱託医、児童指導員、保育士、機能訓練担当職員、医療的ケア担当看護職員*、栄養士、調理員、児童発達支援管理者
肢体不自由児	上記職員（嘱託医を除く）のほか、医療法に規定する診療所として必要な職員

*看護職員…保健師、助産師、看護師または准看護師のこと

でた問!!
*5 児童心理治療施設
児童心理治療施設に置かなければならない職種について出題。
R2後

2 関連する分野の従事者

児童相談所や福祉事務所、児童福祉施設など子ども家庭福祉に直接関わる機関の職員以外にも、関連する分野において子ども家庭福祉を支える職員がいます。

❶医療機関

医師、薬剤師、看護師、保健師、助産師、理学療法士、作業療法士、言語聴覚士、**精神保健福祉士**（PSW）（以上は国家資格）、**医療ソーシャルワーカー**（MSW）など。

❷学校

担任の教諭、養護教諭、**スクールカウンセラー**、**SSW**など。

❸警察・司法

警察官、少年警察ボランティア（**少年補導員**、**少年警察協助員**）、家庭裁判所調査官など。

用語
SSW (School Social Worker)
学校と行政、社会資源と個人をつなぐための専門職。

ここは覚えよう!!

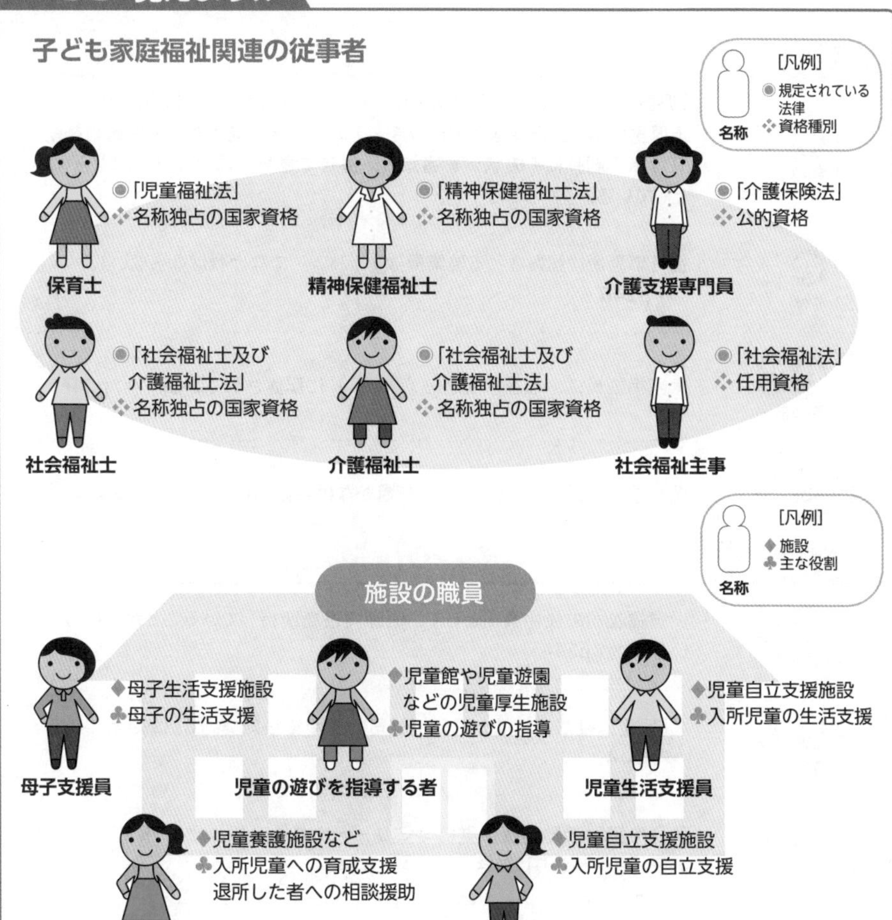
子ども家庭福祉関連の従事者
[凡例]
◉規定されている法律
❖資格種別
名称
保育士
◉「児童福祉法」
❖名称独占の国家資格
精神保健福祉士
◉「精神保健福祉士法」
❖名称独占の国家資格
介護支援専門員
◉「介護保険法」
❖公的資格
社会福祉士
◉「社会福祉士及び介護福祉士法」
❖名称独占の国家資格
介護福祉士
◉「社会福祉士及び介護福祉士法」
❖名称独占の国家資格
社会福祉主事
◉「社会福祉法」
❖任用資格
[凡例]
◆施設
♣主な役割
名称
施設の職員
母子支援員
◆母子生活支援施設
♣母子の生活支援
児童の遊びを指導する者
◆児童館や児童遊園などの児童厚生施設
♣児童の遊びの指導
児童生活支援員
◆児童自立支援施設
♣入所児童の生活支援
児童指導員
◆児童養護施設など
♣入所児童への育成支援
退所した者への相談援助
児童自立支援専門員
◆児童自立支援施設
♣入所児童の自立支援

ポイント確認テスト

穴うめ問題

Q1 過R3後

「児童福祉法」第14条第２項では、「(　　　) は、その担当区域内における児童に関し、必要な事項につき、その担当区域を管轄する児童相談所長又は市町村長にその状況を通知し、併せて意見を述べなければならない」としている。 >>> p245

Q2 予想

福祉事務所に配置される現業員は (　　　) でなければならない。 >>> p246

Q3 過R6前

家庭相談員は、福祉事務所の (　　　) に配置されている。 >>> p246

Q4 予想

児童厚生施設には、(　　　) を置かなければならない。 >>> p247

○×問題

Q5 過R4前

児童福祉司の任用資格として、医師資格を所持していることがあげられている。 >>> p244

Q6 過R4後

「児童福祉法」には、児童福祉司の任用資格について記載されている。 >>> p244

Q7 過R2後

子育て援助活動支援事業(ファミリー・サポート・センター事業)は、病気の子どもの預かりはできない。 >>> p248

Q8 過R4前

家庭環境、学校における交友関係その他の環境上の理由により社会生活への適応が困難となった児童を、短期間、入所させ、又は保護者の下から通わせて、社会生活に適応するために必要な心理に関する治療及び生活指導を主として行い、あわせて退所した者について相談その他の援助を行うことを目的とする施設は児童自立支援施設である。 >>> p249

解答・解説

Q1　児童福祉司　Q2　社会福祉主事　Q3 家庭児童相談室　Q4　児童の遊びを指導する者　Q5　○　Q6　○　Q7　×　病児の預かりも行われている。　Q8　×　記述は児童心理治療施設の説明である。

子ども家庭福祉 Lesson 6

少子化と子育て支援の施策

頻出度 Level 4

少子化に歯止めをかけるため、さまざまな子育て支援や施策が講じられています。施策の名称や策定順、内容を覚えましょう。

ココに注目!!

- 少子化施策の内容と策定順
- 子ども・子育て支援新制度における事業内容
- 保育所の入所基準
- 地域型保育事業の種類

1 子育て支援

日本は1970年前半の**第二次ベビーブーム**以降、出生数が減り続けています。それにともなって人口も減少傾向にあり、少子高齢化が長らく大きな社会問題となっています。

では、少子化でありながら、なぜたくさんの子育て支援サービスが必要なのでしょうか。女性の職場進出と子育てと仕事の両立の難しさ、教育コストの増大、晩婚化の進行など、さまざまな理由から子どもの受け入れ先を用意することが必要になっています。

また、小学校に入ってからも子どもの世話は必要ですが、核家族で共働きの家庭ではそれが難しくなっています。そのため、子育て援助活動支援事業（**ファミリー・サポート・センター事業**）などを利用したいという保護者のニーズがあります。

もちろん政府はこれまでにも、出生率低下の背景にある家庭の**子育て機能**の低下、**育児**に対する心理的・身体的な負担増などの問題に対して、さまざまな**少子化対策**[*1]を講じてきました。まずはその流れをみておきましょう。

子育て援助活動支援事業（ファミリー・サポート・センター事業）

⇨p248

*1 少子化対策
少子化対策の策定順について出題。
R2後、R5前

(1)「エンゼルプラン」〜「子ども・子育てビジョン」

***2「エンゼルプラン」**
「エンゼルプラン」について出題。
R1後

1994（平成６）年にエンゼルプラン*2（「今後の子育て支援のための施策の基本的方向について」）が策定され、その後、およそ５年ごとに新たな施策がまとめられました。

策定年	施策名	施策の方向性
1994（平成６）年	「エンゼルプラン *2」	国や地方公共団体、企業・職場や地域社会も含めた社会全体で子育てを支援していくことをねらいとし、**子育てと仕事の両立支援**などの方向を示した
1999（平成11）年	「新エンゼルプラン *3」	エンゼルプランを見直し、保育関係ばかりでなく、雇用、**母子保健**・相談、教育等の事業も加えた
2004（平成16）年	「子ども・子育て応援プラン」	これまでのプランを踏まえ、**若者の自立や働き方の見直し**等も含めた幅広い分野で具体的な目標値を設定した
2010（平成22）年	「子ども・子育てビジョン」	「少子化対策」から「**子ども・子育て支援**」への転換を示し、「子どもが主人公である」（**チルドレン・ファースト**）という基本的な考えを示した

***3 新エンゼルプラン**
新エンゼルプランについて出題。
R2後

(2)「子ども・子育て支援新制度」

「子ども・子育て関連３法」
⇨p230

「子ども・子育て関連３法」に基づき2015（平成27）年に施行された制度で、**市町村**（基礎自治体）が実施主体となって行われます。新制度では認定こども園のうち、幼保連携型は幼保連携型認定こども園とされ、学校および児童福祉施設として位置づけられるとともに、**内閣府**の管轄となりました。また、給付の型が次のように整理されました。

でた問!!

***4 地域子ども・子育て支援事業**
実施されている事業の内容について出題。
R4後、R5後

***5 放課後児童健全育成事業（放課後児童クラブ）**
放課後児童健全育成事業（放課後児童クラブ）について出題。
H31前、R3前、R4前

給付の型	施設・事業	対象年齢
施設型給付	①認定こども園（幼保連携型・幼稚園型・保育所型・地方裁量型）	０〜５歳
	②幼稚園	３〜５歳
	③保育所	０〜５歳
地域型保育給付	①小規模保育 ②家庭的保育 ③居宅訪問型保育 ④事業所内保育	０〜２歳

■子ども・子育て支援新制度で法定化された地域子ども・子育て支援事業*4

事業名	主な事業内容
①利用者支援事業	地域の子育て支援事業等についての情報提供など
②地域子育て支援拠点事業	地域における子育て中の親子の交流促進など
③妊婦健康診査	妊婦に対しての健康診査の実施
④乳児家庭全戸訪問事業	生後4か月までの乳児のいるすべての家庭を訪問
⑤養育支援訪問事業／子どもを守る地域ネットワーク機能強化事業	・養育支援が必要な家庭（養育の不安がある、虐待のおそれがある家庭）を訪問 ・**要保護児童対策地域協議会**の機能強化を図る
⑥子育て世帯訪問支援事業	要支援児童、要保護児童およびその保護者、特定妊婦等を対象（支援を要する**ヤングケアラー**を含む）に、居宅を**訪問**し子育てに関する情報提供・**家事や養育に関する援助**などの支援を行う
⑦児童育成支援拠点事業	養育環境等の課題を抱える児童に**生活の場を与える**とともに、必要に応じて児童や保護者への情報提供・相談・助言などの支援を行う
⑧親子関係形成支援事業	親子間の適切な**関係性の構築**を目的とし、児童やその保護者に対して、児童の心身の発達の状況などに応じた情報提供・相談・助言などの支援を行う
⑨子育て短期支援事業	保護者の疾病等の理由で養育困難となった子どもを一時的に養育・支援
⑩子育て援助活動支援事業（ファミリー・サポート・センター事業）	・相互援助活動の連絡・調整 ・保育所への送迎、病児保育、児童の預かりなどを行う
⑪一時預かり事業	家庭の保育が一時的に困難となった乳幼児を、主に昼間、認定こども園、幼稚園、保育所、地域子育て支援拠点などで一時的に預かる
⑫延長（時間外）保育事業	通常保育以外の日や時間に預かる事業
⑬病児保育事業	病児等を病院・保育所などに付設された専用スペースなどで、看護師などにより一時的に保育を行う
⑭放課後児童健全育成事業（放課後児童クラブ）*5	保護者が仕事などで昼間家庭にいない小学校就学児を放課後に預かり、遊びや生活の場を与えることで健全な育成を図る
⑮実費徴収に係る補足給付を行う事業	特定教育・保育施設等（保育所・幼稚園・認定こども園など）に保護者が支払うべき物品購入費や行事参加費を助成
⑯多様な事業者の参入促進・能力活用事業	特定教育・保育施設等の設置・運営の促進

▸▸▸ ここは覚えよう!!

子ども・子育て支援法のしくみ

施設型給付　認定こども園（4類型）、幼稚園、保育所を対象とした財政支援

認定こども園
0 ～ 5歳

幼保連携型★	幼稚園型	保育所型	地方裁量型

★幼保連携型については、認可・指導監督を一本化し、学校及び児童福祉施設として法的に位置づける等、制度改善を実施。

幼稚園
3 ～ 5歳

新制度施行前に施設型給付の対象となる教育・保育施設として確認を受けない旨の申出を市町村に行った私立幼稚園に対しては、私学助成及び就園奨励費補助を継続。

保育所
0 ～ 5歳

私立保育所については、児童福祉法第24条により市町村が保育の実施義務を担うことに基づく措置として、委託費を支弁。

地域型保育給付　市町村の認可事業を対象とした財政支援

小規模保育	家庭的保育	居宅訪問型保育	事業所内保育

いずれも原則 0 ～ 2 歳

出典：内閣府「子ども・子育て支援新制度ハンドブック（施設・事業者向け）」（平成27年7月改訂版）をもとに一部改変

（3）「ニッポン一億総活躍プラン」

でた問!!

*6「ニッポン一億総活躍プラン」
ニッポン一億総活躍プランの内容について出題。
R3後

「ニッポン一億総活躍プラン*6」は、一人ひとりが個性と多様性を尊重され、家庭や地域や職場でそれぞれの希望がかない、自分の能力を発揮でき、生きがいを感じられる社会をめざすため、2016（平成28）年に閣議決定されました。

子育ての環境整備として、保育の受け皿整備（待機児童の解消）、**保育士の処遇改善**（２％相当〔月額6,000円程度〕の改善）、多様な保育士の確保・育成、放課後児童クラブの整備があげられています。

（4）子育て安心プランの策定

2017（平成29）年、厚生労働省が策定しました。保育の受け皿を確保すること、女性の就業率を上げる受け皿を用意し**M字カーブ**を解消するという２つの目標を掲げていました。

その後継として、2020（令和２）年度に**新子育て安心プラン**[*7]が公表され、令和３年度から６年度末までで約14万人分の待機児童の受け皿を整備するとしています。

（5）こども大綱の策定

2023（令和５）年４月１日に「こども基本法」が施行され、この法律に基づいて「**こども大綱**」が策定されました。この大綱では、「**こどもまんなか社会**」を目指すとされています。

こどもまんなか社会は、全てのこども・若者を対象として、生涯にわたる**人格形成**の基礎を築き、自立した個人としてひとしく健やかに成長することができ、心身の状況、置かれている**環境**等にかかわらず、ひとしくその**権利の擁護**が図られ、身体的・精神的・社会的に将来にわたって幸せな状態（**ウェルビーイング**）で生活を送ることができる社会をいいます。

また、①若い世代の**所得**を増やす、②社会全体の構造・意識を変える、③全てのこども・子育て世帯を**切れ目なく**支援するという理念に基づく「**こども未来戦略**」も閣議決定されました。

2 保育施策

（1）社会の変化と保育問題

日本では、女性の就労によって母親の育児負担が深刻化するとともに、家庭における育児機能が失われつつあることから、母親が育児で孤立するなどの問題が生じています。このような状況を解消すべく、2000（平成12）年の「児童福祉法」改正では、保育所の役割が次のように定められました。

- **多様な保育需要に対して、地域の実情に配慮しつつ柔軟か**

用語
M字カーブ
年代ごとの女性の労働力率を折れ線グラフで表したときに、結婚・出産期にあたる30歳代周辺で一旦低下し、育児が落ち着いた時期に再び上昇することから、グラフがM字型になることをいう。

でた問!!
***7 新子育て安心プラン**
プランの内容について出題。
R5後

プラス1
保育所の設置
保育所も含め児童福祉施設の設置には、市町村の場合には都道府県知事への届け出が、社会福祉法人の場合は都道府県知事の許可が必要。定員60名以上が基準となるが、過疎地域や用地確保の困難な地域では定員が緩和されている。

つ的確に対応すること。

- 家庭や地域社会における育児機能の低下にともない、その支援機関として地域における子育て支援を担うこと。

（2）保育を必要とする保護者

用語

特定教育・保育施設
「子ども・子育て支援新制度」にのっとった施設で、市町村が認定した児童を教育・保育する施設に対して、その費用として市町村が給付を行っている施設のこと。

保育所は、保育を必要とする乳児・幼児を保育することを目的とした児童福祉施設です。子どもが保育を必要とする保護者の状態については、保護者すべてが次のうちのいずれかに該当することとなっています。

「子ども・子育て支援法施行規則」第1条の5

法第19条第1項第2号の内閣府令で定める事由は、小学校就学前子どもの保護者のいずれもが次の各号のいずれかに該当することとする。

一　1月において、48時間から64時間までの範囲内で月を単位に市町村が定める時間以上労働することを常態とすること。
二　妊娠中であるか又は出産後間がないこと。
三　疾病にかかり、若しくは負傷し、又は精神若しくは身体に障害を有していること。
四　同居の親族（長期間入院等をしている親族を含む。）を常時介護又は看護していること。
五　震災、風水害、火災その他の災害の復旧に当たっていること。
六　求職活動（起業の準備を含む。）を継続的に行っていること。
七　次のいずれかに該当すること。
　イ　（前略）各種学校その他これらに準ずる教育施設に在学していること。
　ロ　（前略）職業訓練を受けていること。
八　次のいずれかに該当すること。
　イ　（前略）児童虐待を行っている又は再び行われるおそれがあると認められること。
　ロ　（前略）配偶者からの暴力により小学校就学前子どもの保育を行うことが困難であると認められること（イに該当する場合を除く）。
九　育児休業をする場合であって、当該保護者の当該育児休業に係る子ども以外の小学校就学前子どもが特定教育・保育施設等（中略）を利用しており、当該育児休業の間に当該特定教育・保育施設等を引き続き利用することが必要であると認められること。
十　前各号に掲げるもののほか、前各号に類するものとして市町村が認める事由に該当すること。

3 地域型保育事業

保育所では、0～2歳児を「乳児クラス」、3歳以上児を「幼児クラス」として大きく区別して保育するのが一般的です。地域型保育事業は基本的には「乳児クラス」の待機児童のための対策です。

０～２歳児の待機児童対策として、子ども・子育て支援新制度では、市町村による認可事業として、原則０～２歳児を対象とした次の４つの**地域型保育事業**[*8]が「児童福祉法」に位置づけられました。

(1) 小規模保育事業

小規模保育事業とは、都市部の待機児童の解消を図るため０～３歳未満児を対象とした、定員６人以上19人以下の少人数で行う保育です。事業主体は市町村、民間事業者等です。保育所分園に近いA型、家庭的保育（グループ型小規模保育）に近いC型、その中間型としてのB型の３種類に分けられています。

でた問!!
***8 地域型保育事業**
地域型保育事業の内容について出題。
R5前

(2) 家庭的保育事業

家庭的保育事業とは、**家庭的保育者**（保育ママ）の居宅などで保育を行う事業です。家庭的保育者１人の場合、０～２歳児3人、補助者を置く場合には0～２歳児５人が定員となります。

用語
家庭的保育者
家庭的保育事業を行う保育者。要件は、市町村長が行う研修（家庭的保育事業の基礎研修または子育て支援員研修）を修了した保育士または保育士と同等以上の知識及び経験を有すると市町村長が認める者とする。保育士でない場合は、家庭的保育事業の認定研修を修了する必要がある。

(3) 居宅訪問型保育事業

居宅訪問型保育事業（きょたく）とは、保育を必要とする乳幼児の居宅において、必要な研修を修了した保育士または同等の知識・経験をもつと市町村長が認めた者が保育を行う事業をいいます。０～２歳児１人につき保育者１人で保育を行います。

居宅訪問型保育事業
⇨保原p28

(4) 事業所内保育事業

主として従業員の子どもを保育するほか、地域において保育を必要とする子どもにも保育を提供します。

▶▶▶ ここは覚えよう!!

地域型保育事業の4つの事業類型

 小規模保育事業	**事業主体**　市町村、民間事業者等 **保育実施場所等**　保育者の居宅、その他の場所、施設 **認可定員**　**6～19人**
 家庭的保育事業	**事業主体**　市町村、民間事業者等 **保育実施場所等**　保育者の居宅、その他の場所、施設 **認可定員**　**1～5人**
 事業所内保育事業	**事業主体**　事業主等 **保育実施場所等**　事業所の従業員の子ども＋地域の保育を必要とする子ども（地域枠）
 居宅訪問型保育事業	**事業主体**　市町村、民間事業者等 **保育実施場所等**　保育を必要とする子どもの居宅

出典：内閣府「子ども・子育て支援新制度ハンドブック（施設・事業者向け）」（平成27年7月改訂版）をもとに作成

（5）その他の保育事業

　その他の保育事業として、認可外保育施設があります。2001（平成13）年の「児童福祉法」改正により、認可外保育施設の設置者は、事業開始や必要事項を**都道府県知事**に届け出ることが義務づけられました。

- **へき地保育所**……離島や山間へき地など、保育所が設置されていない地域に設置される保育施設。設置主体は市町村。
- **その他の保育施設**……私人、団体、民間企業などによる乳幼児のための保育施設（ベビーホテルを含む）。整備、職員の配置基準などについては行政の指導が行われている。

ポイント確認テスト

穴うめ問題

□□ **Q1** 過R1後

（　　　）は、平成６年に策定された少子化対策のための最初の国の具体的な計画で、「今後の子育て支援のための施策の基本的方向について」のことを指す。 >>> **p254**

□□ **Q2** 過R5後

（　　　）は、養育支援が特に必要であると判断した家庭に対し、保健師・助産師・保育士等がその居宅を訪問し、養育に関する指導、助言等を行うことにより、当該家庭の適切な養育の実施を確保することを目的とする事業である。 >>> **p255**

□□ **Q3** 過R5前

（　　　）は、保育を必要とする乳児・幼児であって、満３歳未満のものについて、当該保育を必要とする乳児・幼児を保育することを目的とする施設において保育を行う事業であり、利用定員が６人以上19人以下となっている。 >>> **p259**

□□ **Q4** 過R5前

（　　　）は、保育を必要とする乳児・幼児であって、満３歳未満のものについて、家庭的保育者の居宅その他の場所において、家庭的保育者による保育を行う事業であり、利用定員が５人以下となっている。 >>> **p259**

○×問題

□□ **Q5** 過R4前

「児童福祉法」によると、放課後児童健全育成事業とは、小学校に就学している児童であって、その保護者が労働等により昼間家庭にいないものに、授業の終了後に児童厚生施設等の施設を利用して適切な遊び及び生活の場を与えて、その健全な育成を図る事業をいう。 >>> **p255**

□□ **Q6** 過R4後

地域子育て支援拠点事業は、乳幼児及びその保護者が相互の交流を行う場所を開設し、子育てについての相談、情報の提供、助言その他の援助を行う事業である。 >>> **p255**

□□ **Q7** 過R4後

子育て短期支援事業は、家庭において保育を受けることが一時的に困難となった乳幼児について、主として昼間において、認定こども園、幼稚園、保育所、地域子育て支援拠点その他の場所で一時的に預かり、必要な保護を行う事業である。 >>> **p255**

□□ **Q8** 過R5後

「新子育て安心プラン」（2020（令和２）年12月21日 厚生労働省発表）では、2021（令和３）年度から2024（令和６）年度末までの４年間で約14万人分の保育の受け皿を整備することとしている。 >>> **p257**

解答・解説

Q1　エンゼルプラン　Q2　養育支援訪問事業　Q3　小規模保育事業
Q4　家庭的保育事業
Q5　○　Q6　○　Q7　×　子育て短期支援事業ではなく一時預かり事業。　Q8　○

子ども家庭福祉 Lesson 7

母子保健とひとり親家庭および寡婦の福祉

頻出度 Level 2

母子の健康を守ることや、ひとり親家庭への支援のためのさまざまな法律や施策について学びましょう。

ココに注目!!
- 母子保健法の保健対策
- 健康診査の種類と時期
- 母子及び父子並びに寡婦福祉法の対象
- 母子・父子自立支援員の業務内容

1 母子保健施策

(1) 母子保健の実施体制

❶国

母子保健に関する施策は、こども家庭庁の**成育局**が担当し、母子保健に関する企画、必要な調査、予算配分、都道府県が行う母子保健事業の指導などを行います。

❷都道府県

母子保健に関する企画、必要な調査、予算配分、市町村が行う母子保健事業の指導などを行います。

また、保健所において、妊産婦と乳幼児に対する一貫した母子保健事業を実施しています。

❸市町村

母子健康手帳の交付、保健指導、**健康診査**などを行います。

(2) 母子保健に関する法律

母子保健に関する支援体制は、「**母子保健法**」を中心にさまざまな法規が関係し合ってかたちづくられています。

❶「母子保健法」

母性と乳幼児の健康の保持・増進を図るため、母子保健に関

プラス1

母子保健の基本法令
「母子保健法」が制定される以前、母子保健対策は、1947（昭和22）年制定の「児童福祉法」に基づいて行われていた。その後、1965（昭和40）年に「母子保健法」が制定され、母子に対する一貫性のある保健対策が実践できるようになった。

「地域保健法」
都道府県は、広域的・専門的な内容の活動と市町村に対する連絡調整・指導・助言を行い、市町村は健康診査や保健指導、保健教育といった基本的サービスを実施するよう定めている。

する原理を明らかにするとともに、母性と乳幼児に対する保健指導、健康診査、医療などの措置（そち）をとることで国民保健の向上に寄与することを目的に、1965（昭和40）年に施行された法律です。

この法律には、**母性は子どもの健全な出生と育成の基盤**として重要な役割をもっているため、**尊重され保護**される権利があること、さらに母性と保護者は自らの健康の保持増進に努めて、乳幼児の健康の保持増進のための正しい理解を深める必要があることが掲げられています。

❷保健活動に関する法律

「**地域保健法**」は1947（昭和22）年に制定された「保健所法」が、1994（平成６）年に改正・改称されたものです。地域

ここは覚えよう!!

「母子保健法」における定義

妊産婦	妊娠中または出産後１年以内の女子
乳児	１歳に満たない者
幼児	満１歳から小学校就学の始期に達するまでの者
保護者	親権を行う者、未成年後見人その他の者で、乳児または幼児を現に監護する者
新生児	出生後28日を経過しない乳児
未熟児	身体の発育が未熟のまま出生した乳児であって、正常児が出生時に有する諸機能を得るに至るまでの者

保健活動に関する法律

「地域保健法」
地域における保健活動のあり方を定めている

「学校保健安全法」
幼稚園児・児童・生徒・学生・職員の健康診断について定めている

「母体保護法」
人工妊娠中絶、不妊手術について定めている

「少子化社会対策基本法」
母子保健サービスの提供に関わるサービスの整備について定めている

「予防接種法」
予防接種の対象の疾病や実施について定めている

における保健活動のあり方を定めたもので、都道府県、市町村それぞれの役割が明示されています。

「予防接種法」
⇨下巻 保健p132

このほか、保健活動に関する法律には、「**母体保護法**」「**予防接種法**」「**学校保健安全法**」「**少子化社会対策基本法**」などがあります。

❸その他の関連法規

医療に関する法律としては「**医療法**」があり、医療機関の設置と役割について定めています。

また、社会的関係に関する法律には、出生や死亡などの届け出について定めた「**戸籍法**」、妊娠・育児中の就労女性の健康に関する規定をもつ「**労働基準法**」「**男女雇用機会均等法**」「**育児・介護休業法**」などがあります。

福祉に関する法律には「**児童福祉法**」があり、療育、児童の自立支援、健全育成に関する対策が定められています。

でた問!!

*1 健康診査
「母子保健法」の規定について出題。
R1後、R3後

(3)「母子保健法」の保健対策

「**母子保健法**」では、国や地方公共団体が母子保健施策を講じる場合、その施策が乳幼児の虐待(ぎゃくたい)予防・早期発見に資するものであることに留意することとしています。

❶健康診査*1

地域住民に密着した施策であり、**市町村**が実施主体で行われています。

妊婦健康診査	地域子ども・子育て支援事業として実施。都道府県などが指定する医療機関において無料で受診することができる。厚生労働省は最低5回の受診を基準としている。
乳児健康診査	医療機関において生後1か月、3～6か月、9～11か月に各1回ずつ健康診査が行われる。
1歳6か月児健康診査	満1歳6か月～2歳未満児が対象で、主に心身障害の早期発見、う歯(虫歯)予防、栄養状態などについての健康診査。精神科医、心理相談員による精神面の健康診査も実施される。
3歳児健康診査	満3歳～4歳未満児が対象で、身体の発育、精神発達の状況、視聴覚障害の早期発見などを目的に行う。精神科医、心理相談員による精神面の健康診査も実施される。

✚プラス1

健康診査
「発達障害者支援法」では健康診査の際に市町村は発達障害の早期発見に留意しなければならないとしている。

用語

乳児健康診査
乳児の身体計測、一般的な問診や診察を行いながら、各種の疾病や発達の遅れなどを早期発見し、適切な事後処理を行う。

❷保健指導

「母子保健法」に基づき行われる**保健指導**[*2]には、保健所などで行う育児学級・両親学級などの集団指導と個別的な相談指導があります。個別的なものには、妊産婦や新生児・未熟児の保護者に対して行われる医師、助産師、保健師などによる**訪問指導**があります。実施主体は**市町村**です。

❸医療援護

- **妊娠中の医療援護**……妊産婦死亡や**周産期死亡**、未熟児や障害の発生の原因になりやすい妊娠高血圧症候群、妊婦の糖尿病、貧血、心疾患などを防ぐために、**訪問指導**や入院治療など、早期に治療を受けさせる医療援護が実施されている。実施主体は都道府県など。
- **未熟児養育医療**……**未熟児**とは、出生時の体重が2,000g以下の医療を必要とする子どものことで、医療給付が行われる。実施主体は**市町村**。未熟児は、一般の新生児に比べて抵抗力が弱く、疾病（しっぺい）にかかりやすい。心身の障害が残ることもあり、生後すぐに適切な処置を講じなければならない。

❹こども家庭センター

こども家庭センターは、これまで**子育て世代包括支援センター**[*3]（母子保健）と市区町村子ども家庭総合支援拠点（児童福祉）という異なる組織がそれぞれ担ってきた役割を**一体的に**担うために創設された施設で、市区町村に設置の**努力義務**が課されています。母子保健や児童福祉の機能は維持したうえで、**サポートプラン**の作成や**地域資源**の開拓という役割を新たに担うことで、さらなる支援の充実・強化を図ります。

（4）そのほかの事業

- **病棟保育士配置促進モデル事業**……小児病棟などで長期入院している子どもに対し、保育士を配置して、遊びをとおしての心身面でのケアや発育（成長）・発達の援助を行う事業。
- **病児保育事業**[*4]……「子ども・子育て支援法」に基づく地域子ども・子育て支援事業。次の４類型がある。

でた問!!
***2 保健指導**
「母子保健法」の保健指導の規定について出題。
R1後

プラス１
妊産婦への保健指導
妊娠中の健康な生活の維持だけでなく、出産後の育児や勤労女性に対する保健指導の面で重視されている。

用語
周産期死亡
妊娠満22週以後の死産と出生後７日未満の早期新生児死亡を合わせたもの。

でた問!!
***3 子育て世代包括支援センター**
子育て世代包括支援センターの業務について出題。
R2後、R5前

でた問!!
***4 病児保育事業**
病児保育事業の内容について出題。
R3後

■病児保育事業の類型

病児対応型	病院や診療所、保育所などに付設された専用スペースで、回復期に至らない（病児）あるいは回復期（病後児）にある市町村が必要と認めた乳幼児、小学校就学児童を対象として実施される。
病後児対応型	
体調不良児対応型	事業を実施している保育所に通所している児童が保育中に微熱をだすなど体調不良になったときに、保護者が迎えにくるまでの間、緊急的な対応が必要な場合に実施される。
非施設型（訪問型）	回復期に至らない、または回復期だが集団保育が困難な時期にある乳幼児、小学校就学児童の自宅に看護師等を派遣して、児童の自宅で保育を行う。

プラス1

送迎対応
病児対応型、病後児対応型、体調不良児対応型では、保育所等で保育中に体調不良になった子どもを送迎し、専用スペースで一時的に保育する送迎対応事業も実施されている。

（5）母子保健施策の変遷

用語

ヘルスプロモーション
自らの健康をコントロールして、健康を改善できるようにするプロセスをいう。

母子保健サービスは、地域保健活動のなかでも重要な位置づけにあり、ヘルスプロモーションを基本的な考え方として支援しています。

かつては、母子の死亡率の減少をめざした疾病の治療や予防対策、栄養の改善、衛生面での環境の改善といった対策に重点が置かれていました。

今日では、健康増進を主流とする対策、それも心の健康づくりや障害児施策に力を入れた活動内容となっています。さらに、少子化対策の具体的計画として、子育て支援を目的とした活動が重点的に行われています。

その具体的な変遷は次の通りです。

でた問!!

***5 新エンゼルプラン**
新エンゼルプランについて出題。
R2後

	施策名	施策の概要
1999（平成11）年策定	新エンゼルプラン[*5]	子育て支援の充実（保育サービスなど）や母子保健医療体制の整備、地域で子どもを育てていくための教育環境の整備、まちづくりによる子育て支援が盛り込まれた。
2000（平成12）年策定	健やか親子21	母子保健水準向上に向けた課題や深刻化が予測される問題への対応が示され、国民全体で母子保健の向上に向けて活動する国民運動として位置づけた。
2004（平成16）年策定	子ども・子育て応援プラン	「子どもが健康に育つ社会」「子どもを生み、育てることに喜びを感じることのできる社会」を展望した目指すべき社会の姿を掲げ、5年間に講ずる具体的な施策内容を提示した。

プラス1

健やか親子21（第2次）
基盤課題……Ⓐ切れ目のない妊産婦・乳幼児への保健対策Ⓑ学童期・思春期から成人期に向けた保健対策Ⓒ子どもの健やかな成長を見守り育む地域づくり
重点課題……①育てにくさを感じる親に寄り添う支援②妊娠期からの児童虐待防止対策

2010年(平成22)年策定	**子ども・子育てビジョン**	「子どもが主人公(チルドレン・ファースト)」という基本理念のもと、「生活と仕事と子育ての調和」を目指しながら、社会全体で子どもと子育てを応援することを目的とした。
2015年(平成27)年より開始	**子ども・子育て支援新制度**	幼児期の学校教育や保育、地域の子育て支援の量の拡充や質の向上を進めるためにつくられた制度。市町村が中心になって、母子保健関連事業として妊婦健康診査、**乳児家庭全戸訪問事業**、**養育支援訪問事業**、病児保育事業を実施する。

2 ひとり親家庭および寡婦の福祉

(1)「母子及び父子並びに寡婦福祉法」

❶制定までの経緯

一般に母子家庭は経済的に厳しい状態にあることから、以下のようなさまざまな法律が制定されてきました。

1952(昭和27)年 「母子福祉資金の貸与等に関する法律」
1964(昭和39)年 「母子福祉法」
総合的に母子家庭の福祉を推進するための法律。20歳未満の子どもを養育している母子家庭が対象だった。
1981(昭和56)年 「母子福祉法」を「母子及び寡婦福祉法」に改正・改称
2014(平成26)年 「母子及び寡婦福祉法」を「母子及び父子並びに寡婦福祉法」に改正・改称
母子家庭および父子家庭、寡婦に対する総合的な福祉施策が推進されるようになった。この法律における児童とは**20歳に満たない者**をいう。

❷対象者

- **母子家庭の母・父子家庭の父**……児童を扶養している**配偶者のない女子(男子)**。配偶者※と死別した女子(男子)であって、現に婚姻(こんいん)をしていない者および**これに準ずる女子(男子)**。

※婚姻の届け出の有無にかかわらず、事実上婚姻関係を結んでいると認められる者も含まれる。

用語

乳児家庭全戸訪問事業
生後4か月までの乳児がいるすべての家庭を訪問し、子育て支援に関する情報提供や養育環境等の把握を行い、虐待防止にもつなげる。

養育支援訪問事業
乳児家庭全戸訪問事業などで把握し養育支援が特に必要な家庭などを訪問して、養育に関する指導・助言等を行うことで、家庭での適切な養育を確保する。

プラス1

これに準ずる女子・男子
①離婚した女子・男子であって現に婚姻をしていない者。
②配偶者の生死が明らかでない女子・男子。
③配偶者から遺棄されている女子・男子。
④配偶者が海外にあるためその扶養を受けることができない女子・男子。
⑤配偶者が精神または身体の障害により長期にわたって労働能力を失っている女子・男子。
⑥前各号に掲げる者に準ずる女子・男子であって政令で定める者。

用語

扶養
「民法」第877条には直系血族および兄弟姉妹のほか、特別の事情があるときは、家庭裁判所の決定により、３親等内の親族間においても扶養の義務を負わせることができると規定されている。

プラス１

母子家庭等就業・自立支援センター事業
母子家庭の母および父子家庭の父の自立支援を図るため、就業相談から就業支援講習会の実施、就業情報の提供などのサービスを行う事業。都道府県・指定都市・中核市が実施主体（母子福祉団体等への委託が可能）となる。

- **寡婦**……配偶者のない女子であって、かつて配偶者のない女子として「民法」第877条の規定により児童を扶養していたことのある者。

❸目的・理念

- **目的**……母子家庭等及び寡婦の生活の安定と向上。
- **理念**

> **「母子及び父子並びに寡婦福祉法」（抜粋）**
>
> 第２条　全て母子家庭等には、児童が、その置かれている環境にかかわらず、心身ともに健やかに育成されるために必要な諸条件と、その母子家庭の母及び父子家庭の父の健康で文化的な生活とが保障されるものとする。
>
> 第３条　国及び地方公共団体は、母子家庭等及び寡婦の福祉を増進する責務を有する。
>
> 第４条　母子家庭の母及び父子家庭の父並びに寡婦は、自ら進んでその自立を図り、家庭生活及び職業生活の安定と向上に努めなければならない。

（2）ひとり親家庭や寡婦に対する福祉

「母子及び父子並びに寡婦福祉法」では、以下のような福祉施策が規定されています。

❶母子・父子自立支援員による母子・父子相談

都道府県、市町村の職員として、母子・父子自立支援員が福祉事務所に配置され、母子・父子家庭の実態把握や相談・指導などを行います。

職務内容は次のように規定されています。

- **母子・父子との面接、調査、訪問、指導、自立支援など。**
- **配偶者のない者で現に児童を扶養しているものおよび寡婦に対し相談に応じ、その自立に必要な情報提供および指導を行う。**
- **配偶者のない者で現に児童を扶養しているものおよび寡婦に対し、職業能力の向上および求職活動に関する支援を行う。**

福祉資金貸付制度の運用は、都道府県、指定都市または中核市が行っており、財源には国および都道府県などからの貸付金と償還金などが充当されます。

❷福祉資金の貸し付け

福祉資金の貸し付けは、母子家庭および父子家庭の経済的自立を図る制度として、重要な施策の一つです。児童が20歳に達したあとでも継続できます。

資金の貸し付けには、事業開始資金、事業継続資金、修学資金、技能習得資金、修業資金、就職支度資金、医療介護資金、生活資金、住宅資金、転宅資金、就学支度資金、結婚資金の12種類があります。

❸母子・父子福祉関係施設

母子および寡婦のための福祉施設には「児童福祉法」による**母子生活支援施設**と助産施設があります。このうち母子生活支援施設は、夫のアルコール依存症や暴力、消費者金融からの取り立てなどからの避難を目的に母子が一緒に入所し、その自立を支援する施設で、2022（令和４）年10月１日現在で全国に204か所設置されています。

このほかにも、「母子及び父子並びに寡婦福祉法」による母子・父子福祉施設（**母子・父子福祉センター***6と**母子・父子休養ホーム**）があります。

❹児童扶養手当制度

児童扶養手当*7は、父または母と生計を同じくしていない児童に「児童扶養手当法」に基づいて手当を支給し、その家庭の生活の安定を図ることによって児童の福祉を推進することを目的としたものです。2023（令和５）年３月末現在で81万7,867人が受給しており、受給原因別では離婚を支給要件としている者が母子家庭の85.4%、父子家庭の89.1%を占めています。

❺母子家庭・父子家庭日常生活支援事業

母子家庭・父子家庭日常生活支援事業は、病気、自立のための就学、冠婚葬祭その他の社会的事由（じゆう）により、一時的に家事援助、保育などのサービスが必要な母子家庭および父子家庭に家庭生活支援員を派遣し、必要な家事援助、保育を行う事業です。サービスには、乳幼児の保育、住居の掃除、食事の世話、買い物などが含まれます。

❻ひとり親家庭等生活向上事業

ひとり親家庭等が直面する諸問題を解決するための事業を実施し、生活の向上を図ることを目的としています。具体的には、ひとり親に対する①相談支援事業、②家計管理・生活支援講習会等事業、③学習支援事業、④情報交換事業、⑤ひとり親

でた問!!

***6 母子・父子福祉センター**
母子・父子福祉センターの目的について出題。
R4前

＋プラス１

母子・父子福祉センター
無料又は低額な料金で、母子家庭等に対して、各種の相談に応ずるとともに、生活指導及び生業の指導を行う等母子家庭等の福祉のための便宜を総合的に供与することを目的とする。2022（令和4）年10月において54か所の設置。

母子・父子休養ホーム
無料又は低額な料金で、母子家庭等に対して、レクリエーションその他休養のための便宜を供与することを目的とする。2022（令和4）年10月において1か所の設置。

でた問!!

***7 児童扶養手当**
目的、受給状況、児童手当との併給について出題。
R5後

家庭地域生活支援事業があります。

また、ひとり親家庭の子どもに対し、放課後児童クラブ等の終了後に基本的な生活習慣の習得支援、学習支援、食事の提供等を行う子どもの生活・学習支援事業も行われています。

❼子育て短期支援事業

トワイライトステイのほか、保護者の病気、出産、冠婚葬祭、出張、または夫の暴力などで母子が一時的に保護を必要としている場合などに、原則として7日以内の一時預かりを行うショートステイがあります。

保護者の仕事などの理由で一時的に養育困難な場合に、子どもを平日の夜間または休日に預かる**トワイライトステイ**があります。父子家庭や保護者の通院などの理由でも利用され、児童養護施設や母子生活支援施設などで実施されています。

❽寡婦に対する福祉

寡婦家庭は、社会的・経済的に自立が困難なことから、**寡婦福祉資金の貸し付け**などの福祉の措置が行われています。そのほか、母子・父子自立支援員などによる相談事業、公共施設内における売店等の優先許可、寡婦日常生活支援事業などは母子家庭等と同様に実施されています。

ここは覚えよう!!

「母子及び父子並びに寡婦福祉法」における定義

配偶者のない女子（男子）

一　離婚した女子（男子）であって現に婚姻をしていないもの
二　配偶者の生死が明らかでない女子（男子）
三　配偶者から遺棄されている女子（男子）
四　配偶者が海外にあるためその扶養を受けることができない女子（男子）
五　配偶者が精神又は身体の障害により長期にわたって労働能力を失っている女子（男子）
六　前各号に掲げる者に準ずる女子（男子）であって政令で定めるもの

児童

20歳に満たない者

寡婦

配偶者のない女子でかつて配偶者のない女子として児童を扶養したことのある者

母子家庭等

母子家庭及び父子家庭

ポイント確認テスト

穴うめ問題

□□ **Q1** 過R1後

（　　）は、平成13年から開始した、母子の健康水準を向上させるための様々な取り組みを、みんなで推進する国民運動計画である。 >>> p266

□□ **Q2** 過R4後

（　　）は、配偶者のない女子又はこれに準ずる事情にある女子及びその者の監護すべき児童を入所させて、これらの者を保護するとともに、これらの者の自立の促進のためにその生活を支援し、あわせて退所した者について相談その他の援助を行うことを目的とする施設である。 >>> p269

□□ **Q3** 過R5後

（　　）の目的は、父または母と生計を同じくしていない児童が育成される家庭の生活の安定と自立の促進に寄与するため、当該児童について（　　）を支給し、児童の福祉の増進を図ることである。 >>> p269

□□ **Q4** 予想

（ a ）は（ b ）の一つで、無料又は低額な料金で、母子家庭等に対して、レクリエーションその他休養のための便宜を供与することを目的とする。 >>> p269

○×問題

□□ **Q5** 予想

こども家庭センターでは、業務として母子健康手帳の交付を行う。 >>> p262

□□ **Q6** 予想

こども家庭センターの実施主体は、都道府県である。 >>> p265

□□ **Q7** 過R3後

都道府県は、当該乳児が新生児であって、育児上必要があると認めるときは、医師、保健師、助産師又はその他の職員をして当該新生児の保護者を訪問させ、必要な指導を行わせるものとする。

□□ **Q8** 過R3後

病児保育の事業類型は、病児対応型、病後児対応型、体調不良児対応型、非施設型（訪問型）、送迎対応である。 >>> p266

解答・解説

Q1　健やか親子21　**Q2**　母子生活支援施設　**Q3**　児童扶養手当　**Q4**　a 母子・父子休養ホーム／b 母子・父子福祉施設

Q5　×　母子健康手帳の交付は市町村が行う。　**Q6**　×　都道府県ではなく市町村。

Q7　×　都道府県ではなく市町村。　**Q8**　○

子ども家庭福祉 Lesson 8

障害のある子どもの福祉

頻出度 Level 3

障害児支援について学びます。どのような子どもに対し、どのような支援が用意されているのか理解することが大切です。

ココに注目!!

- 障害（者）の定義
- 障害児通所支援の種類と内容
- 障害児入所施設の福祉型・医療型の違い
- 自立支援医療費の自己負担割合

1 障害者福祉の理念と基本原理

(1)「障害者基本法」

➕プラス1

「障害者基本法」
1970（昭和45）年制定の「心身障害者対策基本法」が1993（平成5）年11月に改称・改正されたもの。

日本の障害者施策における基本的な考え方は「**障害者基本法**」に示されています。

❶目的

第1条には、この法律の目的として「全ての国民が、**障害の有無**にかかわらず、等しく**基本的人権**を享有（きょうゆう）するかけがえのない個人として尊重されるものであるとの理念にのっとり、全ての国民が、障害の有無によつて分け隔てられることなく、相互に人格と個性を尊重し合いながら**共生**する社会を実現するため（中略）障害者の**自立**及び**社会参加**の支援等のための施策を総合的かつ計画的に支援すること」と定められています。

第3条ではこの目的を実現するために図るべきことを3つあげています。

1981（昭和56）年の「国際障害者年」、1983（昭和58）年からの「国連・障害者のための10年」、1995（平成7）年の「障害者プラン」などは、障害者福祉発展の推進力となりました。

「障害者基本法」第3条（抜粋）

一　全て障害者は、社会を構成する一員として社会、経済、文化その他**あらゆる分野の活動に参加する機会**が確保されること。

二　全て障害者は、可能な限り、**どこで誰と生活するかについての選択の機会**が確保され、地域社会において他の人々と共生することを妨げられないこと。
三 全て障害者は、可能な限り、言語（手話を含む。）その他の意思疎通のための手段についての選択の機会が確保されるとともに、情報の取得又は利用のための手段についての選択の機会の拡大が図られること。

❷障害（者）の定義

●障害者

「障害者基本法」第2条

一 障害者 身体障害、知的障害、精神障害（発達障害を含む。）その他の心身の機能の障害（以下「障害」と総称する。）がある者であつて、障害及び社会的障壁により継続的に日常生活又は社会生活に相当な制限を受ける状態にあるものをいう。
二 社会的障壁 障害がある者にとつて日常生活又は社会生活を営む上で障壁となるような社会における事物、制度、慣行、観念その他一切のものをいう。

- **身体障害**……ⓐ視覚障害、ⓑ聴覚または平衡感覚の障害、ⓒ音声機能、言語機能または咀しゃく機能の障害、ⓓ肢体不自由、ⓔ心臓、腎臓、呼吸器、膀胱、直腸、小腸、肝臓、ヒト免疫不全ウイルスによる免疫機能障害等の障害（「**身体障害者福祉法施行規則**」別表第五号より）。これらはそれぞれ身体障害者障害程度等級表において1～7級の等級が設定されている。この定義に基づいて身体障害者手帳が交付されている子どもを「身体障害児」とし、「児童福祉法」「障害者総合支援法」におけるサービスを適用している。
- **知的障害**……知的発達の遅滞があり、他人との意思疎通が困難で日常生活を営むのに頻繁に援助を必要とする程度のものおよびその程度に達しないもののうち、社会生活への適応が著しく困難なもの（「**学校教育法施行令**」）。おおむねIQ70～75以下。

プラス1

療育指導
保健所長は、身体障害児に対して早期治療および適切な指導によって独立自活に必要な能力を得られるよう、療育指導を定期的に行う。

医療的ケア児
日常生活および社会生活を営むために恒常的に医療的ケア（人工呼吸器による呼吸管理、喀痰吸引その他の医療行為）を受けることが不可欠である児童のことを医療的ケア児という。医療的ケア児には、重症心身障害のある子どもから知的、肢体面の問題はない子どもまでさまざまであり、個別的な配慮が必要である。

現在、日本では法律に基づく知的障害の定義はありません。「知的障害児（者）基礎調査」は2005（平成17）年まで厚生労働省が行っていました。

知的障害を有する児童には、都道府県知事または指定都市市長から療育手帳が交付されます。

用語

障害児
「児童福祉法」では「身体に障害のある児童、知的障害のある児童、精神に障害のある児童（発達障害者支援法第２条第２項に規定する発達障害児を含む。）又は治療法が確立していない疾病その他の特殊の疾病であつて障害者の日常生活及び社会生活を総合的に支援するための法律第４条第１項の政令で定めるものによる障害の程度が同項の主務大臣が定める程度である児童」とされている。

新生児マス・スクリーニング検査
病気の早期発見を目的とした集団検査。新しい検査法であるタンデムマス法が導入されたことで、20種類の疾患を一度に検査できる。
⇨下巻 保健p182

ここは覚えよう!!

障害者に関する定義と根拠法

身体障害者	「身体障害者福祉法」

身体上の障害がある18歳以上の者であって、都道府県知事から身体障害者手帳の交付を受けたもの

知的障害者	「平成17年度知的障害児（者）基礎調査」

知的機能の障害が発達期（おおむね18歳まで）にあらわれ、日常生活に支障が生じているため、何らかの特別な援助を必要とする状態にあるもの

精神障害者	「精神保健及び精神障害者福祉に関する法律」

統合失調症、精神作用物質による急性中毒又はその依存症、知的障害、精神病質その他の精神疾患を有する者

発達障害	「発達障害者支援法」

自閉症、アスペルガー症候群その他の広汎性発達障害、学習障害、注意欠陥多動性障害その他これに類する脳機能の障害であってその症状が通常低年齢において発現するものとして政令で定めるもの

2 障害のある子どものための福祉施策

（1）障害児の予防と早期発見

障害の予防・早期発見のために、都道府県・市町村は次のような母子保健対策を行っています。

- **妊娠、出産、育児についての知識の普及と啓発活動。**
- **妊産婦と乳幼児（乳児、１歳６か月児、３歳児など）に対する精神発達などの検査、精神発達精密健康診査およびその事後指導、健康管理指導。**
- **フェニルケトン尿症、先天性甲状腺機能低下症（クレチン症）などに対する新生児マス・スクリーニング検査（タンデムマス法）の実施。**

(2) 在宅障害児のための支援施策

障害の種類や程度により次の支援が定められています。

■「児童福祉法」に基づく障害児通所支援*1

児童発達支援	児童発達支援センターなどの施設に通わせ、日常生活における基本的な動作および知識技能の習得、集団生活への適応のための支援、肢体不自由児への治療などを供与する。
放課後等デイサービス	就学している障害児を、授業の終了後または休みの日に児童発達支援センターその他の施設に通わせ、生活能力向上のために必要な支援、社会との交流の促進その他の便宜を供与する。
保育所等訪問支援	保育所などに通う障害児または乳児院やその他の児童が集団生活を営む施設に入所している障害児について、その施設を訪問し、その施設の障害児以外の児童との集団生活への適応のための専門的な支援その他の便宜を供与する。
居宅(きょたく)訪問型児童発達支援	重度の障害等によって児童発達支援または放課後等デイサービスを受けるために外出することが著しく困難な障害児居宅を訪問し、日常生活における基本的な動作および知識技能の習得、生活能力向上のために必要な支援その他の便宜を供与する。

■「障害者総合支援法」に基づく支援

障害児相談支援事業	障害児に関する相談に応じ、必要な情報の提供や助言など総合的な援助を行う。
補装具費の支給	障害の状態からみて、義肢・装具・車いすなどの補装具の購入・修理が必要であると市町村が認める場合(障害児の世帯員の所得が政令で定める基準以上の場合を除く)、購入・修理費を支給する。ただし、上限額内で原則1割を自己負担する。
日常生活用具の給付・貸与	重度障害児(者)がいる家庭に、便器、訓練いす、訓練用ベッドなどの日常生活用具を給付または貸与する。
障害児等療育支援事業	在宅の重症心身障害児(者)、知的障害児(者)、身体障害児(者)の地域における生活を支えるために、地域の療育機能の充実を図り、都道府県域の療育機関との連携を図る。訪問療育指導、外来療育相談・指導など。

でた問!!

*1 障害児通所支援
障害児通所支援の種類について出題。
R2後、R5前
児童発達支援について出題。
R1後、R4前
医療型児童発達支援について出題。
R4前
放課後等デイサービスについて出題。
R1後、R4前、R6前
保育所等訪問支援について出題。
R1後、R4前
居宅訪問型児童発達支援について出題。
R4前

プラス1

「障害者総合支援法」
正式名称は「障害者の日常生活及び社会生活を総合的に支援するための法律」。2013(平成25)年4月に「障害者自立支援法」から名称変更され、障害者の定義に「難病等」が追加された。

(3) 施設における福祉施策

「児童福祉法」では、障害児施設を障害児入所施設(入所型)

と児童発達支援センター（通所型）とに位置づけています。

❶障害児入所施設（入所型）

- 福祉型障害児入所施設*2……保護、日常生活の指導、独立自活に必要な知識技能の習得のための支援を行う。主に知的障害児、自閉症児、盲ろうあ児、肢体不自由児を対象としている。
- **医療型障害児入所施設**……上記に加え治療を行う。「医療法」に規定される病院で、主に自閉症児、肢体不自由児、重症心身障害児を対象としている。

でた問!!
*2 福祉型障害児入所施設
福祉型障害児入所施設の目的について出題。
R1後、R5後

❷児童発達支援センター（通所型）

- 児童発達支援センター*3……日常生活における基本的動作および独立自活に必要な知識技能の習得、集団生活への適応のための支援、肢体不自由児への治療を行う。すべての障害児を対象としている。

でた問!!
*3 児童発達支援センター
（医療型との統合前の）福祉型児童発達支援センターの支援内容について出題。
R3前

（4）自立支援医療費の給付

2006（平成18）年４月から、「障害者自立支援法（現：障害者総合支援法）」に基づく自立支援医療費（身体障害者、身体障害児、精神障害者（通院）が対象）が給付されています。

支給を受けるには、市町村（精神障害者については都道府県）に支給認定の手続きを行い、認定後に指定自立支援医療機関で治療を受けます。原則として費用の１割を自己負担、またはこの１割の負担が過大にならないよう、所得などに応じて１か月あたりの自己負担上限額が設定されています。

ポイント確認テスト

穴うめ問題

□□ **Q1** 予想

障害児の予防と早期発見のため、フェニルケトン尿症、先天性甲状腺機能低下症などに対する（　　　）が実施されている。 >>> p274

□□ **Q2** 過R4前

保育所等訪問支援では、保育所、乳児院・児童養護施設等を訪問し、（ a ）に対して、（ a ）以外の児童との（ b ）への適応のための専門的な支援などを行う。 >>> p275

□□ **Q3** 過R4前

（　　）では、授業の終了後又は休校日に、児童発達支援センター等の施設に通わせ、生活能力向上のための必要な訓練、社会との交流促進などの支援を行う。 >>> p275

□□ **Q4** 予想

自立支援医療の対象は、身体障害者、（　　　）、精神障害者（通院）である。 >>> p276

○×問題

□□ **Q5** 過R5前

居宅訪問型児童発達支援、保育所等訪問支援、放課後等デイサービスは「児童福祉法」に規定された障害児通所支援である。 >>> p275

□□ **Q6** 過R6前

放課後等デイサービス事業は、小学校に就学している児童であって、その保護者が労働等により昼間家庭にいないものに、授業の終了後に児童厚生施設等の施設を利用して適切な遊び及び生活の場を与えて、その健全な育成を図る事業である。 >>> p275

□□ **Q7** 過R4前

居宅訪問型児童発達支援では、重度の障害等により外出が著しく困難な障害児の居宅を訪問して発達支援を行う。 >>> p275

□□ **Q8** 過R3前

児童発達支援センターは、障害児を入所させて、保護、日常生活における基本的動作及び独立自活に必要な知識や技能の習得を行う施設である。 >>> p276

解答・解説

Q1　新生児マス・スクリーニング検査　Q2　a 障害児／b 集団生活　Q3　放課後等デイサービス　Q4　身体障害児

Q5　○　Q6　×　放課後等デイサービス事業ではなく放課後児童健全育成事業である。

Q7　○　Q8　×　児童発達支援センターではなく福祉型障害児入所施設である。

子ども家庭福祉 Lesson 9

少年非行等への対応

頻出度 Level 2

非行や心理的・精神的な課題を抱えた子どもに対しては、その年齢や状態に応じ、法律にのっとった適切な対応がとられます。

ココに注目!!
- 非行少年の種類
- 児童福祉法上の措置の内容
- 少年院送致の年齢
- 社会適応が困難な児童とは

1 少年非行への対応

（1）少年非行の実情

「令和５年版犯罪白書」（法務省）によると、検挙された**刑法犯少年**[*1]の数は2004（平成16）年以降減り続けていたが、2022（令和４）年には２万912人で前年より若干増加しました。罪名で最も多かったのは**窃盗**です。年齢で多いのは16～17歳で、男女別では**男子**が多くを占めています。

令和４年における校内暴力事件の検挙・補導人員は636人（前年比1.8％増）でした。就学状況では、**中学生**が352人（55.3％）、小学生が203人（31.9％）、高校生が81人（12.7％）でした。

でた問!!
*1 刑法犯少年
検挙人数が多かった罪名について出題。
R4後

プラス1
検挙件数
最も多いのが窃盗、次いで傷害、暴行の順である。

（2）非行少年の種類

「少年法」に規定される家庭裁判所の審判（しんぱん）に付すべき少年（**非行少年**）は、次のように分類できます。

- **犯罪少年**……14歳以上で犯罪を行った少年
- **触法少年**[*2]……14歳未満で刑罰法令にふれる行為をした少年
- **虞犯（ぐはん）少年**[*2]……将来、罪を犯し、または刑罰法令にふれる行為をするおそれのある少年

でた問!!
*2 触法少年、虞犯少年
触法少年の送致について出題。
H31前
触法少年、虞犯少年の定義について出題。
R2後

なお、虞犯少年は、次のように規定されています。

「少年法」第3条

イ　保護者の正当な監督に服しない性癖のあること。
ロ　正当の理由がなく家庭に寄り附かないこと。
ハ　犯罪性のある人若しくは不道徳な人と交際し、又はいかがわしい場所に出入すること。
ニ　自己又は他人の徳性を害する行為をする性癖のあること。

用語
保護者
「少年法」において「保護者」とは、「少年に対して法律上監護教育の義務ある者及び少年を現に監護する者をいう」と規定されている

ここは覚えよう!!

「少年法*3」における少年、成人、保護者の定義

少年	20歳に満たない者（18歳、19歳は特定少年）
保護者	少年に対して法律上監護教育の義務ある者及び少年を現に監護する者

でた問!!
***3「少年法」**
「少年法」における保護者の定義について出題。
R3前
「少年法」における少年の定義について出題。
R1後、R3前

（3）非行問題への対応

❶「児童福祉法」上の措置

非行少年のうち、家庭環境に非行の主な原因がある者、比較的低年齢の者などは「児童福祉法」上の措置（そち）がとられます。具体的には、児童相談所による調査判定に基づき、次のような方法がとられます。

- **児童または保護者の訓戒、または誓約書の提出。**
- **児童福祉司、社会福祉主事、児童委員などの指導。**
- **里親への委託、または児童自立支援施設などの児童福祉施設への入所。**
- **家庭裁判所への送致。**

❷警察の対応

警察が非行少年を発見した場合、次のように対応します。

- **その場で必要な捜査または調査を行う。**
- **必要に応じて検察官、家庭裁判所、児童相談所などの関係機関へ送致または通告。**

プラス1
家庭裁判所の調査・審判
14歳以上の虞犯少年は、児童相談所、家庭裁判所のいずれでも対応できる。触法少年および14歳未満の虞犯少年については、都道府県知事または児童相談所から送致された場合のみ、家庭裁判所の調査・審判の対象となる。

❸家庭裁判所の調査・審判

14歳以上で犯罪を行った犯罪少年は、**家庭裁判所の調査・審判**[*4]を受けます。

家庭裁判所は**少年鑑別所**[*5]が行った鑑別結果を総合的に考慮し、適当と認められる保護処分（保護観察所における保護観察、少年院への送致、児童自立支援施設または児童養護施設への送致など）を決定します。

家庭裁判所には、再非行防止の観点から、その少年についての適切な処置を行うことが求められています。

でた問!!

***4 家庭裁判所の調査・審判**
14歳以上の犯罪少年の送致、通告について出題。
R1後
14歳未満の触法少年の審判について出題。
R3前

***5 少年鑑別所**
少年鑑別所の役割について出題。
R2後

(4)「少年法」の改正

❶2000（平成12）年の改正

・検察官に送致できる年齢が、16歳から14歳に引き下げられた。

・犯行時**16**歳以上の少年が故意の犯罪行為により被害者を死亡させた事件については、原則として検察官に送致するものとされた。

❷2007（平成19）年の改正

・警察はそれまでの任意の事情聴取から触法少年の調査を行う権限をもつようになった。

・上記の調査の結果、**触法少年**が刑罰法令にふれるような重大犯罪を行ったと判断した場合、事件を児童相談所（長）に送致しなければならない。その場合、都道府県知事または児童相談所（長）は原則として**家庭裁判所**送致の措置をとらなければならない。

・上記の対応を受け、家庭裁判所は処分決定のときに14歳に満たない触法少年にかかる事件について、特に必要と認める場合には少年院送致の**保護処分**を行うことができるようになり、少年院送致の年齢の下限が14歳以上からおおむね12歳以上（11歳の少年も可）とされた。

❸2021（令和３）年の改正

・18～19歳を**特定少年**とし、検察官送致する対象事件の拡大や厳罰化が図られた。

＋プラス１

保護観察中の者に対する措置
保護処分の内容で、本人が更生を図ることができないと認められるときには、児童自立支援施設や少年院への送致を行うことが可能になる。

2 社会適応が困難な児童への対応

❶社会適応が困難な児童とは

家庭環境、学校における交友関係その他の環境上の理由により**社会生活への適応**が困難になった子どものことで、「児童福祉法」第43条の２では児童心理治療施設での治療対象としています。

❷児童心理治療施設

児童心理治療施設では、**治療**および**生活指導**を主として行います。児童相談所（長）の措置により短期間の入所または通所が決定されます。最近では、虐待された児童の心理的問題に対処するケースが増え、個別対応職員、家庭支援専門相談員などの職員も配置されています。

短期間の入所が想定されている施設です。

ポイント確認テスト

穴うめ問題

☐☐ **Q1** 過R2後

触法少年とは、刑罰法令に触れる行為をした（　　　）歳未満の者である。>>> **p278**

☐☐ **Q2** 過R4後

令和４年の少年による刑法犯で、検挙人数が最も多かった罪名は（　　　）である。>>> **p278**

☐☐ **Q3** 過R3前

「少年法」では、「家庭裁判所は、（中略）14歳に満たない者については、（　a　）又は（　b　）から送致を受けたときに限り、これを審判に付することができる」としている。>>> **p279**

☐☐ **Q4** 過R2後

（　　　）は、家庭裁判所の求めに応じて、鑑別を行う。>>> **p280**

○×問題

☐☐ **Q5** 過R3前

「少年法」において「弁護人」とは、少年に対して法律上監護教育の義務ある者及び少年を現に監護する者をいう。>>> **p279**

☐☐ **Q6** 過R5前

児童心理治療施設は、不良行為をなし、またはなすおそれのある児童及び家庭環境その他の環境上の理由により生活指導等を要する児童を入所させる。>>> **p281**

☐☐ **Q7** 過H31前

児童自立支援施設入所児童を、「少年法」の保護処分により少年院に入院させることが相当と認められる場合、子どもの最善の利益を確保する観点から家庭裁判所の審判に付すことが適当と認められる。

☐☐ **Q8** 予想

非行少年及び触法少年の警察署における委託一時保護は、原則として12時間を超えることができない。

解答・解説

Q1　14　**Q2**　窃盗　**Q3**　a 都道府県知事／b 児童相談所長　**Q4**　少年鑑別所
Q5　×　記述は弁護人ではなく保護者の定義である。　**Q6**　×　記述は児童自立支援施設。児童心理治療施設は、家庭環境、学校における交友関係その他の環境上の理由によって社会生活への適応が困難となった子どもを対象としている。　**Q7**　○　**Q8**　×　警察署における委託一時保護は24時間を超えることができない。（「児童相談所運営指針」）

子ども家庭福祉 Lesson 10

子ども家庭福祉の現状と課題

頻出度 Level 5

社会の変化にともない、子ども家庭福祉はさまざまな課題を抱えています。それぞれの課題の背景を理解し、その対策を学びましょう。

ココに注目!!
- ✓ 合計特殊出生率の数値
- ✓ 多様な保育ニーズへの対応
- ✓ 児童相談所の児童虐待相談対応件数
- ✓ 子どもの貧困率

1 少子化問題

(1) 出生率の低下

1人の女性が**15歳**から**49歳**までの間に何人の子どもを産むかを示す値を**合計特殊出生率**[*1]といいます。日本ではこの数値が著しく低下しており、2022（令和4）年は**1.26**（確定値）と、人口を維持するのに必要な水準である人口置換水準**2.07**を大きく下回っています。

(2) 少子化の原因

次のような原因があげられます。

- **女性就労の増加。**
- **晩婚化、晩産化、未婚、非婚の増加。**
- **夫婦の出生力の低下。**
- **子育ての経済的・精神的・肉体的な負担の増加。**
- **仕事との両立が困難。**
- **職場中心主義による家庭の軽視など。**

このような状況を受け、2003（平成15）年7月に「少子化社会対策基本法」「次世代育成支援対策推進法」が制定されました。

でた問!!

***1 合計特殊出生率**
合計特殊出生率の数値について出題。
R2後

合計特殊出生率
⇨下巻 保健p97

プラス1

諸外国の合計特殊出生率
フランス：1.79
スウェーデン：1.52
アメリカ：1.67
イギリス：1.57
ドイツ：1.46
イタリア：1.24
（いずれも2022年）
出典：世界銀行オープンデータ

用語

非婚
将来婚姻することを前提とした「未婚」という呼称に対し、婚姻関係を結ぶことにこだわらない、あるいは避けることを指す。

2　外国籍の子どもへの対応

（1）保育者としての対応

***2 外国籍の子ども**
外国籍や外国にルーツをもつ子どもの保育について出題。
R5後

保育所では、**外国籍の子ども***2もともに生活しています。このような場合、異なる文化が共存することになります。保育士は、それぞれの文化を尊重し、**多文化共生**の保育をすすめていくことが必要になります。

ふだんの情報伝達では、子どもの体調不良など緊急性が高い場合に速やかに状況を説明できるよう、外国語とその日本語訳を記したノートやカードを用意するなどの工夫が必要です。

（2）学校における外国籍の子ども

***3 日本語指導が必要な外国籍の児童生徒**
日本語指導が必要な外国籍の児童生徒の母語別在籍状況について出題。
R3前、R4後

公立学校において、**日本語指導が必要な外国籍の児童生徒***3の数が年々増加しており、2021（令和３）年度には47,619人でした（文部科学省「『日本語指導が必要な児童生徒の受入状況等に関する調査（令和３年度）』の結果について」）。母語別にみると、**ポルトガル語**を母語とする子どもが最も多く、中国語、フィリピノ語と続きます。

外国籍の保護者に自国の文化を紹介してもらう機会をつくるなど子どもたちがお互いの文化に興味や関心をもてるようにすることが大切です。

■ 日本語指導が必要な外国籍の児童生徒の言語別在籍状況

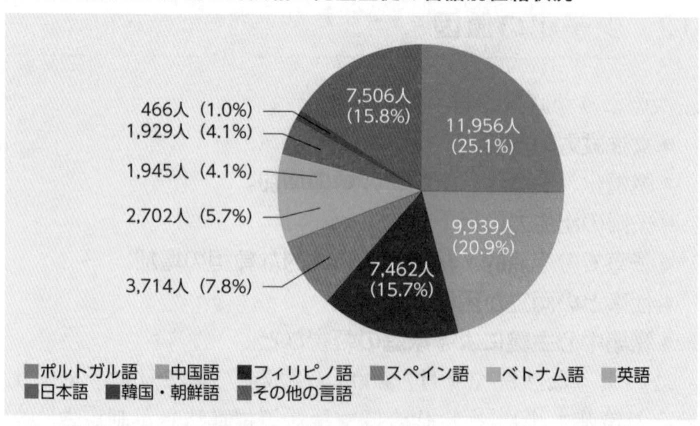

出典：文部科学省「『日本語指導が必要な児童生徒の受入状況等に関する調査（令和３年度）』の結果について」をもとに作成

3 多様な保育ニーズ

(1) 保育の長時間化

フルタイムで働く保護者の増加にともない、子どもを保育所等に長時間預ける家庭が増えています。**長時間保育**とは1日11時間の保育を行うことで、一般的には朝と夕方の時間帯を使った**延長保育**の形で利用されます。

2023年度では、73か所の保育所が夜間保育を行っています（こども家庭庁「令和5年度夜間保育所の設置状況」）。

(2) 夜間保育

昼間だけでなく夜間や深夜にも子どもを預かる**夜間保育**[*4]があります。夜間保育は1日11時間の開所が認められており、夜間保育を行う認可を受けた保育所の場合は、夜10時まで子どもを預かることができます。

***4 夜間保育**
夜間保育を実施する保育所の数について出題。
R1後、R4前

(3) 認可外保育施設

認可外保育施設とは、認可保育所、認定こども園および地域型保育事業以外の保育を行うものです。24時間保育など、長時間の保育を行っているところもあります。保護者の多様な保育ニーズに合わせて特色のある保育を行えることが認可外保育施設の大きな特徴です。

都市部などでは、午後から開園し、深夜にかけて子どもを預かる保育施設もあります。

子ども家庭福祉

4 児童虐待問題とその防止

1990年代から社会問題と認知されるようになった児童虐待防止について定めた、「**児童虐待の防止等に関する法律**」（**児童虐待防止法**）が2000（平成12）年11月に施行されました。その後、2007（平成19）年に改正され、国および地方公共団体の責務、市町村・福祉事務所の長や児童相談所による、虐待を受けたと思われる子どもの安全確認のための必要な措置（そち）を講じることの義務化などが、条文化されています。

でた問!!

*5 児童虐待相談
児童虐待の相談対応件数について出題。
R4後、R5前

ここは覚えよう!!

児童虐待相談*5 の対応件数

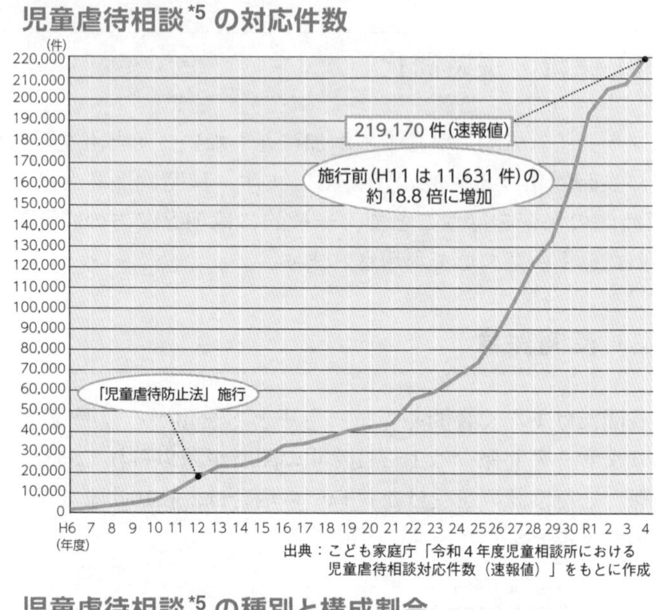

出典：こども家庭庁「令和4年度児童相談所における児童虐待相談対応件数（速報値）」をもとに作成

児童虐待相談*5 の種別と構成割合

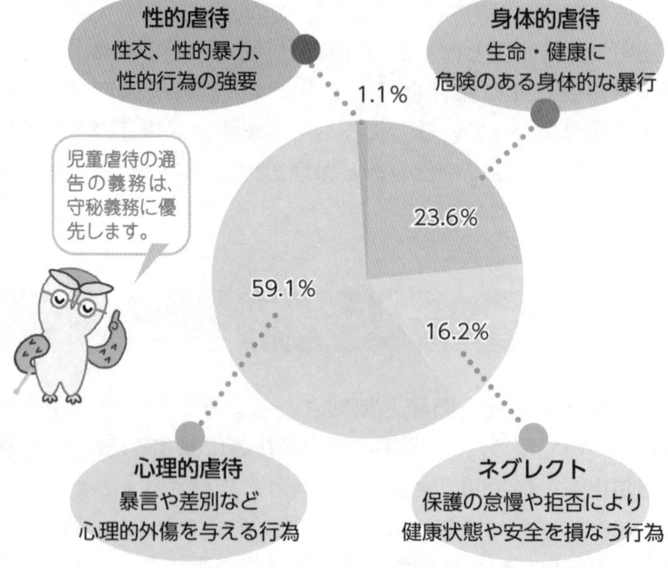

出典：こども家庭庁「令和4年度児童相談所における児童虐待相談対応件数（速報値）」をもとに作成

心理的虐待が増加。児童のいる家庭で夫婦間での暴力や暴言（面前DV）について警察からの通告が増加しています。

児童虐待については社会的養護の科目からも頻出です！特にLesson7をあわせて学習することをおすすめします。

2022（令和4）年度の児童相談所による児童虐待相談対応件数は21万9,170件（速報値）で、過去最高を更新し続けています。

「児童虐待の防止等に関する法律」
⇨社養p341

5 子どもの貧困

（1）子どもの貧困の実情

ひとり親家庭を中心とした**子どもの貧困**が大きな社会問題となっています。「2022（令和4）年国民生活基礎調査」によると、子どもの貧困率は**11.5%**、子どもがいる**現役世帯**のうち、大人が1人（ひとり親）の貧困率は**44.5%**で、**ひとり親家庭**の半分弱程度は**貧困線**以下の生活を送っていることになります。

用語
現役世帯
世帯主が18歳以上65歳未満の世帯。

プラス1
貧困線
2021（令和3）年の貧困線は127万円である。これに満たない世帯員の割合を相対的貧困率という。
⇨社福p144

（2）「こども大綱」におけるこどもの貧困対策

「こども大綱」では、こどもの貧困は、経済的な面だけではなく、心身の健康や衣食住、**進学機会**や学習意欲、前向きに生きる気持ちを含め、こどもの権利利益を侵害するとともに、**社会的孤立**にもつながる深刻な課題であり、その解決に全力をあげて取り組むとしています。そのための支援として、地域や社会全体で課題を解決するという認識のもと、教育の支援、生活の安定に資するための支援、保護者の就労の支援、経済的支援があげられています。

具体的には、次のような内容が示されています。

「こども大綱」
⇨p257

- **要保護児童対策地域協議会**、子ども・若者支援地域協議会等の枠組みを活用して連携し、苦しい状況にあるこどもや若者を早期に把握し、支援につなげる。
- 幼児教育・保育の**無償化**、義務教育段階の就学援助、高校生等・大学生等への**修学支援**によって幼児期から高等教育段階まで**切れ目のない教育費負担の軽減**を図る。
- **高校中退**を防止するための支援や高校中退後の継続的なサポートを強化する。
- 成人期への**移行期**に親からのネグレクト等により必要な援助を受けられず困難な状況にある学生等の若者にも目配りする。

ポイント確認テスト

穴うめ問題

☐☐ **Q1** 予想

2022（令和4）年の合計特殊出生率は（　a　）で、人口を維持するのに必要な水準である（　b　）の2.07を大きく下回っている。 >>> p283

☐☐ **Q2** 過R4前

「夜間保育所の設置認可等について」（平成12年 厚生省）によると、開所時間は原則として概ね（　a　）時間とし、おおよそ午後（　b　）時までとすることとされている。 >>> p285

☐☐ **Q3** 過R3後

「子供の貧困対策に関する大綱」（内閣府）では、「学校を地域に開かれた（　a　）と位置付けて、（　b　）が機能する体制づくりを進める」としている。

☐☐ **Q4** 予想

「こども大綱」では、「こどもの貧困は、経済的な面だけではなく、心身の健康や衣食住、（　a　）や学習意欲、前向きに生きる気持ちを含め、こどもの権利利益を侵害するとともに、（　b　）にもつながる深刻な課題であり、その解消に全力をあげて取り組む」としている。 >>> p287

○×問題

☐☐ **Q5** 過R3前

令和３年度の日本語指導が必要な外国籍の児童生徒の母語別在籍状況において、最も多いのはベトナム語を母語とする子どもである。 >>> p284

☐☐ **Q6** 過R1後

「平成30年版　少子化社会対策白書」によると、おおむね午後10時頃まで開所する夜間保育所に対して必要な補助が行われており、2017（平成29）年度の実施ヵ所数は約80ヵ所である。 >>> p285

☐☐ **Q7** 過R3後

「子供の貧困対策に関する大綱」（内閣府）では、「目指すべき社会を実現するためには、子育てや貧困を家庭のみの責任とするのではなく、地域や社会全体で課題を解決するという意識を強く持ち、子供のことを第一に考えた適切な支援を包括的かつ早期に講じていく必要がある」としている。

☐☐ **Q8** 過R3後

「子供の貧困対策に関する大綱」（内閣府）では、「生まれた地域によって子供の将来が異なることのないよう、地方公共団体は計画を策定しなければならない」としている。

解答・解説

Q1　a 1.26／b 人口置換水準　Q2　a 11／b 10　Q3　a プラットフォーム／b スクールソーシャルワーカー　Q4　a 進学機会／b 社会的孤立

Q5　×　ポルトガル語である。　Q6　○　Q7　○　Q8　×　「地方公共団体による計画の策定を促す」としている。計画の策定は努力義務である。

社会的養護

社会的養護

保護者のない子どもなどを社会全体で守り育てる「社会的養護」について学ぶ科目です。社会的養護の理念や施策の方向性、関連施設や専門職などについて学びます。

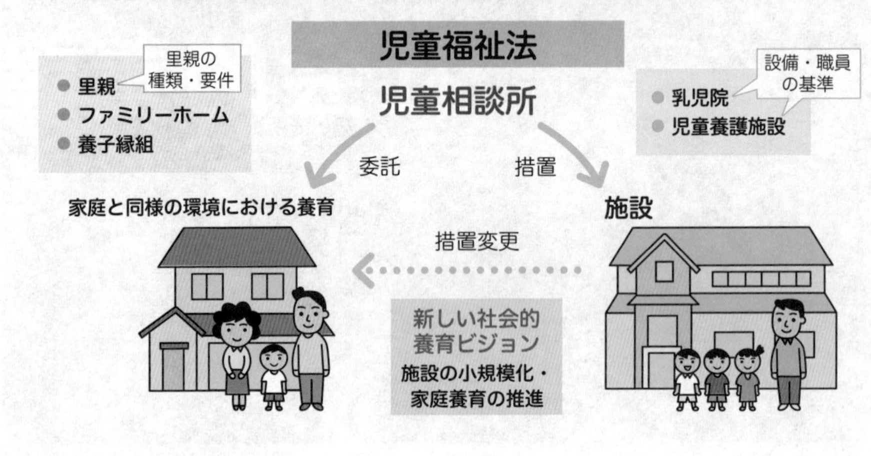

合格のコツは？

「児童養護施設運営指針」「里親及びファミリーホーム養育指針」などガイドラインからの出題が高い確率でみられます。また、**里親制度**に関する問題も頻出です。ガイドラインの原文はインターネットで閲覧することができるので必ず一通り目を通しておきましょう。また、**「社会的養育の推進に向けて」「児童養護施設入所児童等調査結果」**で公表される社会的養護の実態についても出題されます。社会的養護の現状を理解しておきましょう。

関連法律・制度

・児童福祉法　・児童福祉施設の設備及び運営に関する基準

関連統計・資料

・児童養護施設入所児童等調査結果　・新しい社会的養育ビジョン
・社会的養育の推進に向けて　・児童福祉施設や家庭的養護の運営（養育）指針

関連が強い科目

（上）子ども家庭福祉／社会福祉　（下）保育実習理論

出題分析 出題数：10問

- 「児童養護施設運営指針」「里親及びファミリーホーム養育指針」など養護・養育に関するガイドラインからの出題が高い確率でみられる。
- 事例問題には、ソーシャルワークを関連させた内容がみられる。また、問題行動を起こした児童への対応も問われることがある。
- 「児童養護施設入所児童等調査結果」「新しい社会的養育ビジョン」「社会的養育の推進に向けて」などの資料からの出題もよくある。

■過去6回の項目別出題数実績一覧　※項目名は出題範囲の小項目を学習しやすいように改変しています

項目		R3後	R4前	R4後	R5前	R5後	R6前
現代社会における社会的養護の意義と歴史的変遷							
社会的養護の理念と概念	**L1**	1	0	1	1	0	1
社会的養護の歴史的変遷	**L2**	0	1	0	0	0	1
社会的養護と子ども家庭福祉							
子ども家庭福祉の一分野としての社会的養護	**L1,7**	1	1	0	0	0	0
子どもの権利擁護と社会的養護	**L4,7**	1	0	0	0	0	0
社会的養護の制度と実施体系							
社会的養護の制度と法体系	**L1,4**	0	0	0	0	2	0
社会的養護の仕組みと実施体系	**L3**	0	1	1	0	3	0
家庭的養護と施設養護	**L3,4**	1	1	2	2	0	1
社会的養護の専門職・実施者	**L5,6**	1	1	1	1	2	0
施設養護の実際							
施設養護の基本原理	**L4**	0	0	0	2	0	2
施設養護の実際－日常生活支援、治療的支援、自己実現・自立支援等－	**L5,6**	3	3	4	0	2	3
施設養護とソーシャルワーク	**L4**	1	1	1	3	1	1
社会的養護の現状と課題							
施設等の運営管理	**L4**	1	1	0	1	0	0
倫理の確立	**L4**	0	0	0	0	0	0
被措置児童等の虐待防止	**L4,7**	0	0	0	0	0	1
社会的養護と地域福祉	**L4**	0	0	0	0	0	0

社会的養護 Lesson 1

社会的養護の理念と概念

頻出度 Level 5

社会的養護は、社会全体で子どもを育むための考え方です。
その基本的な理念と概念について学びましょう。

ココに注目!!

- 子どもの最善の利益とは何か
- 家庭養育優先の理念（「児童福祉法」第3条の2）
- ソーシャル・インクルージョンとは何か
- 「新しい社会的養育ビジョン」実現に向けた工程

1 社会的養護の理念

（1）基本理念

社会的養護とは、家庭に代わって社会が子どもを守り育てることをいいます。厚生労働省では「保護者のない児童や、保護者に監護させることが適当でない児童を、公的責任で社会的に養育し、保護するとともに、養育に大きな困難を抱える家庭への支援を行うこと」と定義しています。

その基本理念として次の２つの考え方が掲げられています。

- **「子どもの最善の利益のために」**……「児童の権利に関する条約」の精神にのっとり、子どもが心身ともに健康に育つ基本的な権利を保障する。
- **「社会全体で子どもを育む」**……保護者の適切な養育を受けられない子どもを公的責任で社会的に保護養育し、養育に困難を抱える家庭への支援を行う。

（2）家庭養育優先の理念

「児童福祉法*1」第３条の２では、社会的養護について、家庭養育優先の理念が明記されています。

プラス1

要保護児童
「児童福祉法」第６条の３第８項で規定されている。

最善の利益
子どもは、最善の利益が保障される存在であることが、1989（平成元）年に国際連合で採択された「児童の権利に関する条約」で規定されている。

児童の権利に関する条約
⇨保原p25

でた問!!

*1「児童福祉法」
「児童福祉法」第3条の2について出題。
R2後、R5後
「児童福祉法」第2条について出題。
R3後

「児童福祉法」

第3条の2 国及び地方公共団体は、児童が家庭において心身ともに健やかに養育されるよう、**児童の保護者**を支援しなければならない。ただし、児童及びその保護者の心身の状況、これらの者の置かれている環境その他の状況を勘案し、児童を家庭において養育することが困難であり又は適当でない場合にあつては**児童が家庭における養育環境と同様の養育環境**において継続的に養育されるよう、児童を家庭及び当該養育環境において養育することが適当でない場合にあつては児童が**できる限り良好な家庭的環境**において養育されるよう、必要な措置を講じなければならない。

国や地方公共団体は、まず子どもが家庭のなかで養育されるよう支援し、そのことが難しい場合に**代替養育**として社会的養護を行います。社会的養護は**家庭と同様の養育環境**（養子縁組や里親など）での養育を原則とし、専門的なケアなどが必要な場合には**できる限り良好な家庭的環境**（小規模施設）において養育します。

2 社会的養護の役割と機能

（1）社会的養護の役割

❶子どもの養育の場

子どもの養育には、子どもが**安全・安心した環境**のなかで暮らし、親を中心とした大人との**愛着（アタッチメント）***2が形成され、心身および社会性の適切な発達が促（うなが）されていくことが必要です。社会的養護は、このような子どもの**養育**の場となる役割をもっています。

子どもは、**適切な養育**を受けることで、よりよく生きていくために必要な意欲や、よい人間関係を築くための**社会性**を獲得していきます。そして、これが社会の一員としての責任と自覚につながっていきます。また、信頼できる大人の存在をとおして、自分のイメージを適切に形成し、**生きるための自信**を獲得

プラス1

「児童福祉法」第3条の2
2016（平成28）年の改正の際に追加された。

プラス1

愛着（アタッチメント）
愛着（アタッチメント）の形成においては、養育者の子どもに対する感受性、応答性、一貫性が保たれていることが重要である。子どもの行動と愛着形成とは深く関わっているため、養育者に愛着への理解があることにより、子どもの表面的な行動に惑わされることが少なくなる。
⇨下巻 保心p34

でた問!!

***2 愛着（アタッチメント）**
愛着（アタッチメント）について出題。
R4前

することができます。

社会的養護の養育者は、子どもの心身の成長や治癒に関するさまざまな**理論**や**技法**を、統合的に適用していくことが求められます。

❷虐待等からの保護と回復

虐待等の理由により家庭で適切な養育を受けられない子どもには、社会的に保護と養育が行われます。虐待をする保護者から子どもを守るためには、保護者の意に反してでも子どもを保護しなければならない場合があります。

「子ども虐待対応の手引き」（厚労省）において「保護者の意に反する介入の必要性」が説明されています。

虐待を受けた子どもは、暴力によって生じる身体的な傷だけでなく、情緒や行動、自己認知・対人認知、性格形成など広範囲に深刻なダメージを受けています。社会的養護は、このような子どもたちに対して、**安心感**をもって生活し、自分が**大切にされる体験**を提供することで、**自己肯定感**や**主体性**を取り戻してもらう役割をもちます。

事例問題として出題されることの多いテーマです。支援の方法や対応について考えられるようにしておきましょう。

また、単に保護･養育するだけでなく、**親子関係を再構築**し、**自立支援**をしていく役割も求められています。

社会的養護を必要とする子どもの多くが被虐待経験があり、専門的なケアが重要な課題となっています。

❸虐待の世代間連鎖の防止

虐待を受けて育った親が、自分の子どもを虐待することを**虐待の世代間連鎖**といいます。社会的養護には、子どもが受けた傷をケアし回復することで、虐待をする親になるのを防ぎ、連鎖を断ち切る役割があります。

❹ソーシャル・インクルージョン

児童虐待やDVの背景には、さまざまな生きづらさを抱える家族があります。こうした家族や子ども、障害がある人々や社会的に弱い立場にある人々も誰一人排除せずに社会からの孤立を防ぎ、社会の一員として包み込むよう支援を行うことを**ソーシャル・インクルージョン**（**社会的包摂**）といいます。

ソーシャル・インクルージョン
⇨社福p138

（2）社会的養護の機能

社会的養護には、次の３つの機能があります。

- **養育機能**……家庭での適切な養育を受けられない子どもを

養育する機能であり、**社会的養護を必要とする**すべての子どもに保障されるべきもの。

- **心理的ケア等の機能**……**虐待**等のさまざまな背景のもとで、適切な養育が受けられなかったことなどによって生じる発達のゆがみや**心の傷**（心の成長の阻害（そがい）と心理的不調等）を癒（い）やし、回復させ、適切な発達を図る機能。
- **地域支援等の機能**……**親子関係の再構築**等の家庭環境の調整、地域における子どもの養育と保護者への支援、自立支援、施設退所後の相談支援（**アフターケア**）などの機能。

3 社会的養護のビジョン

(1)「新しい社会的養育ビジョン」

2017（平成29）年に発表された「**新しい社会的養育ビジョン**[*3]」は、社会的養護のさまざまな施策の指針となっています。「社会的養育の対象は**全ての子ども**であり、家庭で暮らす子どもから**代替養育**を受けている子ども、その**胎児期から自立まで**が対象となる。そして、社会的養育は、**子どもの権利**、子どものニーズを優先に、家庭のニーズも考慮して行われなければならない」という理念を具体的に実現するためのビジョンが示されています。

この文書は2011（平成23）年の「社会的養護の課題と将来像」を全面的に見直し、①在宅での支援、②**代替養育**、③養子縁組と、社会的養育分野の課題と改革の具体的な方向性を網羅（もうら）するかたちでまとめられました。

ビジョンを実現するための工程としては、次のようなことを計画的にすすめる必要があるとしています。

- ・市区町村を中心とした支援体制の構築
- ・児童相談所の機能強化と一時保護改革
- ・代替養育における「家庭と同様の養育環境」の原則に関して乳幼児から段階を追っての徹底、家庭養育が困難な子どもへの施設養育の小規模化・地域分散化・高機能化
- ・永続的解決（パーマネンシー保障）の徹底
- ・代替養育や集中的在宅ケアを受けた子どもの自立支援の徹底

でた問!!

***3「新しい社会的養育ビジョン」**
取り組みの内容について出題。
R3前
社会的養護（養育）の考え方について出題。
R4後、R6前
「社会的養護の課題と将来像」と「新しい社会的養育ビジョン」の年代順について出題。
R4前

用語

代替養育
子どもを保護者から分離し、施設やほかの家庭で保護者に代わって養育すること。「新しい社会的養育ビジョン」では、代替養育は本来は一時的な解決であり、家庭復帰や親族との同居、養子縁組（特に特別養子縁組）といった永続的解決を目的とした対応を行わなければならないとしている。

(2) ビジョンの実現に向けた工程のポイント

❶永続的解決（パーマネンシー保障）の推進

永続的解決（パーマネンシー保障）とは、家庭復帰が困難な子どもが複数の施設を出たり入ったりすることを繰り返すことがないよう、一生続く親子関係を保障することをいいます。具体的には、**特別養子縁組**がそのための有効な選択肢として推進されています。

また、子どもが永続的かつ恒久的に生活できる家庭環境で、心身の健康が保障された生活を実現するための援助計画を**パーマネンシー・プランニング**[*4]といいます。

でた問!!

***4 パーマネンシー・プランニング**
パーマネンシー・プランニングの意味について出題。
R4前

❷里親養育包括支援（フォスタリング）機関の強化

フォスタリング機関[*5]とは、里親の募集・登録から子どもと里親のマッチング、委託中の里親養育への支援や、委託後を含む里親に対する研修などを包括的に行う事業者のことです。体制強化により、さらなる里親のなり手の確保と養育の質の向上がめざされています。

***5 フォスタリング機関**
フォスタリング機関の業務について出題。
R3前

❸施設の小規模化

家庭では養育することが難しい子どもは、施設に入所させ、ニーズに応じ専門性の高い養育を受けます。施設に入所する子どもに対しても**「できる限り良好な家庭的環境」**を提供することとし、小規模化（最大６人)、地域分散化、常時２人以上の職員配置を実現することとしています。さらに高度のケアニーズに対しては、専門職による迅速な対応ができ、施設の規模もさらに小さく（最大４人）とすることとしています。

❹自立支援（リービング・ケア、アフター・ケア)

代替養育の目的の一つは、子どもが成人となって社会で自立して生活するための能力をつけさせることにあります。そのため、施設を離れる際やその後の人生をケアすることが必要となります。

リービング・ケアとは退所準備のことで、退所の前に社会で自立した生活を続けることができるよう必要な生活技術の修得を助けます。

アフター・ケアとは退所後の支援のことで、退所後の子どもが地域社会である程度自立することができるまで連絡をとる、家庭や職場を定期的に訪問するなどして継続的に支援します。

ここは覚えよう!!

家庭養育優先原則に基づく取組等の推進

里親
Ⅰ 包括的な里親養育支援体制の構築

養子縁組
Ⅱ 特別養子縁組の推進

施設
Ⅲ 施設の小規模かつ地域分散化、高機能化及び多機能化・機能転換等に向けた取組の推進

自立支援
Ⅳ 自立支援の充実

出典：厚生労働省「社会的養育の推進に向けて」（令和４年３月）をもとに作成

「里親養育支援体制の構築」では、具体的にどんなことをするんですか？

里親制度の普及・啓発、里親登録前の研修、子どもと里親家庭のマッチングなどの事業にかかる費用の補助などを国として行います。

社会的養護

ポイント確認テスト

穴うめ問題

Q1 過R2後

「児童福祉法」第３条の２では、「国及び地方公共団体は、児童が家庭において心身ともに健やかに養育されるよう、(　　　)を支援しなければならない。」としている。>>> p293

Q2 過R6前

「新しい社会的養育ビジョン」では、社会的養育の対象は(　a　)であり、家庭で暮らす子どもから(　b　)を受けている子ども、その胎児期から(　c　)までが対象となるとしている。>>> p295

Q3 過R3後

「児童福祉法」第２条第１項：「全て国民は、児童が良好な環境において生まれ、かつ、社会のあらゆる分野において、児童の年齢及び発達の程度に応じて、その(　a　)が尊重され、その最善の利益が優先して考慮され、心身ともに健やかに育成されるよう努めなければならない。第２項：「児童の保護者は、児童を心身ともに健やかに育成することについて(　b　)を負う」第３項：「(　c　)は、児童の保護者とともに、児童を心身ともに健やかに育成する責任を負う」

Q4 過R4前

子どもが永続的かつ恒久的に生活できる家庭環境で、心身の健康が保障された生活を実現するための援助計画を(　　)という。>>> p296

○×問題

Q5 過R4後

「新しい社会的養育ビジョン」(平成29年 新たな社会的養育の在り方に関する検討会)では、保護者と分離した子どもの代替養育は、長期間にわたって養育することを原則とするとしている。>>> p295

Q6 過R3前

「新しい社会的養育ビジョン」では、永続的解決(パーマネンシーの保障)として特別養子縁組を推進していくことが示された。>>> p296

Q7 過R1後

社会的養護における養育は、効果的な専門職の配置ができるよう、大規模な施設において行う必要がある。>>> p296

Q8 過R1後

社会的養護は、措置または委託解除までにすべての支援を終結し、自立させる必要がある。>>> p296

解答・解説

Q1 児童の保護者　**Q2** a 全ての子ども／b 代替養育／c 自立　**Q3** a 意見／b 第一義的責任／c 国及び地方公共団体　**Q4** パーマネンシー・プランニング

Q5 ×　本来は一時的な解決であるとしている。　**Q6** ○　**Q7** ×　施設の小規模化が推進されている。　**Q8** ×　施設を離れた後の人生をケアするリービング・ケア、アフター・ケアも必要である。

社会的養護 Lesson 2

社会的養護の歴史

頻出度 Level 2

現代の社会的養護にはさまざまな法律や制度が影響を与えています。それぞれの法律が制定された背景を理解しましょう。

ココに注目!!
- 主な孤児院とその設立者
- 主な障害児施設とその設立者
- イギリスのベヴァリッジ報告
- ホスピタリズムの問題点

1 日本の社会的養護の歴史

(1) 明治時代

❶「恤救規則」(1874〔明治7〕年制定)

「恤救規則」 ⇨社福p145

貧困者や孤児に向けた救貧制度として設けられました。この制度では国家は救済の責任を負わず、血縁・地縁関係による助け合い(相互の情誼)が原則でした。救済の対象は労働能力と身寄りのない者(無告の窮民)に限られました。

❷「感化法」(1900〔明治33〕年制定)

感化院について定める法律です。感化院は、非行少年や保護者のいない少年を保護・教育してその更生を図る施設で、代表的な感化院として**留岡幸助**が1899(明治32)年に設立した巣鴨家庭学校があります。

1908(明治41)年には全国に感化院を設置するよう改正されました。

用語
感化院
のちの教護院(現:児童自立支援施設)。非行少年の保護・更生を目的とする施設。

❸孤児院の設立

国による救済事業が現物・現金給付に留まるなか、仏教やキリスト教の宗教関係者によって孤児救済事業が展開されました。彼らの設立した施設は、今日の児童福祉施設の先駆けともよぶべきものです。

代表的なものを押さえておきましょう。

制度的な救済がまだ未成熟ななか、宗教的な動機から行われる救済が大きな役割を果たしました。

年	施設名	宗教・設立者等
1869（明治２）年	日田養育館 *1	松方正義
1872（明治５）年	慈仁堂	ラクロット（キリスト教）
1874（明治７）年	浦上養育院 *2	岩永マキら（キリスト教）
1879（明治12）年	福田会育児院	仏教各宗派合同
1883（明治16）年	善光寺大勧進養育院	仏教
1886（明治19）年	愛知育児院	森井清八（仏教）
1887（明治20）年	岡山孤児院	石井十次（キリスト教）

***1 日田養育院**
日田養育院の創設者について出題。
R6前

***2 浦上養育院**
浦上養育院の創設者（岩永マキ）について出題。
R6前

❹明治時代の障害児施設

障害のある子どもの保護については、第二次世界大戦後まで法律に基づいた明確なものはありませんでした。そのようななかでも、民間においては次のような施設が設立されました。

＋プラス１

博愛社
小橋勝之助が1890（明治23）年に兵庫県赤穂に設立した孤児院。里親制度や小舎制を取り入れた。

年	施設名	障害の種別	設立者
1878（明治11）年	京都盲唖院	視覚・聴覚障害	古河太四郎ら
1880（明治13）年	楽善会訓盲院	視覚障害	古川正雄ら
1891（明治24）年	滝乃川学園 *3	知的障害	石井亮一
1903（明治36）年	楽石社	言語障害	伊沢修二
1909（明治42）年	白川学園	知的障害	脇田良吉

***3 滝乃川学園**
滝乃川学園の創設者について出題。
R6前

（2）大正時代以降

滝乃川学園は孤児院として開設した孤女学院の対象と名称を変更した施設です！

❶「工場法」（1911〔明治44〕年制定）

産業革命を背景に、安い賃金で酷使される子どもや女性を保護するため、労働時間の制限などを定める法律です。

❷「救護法」（1929〔昭和４〕年制定・1932〔昭和7〕年施行）

昭和時代初めには日本全体で経済不況となり、貧困家庭が増加したため、「恤救規則」に代わる公的救済制度として制定されました。この法律では救済を公の義務とし、救済の対象も拡大、孤児院が規定されました。

❸「児童虐待防止法（旧）」（1933〔昭和8〕年制定）

貧困を背景に多発した子どもの人身売買や虐待（ぎゃくたい）を防ぐために制定されました。14歳未満の子どもを虐待したり、著しく監護を怠った者を罰することや、子どもを見せ物にしたり、軽業（かるわざ）（曲芸）をさせたりすることが禁止されました。

❹「児童福祉法」（1947〔昭和22〕年制定）

第二次世界大戦後、両親を失った戦災孤児などが多くでたことを背景に制定されました。子どもの保護と健全育成、福祉の積極的な増進を目的とし、**児童福祉施設**が法定化されました。

❺孤児および障害児救済

戦争や地震などによる孤児などを保育するため、孤児院（育児院）や託児所が数多く設置されました。また、大正から昭和にかけて肢体不自由児のための施設や学校も設立されました。

年	施設名	障害の種別	設立者
1921（大正10）年	柏学園（施設）	肢体不自由	柏倉松蔵（かしわくらまつぞう）
1932（昭和7）年	光明（こうめい）学校（学校）	肢体不自由	高木憲次（たかぎけんじ）
1942（昭和17）年	整肢療護園（施設）	肢体不自由	高木憲次
1946（昭和21）年	近江学園（施設）	知的障害	糸賀一雄（いとがかずお）

＋プラス1

「児童虐待防止法（旧）」
1947（昭和22）年の「児童福祉法」制定により廃止された。

児童福祉施設
1947（昭和22）年の「児童福祉法」では、助産施設、乳児院、母子寮、保育所、児童厚生施設、養護施設、精神薄弱児施設、療育施設（盲ろうあ児施設、虚弱児施設、肢体不自由児施設）、教護院の9施設が児童福祉施設に位置づけられた。

2 諸外国の社会的養護の歴史

（1）孤児の保護

ヨーロッパ諸国では、教会やギルドなどによる孤児の保護が古くから行われました。私的な立場から設立された孤児院としては、スイスの**ペスタロッチ**による孤児院や、イギリスの**バーナード**による**バーナードホーム**が有名です。

（2）国家による福祉政策

イギリスでは**貧困調査**に影響を受けたベヴァリッジにより

ペスタロッチ
⇨教原p92

＋プラス1

バーナードホーム
1870年設立のバーナードホームでは小舎制が採用され、里親委託の試みが行われた。

貧困調査
⇨p社福144

「ベヴァリッジ報告」
⇨p社福144

1942年に「**ベヴァリッジ報告**」がまとめられ、「**ゆりかごから墓場まで**」と掲げた戦後の福祉政策につながりました。これにより、イギリスの福祉政策は先進諸国の目標となりました。

(3) 家庭養育の優先

1909年、アメリカではセオドア・ルーズベルト大統領により**第1回白亜館(ホワイトハウス)会議**が開かれ、「児童は緊急なやむを得ない理由がない限り、家庭生活から引き離されてはならない」という家庭尊重の宣言が行われました。

ヨーロッパでは、施設で養育される子どもに心身の発育の遅れや情緒的な障害がみられるという**ホスピタリズム**の問題が1920年代から指摘され始めました。これらの研究をまとめた**ボウルビィ**により**母性的養育の剥奪**(はくだつ)(マターナル・デプリベーション)が論じられると、1950年代に**ホスピタリズム論争**が起こり、欧米諸国の社会的養護では施設中心から里親中心へと方向転換がなされました。

用語

母性的養育の剥奪(マターナル・デプリベーション)
乳幼児が母親に接する時間が少ないと、心身発達に悪影響を与えるという考え方。

(4) 児童の権利に関する条約

1989年、国際連合総会で**18歳未満**の子どもの権利について定めた「**児童の権利に関する条約***4」が採択されました。社会的養護に関しては下記の内容が重要です。

- **児童に関するすべての措置をとるに当たっては、児童の最善の利益が主として考慮される(第3条)**
- **父母の一方または双方から分離されている児童が定期的に父母のいずれとも人的な関係および直接の接触を維持する権利を尊重する(第9条第3項)**
- **児童がその児童に影響を及ぼすすべての事項について自由に自己の意見を表明する権利を確保する(第12条)**
- **家庭環境を奪われた児童または児童自身の最善の利益にかんがみその家庭環境にとどまることが認められない児童は、国が与える特別の保護及び援助を受ける権利を有する(第20条)**

でた問!!

***4「児童の権利に関する条約」**
「児童の権利に関する条約」の内容について出題。
R5前

ポイント確認テスト

穴うめ問題

☐ **Q1** ☐ 過R6前

（　　　）は、岩永マキにより、育児救済等を目的として長崎に創設された施設である。 >>> p300

☐ **Q2** ☐ 過H30後

バーナードは浮浪児等が生活する施設としてバーナードホームを設立した。この施設では（　　　）を採用するとともに里親委託の試みが行われた。 >>> p301

☐ **Q3** ☐ 過H30後

（　　　）大統領の招集により、「第１回白亜館会議（ホワイトハウス会議）」が開催された。この会議において「児童は緊急やむをえない理由がない限り、家庭生活から引き離されてはならない」などの宣言が行われた。 >>> p302

☐ **Q4** ☐ 予想

1950年代に（　　　）が起こり、欧米諸国の社会的養護では施設中心から里親中心へと方向転換がなされた。 >>> p302

○×問題

☐ **Q5** ☐ 過R6前

滝乃川学園の創設者は、池上雪枝である。 >>> p300

☐ **Q6** ☐ 過H30前

孤児院である「孤女学院」を開設し、入所児童の中に知的障害のある少女がいたことがきっかけとなり、渡米して知的障害児教育を学び、後に知的障害児を対象とした施設に転換したのは、石井亮一である。 >>> p300

☐ **Q7** ☐ 予想

助産施設、乳児院、保育所、児童厚生施設は、いずれも1947（昭和22）年の「児童福祉法」制定時から規定されていた施設である。 >>> p301

☐ **Q8** ☐ 過R5前

「児童の権利に関する条約」（国連）において、児童とは、20歳未満のすべての者をいう。 >>> p302

解答・解説

Q1 浦上養育院　Q2 小舎制　Q3 セオドア・ルーズベルト　Q4 ホスピタリズム論争
Q5 ×　石井亮一である。　Q6 ○　Q7 ○　Q8 ×　18歳未満である。

社会的養護
Lesson 3

家庭と同様の環境における養育

頻出度 Level 5

社会的養護では、家庭と同様の環境における養育が推進されています。制度の枠組みや現状を学びましょう。

ココに注目!!
- 家庭と同様の環境における養育とは何か
- 里親の種類
- 小規模住居型児童養育事業の運営条件
- 地域小規模児童養護施設の特徴

1 家庭と同様の環境における養育とは

(1) 家庭と同様の環境における養育の推進

こども家庭庁による「社会的養育の推進に向けて」では、子どもの養育環境について、家庭養育優先の原則に基づき優先順位の高い順に、①家庭、②家庭と同様の養育環境、③良好な家庭的環境、④施設のように整理しています。

家庭と同様の養育環境[*1]には、特別養子縁組を含む**養子縁組**、**里親**、**小規模住居型児童養育事業**（ファミリーホーム）が含まれます。なお、このうち「民法」に基づく養子縁組制度は、養親との間に法的な親子関係を成立させる制度で、厳密には社会的養護の体系には入っていません。

良好な家庭的環境とは、小規模型の施設を指し、**地域小規模児童養護施設**（グループホーム）、**小規模グループケア**（分園型）が含まれます。

社会的養護の対象となっている児童約４万2,000人のうち、里親委託児童数は約6,000人、ファミリーホームの委託児童数は約1,700人となっており、対象児童の約１割にとどまっています。国や自治体は、「児童福祉法」第３条の２の規定に基づき家庭と同様の環境における養育を推進しています。

でた問!!
***1 家庭と同様の養育環境**
家庭と同様の環境について出題。
R1後、R4前、R5前

プラス1
普通養子と特別養子
養子には２種類あり、普通養子は養子と実親との関係が存続したままであり、戸籍に養子であることが明記される。特別養子縁組による特別養子は実親との関係が解消され、戸籍にも実子として記載される。

でた問!!
***2 里親数、施設数、児童数**
社会的養護の対象児童、施設、里親の数について出題。
R2後、R3前

▸▸▸ ここは覚えよう!!

家庭と同様の環境における養育の推進

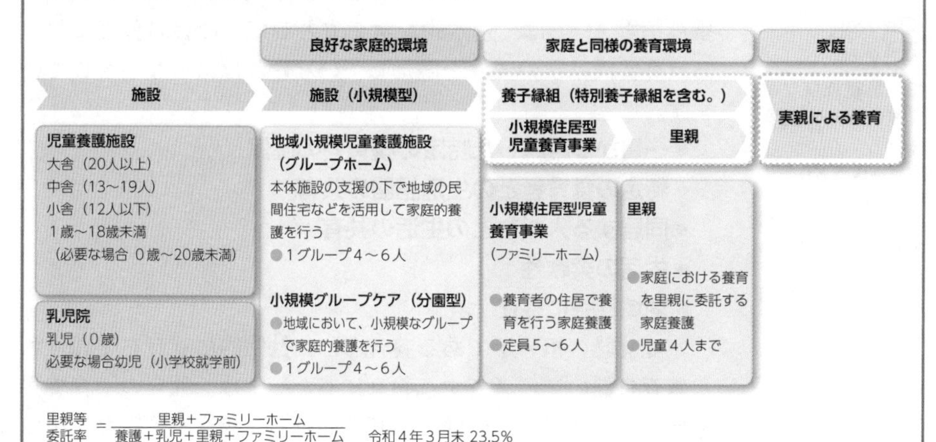

$$\text{里親等委託率} = \frac{\text{里親}+\text{ファミリーホーム}}{\text{養護}+\text{乳児}+\text{里親}+\text{ファミリーホーム}}$$ 令和4年3月末 23.5%

出典：こども家庭庁「社会的養育の推進にむけて」（令和6年6月）をもとに作成

里親数、施設数、児童数等 *2

保護者のない児童、被虐待児など家庭環境上養護を必要とする児童などに対し、公的な責任として、社会的に養護を行う。対象児童は、約4万2千人。

里親	家庭における養育を里親に委託		登録里親数	委託里親数	委託児童数
			15,607 世帯	4,844 世帯	6,080 人
	区分（里親は重複登録有り）	養育里親	12,934 世帯	3,888 世帯	4,709 人
		専門里親	728 世帯	168 世帯	204 人
		養子縁組里親	6,291 世帯	314 世帯	348 人
		親族里親	631 世帯	569 世帯	819 人

ファミリーホーム	養育者の住居において家庭養護を行う（定員5～6名）
ホーム数	446 か所
委託児童数	1,718 人

施設	乳児院	児童養護施設	児童心理治療施設	児童自立支援施設	母子生活支援施設	自立援助ホーム
対象児童	乳児（特に必要な場合は、幼児を含む）	保護者のない児童、虐待されている児童その他環境上養護を要する児童（特に必要な場合は、乳児を含む）	家庭環境、学校における交友関係その他の環境上の理由により社会生活への適応が困難となった児童	不良行為をなし、又はなすおそれのある児童及び家庭環境その他の環境上の理由により生活指導等を要する児童	配偶者のない女子又はこれに準ずる事情にある女子及びその者の監護すべき児童	義務教育を終了した児童であって、児童養護施設等を退所した児童等
施設数	145 か所	610 か所	53 か所	58 か所	215 か所	317 か所
定員	3,827 人	30,140 人	2,016 人	3,403 人	4,441 世帯	2,032 人
現員	2,351 人	23,008 人	1,343 人	1,103 人	3,135 世帯 児童 5,293 人	1,061 人
職員総数	5,519 人	21,139 人	1,512 人	1,847 人	2,070 人	1,221 人

小規模グループケア	2,394 か所
地域小規模児童養護施設	607 か所

※里親数、ＦＨホーム数、委託児童数、乳児院・児童養護施設・児童心理治療施設・母子生活支援施設の施設数・定員・現員は福祉行政報告例（令和4年3月末現在）
※児童自立支援施設の施設数・定員・現員、自立援助ホームの施設数・定員・現員・職員総数、小規模グループケア、地域小規模児童養護施設のか所数は家庭福祉課調べ（令和5年10月1日現在）
※職員総数（自立援助ホームを除く）は、社会福祉施設等調査報告（令和4年10月1日現在）
※児童自立支援施設は、国立2施設を含む

出典：こども家庭庁「社会的養育の推進にむけて」（令和6年6月）

(2) 家庭養護の基本

家庭養護のガイドラインである「**里親及びファミリーホーム養育指針**[3]」では、基本的な考え方として、社会的養護における家庭養護は次の要件を満たしていなければならないとしています。

- **一貫かつ継続した特定の養育者の確保**
- **特定の養育者との生活基盤の共有**
- **同居する人たちとの生活の共有**
- **生活の柔軟性**
- **地域社会に存在**

家庭養護の担い手である養育者は、**社会的**に養育を委託された養育責任の遂行者です。養育にあたっては、独自の子育て観を優先せず他者からの助言に耳を傾ける、養育が困難な状況になった場合速やかに他者の協力を求める、近隣地域や里親会、養育者同士のネットワークとの社会的つながりをもつなど、養育のあり方をできるだけ「**ひらく**」必要があります。

でた問!!

***3「里親及びファミリーホーム養育指針」**
家庭養護のあり方について出題。
R3後、R5後、R6前
家庭養護の要件について出題。
R4前

2 里親制度

里親[4]は、要保護児童を養育することを希望する者で、**都道府県知事**が委託をすることが適当と認め登録を受けた者とされています。里親については、「児童福祉法」第6条の4に規定されています。

児童福祉法第6条の4

この法律で、里親とは、次に掲げる者をいう。
一　内閣府令で定める人数以下の要保護児童を養育することを希望する者のうち、第34条の19に規定する養育里親名簿に登録されたもの（以下「養育里親」という。）
二　前号に規定する内閣府令で定める人数以下の要保護児童を養育すること及び養子縁組によつて養親となることを希望する者のうち、第34条の19に規定する養子縁組里親名簿に登録されたもの（以下「養子縁組里親」という。）
三　第一号に規定する内閣府令で定める人数以下の要保護児童を

でた問!!

***4 里親**
里親制度について出題。
R2後、R3前・後、R4前

里親制度の改正
2011（平成23）年9月の「児童福祉法施行規則」改正により、親族里親の要件の見直しが行われ、おじ、おば等については、原則養育里親の対象とされた。これは、東日本大震災によって保護者を失った子どもの養育施策である。これにより、おじ、おばにあたる者にも里親手当が支給されることになった。

養育することを希望する者のうち、都道府県知事が第27条第1項第三号の規定により児童を委託する者として適当と認めるもの

里親には養育里親、専門里親、親族里親、養子縁組里親の4種類があり、一定の要件を満たす必要があります。

里親の要件
①里親は、要保護児童の養育についての理解及び熱意並びに児童に対する豊かな愛情を有していること。
②経済的に困窮していないこと（親族里親を除く）。
③養育里親、養子縁組里親の場合、都道府県知事が行う研修を修了していること（親族里親では、研修の義務はありません）。
④里親本人又は同居人が欠格事由に該当しないこと。

平成31年前期試験では、養育里親になる要件について事例形式で出題がありました。

■里親の種類

養育里親	要保護児童を養育することを希望し、養育里親研修の修了などの要件を満たしたうえで、都道府県知事が認める者。
専門里親	被虐待児、非行児、障害児など、特に心のケアや専門的な養育が必要な児童を養育する者で、以下の要件を満たす者。①3年以上の養育里親経験、3年以上の児童福祉事業経験、またはそれらと同等以上の経験 ②専門里親研修の修了 ③児童の養育に専念できる。
親族里親	①当該者に扶養義務のある児童 ②両親その他の監護者の死亡、行方不明、拘禁、入院等により、監護者による養育が期待できない児童の養育を希望する者で、都道府県知事が認める者（おじ、おばについては原則として養育里親とされる）。
養子縁組里親	養子縁組によって養親となることを前提に児童の養育を希望する者で、養子縁組里親研修の修了などの要件を満たしたうえで都道府県知事が認める者（2016〔平成28〕年の「児童福祉法」で法定化）。

でた問!!

***5 小規模住居型児童養育事業**
小規模住居型児童養育事業の委託率と社会福祉事業の規定について出題。
R2後
対象児童、定員、養育者の資格について出題。
R5前

3 小規模住居型児童養育事業

第二種社会福祉事業
⇨社福p153

小規模住居型児童養育事業（ファミリーホーム）[*5]は、子どもを養育者の家庭のなかで預かって育てる形態です。

2008（平成20）年の「児童福祉法」改正により、第二種社会福祉事業の一つとして制度化され、事業の開始にあたっては都道府県知事に対する届け出が必要になります。

子ども同士が関わりあいながら成長できるところにファミリーホームの特徴があります。

目的は、子ども間の交流から生まれる相互作用を生かし、基本的な生活習慣を確立するとともに、豊かな人間性および社会性を養い、子どもの自立を支援することとされています。

■小規模住居型児童養育事業 運営の条件*6

委託児童の定員	5～6人
養育者の人数	2名の養育者（夫婦）と補助者1名以上。 または、養育者1名と補助者2名以上
養育者の要件	(1) 養育里親として2人以上の児童を養育した経験を2年以上有する者。 (2) 養育里親として5年以上登録しており、通算して5人以上の児童の養育経験を有する者。 (3) 乳児院、児童養護施設、児童心理治療施設、児童自立支援施設のいずれかで児童の養育に3年以上従事した者。 (4) 上記と同等以上の能力を有すると都道府県知事が認めた者。

でた問!!
*6 運営の条件
小規模住居型児童養育事業の養育者、補助者の配置について出題。
R5後

4 地域小規模児童養護施設

地域小規模児童養護施設（グループホーム）は、少人数の児童養護施設で、本体施設の分園として、地域の住宅地などで運営されるものです。2000（平成12）年に制度化されました。名称に施設とありますが、小規模グループケアとともに「良好な家庭的環境」として、児童養護施設や乳児院とは分けられています。

目的は、地域社会の民間住宅等を活用し、家庭的な環境のなかで養護を実施し、近隣住民と適切な関係を保持しながら、子どもの社会的自立の促進に寄与することとされています。

専任職員として、児童指導員または保育士が2人以上配置され、子どもの数は4～6人とされています。

5 小規模グループケア

小規模グループケア（本園ユニットケア）は、児童養護施設などが施設内あるいは施設外で実施する小規模なグループでのケアをいいます。厚生労働省局長通知に基づいて、乳児院、児童養護施設、児童心理治療施設、児童自立支援施設で実施されています。1グループの人数は原則的に4～6人とされています。

ポイント確認テスト

穴うめ問題

☐☐ **Q1** 過R3後

「里親及びファミリーホーム養育指針」（平成24年3月　厚生労働省）では、「家庭内における養育上の課題や問題を解決し或いは予防するためにも、養育者は協力者を活用し、養育のありかたをできるだけ「(　　　)」必要がある」としている。 >>> p306

☐☐ **Q2** 過R6前

里親やファミリーホームは、(　　　)が子どもと生活基盤を同じ場におき、子どもと生活を共にする。 >>> p306

☐☐ **Q3** 過H30前

平成28年6月の「児童福祉法」改正で、(　　　)里親を法定化するとともに、都道府県（児童相談所）の業務として、養子縁組に関する相談・支援を位置付けた。 >>> p307

☐☐ **Q4** 過R5前

小規模住居型児童養育事業（ファミリーホーム）は、(a)人または(b)人の児童を養育者の家庭において養育を行う取り組みである。 >>> p308

○×問題

☐☐ **Q5** 過R4前

養子縁組(特別養子縁組を含む)は、家庭と同様の養育環境での養育にあたる。 >>> p304

☐☐ **Q6** 過R5前

小規模グループケア（分園型）は、家庭と同様の養育環境にあたる。 >>> p304

☐☐ **Q7** 過R2後

「社会的養育の推進に向けて」（令和6年4月 こども家庭庁）によると、令和4年3月末の里親及び小規模住居型児童養育事業（ファミリーホーム）への社会的養護を利用する児童全体に占める委託率は約4割である。 >>> p305

☐☐ **Q8** 過R5前

小規模住居型児童養育事業（ファミリーホーム）は、第一種社会福祉事業である。 >>> p307

解答・解説

Q1　ひらく　**Q2**　特定の養育者　**Q3**　養子縁組　**Q4**　a 5／b 6

Q5　○　**Q6**　×　良好な家庭的環境である。　**Q7**　×　23.5%であり、3割にも満たない。　**Q8**　×　第二種社会福祉事業である。

社会的養護 Lesson 4

施設養護の基本原理

頻出度 Level 5

施設養護とはどのようなものかを学びます。また、入所施設の運営基準や養護においてどのような配慮が必要なのかを理解しましょう。

ココに注目!!

- 社会的養護の6つの原理（児童養護施設運営指針）
- 施設運営の責任の明確化（社会福祉法第61条）
- 施設養護で考慮すべきことは何か（児童養護施設運営指針）
- 児童自立支援計画の策定

1 施設養護の体系と機能

（1）施設養護の体系

施設養護とは、子どもを児童福祉施設において養育することをいいます。

「児童福祉法」には児童福祉施設が規定されていますが、そのうち施設養護の中心となるのは子どもを入所させて養育する施設になります。

入所施設は対象となる子どもによって次のように区分することができます。

■入所施設とその対象

施設	対象
乳児院、児童養護施設、母子生活支援施設	**養育環境**に問題がある子ども
障害児入所施設	心身に障害がある子ども
児童心理治療施設※、児童自立支援施設※	**社会適応困難**・行動面に問題のある子ども

※通所させる場合もある

母子生活支援施設は子どもだけでなく18歳未満の子どもを養育している母子家庭、または何らかの事情で離婚の届出ができないといった、母子家庭に準じる家庭の女性が利用できます。

入所施設以外でも、心身に障害のある子どもを通所させる**児童発達支援センター**、子どもを健全に遊ばせるために利用する**児童厚生施設**も施設養護に関係の深い児童福祉施設です。

(2) 施設養護の機能

児童養護施設の運営についてのガイドラインである「**児童養護施設運営指針**[*1]」では、児童養護施設の役割と理念を次のように規定しています。これはそのまま、施設養護の基本的な機能を示しているといえます。

- **生活環境の調整**……児童に対して**安定**した生活環境を整える。
- **生活指導**……児童の**自主性**を尊重しつつ、**基本的生活習慣**を確立するとともに豊かな人間性および社会性を養い、かつ、将来**自立**した生活を営むために必要な知識および経験を得ることができるように行う。
- **学習指導**……児童がその**適性**、**能力**等に応じた学習を行うことができるよう、適切な相談、助言、情報の提供等の支援により行う。
- **職業指導**……**勤労**の基礎的な能力および態度を育てるとともに、児童がその適性、能力等に応じた**職業選択**を行うことができるよう、適切な相談、助言、情報の提供等および必要に応じ行う実習、講習等の支援により行う。
- **家庭環境の調整**……児童の家庭の状況に応じ、**親子関係の再構築**等が図られるように行う。

社会的養護は、従来の「**家庭代替**」の機能から、**家族機能**の支援・補完・再生を重層的に果たすさらなる**家庭支援**（**ファミリーソーシャルワーク**）[*2]に向けた転換が求められています。親子間の関係調整、回復支援の過程は、施設と**親**とが協働することによって果たされます。

2 施設養護の基本原理

「**児童養護施設運営指針**」において、児童養護施設における**社会的養護の原理**[*3]として次の6項目が示されています。内容を一部紹介します。

❶家庭的養護と個別化

大規模な施設ではなく、できるだけ家庭的な環境で養育する

でた問!!

***1 児童養護施設運営指針**
児童養護施設運営指針について出題。
H31前、R1後、R2後、R4後、R5前

用語

「児童養護施設運営指針」
2012（平成24）年に厚生労働省よりだされた。家庭や地域における養育機能の低下などを背景に、児童養護施設を社会に開かれたものとするため、運営の理念や方法、手順をまとめたもの。

プラス1

子育て短期支援事業
家庭を支援する機能として、保護者の出張や病気、出産などの理由で、一時的に家庭での養育が困難になった子どもを保護する子育て短期支援事業がある。
⇨子福p270

でた問!!

***2 家庭支援（ファミリーソーシャルワーク）**
「児童養護施設運営指針」に示されている社会的養護のあり方について出題。
R5前

***3 社会的養護の原理**
「児童養護施設運営指針」に示されている社会的養護の原理について出題。
H31前、R1後、R2後

「家庭的養護」と、一人ひとりの個別的な状況を十分に考慮し、子どもをていねいに育んでいく養護の「**個別化**」が必要です。

❷発達の保障と自立支援

年齢に応じた発達の課題をもち、その後の人生に向けた**準備期間**である子ども期の健全な心身の**発達の保障**を目指し、子どもの主体的な活動を尊重して自立した社会生活に必要な基礎的な力を形成します。

❸回復をめざした支援

被虐待（ぎゃくたい）体験や**分離体験**などによる悪影響からの癒（い）やしや、回復をめざした**専門的ケア**や**心理的ケア**などの治療的な支援を行います。被虐待体験だけでなく、身近な人々との分離を経験し、生きづらさを抱えている子どもたちが、大切にされる体験を積み重ね、信頼関係や**自己肯定感**（自尊心）を取り戻せるようにすることが大切です。

それぞれの家庭に寄りそって、ともに問題に向き合うことで子どもの育ちを守っていくんですね。

❹家族との連携・協働

保護者の不在、養育困難、不適切な養育や虐待など困難な状況にある親子に対し、親とともに、親を支えながら、あるいは親に代わって、子どもの発達や養育を保障し、問題の解決や緩和をめざします。

親子分離による心理的負担
親との離別により、子どもが受ける心理的ショックは、その後の人格形成に大きな影響を与える。

❺継続的支援と連携*4アプローチ

始まりから**アフターケア**までの継続した支援を行うとともに、児童相談所等の行政機関、各種の施設、里親等が**連携**することで子どもの社会的自立や親子の支援をめざします。

***4 継続的支援と連携**
「児童養護施設運営指針」に示されているアフターケアまでの支援について出題。
R6前

❻ライフサイクルを見通した支援

社会的養護のもとで育った子どもたちが**社会にでてからの暮らし**を見通し、虐待や貧困の**世代間連鎖**（れんさ）を断ち切っていけるような支援が求められます。

3 施設養護の方法

（1）施設での養護の基本

❶子どもの理解

子どもが表出する感情や言動のみを取り上げるのではなく、

理由や背景を理解することが必要です。特に、**被虐待体験**や**分離体験**など、子どもが抱える苦痛や怒りを理解します。

❷基本的欲求の充足*5

子ども一人ひとりの充足すべき**基本的欲求**を把握(はあく)します。その充足にあたっては、子どもの希望や子どもと職員との関係性を重視し、子どもと**個別的にふれあう時間**を確保することで良好な人間関係を築きます。

❸自主性の尊重

過干渉にならず、子どもが自ら判断し行動することを保障します。つまずきや失敗の体験を大切にし、子どもが主体的に解決していくプロセスをとおして、**自己肯定感**(こうてい)を形成し、自己を向上発展させられるよう養育・支援します。

❹発達段階に応じた学び・遊びの保障

年齢や**発達段階**に応じた図書や、玩具(がんぐ)などの遊具、遊びの場を用意します。

また、幼稚園の就園等、可能な限り**施設外で教育を受ける機会**を保障します。発達段階や学校適応状況を勘案して、必要に応じて特別支援教育を受ける機会を保障します。

❺秩序ある生活をとおした養育・支援

施設生活・社会生活の規範等守るべきルールを理解できるよう子どもに説明し、責任ある行動をとるよう養育・支援します。

また、子どもが社会生活を営むうえで必要なさまざまな知識や技術を日常的に伝え、子どもが**生活技術**や能力を修得できるよう養育・支援します。

***5 基本的欲求の充足**
「児童養護施設運営指針」に示された基本的欲求の充足について出題。
R5前

＋プラス 1

入所している子どもの学校教育
地域の小学校・中学校や特別支援学校に通学するほか、施設に併設されている特別支援学級、分校、ベッドサイド学習（病院に入院している児童や生徒の、個人のベッドサイドで行われる個別指導形式の学習）などの形態がある。

（2）継続性とアフターケア

❶措置変更に必要な配慮

措置(そち)変更または受入れにあたっては、継続性に配慮した対応を行います。子どもの特性を理解するための情報の共有化やケース会議を実施し、切れ目のない養育・支援に努めます。

里親、児童自立支援施設などへ措置変更されたあと、再び児童養護施設での養育が必要と判断される場合もあります。たとえば、18歳に達する前に施設を退所し自立した子どもについては、社会生活に適応するにはまだ養護が必要な側面が残っていることを踏まえ、必要に応じて**再入所**の措置に対応することとしています。

❷子どもの養育・支援に関する適切な記録

養育を引き継ぎ、支援の継続性を保つために、入所からアフターケアまでの養育・支援の実施状況を適切に**記録**[*6]します。記録内容について職員間でばらつきが生じないよう工夫します。

***6 記録**
記録について出題。
R4前・後、R5前

❸家庭復帰後の支援

子どもが家庭に引き取られることになったら、子どもが家庭で安定した生活が送ることができるよう家庭復帰後の支援を行います。具体的には次のような支援があげられます。

- ・**ケース会議**を開催し、子ども本人や保護者の意向を踏まえ、適切な退所時期や退所後の生活を検討する。
- ・市町村や関係機関と**連携**し、退所後の生活の支援体制の構築に努める。
- ・退所後も施設として子どもと保護者が相談できる窓口を設置する。
- ・子どもや家庭の状況の把握に努め、退所後の記録を整備する。

❹自立援助ホーム

施設退所後の子どもへの援助として、**自立援助ホーム**（児童自立生活援助事業）があります。義務教育を修了した児童などで措置が解除された者を対象に、職員と共同生活を送りながら日常生活上の援助や指導、就業の支援を受け、社会的自立を促（うなが）すための施設です。22歳を過ぎても必要が認められる場合は自立援助ホームや児童養護施設等に入所し続けることができます。

自立援助ホームは「児童福祉法」に規定する児童自立生活支援事業として、第二種社会福祉事業に位置づけられています。

❺措置延長

子どもの最善の利益や発達状況をかんがみて、高校進学が困難な子どもや高校中退の子どもへの措置継続や、18歳から20歳までの**措置延長**を利用して自立支援を行います。

（3）権利擁護

❶子ども尊重と最善の利益の考慮

子どもの**権利擁護**[*7]の観点から、子どもの最善の利益を考慮し、下記のような取り組みを行います。

でた問!!

***7 権利擁護**
「児童養護施設運営指針」における権利擁護に関する記述について出題。
R1後

・子どもを尊重した養育・支援についての基本姿勢を明示し、施設内で共通の理解をもつための取り組みを行う。
・社会的養護が子どもの最善の利益をめざして行われることを職員が共有して理解し、日々の養育・支援において実践する。
・**子どもの発達**に応じて、子ども自身の**出生**や**生い立ち**など家族の状況について、子どもに適切に知らせたり**ライフストーリーワーク**[*8]を行ったりする。
・子どもの**プライバシー**保護に関する規程・マニュアルなどを整備し、職員に周知するための取り組みを行う。
・子どもや保護者の思想や**信教の自由**を保障する。

❷子どもの意向への配慮

日常的な会話のなかから**子どもの意向**をくみ取るほか、調査や個別の聴取などを行って課題発見に努めます。改善すべき課題については、子どもの参画のもとで**検討会議**などを設置して改善に取り組みます。

生活全般については、子どもの意向を尊重してともに考え、改善に積極的に取り組みます。

❸子どもが意見や苦情を述べやすい環境

子どもが相談したり、意見を述べたりしたいときに相談方法や相談相手を選択できる環境を整備します。複数の相談方法や相談相手のなかから自由に選べることを説明した文書をつくって配布する、相談窓口についてわかりやすい場所に掲示するなど周知に努めます。

苦情解決については、**苦情解決責任者**の設置、苦情受け付け担当者の設置、**第三者委員**の設置など体制を整備し、そのしくみを周知します。

上記を通じて伝えられた意見や苦情に迅速に対応できるよう、対応マニュアルを作成します。

❹被措置児童等虐待対応

いかなる場合においても**体罰**や子どもの人格を辱(はずかし)めるような行為を行わないよう徹底し、不適切な関わりの防止と早期発見に取り組みます。

被措置児童等虐待の届け出・通告に対する対応を整備し、迅速かつ誠実に対応します。

でた問!!
***8 ライフストーリーワーク**
ライフストーリーワークの定義について出題。
R3後、R5後

用語
ライフストーリーワーク
子ども自身が自己の生い立ちを正しく理解するための支援方法。子どもの生い立ちに耳を傾け、子ども自身が自分の物語をつむぐことで、アイデンティティの確立をめざす。
⇨下巻 保実p319

子どもが自己の生い立ちを知ることは、自己形成のうえで重要だと考えられることから、発達などに応じて可能な限り事実を伝えます。

被措置児童等虐待
⇨p340

（4）学校教育・地域社会との連携

❶地域との連携の必要性

施設で生活する子どもたちが、地域の学校で教育を受け、各種の公共機関や施設を活用し、近隣地域の子どもと楽しく交流することなどは、社会の一員として成長するために必要なことです。

❷連携への働きかけ

地域の学校の教師などと継続的に連携を図ってクラブ活動を行うなど、日常生活のなかで社会教育機関や施設・設備を積極的に活用するようにします。

ボランティア活動を受け入れることも、入所している子どもに地域の一住民としての自覚を促すきっかけになります。また、施設がもつ設備や援助機能などを地域住民に開放することも地域との連携を推進するよい方法といえます。

4 施設の運営と管理

（1）児童福祉施設の運営と管理

「社会福祉法」のなかでは、福祉施設の運営にあたって、国、地方公共団体、社会福祉法人などの責任を明確にすることをうたっています。

「社会福祉法」 第61条

（事業経営の準則）

国、地方公共団体、社会福祉法人その他社会福祉事業を経営する者は、次に掲げるところに従い、それぞれの責任を明確にしなければならない。

一　国及び地方公共団体は、法律に基づくその責任を他の社会福祉事業を経営する者に転嫁（てんか）し、又はこれらの者の財政的援助を求めないこと。

二　国及び地方公共団体は、他の社会福祉事業を経営する者に対し、その自主性を重んじ、不当な関与を行わないこと。

三　社会福祉事業を経営する者は、不当に国及び地方公共団体の財政的、管理的援助を仰がないこと。
第2項
前項第一号の規定は、国又は地方公共団体が、その経営する社会福祉事業について、福祉サービスを必要とする者を施設に入所させることその他の措置を他の社会福祉事業を経営する者に委託することを妨げるものではない。

(2) 児童福祉施設職員の資質

児童福祉施設で働く職員の資質として、情緒が安定していること、活動的であること、リーダーシップがとれることなどが要求されます。また、子どもに接するのにふさわしい人間性や向上心、子どもの養育を担う**専門性**[*9]、関係機関や職員間でのチームワークを円滑にできる協調性も重要になります。

施設長は、施設の管理責任者としてだけではなく、企画推進力や安全管理能力、実践管理能力、経営能力も問われます。さらに、職員への指導については、**スーパービジョン**が必要です。

スーパービジョンとは、熟練した援助専門家（**スーパーバイザー**）が、経験の浅い援助者（**スーパーバイジー**）に対し、専門的な能力を発揮できるように指導、援助する過程のことです。現在増えてきている**小舎制**（しょうしゃ）の施設では、1人の職員がさまざまな役割をこなすため、職員に対するスーパービジョンはますます重要になってきています。

(3) 自立支援計画の策定

児童福祉施設のうち、乳児院、母子生活支援施設、児童養護施設、児童心理治療施設、児童自立支援施設では、**自立支援計画**[*10]を策定することが「児童福祉施設の設備及び運営に関する基準」に規定されています。

いずれの施設でも、施設長が施設職員等の関係者と十分に協議して自立支援計画を策定しなければなりません。子ども一人ひとりについて、子どもや、保護者などを含むその家庭の状況・意向などを勘案する必要があります。

＋プラス1

専門性
「児童養護施設運営指針」の「養育のあり方の基本」において、「子どもの養育を担う専門性は、養育の場で生きた過程を通して培われ続けなければならない。（中略）養育には、子どもの生活をトータルにとらえ、日常生活に根ざした平凡な養育のいとなみの質を追求する姿勢が求められる」と示されている。

でた問!!

***9 専門性**
「児童養護施設運営指針」「養育のあり方の基本」の記述について出題。
R6前

スーパービジョン
⇨社福p191

スーパービジョンの例として、養護活動における問題点の発見、解決や援助の方法などを客観的に分析し、そこから次の課題を明確にし、課題の解決に向けてすすんでいくという活動があげられます。

でた問!!

***10 自立支援計画**
自立支援計画の策定について出題。
R3後、R4後

社会的養護

ポイント確認テスト

穴うめ問題

☐☐ **Q1** 過R5前

「児童養護施設運営指針」（平成24年3月 厚生労働省）では、「子どもの背景を十分に把握した上で、必要な（ a ）も含めて養育を行っていくとともに、（ b ）も丁寧に行う必要がある」としている。

☐☐ **Q2** 過R2後

「児童養護施設運営指針」では、「社会的養護を必要とする子どもには、その子どもに応じた成長や発達を支える支援だけでなく、虐待体験や（ a ）体験などによる悪影響からの癒しや（ b ）をめざした専門的ケアや（ c ）などの治療的な支援も必要となる」としている。 >>> p312

☐☐ **Q3** 過R3後

ライフストーリーワークは、子ども自身が自己の（　　）を正しく理解するための支援である。 >>> p315

☐☐ **Q4** 過R6前

「児童養護施設運営指針」では、「子どもの養育を担う専門性は、養育の場で（ a ）過程を通して培われ続けなければならない。（中略）養育には、子どもの生活を（ b ）にとらえ、日常生活に根ざした（ c ）な養育のいとなみの質を追求する姿勢が求められる」としている。 >>> p317

○×問題

☐☐ **Q5** 過R1後

「児童養護施設運営指針」の「権利擁護」では、入所時においては、子どものそれまでの生活とのつながりを重視し、そこから分離されることに伴う不安を理解し受けとめ、不安の解消を図るとしている。

☐☐ **Q6** 過R4前

「児童養護施設運営ハンドブック」（平成26年 厚生労働省）では、「記録は養育を決定していくための重要な資料です。子どもの問題行動についての記述も大切ですが、子どもの変化への気づきや成長を感じたエピソードなども重要な情報であることも忘れてはなりません」としている。 >>> p314

☐☐ **Q7** 過R4後

児童養護施設における養育・支援の記録は、養育・支援の実施状況を、家族及び関係機関とのやりとり等を含めて適切に記録する。 >>> p314

☐☐ **Q8** 過R1後

「児童養護施設運営指針」の「権利擁護」では、子どもが相談したり意見を述べたりしたい時に、相談方法や相談相手を選択できる環境を整備し、子どもに伝えるための取り組みを行うとしている。 >>> p315

解答・解説

Q1 a 心のケア／b 家庭環境の調整　**Q2** a 分離／b 回復／c 心理的ケア　**Q3** 生い立ち
Q4 a 生きた／b トータル／c 平凡
Q5 ○　**Q6** ×「決定していくため」ではなく「引き継いでいくため」である。
Q7 ○　**Q8** ○

社会的養護 Lesson 5

施設養護の実際①

頻出度 Level 5

子どもの状況に応じた養護のために、さまざまな児童福祉施設があります。支援内容や配置職員の違いを中心に、確実に覚えましょう。

ココに注目!!
- 児童福祉施設の目的と対象
- 児童福祉施設の養育・支援の内容
- 児童福祉施設の設備・職員の基準

1 乳児院

(1) 対象児童

両親の死亡や、遺棄（いき）・虐待（ぎゃくたい）・放任などの理由で**養護が必要な乳幼児を対象**[*1]としています。基本的には乳児のための施設ですが、特に必要のある場合は幼児も入院することができます。

(2) 施設の基準

❶設備

寝室、観察室、診察室、病室、**ほふく室**、相談室、調理室、浴室、便所の設置が定められています。

❷職員

乳幼児の定員が10人未満の施設と、10人以上の施設で**職員**[*1]配置の基準が異なります。

- **定員10人未満**……**嘱託医**（しょくたくい）、看護師（7人以上。看護師は1人以上必置で、残りを保育士か児童指導員に代えることができる）、**家庭支援専門相談員**[*2]、調理員等。
- **定員10人以上**……医師または嘱託医（**小児科**の診療に相当の経験を有する者）、看護師（※別表参照）、個別対応職員、家庭支援専門相談員、栄養士、調理員（調理業務の全

プラス1

特に必要のある場合
①幼児の心身に著しい発達遅滞がみられ、医学的な養育治療を要する場合、②児童養護施設に空床がない場合、③里親の受託希望者が出現しない場合など。

用語

嘱託医
必要なときに依頼できるようにあらかじめ施設と医師の間で取り決めておく場合で、通常は開業医などとして業務にあたっている医師をいう。

でた問!!

***1 対象児童、職員**
乳児院の対象児童について出題。
R2後
乳児院に配置される職員について出題。
R4前

***2 家庭支援専門相談員**
家庭支援専門相談員の業務について出題。
R1後

てを委託する場合は置かなくてもよい)、心理療法担当職員(10人以上の児童とその保護者に心理療法を行う場合)。

乳幼児期の養育環境は、子どもの精神発達に大きく影響します。乳児院では、職員が一人ひとりの乳幼児の状況に合わせた適切な対応をしていくことが大切です。

■看護師・保育士の配置基準(定員10人以上の施設)

看護師の人数	乳児～満2歳未満=おおむね1.6人につき1人以上 満2歳以上～満3歳未満=おおむね2人につき1人以上 満3歳以上=おおむね4人につき1人以上 (これらの合計数が7人未満の場合、7人以上) 看護師の最低必要数を配置すれば、残りを保育士か児童指導員に代えることができる
看護師の必置人数	定員10人の施設は看護師は2人以上 定員10人を超える施設はおおむね10人増すごとに1人以上増やす
保育士の必置人数	定員20人以下の施設は1人以上

乳児院では24時間体制で養育にあたっていますが、職員は住み込みではなく交代制がほとんどです。交代制勤務では職員の意思疎通がスムーズに行われることがとても重要です。

(3)養育・支援の内容

乳幼児の年齢や発達の段階に応じ、必要な**授乳**、**食事**、**排泄**、**沐浴**、**入浴**、外気浴、**睡眠**、遊び、**運動**ができるようにします。日々の**健康状態**の把握や**健康診断**に加え、必要に応じて感染症などの予防処置を行います。あわせて、退院した者の相談援助などを行います。

日常の養育において**担当養育制**を行い、特別な配慮が必要な場合を除いて、基本的に入所から退所まで一貫した担当制とすることを基本としています。

2 母子生活支援施設

(1)対象児童・保護者

原則として**配偶者のない女子**とその子どもを対象としています。

入所の理由には、配偶者などの家庭内暴力(**DV**)を筆頭に、配偶者の死亡、離婚、拘禁、精神障害、未婚・非婚での出産などによる生活の困窮や住宅難などがあります。

子どもの年齢は原則**18**歳までで、必要がある場合は20歳に

用語

配偶者
婚姻の届け出をしていないが、事実上婚姻関係と同様の事情にある者を含む(「母子及び父子並びに寡婦福祉法」より)。

DV:ドメスティック・バイオレンス
(Domestic Violence)
夫婦やパートナー間で行われる暴力。その多くは男性から女性にふるわれている。身体的暴力に限らず、言葉の暴力、心理的暴力、性的暴力、経済的暴力、ものの破壊、社会的隔離なども含む。

達するまで延長することができます。

母子生活支援施設は、母子両方への支援を前提とする点で、ほかの児童福祉施設とは異なります。

（2）施設の基準

❶設備

母子室、集会・学習等を行う室、相談室の設置が定められています。乳幼児を入所させる施設には静養室を設け、特に乳幼児30人以上を入所させる施設には医務室も設けます。また、付近の保育所や児童厚生施設が利用できない場合などは、保育所に準ずる設備を設けます。

母子室は1世帯につき1室以上設け、調理設備、浴室、便所を設けることとしています。

❷職員

母子支援員（母子の生活支援を行う者）、**嘱託医**、**少年を指導する職員**（少年指導員）、**調理員**等の配置が定められています。また、母子10人以上に心理療法を行う場合は**心理療法担当職員**、配偶者からの暴力を受けた母子等に個別支援を行う場合は個別対応職員、保育所に準ずる設備をもつ場合は**保育士**を置かなければなりません。

母子生活支援施設の事例問題は頻出です。DVなど、大変な経験を経て入所してきた母子へのケアが必要な施設であることを押さえておきましょう。

（3）支援の内容

母子生活支援施設[*3]では対象母子を入所させ、母親と子どもが一緒に生活できる**住居の提供**、自立を支援するための**就労**・家庭生活・児童の教育等に関する相談や助言、**心理的課題**への対応（母子の自己肯定感の回復等）、DV被害者の**一時保護**や相談などを行います。

養育・保育に関する支援としては、母親の育児に関する相談対応、**母親と子どもの関係を構築するための保育**、保育所に入所できない子どもの保育、母親の体調が悪いときの保育などをニーズに応じて行います。

また、退所時には退所後の支援計画を作成し、地域の関係機関とつなぐ、退所後も電話や来所による相談を受け付けるといった**アフターケア**を行います。

でた問!!

***3 母子生活支援施設**
母子生活支援施設の支援の内容について出題。
R3前・後、R4前・後

社会的養護

3 児童養護施設

児童養護施設
⇨下巻 保実p315

児童養護施設に入所している子どもたちの養護問題の発生理由で最も多いのは、母の放任・怠だです（2023〔令和5〕年児童養護施設入所児童等調査結果より）。

（1）対象児童

保護者のない児童（父母が長期間拘禁されている、父母に障害があるなどの児童も含む）、**虐待されている児童**、必要な衣・食・住や監護・教育を受けることができず**環境上養護を要する児童**を対象としています。

入所年齢は原則として**乳児をのぞく満18歳未満**ですが、必要があれば満20歳まで認められます。また、基本的には乳児は除きますが、特に必要のある場合には乳児も含みます。

（2）施設の基準

❶設備

児童の居室、相談室、入所児童の年齢や適性に応じた職業指導に必要な設備、調理室、浴室、便所の設置が定められています。また、定員30人以上の施設は医務室と静養室を設けなければなりません。

❷職員

児童指導員、**嘱託医**、**保育士**、**個別対応職員***4、**家庭支援専門相談員**、**栄養士**（定員40人以下の施設は置かなくてもよい）、**調理員**（調理業務のすべてを委託する場合は置かなくてもよい）の配置が定められています。また、児童10人以上に心理療法を行う場合は**心理療法担当職員***5、乳児が入所している場合は看護師、実習設備を設け職業指導を行う場合は**職業指導員**を置かなければなりません。

児童指導員と保育士の総数は、満２歳未満児1.6人につき１人以上、満２歳～満３歳未満児２人につき１人以上、満３歳以上児４人につき１人以上、少年5.5人につき１人以上とし、児童45人以下を入所させる施設ではさらに１人以上加えます。

看護師は乳児おおむね1.6人につき１人以上置かなければなりません。

用語

児童指導員
児童養護施設、児童心理治療施設などで子どもの生活指導、学習指導、ケースワークなどを行う。資格は「児童福祉施設の設備及び運営に関する基準」第43条に規定されている。

でた問!!

***4 個別対応職員**
個別対応職員について出題。
R3前、R5後

***5 心理療法担当職員**
心理療法担当職員の配置施設について出題。
R5後

(3) 養育・支援の内容

入所児童の養育とともに、安定した生活環境の調整、生活指導、学習指導、職業指導、家庭環境の調整を行い、心身の**健やかな成長と自立**を支援します。あわせて、退所した者の相談援助などを行います。

養育・支援にあたっては、子どもの存在そのものを認め、子どもの感情や言動を受け止め理解すること、**被虐待体験**や**分離体験**など子どもが抱える苦痛や怒りを理解することを基本としています。

+プラス1

その他の職員
里親支援のための里親支援専門相談員、医療的ケアを必要とする児童が15人以上いる場合には、医療的ケアを担当する職員として看護師の配置が可能。里親支援専門相談員は、乳児院にも配置が可能。

4 児童自立支援施設

(1) 対象児童

不良行為をなし、またはなすおそれのある児童、家庭環境その他の**環境上**の理由により**生活指導**等を要する児童を対象としています。年齢は原則18歳までで、必要がある場合は20歳に達するまで延長することができます。

児童自立支援施設の入所児童の養護問題の発生理由で最も多いのは、児童の問題による監護困難です（2023〔令和5〕年児童養護施設入所児童等調査結果より）。

(2) 施設の基準

❶設備

学科指導に関する設備は、「学校教育法」の設備規定を準用します。それ以外の設備は児童養護施設の設備規定を準用します。

❷職員

児童自立支援専門員（児童の自立支援を行う者）、**児童生活支援員**（児童の生活支援を行う者）、**嘱託医**、**医師**または**嘱託医**（精神科）、**個別対応職員**、**家庭支援専門相談員**[*6]、**栄養士**（定員40人以下の施設は置かなくてもよい）、調理員（調理業務の全部を委託する場合は置かなくてもよい）の配置が定められています。また、児童10人以上に心理療法を行う場合は**心理療法担当職員**、実習設備を設けて職業指導を行う場合には**職業**

***6 家庭支援専門相談員**
家庭支援専門相談員の配置について出題。
R4後

社会的養護

*7 職業指導員
職業指導員について出題。
R3前

指導員[*7]を置かなければなりません。

児童自立支援専門員および児童生活支援員の総数は、児童4.5人につき1人以上としています。

（3）支援の内容

児童を入所または保護者のもとから通わせ、個々の対象児童の状況に応じて生活指導、学科指導、職業指導、家庭環境の調整を行い、その**自立を支援**します。あわせて、退所した者の相談援助などを行います。

自立支援の目標として、基本的信頼感や自己肯定感の形成、自身の**加害性・被害性の改善**や被害者への責任を果たす人間性の育成などがあげられます。

5 児童心理治療施設

児童心理治療施設に入所している子どもたちの養護問題の発生理由で最も多いのは、児童の問題による監護困難です（2023〔令和5〕年児童養護施設入所児童等調査結果より）。

（1）対象児童

家庭環境、学校における交友関係その他の環境上の理由により**社会生活への適応が困難となった児童**を対象としています。

心理的な困難によって日常生活に生きづらさを感じている子どもに心理治療を行うための施設です。知的障害児や重度の精神障害児にはほかの施設や機関を検討します。年齢は原則18歳までで、必要がある場合は20歳に達するまで延長することができます。

（2）施設の基準

❶設備

児童の居室、医務室、静養室、遊戯室、観察室、心理検査室、相談室、工作室、調理室、浴室、便所の設置が定められています。

❷職員

医師（**精神科**または**小児科**）、心理療法担当職員、児童指導員、保育士、看護師、個別対応職員、家庭支援専門相談員、栄養士、調理員の配置が定められています。

心理療法担当職員は、児童10人につき1人以上、児童指導員および保育士の総数は、児童4.5人につき1人以上とされています。

(3) 治療・支援の内容*8

対象児童を短期間入所、または保護者のもとから通わせ、社会生活への適応に必要な**心理に関する治療**、生活指導を行います。あわせて、退所した者の相談援助などを行います。

治療にあたっては、子どもの状況に応じて子ども、保護者、児童相談所等の関係者と**相談**しながら治療目標を決定します。治療は個別のニーズに沿い、子どもだけではなく保護者への**説明と同意**のもとに行われます。

でた問!!
*8 治療・支援の内容
児童心理治療施設の治療・支援の内容について出題。
H31前

6 児童厚生施設

すべての児童が利用できる児童厚生施設には、児童館や**児童遊園**などがあります。

(1) 施設の基準

❶設備

屋外施設(児童遊園など)…広場、遊具、便所

屋内施設(児童館など)…集会室、遊戯室、図書室、便所

❷職員

児童の遊びを指導する者の配置が定められています。

具体的には、児童福祉施設職員の養成学校等を卒業した者、保育士資格を有する者、社会福祉士資格を有する者、教諭の資格を有する者、大学で社会福祉学・心理学・教育学・社会学・芸術学・体育学のいずれかを修めて卒業した者などで設置者が適当と認定した者などです。

用語
児童遊園
広場、砂場、ブランコ、すべり台、ジャングルジム、トイレなどを備えた屋外施設。付近に繁華街がある、住宅が密集している、交通量が多いなど、環境に恵まれず遊び場が不足している地域に優先して設置されている。

（2）活動内容

児童に**健全な遊び**を与え、健康を増進し、情操を豊かにすることを目的としており、地域の子どものための遊びの場として利用されています。

児童館は**放課後児童クラブ**の場ともなっており、保護者が仕事などで昼間家庭にいない小学生を対象に、学校の授業終了後に遊びと生活の場を提供します。

放課後児童クラブは、従来「学童保育」とよばれていたものにあたる活動です。

放課後児童クラブは「児童福祉法」の**放課後児童健全育成事業**です。

また、2015（平成27）年施行の「子ども・子育て支援法」による**地域子ども・子育て支援事業**の一つに位置づけられ、主に市区町村が実施主体となっています。

ポイント確認テスト

穴うめ問題

☐☐ **Q1** 過R2後

乳児院は、「児童福祉法」に定める（　　　）を対象とした施設である。 >>> **p319**

☐☐ **Q2** 過R5後

心理療法を行う必要があると認められる児童が10人以上いる児童養護施設、児童自立支援施設には、（　　　）を置かなければならない。 >>> **p322、323**

☐☐ **Q3** 予想

児童厚生施設には、（　　　）の配置が定められている。 >>> **p325**

☐☐ **Q4** 予想

児童館は（　　　）の場ともなっており、保護者が仕事などで昼間家庭にいない小学生を対象に、学校の授業終了後の遊びと生活の場を提供する。 >>> **p326**

○×問題

☐☐ **Q5** 過R4前

乳児院に配置される職員として、少年を指導する職員を置くこととされている。 >>> **p321**

☐☐ **Q6** 過H31前

母子支援員は、児童養護施設および乳児院にのみ配置が義務づけられている。

☐☐ **Q7** 過R4後

母子生活支援施設には、家庭支援専門相談員の配置が義務づけられていない。 >>> **p321**

☐☐ **Q8** 過R3前

実習設備を設けて職業指導を行う児童自立支援施設には、職業指導員が配置される。 >>> **p323**

解答・解説

Q1 乳幼児　**Q2** 心理療法担当職員　**Q3** 児童の遊びを指導する者　**Q4** 放課後児童クラブ

Q5 ×　少年を指導する職員は母子生活支援施設に配置される。　**Q6** ×　母子支援員は母子生活支援施設にのみ配置が義務づけられている。　**Q7** ○　**Q8** ○

社会的養護 Lesson 6

施設養護の実際②

頻出度 Level 2

主に障害のある子どもを対象とする施設について学びます。障害の種類や程度に応じた各施設の役割を理解しましょう。

ココに注目!!
- ✓ 障害児施設の分類
- ✓ 障害児施設の目的と対象
- ✓ 養育・支援の内容
- ✓ 設備・職員の基準

1 障害児施設

(1) 障害児施設の種類

「児童福祉法」に規定されている障害児施設には、**入所施設**と通所施設があります。入所施設は福祉型と医療型に分かれます。

どの施設でも日常生活の指導などの福祉サービスが提供されますが、医療型の施設ではそれに加えて**治療**を行います。

■障害児施設の目的

施設	目的
福祉型障害児入所施設	保護、日常生活における基本的な動作および独立自活に必要な知識技能の習得のための支援
医療型障害児入所施設	保護、日常生活における基本的な動作および独立自活に必要な知識技能の習得のための支援ならびに**治療**
児童発達支援センター	高度の専門的な知識・技術を必要とする**児童発達支援**の提供、障害児の**家族**等関係者に対する相談・専門的助言その他必要な援助

＋プラス1

障害児入所施設の在所期間

障害児入所施設では、満18歳までは「児童福祉法」で、それ以降は「障害者総合支援法」で対応する。

用語

児童発達支援

日常生活における基本的動作および独立自活に必要な知識技能の習得または集団生活への適応のための支援、肢体不自由児に対する治療。

肢体不自由
⇨下巻 保健p160

(2) 障害児入所施設入所児童の状況

障害児入所施設の入所児童は、知的障害を抱える子どもが約7割を占め、学業の遅れなどの問題を抱えることが多い傾向にあります。また、約4割の子どもが虐待を受けた経験があります。以下に、「児童養護施設入所児童等調査の概要（令和５年２月１日現在）」（こども家庭庁）をもとに**障害児入所施設入所児童の状況**[*1]をまとめます。

[*1] 障害児入所施設入所児童の状況
心身の状況について出題。
R3後

■障害児入所施設入所児童の状況

現在の平均年齢	8.3 歳
入所時の年齢（最多）	6 歳
平均在所期間	4.7 年
入所経路（1～3位）	家庭（58.6%）、医療機関（12.2%）、乳児院（8.2%）
心身の状況（1～3位）	知的障害（73.3%）、広汎性発達障害（28.6%）、重度心身障害（23.3%）
学業の状況	遅れがある（66.9%）、特に問題なし（30.7%）、すぐれている（1.4%）
入所理由	児童の障害（49.6%）、児童の監護困難（21.7%）、母の精神疾患等（21.4%）
被虐待経験あり（41.2%）の内訳（1～3位）	ネグレクト（61.1%）、身体的虐待（45.0%）、心理的虐待（18.1%）

※回答施設は418。うち福祉型57.4%、医療型42.6%。

2 福祉型障害児入所施設

(1) 対象児童

福祉型障害児入所施設には、児童の障害に応じて次のような施設があります。

社会的養護

- 主として知的障害（自閉症を除く）のある児童を入所させる施設
- 主として自閉症児を入所させる施設
- 主として盲ろうあ児を入所させる施設
- 主として肢体不自由のある児童を入所させる施設

ろうあの「ろう」は聴覚障害を、「あ」は言語障害を示しています。

「医療法」に規定される病院にはあたらないため、治療が必要と判断される自閉症児、肢体不自由のある児童については医療型障害児入所施設に入所させます。

主として肢体不自由のある児童を入所させる施設では、入所児童の障害が重度・重複化し、運動障害が重度化しているため、介助の必要性が高まっています。

（2）施設の基準

❶設備基準

児童の居室、調理室、浴室、便所、医務室、静養室の設置が定められています。

共通の規定に加え、各施設にはそれぞれ次の規定があります。

- **主として知的障害児を入所させる施設**……児童30人未満の施設は医務室を設けないことができる。
- **主として盲ろうあ児を入所させる施設**……定員30人未満の施設は医務室、静養室を設けないことができる。共通の規定のほか、遊戯室、支援室、職業指導に必要な設備及び音楽に関する設備(盲児を入所させる施設では、浴室および便所の手すりならびに特殊表示等身体の機能の不自由を助ける設備も設ける)
- **主として肢体不自由のある児童を入所させる施設**……**支援室、屋外遊戯場、浴室及び便所の手すり等身体の機能の不自由を助ける設備**

❷職員配置

共通の職員として、嘱託医（しょくたくい）、児童指導員、**保育士**[*2]、栄養士（定員40人以下の施設は置かなくてもよい）、調理員（調理業務のすべてを委託する場合は置かなくてもよい）、職業指導員（職業指導を行う場合）、心理担当職員（心理支援を行う場合）、**児童発達支援管理責任者**が規定されています。

このほかに、各施設にはそれぞれ次の規定があります。

- **主として自閉症児を入所させる施設**……**医師、看護職員**
- **主として肢体不自由のある児童を入所させる施設**……**看護職員**

***2 保育士**
保育士の配置について出題。
R5後

用語

児童発達支援管理責任者
障害児通所支援または障害児入所支援の提供の管理を行う者としてこども家庭庁長官が定める者をいう。

■福祉型障害児入所施設の職員配置

<table>
<tr><th>職種</th><th>主として知的障害（自閉症を除く）のある児童を入所させる施設</th><th>主として自閉症児を入所させる施設</th><th>主として盲ろうあ児を入所させる施設</th><th>主として肢体不自由のある児童を入所させる施設</th></tr>
<tr><td>嘱託医[★1]</td><td colspan="4">１人以上</td></tr>
<tr><td>医師</td><td>規定なし</td><td>１人以上[★2]</td><td>規定なし</td><td>規定なし</td></tr>
<tr><td>児童指導員および保育士[★3]</td><td colspan="2">通じておおむね児童の数を4で除して得た数以上</td><td>通じて児童おおむね4人につき１人以上</td><td>通じておおむね児童の数を3.5で除して得た数以上</td></tr>
<tr><td>看護職員[★4]</td><td>規定なし</td><td>児童おおむね20人につき１人以上</td><td>規定なし</td><td>１人以上</td></tr>
<tr><td>栄養士[★5]</td><td colspan="4">１人以上</td></tr>
<tr><td>調理員[★5]</td><td colspan="4">１人以上</td></tr>
<tr><td>職業指導員</td><td colspan="4">職業指導を行う場合</td></tr>
<tr><td>心理担当職員[★6]</td><td colspan="4">心理支援を行う場合</td></tr>
<tr><td>児童発達支援管理責任者</td><td colspan="4">１人以上</td></tr>
</table>

★1　知的障害児、自閉症児の場合は精神科または小児科、盲ろうあ児の場合は眼科または耳鼻咽喉科の診療に相当の経験を有する者。
★2　児童を対象とする精神科の診療に相当の経験を有する者。
★3　30人以下を入所させる施設で知的障害児または自閉症児を受け入れる場合、35人以下を入所させる施設で盲ろうあ児を受け入れる場合は、さらに１人以上を加える。
★4　保健師、助産師、看護師または准看護師をいう。
★5　40人以下の施設にあっては栄養士を、調理業務の全部を委託する施設にあっては調理員を置かないことができる。
★6　心理支援を行う必要があると認められる児童５人以上に心理支援を行う場合。

（3）指導の内容

必要に応じた生活の介護、保護者等との連絡に加え、退所後の児童ができる限り社会に適応していけるための**生活指導・学習指導**、適性に応じた**職業指導**が行われます。

主として知的障害のある児童を入所させる施設では、上記に加え**心理学的・精神医学的診査**が随時行われます。

3 医療型障害児入所施設

（1）対象児童

医療型障害児入所施設は、「医療法」に規定される**病院**です。児童の障害に応じて次のような施設があります。

❶主として自閉症児を入所させる施設

入所児童は、治療が必要な自閉症児です。

❷主として肢体不自由のある児童を入所させる施設

入所児童は、中枢神経系の障害である脳性麻痺児が中心で、知的障害などの**随伴障害**をともなう場合も多くみられます。

❸主として重症心身障害児を入所させる施設

重症心身障害とは、重度の知的障害と重度の肢体不自由が重複している状態です。重度の障害とは、日常生活において**常時介護を必要**とする程度であり、重度の肢体不自由とは、両上肢や両下肢の機能の著しい障害、座る姿勢を保てないほどの体幹の障害、不随意運動や失調による著しい日常生活動作の障害、歩行障害などのうち、いずれかが認められる程度を指します。

入所対象者は、脳性麻痺などで全面介助を必要とする者が大半となっています。入所期間については、療育期間が長期にわたるため、特に年齢制限は設けられていません。

成人後も継続して支援するのが望ましい場合が多いため、主として重症心身障害児を入所させる施設には、40代や50代の入所者もみられます。

（2）施設の基準

❶設備基準

医療法に規定する病院として必要な設備、支援室、浴室の設置が定められています。

共通の規定に加え、各施設にはそれぞれ次の規定があります。

- **主として自閉症児を入所させる施設**……**静養室**
- **主として肢体不自由のある児童を入所させる施設**……**屋外遊戯場、ギブス室、特殊手工芸等の作業を指導するに必要な設備、義肢装具を製作する設備**（ほかに適当な設備があれば不要）

❷職員配置

医療法に規定する病院として必要な職員、児童指導員、**保育士**、児童発達支援管理責任者の配置が定められています。

共通の規定に加え、各施設にはそれぞれ次の規定があります。

- **主として肢体不自由のある児童を入所させる施設**……**理学療法士**、**作業療法士**の配置、施設長および医師が肢体機能の不自由な者の療育に関して相当の経験を有する医師であること。
- **主として重症心身障害児を入所させる施設**……**理学療法士**、**作業療法士**、**心理支援を担当する職員**の配置、施設長および医師が内科、精神科、「医療法施行令」の規定により神経と組み合わせた名称を診療科名とする診療科、小児科、外科、整形外科またはリハビリテーション科の診療に相当の経験を有する医師であること。

用語

理学療法士（PT）
身体に障害のある者に対し、機能回復のための運動療法やマッサージ、電気刺激などを施す。

作業療法士（OT）
身体または精神に障害のある者に対し、応用的動作能力や社会適応能力の回復のための作業活動を用いた指導を行う。

■医療型障害児入所施設の職員構成

職種	主として自閉症児を入所させる施設	主として肢体不自由のある児童を入所させる施設	主として重症心身障害児を入所させる施設
「医療法」に規定する病院として必要な職員	「医療法」に規定する病院として必要な職員	「医療法」に規定する病院として必要な職員★1	「医療法」に規定する病院として必要な職員★2
児童指導員および保育士	通じておおむね児童の数を6.7で除して得た数以上	通じて乳幼児おおむね10人につき1人以上、少年おおむね20人につき1人以上	各1人以上
理学療法士または作業療法士	規定なし	1人以上	1人以上
心理支援を担当する職員	規定なし		1人以上
児童発達支援管理責任者	1人以上		

★1　施設の長および医師は、肢体の機能の不自由な者の療育に関して相当の経験を有する医師でなければならない。

★2　施設の長および医師は、内科、精神科、「医療法施行令」の規定により神経と組み合わせた名称を診療科名とする診療科、小児科、外科、整形外科またはリハビリテーション科の診療に相当の経験を有する医師でなければならない。

(3) 療育の内容

❶主として自閉症児を入所させる施設

医療に重点を置いた支援が実施されます。

❷主として肢体不自由のある児童を入所させる施設

病院としての機能と児童福祉施設の機能をあわせもち、医学的治療や**理学療法士・作業療法士**による身体・精神機能の訓練、日常生活の指導や学習指導が中心となります。

❸主として重症心身障害児を入所させる施設

重症心身障害児への療育は、生命を維持し、健康を増進するための医療的な管理が主となります。日常生活動作については、ほとんどの場面で**全面介助**が必要とされます。ただし、その子どもなりの障害の克服をめざした訓練や保育を行うという視点が求められます。

4 児童発達支援センター

(1) 対象児童

児童発達支援センターでは、入所保護を必要としないが、在宅指導だけでは不十分というすべての障害児を対象としています。

通所施設では、家庭との連携がきわめて重要です。家族の心を支え、落ち着いた気持ちで生活できる家庭環境をつくる助けとなることが望まれます。

また関連機関として、保健所、児童相談所、福祉事務所、教育委員会、ほかの児童福祉施設、保育所、幼稚園と連携することが求められます。

(2) 施設の基準

❶設備基準

発達支援室、遊戯室、屋外遊戯場、**医務室**、相談室、調理室、便所、**静養室**、児童発達支援の提供に必要な設備及び備品

等の設置が規定されています。肢体不自由児に治療を行う場合には、ほかに（医務室を除く）「医療法」に規定する**診療所として必要な設備**を設けることも規定されています。

❷職員配置

児童発達支援センターの職員として、嘱託医、児童指導員、保育士、栄養士（定員40人以下の施設は置かなくてもよい）、調理員（調理業務のすべてを委託する場合は置かなくてもよい）、児童発達支援管理責任者、**機能訓練担当職員**（日常生活を営むのに必要な機能訓練を行う場合）、看護職員（医療的ケアを行う場合）が規定されています。肢体不自由児に治療を行う場合には、ほかに（嘱託医を除く）「医療法」に規定する**診療所として必要な職員**を置かなければなりません。

基本的生活習慣を身につける訓練については、年齢相応の発達課題はこなせなくても、子ども一人ひとりの発達段階を考慮して少しずつ課題を与えていきます。

「医療法」において、病院は「20人以上の患者を入院させるための施設を有するもの」、診療所は「患者を入院させるための施設を有しないもの又は19人以下の患者を入院させるための施設を有するもの」とされています。

（3）主な療育の内容

❶知的障害のある児童

基本的生活習慣の確立、感覚機能訓練、運動機能訓練、**言語発達**の促進などを課題として療育を行います。

❷難聴児

できるだけ早いうちに適切な指導と訓練を行うことで残存能力を掘り起こし、難聴にともなって生じる**言語障害**の除去を図り、子どもの正常な発達を促進することを目的として療育を行います。

❸重症心身障害児

日常生活動作や機能訓練などを行って**運動機能**などの発達を促進することや保護者に家庭での療育の技術を習得してもらうことを目的として療育を行います。

❹肢体不自由児

発達支援および**治療**を行います。通所児童には就学前の幼児が多く、**早期の療育**と家庭に対する支援が重視されています。

＋プラス1

治療
児童発達支援センターにおける治療は、「児童福祉法」第6条の2の2において、肢体不自由のある児童に対して行われるものに限ると規定されている。

ポイント確認テスト

穴うめ問題

□ **Q1** □ 予想

医療型障害児入所施設では、保護、日常生活における基本的動作および独立自活に必要な知識技能の習得のための支援並びに（　　　）を行う。>>> p328

□ **Q2** □ 予想

障害児を日々保護者の下から通わせて、高度の専門的な知識及び技術を必要とする児童発達支援を提供し、あわせて障害児の家族、指定障害児通所支援事業者その他の関係者に対し、相談、専門的な助言その他の必要な援助を行うことを目的とするのは、（　　　）である。>>> p328

□ **Q3** □ 予想

福祉型障害児入所施設には、主として知的障害（自閉症を除く）のある児童を入所させる施設、主として自閉症児を入所させる施設、主として（　a　）を入所させる施設、主として（　b　）を入所させる施設がある。>>> p329

□ **Q4** □ 予想

主として重症心身障害児を入所させる医療型障害児入所施設の対象となる重度の障害とは、（　　　）を必要とする程度である。>>> p331

○×問題

□ **Q5** □ 過R3後

「児童養護施設入所児童等調査（令和5 年2月1日現在）」（厚生労働省）によると、障害児入所施設入所児童の心身の状況において「広汎性発達障害」が最も多い。>>> p329

□ **Q6** □ 過R5後

福祉型障害児入所施設には、保育士を置かなければならない。>>> p330

□ **Q7** □ 予想

児童発達支援センターにおいて、肢体不自由のある児童に対して治療を行う場合には、医療法に規定する病院として必要な設備を設けなければならない。

□ **Q8** □ 予想

児童発達支援センターでは、知的障害児に対する治療も行われる。>>> p335

解答・解説

Q1　治療　**Q2**　児童発達支援センター　**Q3**　a 盲ろうあ児／b 肢体不自由のある児童（順不同）　**Q4**　常時介護

Q5　×　知的障害が最も多い。　**Q6**　○　**Q7**　×　病院ではなく診療所である。

Q8　×　児童発達支援センターで行われる治療は、肢体不自由児のみ対象である。

社会的養護 Lesson 7

社会的養護の現状と課題

頻出度 Level 2

社会的養護は、今日的な課題と密接な関わりをもちます。
課題とそれに対する施策をあわせて理解しましょう。

ココに注目!!
- 発達における環境の重要性（児童憲章）
- 少子化問題の背景
- 児童養護施設入所児童等調査結果の内容
- 里親委託の推進（新しい社会的養育ビジョン）

1 健全な児童育成とは

（1）子どもの健全育成のための条件

「児童福祉法」第２条*1では、子どもは親が責任をもって産み育てるだけでなく、社会が責任をもって育てなければならない、という子ども家庭福祉の理念が明示されています。子どもの健全育成のためには、家庭環境とともに**社会環境の整備**が必要不可欠です。

（2）子どもの発達と環境

家庭環境と社会環境は、ともに子どもの心身の発達に深い影響を及ぼします。「児童憲章」「児童権利宣言」では、子どもを取り巻く環境の重要性について次のようにふれています。

> **「児童憲章」（抜粋）**
>
> 児童は、人として尊ばれる。児童は、社会の一員として重んぜられる。児童は、よい環境の中で育てられる。
>
> 一　すべての児童は、心身ともに健やかにうまれ、育てられ、その生活を保障される。

でた問!!

*1「児童福祉法」
「児童福祉法」第２条について出題。
R1後、R3後

用語

「児童福祉法」
児童の健全育成に対する国民の義務や、国および地方公共団体の責務が明示され、児童福祉審議会、児童福祉司、児童委員、児童相談所などの規定や、福祉の措置および保障、事業および施設、費用などについて定めている。

「児童福祉法」第２条
⇨保原p23

1951（昭和26）年に「児童憲章」が宣言された背景には、第二次世界大戦前の日本では、子どもは権利を与えられず、大人や社会の所有物として扱われていたという状況がありました。

二　すべての児童は、家庭で、正しい愛情と知識と技術をもって育てられ、家庭に恵まれない児童には、これにかわる環境が与えられる。
四　すべての児童は、個性と能力に応じて教育され、社会の一員としての責任を自主的に果すように、みちびかれる。
六　すべての児童は、就学のみちを確保され、また、十分に整った教育の施設を用意される。
八　すべての児童は、その労働において、心身の発育が阻害されず、教育を受ける機会が失われず、また児童としての生活がさまたげられないように、十分に保護される。
十二　すべての児童は、愛とまことによって結ばれ、よい国民として人類の平和と文化に貢献するように、みちびかれる。

「児童憲章」
⇨子福p209

✚プラス１

「児童権利宣言」
1959（昭和34）年、国際連合により採択された。

「児童権利宣言」
⇨子福p212

「児童権利宣言」第6条

児童は、その人格の完全な、かつ、調和した発展のため、愛情と理解とを必要とする。児童は、できるかぎり、その両親の愛護と責任の下で、また、いかなる場合においても、愛情と道徳的及び物質的保障とのある環境の下で育てられなければならない。幼児は、例外的な場合を除き、その母から引き離されてはならない。社会及び公の機関は、家庭のない児童及び適当な生活維持の方法のない児童に対して特別の養護を与える義務を有する。子供の多い家庭に属する児童については、その援助のため、国その他の機関による費用の負担が望ましい。

子どもの人権、家庭生活の大切さが説かれていますね。

2　子どもと家庭を取り巻く環境の変化

日本における出生数は減少傾向にあり、女性が一生の間に産む子どもの数を示す**合計特殊出生率**は、2022（令和４）年に1.26（確定値）となりました。今後も低い数値が続くと予測されています。

少子化の背景として次のような理由が考えられます。

- **女性の就業率の上昇とそれによる子育てと仕事の両立の困難**
- **育児による心理的・肉体的負担増**
- **住宅事情**
- **教育費などの子育てコストの増大**

少子化は、男性も含めた働き方そのものとも関係が深い問題だと考えられています。

また、社会的背景も変化を続けています。**核家族化**、都市化、子どもの遊び場・自然の減少、テレビゲームやインターネットの普及による室内遊びの増加、地域コミュニティの弱体化なども子どもの健全育成を困難にしていると考えられています。

用語
核家族
夫婦とその未婚の子からなる家族を基本としており、ひとり親と未婚の子からなる家族、夫婦のみからなる家族を含む。

3 施設における児童虐待

(1) 児童養護施設入所児童等調査結果

児童相談所への虐待（ぎゃくたい）相談の件数は増加し続けており、施設に入所する子どもの多くも被虐待経験をもっています。

「**児童養護施設入所児童等調査結果**（令和５年２月１日現在）」（こども家庭庁）によれば、被虐待経験のある子どもは児童心理治療施設で約８割、児童養護施設、児童自立支援施設では約７割、里親委託・乳児院では約５割となっています。

また、心身の状況に関する調査では、該当ありの（障害等のある）子どもは児童心理治療施設で約９割、児童自立支援施設で約７割、母子生活支援施設で約３割となっています。

なお、この調査は、「児童福祉法」に基づきおおむね５年ごとに実施されています。

プラス１
児童虐待相談件数
全国の児童相談所が対応した児童虐待に関する相談件数は、1990（平成２）年度1,101件、1996（平成８）年度4,102件、2014（平成26）年度８万8,931件、2022（令和４）年度21万9,170件（令和４年のみ速報値）。
⇨子福p286

■委託・入所時の家庭の状況

	里親	児童養護施設*2	児童心理治療施設	児童自立支援施設	乳児院*3
養護問題発生理由（最多）	母の精神疾患等	母の放任・怠だ	児童の問題による監護困難	児童の問題による監護困難	母の精神疾患等
被虐待経験あり	46.0%	71.7%	83.5%	73.0%	50.5%
虐待の種類（最多）	ネグレクト	ネグレクト	身体的虐待	身体的虐待	ネグレクト
両親または一人親あり	86.1%	95.4%	95.1%	95.9%	99.1%

でた問!!
***2 児童養護施設**
被虐待経験について出題。
R3後
入所時の年齢、平均在所期間・入所経路、障害等について出題。
R4前

***3 乳児院**
乳児院における虐待の種類について出題。
R2後

用語
監護
「民法」の親権規定により、子どもを監督・保護・教育すること。

■児童の現在の状況

	里親	児童養護施設*2	児童心理治療施設	児童自立支援施設	乳児院	母子生活支援施設
現在の平均年齢	9.9 歳	11.8 歳	12.7 歳	13.9 歳	1.6 歳	7.6 歳
委託（入所）時の年齢（最多）	2 歳	2 歳	10 歳	13 歳	0 歳	
委託（在所）期間（最多）	1 年未満	1 年未満	1 年未満 2 年未満	1 年未満	1 年未満	5 年未満
委託（入所）経路（最多）	家庭から（43.9%）	家庭から（62.4%）	家庭から（60.9%）	家庭から（59.3%）	家庭から（43.8%）	
就学状況（最多）	就学前※	小学校	小学校	中学校		就学前※
心身の状況（該当あり）	29.6%	42.8%	87.6%	72.7%	27.0%	31.0%
障害等の種類（最多）	知的障害（10.0%）	知的障害（14.0%）	広汎性発達障害（自閉症スペクトラム）（50.6%）	注意欠陥多動性障害（ADHD）（42.3%）	身体虚弱（10.9%）	広汎性発達障害（自閉症スペクトラム）（10.1%）

※本調査結果では、就学状況の就学前は３区分（未就園／保育園等／幼稚園）あり、それらを合計すると就学前が最多となる

「児童養護施設入所児童等調査結果」は頻出です。入所時の年齢や虐待・障害の有無は特によく問われるので確実に理解しておきましょう。

（2）児童福祉施設職員等による児童虐待

❶被措置児童等虐待届出等制度

児童福祉施設の職員や里親などによる子どもへの虐待を**被措置児童等虐待**[*4]といいます。

「児童福祉法」では、周囲の者の**通告**、子ども本人の**届け出**、都道府県による虐待状況の**公表**からなる**被措置児童等虐待届出等制度**について下記の通り定めています。

- 被措置児童等虐待を受けたと思われる児童を発見した者は、**速やかに**、都道府県の設置する福祉事務所、児童相談所などに**通告**しなければならない（第 33 条の 12 第 1 項）
- 被措置児童等（**子ども本人**）は、被措置児童等虐待を受けたときは、児童相談所、都道府県の行政機関または都道府県児童福祉審議会に**届け出る**ことができる（第 33 条の 12 第 3 項）
- **都道府県知事**は、毎年度、被措置児童等虐待の状況、被措置児童等虐待があった場合に講じた措置その他内閣府令で定める事項を**公表**するものとする（第 33 条の 16）

***4 被措置児童等虐待**
被措置児童等虐待への対応について出題。
R2後

❷「被措置児童等虐待ガイドライン」

厚生労働省では都道府県・児童相談所設置市に向けて「**被措置児童等虐待ガイドライン**[*5]」(令和4年 厚生労働省)を定めています。

そのなかの施設における運営体制の整備では以下が重要とされています。

①施設職員と施設長が意思疎通・意見交換を図りながら方針を定めること
②相互理解や信頼関係を築き、チームワークのとれた風通しのよい組織作りを進めること
③第三者委員の活用や、第三者評価[*6]の積極的な受審・活用など、外部の目を取り入れ、開かれた組織運営としていくこと

(3) 児童虐待の対策・対応

対策・対応としては、児童相談所の機能強化や、関係機関(医療機関、保健機関、警察、民間の虐待防止センター、民生委員など)の連携による予防・早期発見、必要に応じた一時保護や児童福祉施設への入所措置、児童・保護者への指導と治療、**アフターケア**などがあげられます。

また、児童福祉司の増員、虐待・思春期問題情報研修センター(子どもの虹情報研修センター)の設置、要保護児童対策地域協議会の設置、乳幼児健診時の育児不安相談の充実や地域の子育て支援施策なども展開されています。以下、具体的な対策・対応について取り上げます。

❶通告義務

虐待の早期発見を促(うなが)すため、「**児童虐待防止法**[*7]」には次のような規定があります。

> **「児童虐待の防止等に関する法律」第5条**
>
> 学校、児童福祉施設、病院、都道府県警察、女性相談支援センター、教育委員会、配偶者暴力相談支援センターその他児童の福祉に業務上関係のある団体及び学校の教職員、児童福祉施設の職員、医師、歯科医師、保健師、助産師、看護師、弁護士、警察官、女性相談支援員その他児童の福祉に職務上関係のある者は、児童虐待を発見しやすい立場にあることを自覚し、児童虐待の早期発見に努めなければならない。

でた問!!
[*5] 被措置児童等虐待ガイドライン
「被措置児童等虐待ガイドライン」に示された虐待防止のための施設運営について出題。
R6前

プラス1
社会的養護関係施設における第三者評価・自己評価
社会的養護関係施設(児童養護施設、乳児院、児童心理治療施設、児童自立支援施設、母子生活支援施設、里親支援センター)は、第三者評価を3か年度毎に1回以上受け、自己評価を毎年度行う義務がある(里親支援センターの年限は未定)。ファミリーホーム、自立援助ホームの第三者評価については努力義務とされている。

でた問!!
[*6] 第三者評価
社会的養護関係施設における第三者評価及び自己評価の実施について出題。
R3後、R5前

用語
アフターケア
児童福祉施設を退所した子どもに対する援助活動で、福祉施設職員によって行われる。退所後の生活をサポートし、社会適応を促すことが目的である。

*7「児童虐待防止法」第14条について出題。R3後

＋プラス1

体罰の禁止
「児童虐待の防止等に関する法律」第14条では、しつけに際して親権者が体罰を加えてはならないこと、児童の心身の健全な発達に有害な影響を及ぼす言動をしてはならないことを規定している。

＋プラス1

一時保護の開始
一時保護を行おうとする場合、子どもや保護者などの同意を得られたときや親権者や未成年後見人がいないときを除いて、一時保護を開始した日から起算して7日以内に裁判所に一時保護状を請求しなければならない。

また、同法第6条によれば、専門職に限らず、児童虐待を受けたと思われる児童を発見した者は、**市町村**、**福祉事務所**または**児童相談所**への通告が義務づけられています。その際、**児童委員**を介しての通告も可能です。

通告を受けた市町村または福祉事務所の長は、該当する児童の安全の確認を行うよう努めるとともに、必要に応じて**児童相談所**への**送致**を行うことになっています。

児童相談所が通告や送致を受けたときは、同様に安全確認を行い、必要により**児童相談所長**の権限により**立入調査**や一時保護を行います。

❷措置

児童虐待が行われているおそれがあると認められた場合は、立入調査などの措置が行われます。

「児童虐待の防止等に関する法律」第9条

都道府県知事は、児童虐待が行われているおそれがあると認めるときは、**児童委員**又は児童の福祉に関する事務に従事する職員をして、**児童の住所又は居所に立ち入り**、必要な調査又は質問をさせることができる。

さらに、児童相談所は、親権者の意向に反する場合でも、家庭裁判所の承認を得て児童を児童養護施設に入所させるなどの措置を行うことができます。また、一時保護および保護者の同意がある、なしにかかわらず施設入所措置がとられている場合、保護者の求める児童への面会または電話などによる通信を制限することができます。

❸精神的なケア

家庭支援専門相談員
⇨子福p247

虐待された児童の自立を図るためには、**トラウマ**の治療など精神的なケアが不可欠です。このため、虐待への取り組みとして、被虐待児の入所が多くみられる児童福祉施設に厚生労働省局長通知に基づいて**心理療法を担当する職員**や個別対応職員、**家庭支援専門相談員**（ファミリーソーシャルワーカー）が配置されていました。

ちょっとしたようすの変化も見逃さず、速やかに通告することが子どもを救うことにつながります。

2011（平成23）年6月の「児童福祉施設最低基準」（現：児童福祉施設の設備及び運営に関する基準）の改正によって、**心**

理療法担当職員が新たに乳児院、母子生活支援施設、児童養護施設、児童自立支援施設に、**家庭支援専門相談員**と**個別対応職員**が乳児院、児童養護施設、情緒障害児短期治療施設（現：児童心理治療施設）、児童自立支援施設に配置されることになりました。

用語
個別対応職員
2013（平成25）年4月からは、母子生活支援施設にも配置されている。

❹養育支援訪問事業

児童虐待を未然に防ぐため、2004（平成16）年度から市町村が実施主体となって行ってきた育児支援家庭訪問事業が、2008（平成20）年の「児童福祉法」改正によって法定化され、**第二種社会福祉事業**とされたのが「養育支援訪問事業」です。

この事業では、このサービスの利用申請・相談のために児童相談所、医療機関、保健所などを訪れた、出産直後や育児困難である家庭や**乳児家庭全戸訪問事業**（第二種社会福祉事業）によって養育指導が必要と判断された家庭を**保健師・助産師・保育士等が訪問**し、支援が行われます。養育支援訪問事業、乳児家庭全戸訪問事業ともに、地域子ども・子育て支援事業の一つとして実施されています。

平成29年の改正より、支援対象に「公的な支援につながっていない児童（乳幼児健康診査等の谷間にある児童、３歳～５歳児で保育所、幼稚園等に通っていない児童）のいる支援を必要とする家庭」が追加されています。

地域子ども・子育て支援事業
⇨保原p75

市町村は次の類型を基本として実施することになっています。

- ①乳児家庭等に対する**短期集中支援型**
- ②不適切な養育状態にある家庭等に対する**中期支援型**

なお、医師や弁護士などにおいては、業務上知り得た情報について、「刑法」第134条により**守秘義務**が定められていますが、児童虐待についてはこの守秘義務より、通告が優先されます。

また、子どもに健全な環境を保障するために、「児童福祉法」では、児童福祉施設の長等の権限を定めています。

「児童福祉法」第47条

第３項　児童福祉施設の長、その住居において養育を行う第６条の３第８項に規定する内閣府令で定める者又は里親は、入所中又は受託中の児童で親権を行う者又は未成年後見人のあるものについても、**監護**及び**教育**に関し、その児童の福祉のため必要な措置をとることができる。

▸▸▸ ここは覚えよう!!

児童相談所における虐待の内容別相談件数

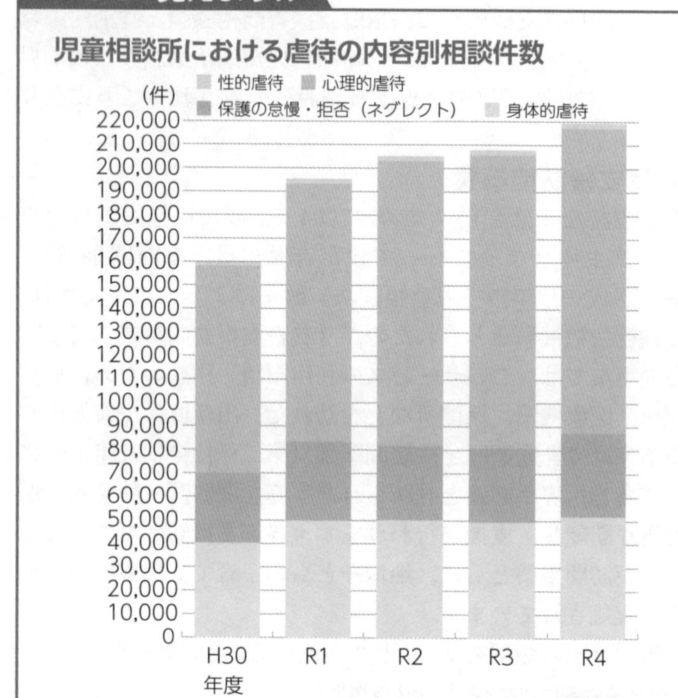

出典：こども家庭庁「令和４年度　児童相談所における児童虐待相談対応件数（速報値）」をもとに作成

主たる虐待者の推移

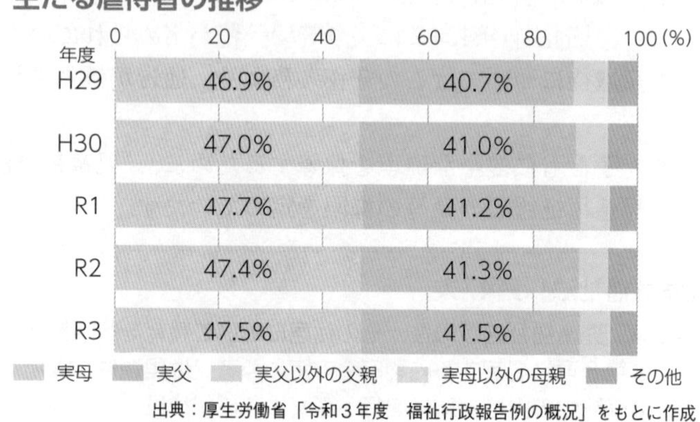

出典：厚生労働省「令和３年度　福祉行政報告例の概況」をもとに作成

少しずつ実父の比率が上昇していますね。

4 里親委託の推進

（1）里親委託率

「児童福祉法」の家庭養育優先の理念に基づき、現在の社会的養護では里親委託を優先して検討することとしています。

2017（平成29）年に公表された「新しい社会的養育ビジョン」では、代替養育を受けている子どものうち里親委託されている子どもの割合を示す**里親委託率**について「愛着形成に最も重要な時期である３歳未満については概ね５年以内に、それ以外の就学前の子どもについては概ね７年以内に里親委託率**75%**以上を実現し、学童期以降は概ね10年以内を目途に里親委託率**50%**以上を実現すべきである」として**数値目標**を示しています。

里親とファミリーホームへの委託率を合わせた里親等委託率は2008（平成20）年度以来増加し続けていますが、2021（令和３）年度末は23.5%と、まだ施設養護が多くを占めているのが現状です。

（2）里親支援センターと里親養育包括支援（フォスタリング）事業

2024（令和６）年４月から、**里親支援事業**のほか、里親および里親に養育される児童、里親になろうとする者に相談その他の援助を行うことを目的とする**里親支援センター**が創設されました。里親支援センターは、児童福祉施設の一つに位置づけられています。

設置および運営の主体は、**地方公共団体**または社会福祉法人等であって、**都道府県知事**（指定都市および児童相談所設置市にあっては、その長）が、適当と認めた者とするとされています。

また、里親のリクルートおよびアセスメント、登録前後および委託後の里親に対する研修、子どもと里親家庭のマッチング、里親養育への支援に至るまでの里親養育支援および養子縁組に関する相談・支援を実施する事業に要する経費を補助する

里親
⇨p306

家庭養育優先の理念
⇨p292

＋プラス１

里親委託の効果

里親委託には次のような効果が期待できる。

- 特定の大人との愛着関係のもとで養育され、安心感のなかで自己肯定感を育み、基本的信頼感を獲得できる。
- 適切な家庭生活を体験するなかで、家族のありようを学び、将来、家庭生活を築くうえでのモデルにできる。
- 家庭生活のなかで人との適切な関係のつくり方を学んだり、地域社会のなかで社会性を養ったりするとともに、豊かな生活経験を通じて生活技術を獲得できる。

ことを目的とした**里親養育包括支援（フォスタリング）事業**が実施されています。

用語

里親支援事業

都道府県が行わなければならない業務として「児童福祉法」第11条第１項第二号トに規定されている次の業務のこと。①里親に関する普及啓発、②里親につき、その相談に応じ、必要な情報の提供、助言、研修その他の援助を行うこと、③里親と施設入所児童および里親相互の交流の場を提供すること、④里親の選定および里親と児童との間の調整、⑤里親に委託しようとする児童・保護者・里親の意見を聴いて、当該児童の養育に関する計画を作成すること

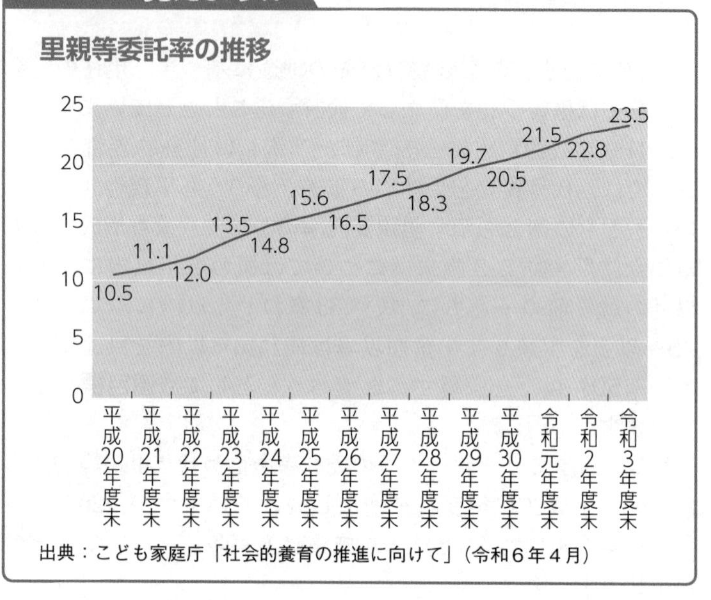

出典：こども家庭庁「社会的養育の推進に向けて」（令和６年４月）

ポイント確認テスト

穴うめ問題

Q1 過R2後

「児童養護施設入所児童等調査結果（令和５年２月１日現在）」によると、被虐待経験のある乳児院入所児が受けた虐待の種類は、「(　　　)」が最も多い。 >>> p339

Q2 予想

「児童養護施設入所児童等調査（令和5年2月1日現在）」によると、児童養護施設入所児童のうち、被虐待経験のある子どもは（　　　）割を超える。 >>> p339

Q3 過R4前

「児童養護施設入所児童等調査の概要（令和5年2月1日現在）」によると、児童養護施設の入所児童のうち、児童の委託（入所）経路では、「(　　　）から」が約6割である。 >>> p340

Q4 予想

（　　　）には、短期集中支援型と中期支援型がある。 >>> p343

○×問題

Q5 過R6前

「被措置児童等虐待対応ガイドライン」（令和４年 厚生労働省）では、虐待防止のための施設運営に関して、組織全体が活性化され、風通しのよい組織づくりを進めるとしている。 >>> p341

Q6 過R3後

社会的養護関係施設は、第三者評価を５か年度毎に１回以上受審しなければならない。 >>> p341

Q7 過H31前

児童相談所長は、親権喪失、親権停止及び管理権喪失の審判について家庭裁判所への請求権を有する。

Q8 予想

児童相談所が一時保護を行おうとする場合、子どもや保護者などの同意を得られたときや親権者や未成年後見人がいないときを除いて、一時保護を開始した日から起算して30日以内に裁判所に一時保護状を請求しなければならない。 >>> p342

解答・解説

Q1 ネグレクト　Q2 7　Q3 家庭　Q4 養育支援訪問事業
Q5 ○　Q6 ×　３か年度毎に１回以上である。　Q7 ○　Q8 ×　７日以内である。

索引

か

き

く

け

こ

さ

し

す

せ

そ

た

ち

つ

て

と

な

に

ね

の

は

ひ

ま

み

む

も

や

ゆ

よ

ら

り

る

れ

ろ

わ

A~Z

MEMO

●**法改正・正誤等の情報につきましては、下記「ユーキャンの本」ウェブサイト内「追補（法改正・正誤）」をご覧ください。**
https://www.u-can.co.jp/book/information

●**本書の内容についてお気づきの点は**

・「ユーキャンの本」ウェブサイト内「よくあるご質問」をご参照ください。
https://www.u-can.co.jp/book/faq

・郵送・FAXでのお問い合わせをご希望の方は、書名・発行年月日・お客様のお名前・ご住所・FAX番号をお書き添えの上、下記までご連絡ください。

【郵送】〒169-8682 東京都新宿北郵便局 郵便私書箱第2005号
ユーキャン学び出版 保育士資格書籍編集部

【FAX】03-3378-2232

◎より詳しい解説や解答方法についてのお問い合わせ、他社の書籍の記載内容等に関しては回答いたしかねます。

●**お電話でのお問い合わせ・質問指導は行っておりません。**

本文イラスト／矢寿ひろお

2025年版 ユーキャンの保育士 速習テキスト（上）

2006年１月10日　初　版　第１刷発行
2024年８月30日　第20版　第１刷発行

編　者　ユーキャン
保育士試験研究会

発行者　品川泰一
発行所　株式会社 ユーキャン 学び出版
〒151-0053
東京都渋谷区代々木1-11-1
Tel 03-3378-1400

編　集　株式会社 桂樹社グループ

発売元　株式会社 自由国民社
〒171-0033
東京都豊島区高田3-10-11
Tel 03-6233-0781（営業部）

印刷・製本　望月印刷 株式会社

※落丁・乱丁その他不良の品がありましたらお取り替えいたします。お買い求めの書店か自由国民社営業部（Tel 03-6233-0781）へお申し出ください。

 ISBN978-4-426-61591-8

2025年版

ユーキャンの

保育士 速習テキスト 上

別冊ポイント集

目次

保育所保育指針（全文） 2017・3・31 厚生労働省告示 2018・4・1 施行

保育士試験で最も重要な「保育所保育指針」の全文を掲載します。
過去11年間の試験で穴うめで問われた部分を赤文字にし、文章が出題された部分に下線を引いています。繰り返し復習して内容を覚えましょう。

第一章　総則

この指針は、児童福祉施設の設備及び運営に関する基準（昭和23年厚生省令第63号。以下「設備運営基準」という。）第35条の規定に基づき、保育所における保育の内容に関する事項及びこれに関連する運営に関する事項を定めるものである。各保育所は、この指針において規定される保育の内容に係る基本原則に関する事項等を踏まえ、各保育所の実情に応じて創意工夫を図り、保育所の機能及び質の向上に努めなければならない。

1　保育所保育に関する基本原則

（1）保育所の役割

ア　保育所は、児童福祉法（昭和22年法律第164号）第39条の規定に基づき、保育を必要とする子どもの保育を行い、その健全な心身の発達を図ることを目的とする児童福祉施設であり、入所する子どもの最善の利益を考慮し、その福祉を積極的に増進することに最もふさわしい生活の場でなければならない。

イ　保育所は、その目的を達成するために、保育に関する専門性を有する職員が、家庭との緊密な連携の下に、子どもの状況や発達過程を踏まえ、保育所における環境を通して、養護及び教育を一体的に行うことを特性としている。

ウ　保育所は、入所する子どもを保育するとともに、家庭や地域の様々な社会資源との連携を図りながら、入所する子どもの保護者に対する支援及び地域の子育て家庭に対する支援等を行う役割を担うものである。

エ　保育所における保育士は、児童福祉法第18条の４の規定を踏まえ、保育所の役割及び機能が適切に発揮されるように、倫理観に裏付けられた専門的知識、技術及び判断をもって、子どもを保育するとともに、子どもの保護者に対する保育に関する指導を行うものであり、その職責を遂行するための専門性の向上に絶えず努めなければならない。

（2）保育の目標

ア　保育所は、子どもが生涯にわたる人間形成にとって極めて重要な時期に、その生活時間の大半を過ごす場である。このため、保育所の保育は、子どもが現在を最も良く生き、望ましい未来をつくり出す力の基礎を培うために、次の目標を目指して行わなければならない。

（ア）十分に養護の行き届いた環境の下に、くつろいだ雰囲気の中で子どもの様々な欲求を満たし、生命の保持及び情緒の安定を図ること。

（イ）健康、安全など生活に必要な基本的な習慣や態度を養い、心身の健康の基礎を培うこと。

（ウ）人との関わりの中で、人に対する愛情と信頼感、そして人権を大切にする心を育てるとともに、自主、自立及び協調の態度を養い、道徳性の芽生えを培うこと。

（エ）生命、自然及び社会の事象についての興味や関心を育て、それらに対する豊かな心情や思考力の芽生えを培うこと。

(オ) 生活の中で、言葉への興味や関心を育て、話したり、聞いたり、相手の話を理解しようとするなど、言葉の豊かさを養うこと。

(カ) 様々な体験を通して、豊かな感性や表現力を育み、創造性の芽生えを培うこと。

イ 保育所は、入所する子どもの保護者に対し、その意向を受け止め、子どもと保護者の安定した関係に配慮し、保育所の特性や保育士等の専門性を生かして、その援助に当たらなければならない。

(3) 保育の方法

保育の目標を達成するために、保育士等は、次の事項に留意して保育しなければならない。

ア 一人一人の子どもの状況や家庭及び地域社会での生活の実態を把握するとともに、子どもが安心感と信頼感をもって活動できるよう、子どもの主体としての思いや願いを受け止めること。

イ 子どもの生活のリズムを大切にし、健康、安全で情緒の安定した生活ができる環境や、自己を十分に発揮できる環境を整えること。

ウ 子どもの発達について理解し、一人一人の発達過程に応じて保育すること。その際、子どもの個人差に十分配慮すること。

エ 子ども相互の関係づくりや互いに尊重する心を大切にし、集団における活動を効果あるものにするよう援助すること。

オ 子どもが自発的・意欲的に関われるような環境を構成し、子どもの主体的な活動や子ども相互の関わりを大切にすること。特に、乳幼児期にふさわしい体験が得られるように、生活や遊びを通して総合的に保育すること。

カ 一人一人の保護者の状況やその意向を理解、受容し、それぞれの親子関係や家庭生活等に配慮しながら、様々な機会をとらえ、適切に援助すること。

(4) 保育の環境

保育の環境には、保育士等や子どもなどの人的環境、施設や遊具などの物的環境、更には自然や社会の事象などがある。保育所は、こうした人、物、場などの環境が相互に関連し合い、子どもの生活が豊かなものとなるよう、次の事項に留意しつつ、計画的に環境を構成し、工夫して保育しなければならない。

ア 子ども自らが環境に関わり、自発的に活動し、様々な経験を積んでいくことができるよう配慮すること。

イ 子どもの活動が豊かに展開されるよう、保育所の設備や環境を整え、保育所の保健的環境や安全の確保などに努めること。

ウ 保育室は、温かな親しみとくつろぎの場となるとともに、生き生きと活動できる場となるように配慮すること。

エ 子どもが人と関わる力を育てていくため、子ども自らが周囲の子どもや大人と関わっていくことができる環境を整えること。

(5) 保育所の社会的責任

ア 保育所は、子どもの人権に十分配慮するとともに、子ども一人一人の人格を尊重して保育を行わなければならない。

イ 保育所は、地域社会との交流や連携を図り、保護者や地域社会に、当該保育所が行う保育の内容を適切に説明するよう努めなければならない。

ウ 保育所は、入所する子ども等の個人情報を適切に取り扱うとともに、保護者の苦情などに対し、その解決を図るよう努めなければならない。

2 養護に関する基本的事項

(1) 養護の理念

保育における養護とは、子どもの生命の保持及び情緒の安定を図るために保育士等が行う援助や関わりであり、保育所における保育は、養護及び教育を一体的に行うことをその特性とするものである。保育所における保育全体を通じて、養護に関する**ねらい及び内容**を踏まえた保育が展開されなければならない。

（2）養護に関わるねらい及び内容

ア　生命の保持

（ア）ねらい

①一人一人の子どもが、**快適に生活**できるようにする。

②一人一人の子どもが、健康で**安全**に過ごせるようにする。

③一人一人の子どもの**生理的**欲求が、十分に満たされるようにする。

④一人一人の子どもの**健康増進**が、**積極的**に図られるようにする。

（イ）内容

①一人一人の子どもの平常の健康状態や発育及び発達状態を的確に把握し、異常を感じる場合は、速やかに適切に対応する。

②家庭との連携を密にし、嘱託医等との連携を図りながら、子どもの疾病や事故防止に関する認識を深め、保健的で安全な保育環境の維持及び向上に努める。

③清潔で安全な環境を整え、適切な援助や応答的な関わりを通して子どもの生理的欲求を満たしていく。また、家庭と協力しながら、子どもの発達過程等に応じた適切な生活のリズムがつくられていくようにする。

④子どもの発達過程等に応じて、適度な運動と休息を取ることができるようにする。また、食事、排泄(せつ)、衣類の着脱、身の回りを清潔にすることなどについて、子どもが意欲的に生活できるよう適切に援助する。

イ　情緒の安定

（ア）ねらい

①一人一人の子どもが、**安定感**をもって過ごせるようにする。

②一人一人の子どもが、自分の気持ちを安心して表すことができるようにする。

③一人一人の子どもが、周囲から**主体**として受け止められ、**主体**として育ち、**自分を肯定**する気持ちが育まれていくようにする。

④一人一人の子どもがくつろいで共に過ごし、**心身の疲れ**が癒されるようにする。

（イ）内容

①一人一人の子どもの置かれている状態や**発達過程**などを的確に把握し、子どもの**欲求**を適切に満たしながら、**応答的**な触れ合いや言葉がけを行う。

②一人一人の子どもの気持ちを受容し、共感しながら、子どもとの継続的な信頼関係を築いていく。

③保育士等との信頼関係を基盤に、一人一人の子どもが主体的に活動し、自発性や**探索意欲**などを高めるとともに、自分への**自信**をもつことができるよう成長の過程を見守り、適切に働きかける。

④一人一人の子どもの生活のリズム、発達過程、保育時間などに応じて、活動内容のバランスや調和を図りながら、適切な食事や休息が取れるようにする。

3　保育の計画及び評価

（1）全体的な計画の作成

ア　保育所は、１の（２）に示した保育の目標を達成するために、各保育所の保育の方針や**目標**に基づき、子どもの**発達過程**を踏まえて、保育の内容が組織的・計画的に構成され、保育所の生活の**全体**を通して、**総合的に展開**されるよう、**全体的な計画**を作成しなければならない。

イ　**全体的な計画**は、子どもや家庭の状況、地域の実態、**保育時間**などを考慮し、子どもの育ちに関する**長期的見通し**をもって適切に作成されなければならない。

ウ　**全体的な計画**は、保育所保育の全体像を包括的に示すものとし、これに基づく指導計画、保健計画、食育計画等を通じて、各保育所が創意工夫して保育できるよう、作成されなければならない。

（2）指導計画の作成

ア　保育所は、全体的な計画に基づき、具体的な保育が適切に展開されるよう、子どもの生活や発達を見通した長期的な指導計画と、それに関連しながら、より具体的な子どもの日々の生活に即した短期的な指導計画を作成しなければならない。

イ　指導計画の作成に当たっては、第２章及びその他の関連する章に示された事項のほか、子ども一人一人の発達過程や状況を十分に踏まえるとともに、次の事項に留意しなければならない。

（ア）３歳未満児については、一人一人の子どもの生育歴、心身の発達、活動の実態等に即して、個別的な計画を作成すること。

（イ）３歳以上児については、個の成長と、子ども相互の関係や協同的な活動が促されるよう配慮すること。

（ウ）異年齢で構成される組やグループでの保育においては、一人一人の子どもの生活や経験、発達過程などを把握し、適切な援助や環境構成ができるよう配慮すること。

ウ　指導計画においては、保育所の生活における子どもの発達過程を見通し、生活の連続性、季節の変化などを考慮し、子どもの実態に即した具体的なねらい及び内容を設定すること。また、具体的なねらいが達成されるよう、子どもの生活する姿や発想を大切にして適切な環境を構成し、子どもが主体的に活動できるようにすること。

エ　一日の生活のリズムや在園時間が異なる子どもが共に過ごすことを踏まえ、活動と休息、緊張感と解放感等の調和を図るよう配慮すること。

オ　午睡は生活のリズムを構成する重要な要素であり、安心して眠ることのできる安全な睡眠環境を確保するとともに、在園時間が異なることや、睡眠時間は子どもの発達の状況や個人によって差があることから、一律とならないよう配慮すること。

カ　長時間にわたる保育については、子どもの発達過程、生活のリズム及び心身の状態に十分配慮して、保育の内容や方法、職員の協力体制、家庭との連携などを指導計画に位置付けること。

キ　障害のある子どもの保育については、一人一人の子どもの発達過程や障害の状態を把握し、適切な環境の下で、障害のある子どもが他の子どもとの生活を通して共に成長できるよう、指導計画の中に位置付けること。また、子どもの状況に応じた保育を実施する観点から、家庭や関係機関と連携した支援のための計画を個別に作成するなど適切な対応を図ること。

（3）指導計画の展開

指導計画に基づく保育の実施に当たっては、次の事項に留意しなければならない。

ア　施設長、保育士など、全職員による適切な役割分担と協力体制を整えること。

イ　子どもが行う具体的な活動は、生活の中で様々に変化することに留意して、子どもが望ましい方向に向かって自ら活動を展開できるよう必要な援助を行うこと。

ウ　子どもの主体的な活動を促すためには、保育士等が多様な関わりをもつことが重要であることを踏まえ、子どもの情緒の安定や発達に必要な豊かな体験が得られるよう援助すること。

エ　保育士等は、子どもの実態や子どもを取り巻く状況の変化などに即して保育の過程を記録するとともに、これらを踏まえ、指導計画に基づく保育の内容の見直しを行い、改善を図ること。

（4）保育内容等の評価

ア　保育士等の自己評価

（ア）保育士等は、保育の計画や保育の記録を通して、自らの保育実践を振り返り、自己評価することを通して、その専門性の向上や保育実践の改善に努めなければならない。

（イ）保育士等による自己評価に当たっては、子どもの活動内容やその結果だけでなく、子どもの心の育ちや意欲、取り組む過程などにも十分配慮するよう留意すること。

（ウ）保育士等は、自己評価における自らの保育実践の振り返りや職員相互の話し合い等を通じて、専門性の向上及び保育の質の向上のための課題を明確にするとともに、保育所全体の保育の内容に関する認識を深めること。

イ　保育所の自己評価

（ア）保育所は、保育の質の向上を図るため、保育の計画の展開や保育士等の自己評価を踏まえ、当該保育所の保育の内容等について、自ら評価を行い、その結果を公表するよう努めなければならない。

（イ）保育所が自己評価を行うに当たっては、地域の実情や保育所の実態に即して、適切に評価の観点や項目等を設定し、全職員による共通理解をもって取り組むよう留意すること。

（ウ）設備運営基準第36条の趣旨を踏まえ、保育の内容等の評価に関し、保護者及び地域住民等の意見を聴くことが望ましいこと。

（5）評価を踏まえた計画の改善

ア　保育所は、評価の結果を踏まえ、当該保育所の保育の内容等の改善を図ること。

イ　保育の計画に基づく保育、保育の内容の評価及びこれに基づく改善という一連の取組により、保育の質の向上が図られるよう、全職員が共通理解をもって取り組むことに留意すること。

4　幼児教育を行う施設として共有すべき事項

（1）育みたい資質・能力

ア　保育所においては、生涯にわたる生きる力の基礎を培うため、1の（2）に示す保育の目標を踏まえ、次に掲げる資質・能力を一体的に育むよう努めるものとする。

（ア）豊かな体験を通じて、感じたり、気付いたり、分かったり、できるようになったりする「知識及び技能の基礎」

（イ）気付いたことや、できるようになったことなどを使い、考えたり、試したり、工夫したり、表現したりする「思考力、判断力、表現力等の基礎」

（ウ）心情、意欲、態度が育つ中で、よりよい生活を営もうとする「学びに向かう力、人間性等」

イ　アに示す資質・能力は、第２章に示すねらい及び内容に基づく保育活動全体によって育むものである。

（2）幼児期の終わりまでに育ってほしい姿

次に示す「幼児期の終わりまでに育ってほしい姿」は、第２章に示すねらい及び内容に基づく保育活動全体を通して資質・能力が育まれている子どもの小学校就学時の具体的な姿であり、保育士等が指導を行う際に考慮するものである。

ア　健康な心と体

保育所の生活の中で、充実感をもって自分のやりたいことに向かって心と体を十分に働かせ、見通しをもって行動し、自ら健康で安全な生活をつくり出すようになる。

イ　自立心

身近な環境に主体的に関わり様々な活動を楽しむ中で、しなければならないことを自覚し、自分の力で行うために考えたり、工夫したりしながら、諦めずにやり遂げることで達成感を味わい、自信をもって行動するようになる。

ウ　協同性

友達と関わる中で、互いの思いや考えなどを共有し、共通の目的の実現に向けて、考えたり、工夫したり、協力したりし、充実感をもってやり遂げるようになる。

エ　道徳性・規範意識の芽生え

友達と様々な体験を重ねる中で、してよいことや悪いことが分かり、自分の行動を振り返ったり、友達の気持ちに共感したりし、相手の立場に立って行動するようになる。また、きまりを守る必要性が分かり、自分の気持ちを調整し、友達と折り合いを付けながら、きまりをつくったり、守ったりするようになる。

オ　社会生活との関わり

家族を大切にしようとする気持ちをもつとともに、地域の身近な人と触れ合う中で、人との様々な関わり方に気付き、相手の気持ちを考えて関わり、自分が役に立つ喜びを感じ、地域に親しみをもつようになる。また、保育所内外の様々な環境に関わる中で、遊びや生活に必要な情報を取り入れ、情報に基づき判断したり、情報を伝え合ったり、活用したりするなど、情報を役立てながら活動するようになるとともに、公共の施設を大切に利用するなどして、社会とのつながりなどを意識するようになる。

カ　思考力の芽生え

身近な事象に積極的に関わる中で、物の性質や仕組みなどを感じ取ったり、気付いたりし、考えたり、予想したり、工夫したりするなど、多様な関わりを楽しむようになる。また、友達の様々な考えに触れる中で、自分と異なる考えがあることに気付き、自ら判断したり、考え直したりするなど、新しい考えを生み出す喜びを味わいながら、自分の考えをよりよいものにするようになる。

キ　自然との関わり・生命尊重

自然に触れて感動する体験を通して、自然の変化などを感じ取り、好奇心や探究心をもって考え言葉などで表現しながら、身近な事象への関心が高まるとともに、自然への愛情や畏敬の念をもつようになる。また、身近な動植物に心を動かされる中で、生命の不思議さや尊さに気付き、身近な動植物への接し方を考え、命あるものとしていたわり、大切にする気持ちをもって関わるようになる。

ク　数量や図形、標識や文字などへの関心・感覚

遊びや生活の中で、数量や図形、標識や文字などに親しむ体験を重ねたり、標識や文字の役割に気付いたりし、自らの必要感に基づきこれらを活用し、興味や関心、感覚をもつようになる。

ケ　言葉による伝え合い

保育士等や友達と心を通わせる中で、絵本や物語などに親しみながら、豊かな言葉や表現を身に付け、経験したことや考えたことなどを言葉で伝えたり、相手の話を注意して聞いたりし、言葉による伝え合いを楽しむようになる。

コ　豊かな感性と表現

心を動かす出来事などに触れ感性を働かせる中で、様々な素材の特徴や表現の仕方などに気付き、感じたことや考えたことを自分で表現したり、友達同士で表現する過程を楽しんだりし、表現する喜びを味わい、意欲をもつようになる。

第二章　保育の内容

この章に示す「ねらい」は、第１章の１の（２）に示された保育の目標をより具体化したものであり、子どもが保育所において、安定した生活を送り、充実した活動ができるように、保育を通じて育みたい資質・能力を、子どもの生活する姿から捉えたものである。また、「内容」は、「ねら

い」を達成するために、子どもの生活やその状況に応じて保育士等が適切に行う事項と、保育士等が援助して子どもが環境に関わって経験する事項を示したものである。

保育における「養護」とは、子どもの生命の保持及び情緒の安定を図るために保育士等が行う援助や関わりであり、「教育」とは、子どもが健やかに成長し、その活動がより豊かに展開されるための発達の援助である。本章では、保育士等が、「ねらい」及び「内容」を具体的に把握するため、主に教育に関わる側面からの視点を示しているが、実際の保育においては、養護と教育が一体となって展開されることに留意する必要がある。

1　乳児保育に関わるねらい及び内容

（1）基本的事項

ア　乳児期の発達については、視覚、聴覚などの感覚や、座る、はう、歩くなどの運動機能が著しく発達し、特定の大人との応答的な関わりを通じて、情緒的な絆（きずな）が形成されるといった特徴がある。これらの発達の特徴を踏まえて、乳児保育は、愛情豊かに、応答的に行われることが特に必要である。

イ　本項においては、この時期の発達の特徴を踏まえ、乳児保育の「ねらい」及び「内容」については、身体的発達に関する視点「健やかに伸び伸びと育つ」、社会的発達に関する視点「身近な人と気持ちが通じ合う」及び精神的発達に関する視点「身近なものと関わり感性が育つ」としてまとめ、示している。

ウ　本項の各視点において示す保育の内容は、第１章の２に示された養護における「生命の保持」及び「情緒の安定」に関わる保育の内容と、一体となって展開されるものであることに留意が必要である。

（2）ねらい及び内容

ア　健やかに伸び伸びと育つ

健康な心と体を育て、自ら健康で安全な生活をつくり出す力の基盤を培う。

（ア）ねらい

①身体感覚が育ち、快適な環境に心地よさを感じる。

②伸び伸びと体を動かし、はう、歩くなどの運動をしようとする。

③食事、睡眠等の生活のリズムの感覚が芽生える。

（イ）内容

①保育士等の愛情豊かな受容の下で、生理的・心理的欲求を満たし、心地よく生活をする。

②一人一人の発育に応じて、はう、立つ、歩くなど、十分に体を動かす。

③個人差に応じて授乳を行い、離乳を進めていく中で、様々な食品に少しずつ慣れ、食べることを楽しむ。

④一人一人の生活のリズムに応じて、安全な環境の下で十分に午睡をする。

⑤おむつ交換や衣服の着脱などを通じて、清潔になることの心地よさを感じる。

（ウ）内容の取扱い

上記の取扱いに当たっては、次の事項に留意する必要がある。

①心と体の健康は、相互に密接な関連があるものであることを踏まえ、温かい触れ合いの中で、心と体の発達を促すこと。特に、寝返り、お座り、はいはい、つかまり立ち、伝い歩きなど、発育に応じて、遊びの中で体を動かす機会を十分に確保し、自ら体を動かそうとする意欲が育つようにすること。

②健康な心と体を育てるためには望ましい食習慣の形成が重要であることを踏まえ、離乳食が完了期へと徐々に移行する中で、様々な食品に慣れるようにするとともに、和やかな雰囲気の中で食べる喜びや楽しさを味わい、進んで食べようとする気持ちが育つようにすること。なお、食物アレルギーのあ

る子どもへの対応については、嘱託医等の指示や協力の下に適切に対応すること。

イ　身近な人と気持ちが通じ合う

受容的・応答的な関わりの下で、何かを伝えようとする意欲や身近な大人との信頼関係を育て、人と関わる力の基盤を培う。

（ア）ねらい

①安心できる関係の下で、身近な人と共に過ごす喜びを感じる。

②体の動きや表情、発声等により、保育士等と気持ちを通わせようとする。

③身近な人と親しみ、関わりを深め、愛情や信頼感が芽生える。

（イ）内容

①子どもからの働きかけを踏まえた、応答的な触れ合いや言葉がけによって、欲求が満たされ、安定感をもって過ごす。

②体の動きや表情、発声、喃（なん）語等を優しく受け止めてもらい、保育士等とのやり取りを楽しむ。

③生活や遊びの中で、自分の身近な人の存在に気付き、親しみの気持ちを表す。

④保育士等による語りかけや歌いかけ、発声や喃語等への応答を通じて、言葉の理解や発語の意欲が育つ。

⑤温かく、受容的な関わりを通じて、自分を肯定する気持ちが芽生える。

（ウ）内容の取扱い

上記の取扱いに当たっては、次の事項に留意する必要がある。

①保育士等との信頼関係に支えられて生活を確立していくことが人と関わる基盤となることを考慮して、子どもの多様な感情を受け止め、温かく受容的・応答的に関わり、一人一人に応じた適切な援助を行うようにすること。

②身近な人に親しみをもって接し、自分の感情などを表し、それに相手が応答する言葉を聞くことを通して、次第に言葉が獲得されていくことを考慮して、楽しい雰囲気の中での保育士等との関わり合いを大切にし、ゆっくりと優しく話しかけるなど、積極的に言葉のやり取りを楽しむことができるようにすること。

ウ　身近なものと関わり感性が育つ

身近な環境に興味や好奇心をもって関わり、感じたことや考えたことを表現する力の基盤を培う。

（ア）ねらい

①身の回りのものに親しみ、様々なものに興味や関心をもつ。

②見る、触れる、探索するなど、身近な環境に自分から関わろうとする。

③身体の諸感覚による認識が豊かになり、表情や手足、体の動き等で表現する。

（イ）内容

①身近な生活用具、玩具や絵本などが用意された中で、身の回りのものに対する興味や好奇心をもつ。

②生活や遊びの中で様々なものに触れ、音、形、色、手触りなどに気付き、感覚の働きを豊かにする。

③保育士等と一緒に様々な色彩や形のものや絵本などを見る。

④玩具や身の回りのものを、つまむ、つかむ、たたく、引っ張るなど、手や指を使って遊ぶ。

⑤保育士等のあやし遊びに機嫌よく応じたり、歌やリズムに合わせて手足や体を動かして楽しんだりする。

（ウ）内容の取扱い

上記の取扱いに当たっては、次の事項に留意する必要がある。

①玩具などは、音質、形、色、大きさな

ど子どもの発達状態に応じて適切なものを選び、その時々の子どもの興味や関心を踏まえるなど、遊びを通して感覚の発達が促されるものとなるように工夫すること。なお、安全な環境の下で、子どもが探索意欲を満たして自由に遊べるよう、身の回りのものについては、常に十分な点検を行うこと。

②乳児期においては、表情、発声、体の動きなどで、感情を表現することが多いことから、これらの表現しようとする意欲を積極的に受け止めて、子どもが様々な活動を楽しむことを通して表現が豊かになるようにすること。

（3）保育の実施に関わる配慮事項

ア　乳児は疾病への抵抗力が弱く、心身の機能の未熟さに伴う疾病の発生が多いことから、一人一人の発育及び発達状態や健康状態についての適切な判断に基づく保健的な対応を行うこと。

イ　一人一人の子どもの生育歴の違いに留意しつつ、欲求を適切に満たし、特定の保育士が応答的に関わるように努めること。

ウ　乳児保育に関わる職員間の連携や嘱託医との連携を図り、第3章に示す事項を踏まえ、適切に対応すること。栄養士及び看護師等が配置されている場合は、その専門性を生かした対応を図ること。

エ　保護者との信頼関係を築きながら保育を進めるとともに、保護者からの相談に応じ、保護者への支援に努めていくこと。

オ　担当の保育士が替わる場合には、子どものそれまでの生育歴や発達過程に留意し、職員間で協力して対応すること。

2　1歳以上3歳未満児の保育に関わるねらい及び内容

（1）基本的事項

ア　この時期においては、歩き始めから、歩く、走る、跳ぶなどへと、基本的な運動機能が次第に発達し、排泄の自立のための身体的機能も整うようになる。つまむ、めくるなどの指先の機能も発達し、食事、衣類の着脱なども、保育士等の援助の下で自分で行うようになる。発声も明瞭になり、語彙も増加し、自分の意思や欲求を言葉で表出できるようになる。このように自分でできることが増えてくる時期であることから、保育士等は、子どもの生活の安定を図りながら、自分でしようとする気持ちを尊重し、温かく見守るとともに、愛情豊かに、応答的に関わることが必要である。

イ　本項においては、この時期の発達の特徴を踏まえ、保育の「ねらい」及び「内容」について、心身の健康に関する領域「健康」、人との関わりに関する領域「人間関係」、身近な環境との関わりに関する領域「環境」、言葉の獲得に関する領域「言葉」及び感性と表現に関する領域「表現」としてまとめ、示している。

ウ　本項の各領域において示す保育の内容は、第1章の2に示された養護における「生命の保持」及び「情緒の安定」に関わる保育の内容と、一体となって展開されるものであることに留意が必要である。

（2）ねらい及び内容

ア　健康

健康な心と体を育て、自ら健康で安全な生活をつくり出す力を養う。

（ア）ねらい

①明るく伸び伸びと生活し、自分から体を動かすことを楽しむ。

②自分の体を十分に動かし、様々な動きをしようとする。

③健康、安全な生活に必要な習慣に気付き、自分でしてみようとする気持ちが育つ。

（イ）内容

①保育士等の愛情豊かな受容の下で、安定感をもって生活をする。
②食事や午睡、遊びと休息など、保育所における生活のリズムが形成される。
③走る、跳ぶ、登る、押す、引っ張るなど全身を使う遊びを楽しむ。
④様々な食品や調理形態に慣れ、ゆったりとした雰囲気の中で食事や間食を楽しむ。
⑤身の回りを清潔に保つ心地よさを感じ、その習慣が少しずつ身に付く。
⑥保育士等の助けを借りながら、衣類の着脱を自分でしようとする。
⑦便器での排泄に慣れ、自分で排泄ができるようになる。

（ウ）内容の取扱い

上記の取扱いに当たっては、次の事項に留意する必要がある。

①心と体の健康は、相互に密接な関連があるものであることを踏まえ、子どもの気持ちに配慮した温かい触れ合いの中で、心と体の発達を促すこと。特に、一人一人の発育に応じて、体を動かす機会を十分に確保し、自ら体を動かそうとする意欲が育つようにすること。
②健康な心と体を育てるためには望ましい食習慣の形成が重要であることを踏まえ、ゆったりとした雰囲気の中で食べる喜びや楽しさを味わい、進んで食べようとする気持ちが育つようにすること。なお、食物アレルギーのある子どもへの対応については、嘱託医等の指示や協力の下に適切に対応すること。
③排泄の習慣については、一人一人の排尿間隔等を踏まえ、おむつが汚れていないときに便器に座らせるなどにより、少しずつ慣れさせるようにすること。
④食事、排泄、睡眠、衣類の着脱、身の回りを清潔にすることなど、生活に必要な基本的な習慣については、一人一人の状態に応じ、落ち着いた雰囲気の中で行うようにし、子どもが自分でしようとする気持ちを尊重すること。また、基本的な生活習慣の形成に当たっては、家庭での生活経験に配慮し、家庭との適切な連携の下で行うようにすること。

イ　人間関係

他の人々と親しみ、支え合って生活するために、自立心を育て、人と関わる力を養う。

（ア）ねらい

①保育所での生活を楽しみ、身近な人と関わる心地よさを感じる。
②周囲の子ども等への**興味や関心**が高まり、関わりをもとうとする。
③保育所の生活の仕方に慣れ、きまりの大切さに気付く。

（イ）内容

①保育士等や周囲の子ども等との安定した関係の中で、共に過ごす心地よさを感じる。
②保育士等の受容的・応答的な関わりの中で、欲求を適切に満たし、安定感をもって過ごす。
③身の回りに様々な人がいることに気付き、徐々に他の子どもと関わりをもって遊ぶ。
④保育士等の仲立ちにより、他の子どもとの関わり方を少しずつ身につける。
⑤保育所の生活の仕方に慣れ、きまりがあることや、その大切さに気付く。
⑥生活や遊びの中で、年長児や保育士等の真似をしたり、ごっこ遊びを楽しんだりする。

（ウ）内容の取扱い

上記の取扱いに当たっては、次の事項に留意する必要がある。

①保育士等との信頼関係に支えられ

て生活を確立するとともに、自分で何かをしようとする気持ちが旺盛になる時期であることに鑑み、そのような子どもの気持ちを尊重し、温かく見守るとともに、愛情豊かに、応答的に関わり、適切な援助を行うようにすること。

②思い通りにいかない場合等の子どもの不安定な感情の表出については、保育士等が受容的に受け止めるとともに、そうした気持ちから立ち直る経験や感情をコントロールすることへの気付き等につなげていけるように援助すること。

③この時期は自己と他者との違いの認識がまだ十分ではないことから、子どもの自我の育ちを見守るとともに、保育士等が仲立ちとなって、自分の気持ちを相手に伝えることや相手の気持ちに気付くことの大切さなど、友達の気持ちや友達との関わり方を丁寧に伝えていくこと。

ウ　環境

周囲の様々な環境に好奇心や探究心をもって関わり、それらを生活に取り入れていこうとする力を養う。

（ア）ねらい

①身近な環境に親しみ、触れ合う中で、様々なものに興味や関心をもつ。

②様々なものに関わる中で、発見を楽しんだり、考えたりしようとする。

③見る、聞く、触るなどの経験を通して、感覚の働きを豊かにする。

（イ）内容

①安全で活動しやすい環境での探索活動等を通して、見る、聞く、触れる、嗅ぐ、味わうなどの感覚の働きを豊かにする。

②玩具、絵本、遊具などに興味をもち、それらを使った遊びを楽しむ。

③身の回りの物に触れる中で、形、色、大きさ、量などの物の性質や仕組みに気付く。

④自分の物と人の物の区別や、場所的感覚など、環境を捉える感覚が育つ。

⑤身近な生き物に気付き、親しみをもつ。

⑥近隣の生活や季節の行事などに興味や関心をもつ。

（ウ）内容の取扱い

上記の取扱いに当たっては、次の事項に留意する必要がある。

①玩具などは、音質、形、色、大きさなど子どもの発達状態に応じて適切なものを選び、遊びを通して感覚の発達が促されるように工夫すること。

②身近な生き物との関わりについては、子どもが命を感じ、生命の尊さに気付く経験へとつながるものであることから、そうした気付きを促すような関わりとなるようにすること。

③地域の生活や季節の行事などに触れる際には、社会とのつながりや地域社会の文化への気付きにつながるものとなることが望ましいこと。その際、保育所内外の行事や地域の人々との触れ合いなどを通して行うこと等も考慮すること。

エ　言葉

経験したことや考えたことなどを自分なりの言葉で表現し、相手の話す言葉を聞こうとする意欲や態度を育て、言葉に対する感覚や言葉で表現する力を養う。

（ア）ねらい

①言葉遊びや言葉で表現する楽しさを感じる。

②人の言葉や話などを聞き、自分でも思ったことを伝えようとする。

③絵本や物語等に親しむとともに、言葉のやり取りを通じて身近な人と気持ちを通わせる。

（イ）内容

①保育士等の応答的な関わりや話しかけにより、自ら言葉を使おうとする。

②生活に必要な簡単な言葉に気付き、聞き分ける。

③親しみをもって日常の挨拶に応じる。

④絵本や紙芝居を楽しみ、簡単な言葉を繰り返したり、模倣をしたりして遊ぶ。

⑤保育士等とごっこ遊びをする中で、言葉のやり取りを楽しむ。

⑥保育士等を仲立ちとして、生活や遊びの中で友達との言葉のやり取りを楽しむ。

⑦保育士等や友達の言葉や話に興味や関心をもって、聞いたり、話したりする。

（ウ）内容の取扱い

上記の取扱いに当たっては、次の事項に留意する必要がある。

①身近な人に親しみをもって接し、自分の感情などを伝え、それに相手が応答し、その言葉を聞くことを通して、次第に言葉が獲得されていくものであることを考慮して、楽しい雰囲気の中で保育士等との言葉のやり取りができるようにすること。

②子どもが自分の思いを言葉で伝えるとともに、他の子どもの話などを聞くことを通して、次第に話を理解し、言葉による伝え合いができるようになるよう、気持ちや経験等の言語化を行うことを援助するなど、子ども同士の関わりの仲立ちを行うようにすること。

③この時期は、片言から、二語文、ごっこ遊びでのやり取りができる程度へと、大きく言葉の習得が進む時期であることから、それぞれの子どもの発達の状況に応じて、遊びや関わりの工夫など、保育の内容を適切に展開することが必要であること。

オ　表現

感じたことや考えたことを**自分なり**に表現することを通して、**豊かな感性**や**表現する**力を養い、**創造性**を豊かにする。

（ア）ねらい

①身体の諸感覚の経験を豊かにし、**様々な感覚**を味わう。

②感じたことや考えたことなどを自分なりに表現しようとする。

③生活や遊びの様々な体験を通して、イメージや感性が豊かになる。

（イ）内容

①水、砂、土、紙、粘土など様々な素材に触れて楽しむ。

②音楽、リズムやそれに合わせた体の動きを楽しむ。

③生活の中で様々な音、**形**、色、**手触り**、動き、味、**香り**などに気付いたり、感じたりして楽しむ。

④歌を歌ったり、簡単な手遊びや全身を使う遊びを楽しんだりする。

⑤保育士等からの話や、生活や遊びの中での**出来事**を通して、イメージを豊かにする。

⑥生活や遊びの中で、興味のあることや経験したことなどを自分なりに表現する。

（ウ）内容の取扱い

上記の取扱いに当たっては、次の事項に留意する必要がある。

①子どもの表現は、遊びや生活の様々な場面で**表出**されているものであることから、それらを積極的に受け止め、様々な**表現**の仕方や感性を豊かにする経験となるようにすること。

②子どもが試行錯誤しながら様々な**表現**を楽しむことや、自分の力でやり遂げる**充実感**などに気付くよ

う、温かく見守るとともに、適切に援助を行うようにすること。

③様々な感情の表現等を通じて、子どもが自分の感情や気持ちに気付くようになる時期であることに鑑み、受容的な関わりの中で自信をもって表現をすることや、諦めずに続けた後の達成感等を感じられるような経験が蓄積されるようにすること。

④身近な自然や身の回りの**事物**に関わる中で、**発見**や**心が動く経験**が得られるよう、**諸感覚**を働かせることを楽しむ遊びや**素材**を用意するなど保育の**環境**を整えること。

（3）保育の実施に関わる配慮事項

ア　特に感染症にかかりやすい時期であるので、体の状態、機嫌、食欲などの日常の状態の観察を十分に行うとともに、適切な判断に基づく保健的な対応を心がけること。

イ　探索活動が十分できるように、事故防止に努めながら活動しやすい環境を整え、全身を使う遊びなど様々な遊びを取り入れること。

ウ　**自我**が形成され、子どもが自分の感情や気持ちに気付くようになる重要な時期であることに鑑み、**情緒**の安定を図りながら、子どもの**自発的**な活動を尊重するとともに促していくこと。

エ　担当の保育士が替わる場合には、子どものそれまでの経験や発達過程に留意し、職員間で協力して対応すること。

3　3歳以上児の保育に関するねらい及び内容

（1）基本的事項

ア　この時期においては、**運動機能**の発達により、基本的な動作が一通りできるようになるとともに、基本的な生活習慣もほぼ自立できるようになる。理解する**語彙数**が急激に増加し、**知的興味**や関心も高まってくる。仲間と遊び、仲間の中の一人という自覚が生じ、**集団的**な遊びや**協同的**な活動も見られるようになる。これらの発達の特徴を踏まえて、この時期の保育においては、**個の成長**と**集団としての活動**の充実が図られるようにしなければならない。

イ　本項においては、この時期の発達の特徴を踏まえ、保育の「ねらい」及び「内容」について、心身の健康に関する領域「健康」、人との関わりに関する領域「人間関係」、身近な環境との関わりに関する領域「環境」、言葉の獲得に関する領域「言葉」及び感性と表現に関する領域「表現」としてまとめ、示している。

ウ　本項の各領域において示す保育の内容は、第1章の2に示された養護における「**生命の保持**」及び「**情緒の安定**」に関わる保育の内容と、一体となって展開されるものであることに留意が必要である。

（2）ねらい及び内容

ア　健康

健康な心と体を育て、自ら健康で安全な生活をつくり出す力を養う。

（ア）ねらい

①明るく伸び伸びと行動し、充実感を味わう。

②自分の体を十分に動かし、進んで**運動**しようとする。

③健康、安全な生活に必要な習慣や態度を身に付け、見通しをもって行動する。

（イ）内容

①保育士等や友達と触れ合い、安定感をもって行動する。

②いろいろな遊びの中で十分に体を動かす。

③進んで戸外で遊ぶ。

④様々な活動に親しみ、楽しんで取り組む。

⑤保育士等や友達と食べることを楽しみ、食べ物への興味や関心をも

つ。
⑥健康な生活のリズムを身に付ける。
⑦身の回りを清潔にし、衣服の着脱、食事、排泄などの生活に必要な活動を自分でする。
⑧保育所における生活の仕方を知り、自分たちで生活の場を整えながら見通しをもって行動する。
⑨自分の健康に関心をもち、病気の予防などに必要な活動を進んで行う。
⑩危険な場所、危険な遊び方、災害時などの行動の仕方が分かり、安全に気を付けて行動する。

（ウ）内容の取扱い

上記の取扱いに当たっては、次の事項に留意する必要がある。

①心と体の健康は、相互に密接な関連があるものであることを踏まえ、子どもが保育士等や他の子どもとの温かい触れ合いの中で自己の存在感や充実感を味わうことなどを基盤として、しなやかな心と体の発達を促すこと。特に、十分に体を動かす気持ちよさを体験し、自ら体を動かそうとする意欲が育つようにすること。
②様々な遊びの中で、子どもが興味や関心、能力に応じて全身を使って活動することにより、体を動かす楽しさを味わい、自分の体を大切にしようとする気持ちが育つようにすること。その際、多様な動きを経験する中で、体の動きを調整するようにすること。
③自然の中で伸び伸びと体を動かして遊ぶことにより、体の諸機能の発達が促されることに留意し、子どもの興味や関心が戸外にも向くようにすること。その際、子どもの動線に配慮した園庭や遊具の配置などを工夫すること。
④健康な心と体を育てるためには食育を通じた望ましい食習慣の形成が大切であることを踏まえ、子どもの食生活の実情に配慮し、和やかな雰囲気の中で保育士等や他の子どもと食べる喜びや楽しさを味わったり、様々な食べ物への興味や関心をもったりするなどし、食の大切さに気付き、進んで食べようとする気持ちが育つようにすること。
⑤基本的な生活習慣の形成に当たっては、家庭での生活経験に配慮し、子どもの自立心を育て、子どもが他の子どもと関わりながら主体的な活動を展開する中で、生活に必要な習慣を身に付け、次第に見通しをもって行動できるようにすること。
⑥安全に関する指導に当たっては、情緒の安定を図り、遊びを通して安全についての構えを身に付け、危険な場所や事物などが分かり、安全についての理解を深めるようにすること。また、交通安全の習慣を身に付けるようにするとともに、避難訓練などを通して、災害などの緊急時に適切な行動がとれるようにすること。

イ　人間関係

他の人々と親しみ、支え合って生活するために、自立心を育て、人と関わる力を養う。

（ア）ねらい

①保育所の生活を楽しみ、自分の力で行動することの充実感を味わう。
②身近な人と親しみ、関わりを深め、工夫したり、協力したりして一緒に活動する楽しさを味わい、愛情や信頼感をもつ。
③社会生活における望ましい習慣や態度を身に付ける。

（イ）内容

①保育士等や友達と共に過ごすこと

の喜びを味わう。
②自分で考え、自分で行動する。
③自分でできることは自分でする。
④いろいろな遊びを楽しみながら物事をやり遂げようとする気持ちをもつ。
⑤**友達**と積極的に関わりながら喜びや悲しみを共感し合う。
⑥自分の思ったことを相手に伝え、相手の思っていることに気付く。
⑦友達のよさに気付き、**一緒に活動する**楽しさを味わう。
⑧友達と楽しく活動する中で、**共通の目的**を見いだし、工夫したり、協力したりなどする。
⑨よいことや悪いことがあることに気付き、考えながら行動する。
⑩友達との関わりを深め、思いやりをもつ。
⑪友達と楽しく生活する中できまりの大切さに気付き、守ろうとする。
⑫共同の遊具や用具を大切にし、皆で使う。
⑬高齢者をはじめ地域の人々などの自分の生活に関係の深いいろいろな人に親しみをもつ。

（ウ）内容の取扱い

上記の取扱いに当たっては、次の事項に留意する必要がある。

①保育士等との信頼関係に支えられて自分自身の生活を確立していくことが人と関わる基盤となることを考慮し、子どもが自ら周囲に働き掛けることにより多様な感情を体験し、試行錯誤しながら諦めずにやり遂げることの達成感や、前向きな見通しをもって自分の力で行うことの充実感を味わうことができるよう、子どもの行動を見守りながら適切な援助を行うようにすること。

②一人一人を生かした集団を形成しながら人と関わる力を育てていくようにすること。その際、集団の生活の中で、子どもが自己を発揮し、保育士等や他の子どもに認められる体験をし、自分のよさや特徴に気付き、自信をもって行動できるようにすること。

③子どもが互いに関わりを深め、協同して遊ぶようになるため、自ら行動する力を育てるとともに、他の子どもと試行錯誤しながら活動を展開する楽しさや共通の目的が実現する喜びを味わうことができるようにすること。

④道徳性の芽生えを培うに当たっては、基本的な生活習慣の形成を図るとともに、子どもが他の子どもとの関わりの中で他人の存在に気付き、相手を尊重する気持ちをもって行動できるようにし、また、自然や身近な動植物に親しむことなどを通して豊かな心情が育つようにすること。特に、人に対する信頼感や思いやりの気持ちは、葛藤やつまずきをも体験し、それらを乗り越えることにより次第に芽生えてくることに配慮すること。

⑤集団の生活を通して、子どもが人との関わりを深め、規範意識の芽生えが培われることを考慮し、子どもが保育士等との信頼関係に支えられて自己を発揮する中で、互いに思いを主張し、折り合いを付ける体験をし、きまりの必要性などに気付き、自分の気持ちを調整する力が育つようにすること。

⑥高齢者をはじめ地域の人々などの自分の生活に関係の深いいろいろな人と触れ合い、自分の感情や意志を表現しながら共に楽しみ、共感し合う体験を通して、これらの人々などに親しみをもち、人と関わることの楽しさや人の役に立つ喜びを味わうことができるように

すること。また、生活を通して親や祖父母などの家族の愛情に気付き、家族を大切にしようとする気持ちが育つようにすること。

ウ　環境

周囲の様々な環境に好奇心や探究心をもって関わり、それらを生活に取り入れていこうとする力を養う。

（ア）ねらい

①身近な**環境**に親しみ、**自然**と触れ合う中で様々な事象に興味や関心をもつ。

②身近な**環境**に自分から関わり、発見を楽しんだり、考えたりし、それを**生活**に取り入れようとする。

③身近な**事象**を見たり、考えたり、扱ったりする中で、物の性質や数量、文字などに対する**感覚**を豊かにする。

（イ）内容

①**自然**に触れて生活し、その大きさ、美しさ、**不思議さ**などに気付く。

②**生活**の中で、様々な物に触れ、その**性質**や**仕組み**に興味や関心をもつ。

③季節により自然や**人間の生活**に変化のあることに気付く。

④自然などの身近な事象に関心をもち、取り入れて遊ぶ。

⑤身近な動植物に親しみをもって接し、生命の尊さに気付き、いたわったり、大切にしたりする。

⑥日常生活の中で、我が国や地域社会における様々な文化や伝統に親しむ。

⑦身近な物を大切にする。

⑧身近な物や遊具に興味をもって関わり、自分なりに比べたり、関連付けたりしながら**考えたり**、試したりして工夫して遊ぶ。

⑨日常生活の中で数量や図形などに関心をもつ。

⑩日常生活の中で簡単な標識や文字などに関心をもつ。

⑪生活に関係の深い情報や施設などに興味や関心をもつ。

⑫保育所内外の行事において国旗に親しむ。

（ウ）内容の取扱い

上記の取扱いに当たっては、次の事項に留意する必要がある。

①子どもが、**遊び**の中で周囲の**環境**と関わり、次第に周囲の世界に**好奇心**を抱き、その意味や操作の仕方に関心をもち、**物事**の法則性に気付き、自分なりに考えることができるようになる**過程**を大切にすること。また、他の子どもの**考え**などに触れて新しい**考え**を生み出す喜びや楽しさを味わい、自分の**考え**をよりよいものにしようとする気持ちが育つようにすること。

②幼児期において自然のもつ意味は大きく、自然の大きさ、美しさ、不思議さなどに直接触れる**体験**を通して、子どもの心が安らぎ、豊かな感情、好奇心、思考力、表現力の基礎が培われることを踏まえ、子どもが自然との関わりを深めることができるよう工夫すること。

③身近な事象や動植物に対する感動を伝え合い、共感し合うことなどを通して自分から関わろうとする意欲を育てるとともに、様々な関わり方を通してそれらに対する親しみや畏敬の念、生命を大切にする気持ち、公共心、探究心などが養われるようにすること。

④文化や伝統に親しむ際には、正月や節句など我が国の伝統的な行事、国歌、唱歌、わらべうたや我が国の伝統的な遊びに親しんだり、異なる文化に触れる活動に親しんだりすることを通じて、社会

とのつながりの意識や国際理解の意識の芽生えなどが養われるようにすること。

⑤数量や文字などに関しては、日常生活の中で子ども自身の必要感に基づく体験を大切にし、数量や文字などに関する興味や関心、感覚が養われるようにすること。

エ　言葉

経験したことや考えたことなどを自分なりの言葉で表現し、相手の話す言葉を聞こうとする意欲や態度を育て、言葉に対する感覚や言葉で表現する力を養う。

（ア）ねらい

①自分の気持ちを言葉で表現する楽しさを味わう。

②人の言葉や話などをよく聞き、自分の経験したことや考えたことを話し、伝え合う喜びを味わう。

③日常生活に必要な言葉が分かるようになるとともに、絵本や物語などに親しみ、言葉に対する感覚を豊かにし、保育士等や友達と心を通わせる。

（イ）内容

①保育士等や友達の言葉や話に興味や関心をもち、親しみをもって聞いたり、話したりする。

②したり、見たり、聞いたり、感じたり、考えたりなどしたことを自分なりに言葉で表現する。

③したいこと、してほしいことを言葉で表現したり、分からないことを尋ねたりする。

④人の話を注意して聞き、相手に分かるように話す。

⑤生活の中で必要な言葉が分かり、使う。

⑥親しみをもって日常の挨拶をする。

⑦生活の中で言葉の楽しさや美しさに気付く。

⑧いろいろな体験を通じてイメージや言葉を豊かにする。

⑨絵本や物語などに親しみ、興味をもって聞き、想像をする楽しさを味わう。

⑩日常生活の中で、文字などで伝える楽しさを味わう。

（ウ）内容の取扱い

上記の取扱いに当たっては、次の事項に留意する必要がある。

①言葉は、身近な人に親しみをもって接し、自分の感情や意志などを伝え、それに相手が応答し、その言葉を聞くことを通して次第に獲得されていくものであることを考慮して、子どもが保育士等や他の子どもと関わることにより心を動かされるような体験をし、言葉を交わす喜びを味わえるようにすること。

②子どもが自分の思いを言葉で伝えるとともに、保育士等や他の子どもなどの話を興味をもって注意して聞くことを通して次第に話を理解するようになっていき、言葉による伝え合いができるようにすること。

③絵本や物語などで、その内容と自分の経験とを結び付けたり、想像を巡らせたりするなど、楽しみを十分に味わうことによって、次第に豊かなイメージをもち、言葉に対する感覚が養われるようにすること。

④子どもが生活の中で、言葉の響きやリズム、新しい言葉や表現などに触れ、これらを使う楽しさを味わえるようにすること。その際、絵本や物語に親しんだり、言葉遊びなどをしたりすることを通して、言葉が豊かになるようにすること。

⑤子どもが日常生活の中で、文字などを使いながら思ったことや考えたことを伝える喜びや楽しさを味

わい、文字に対する興味や関心をもつようにすること。

オ　表現

感じたことや考えたことを自分なりに表現することを通して、豊かな感性や表現する力を養い、創造性を豊かにする。

（ア）ねらい

①いろいろなものの美しさなどに対する豊かな感性をもつ。

②感じたことや考えたことを自分なりに表現して楽しむ。

③生活の中でイメージを豊かにし、様々な表現を楽しむ。

（イ）内容

①生活の中で様々な音、形、色、手触り、動きなどに気付いたり、感じたりするなどして楽しむ。

②生活の中で美しいものや心を動かす出来事に触れ、イメージを豊かにする。

③様々な出来事の中で、感動したことを伝え合う楽しさを味わう。

④感じたこと、考えたことなどを音や動きなどで表現したり、自由にかいたり、つくったりなどする。

⑤いろいろな素材に親しみ、工夫して遊ぶ。

⑥音楽に親しみ、歌を歌ったり、簡単なリズム楽器を使ったりなどする楽しさを味わう。

⑦かいたり、つくったりすることを楽しみ、遊びに使ったり、飾ったりなどする。

⑧自分のイメージを動きや言葉などで表現したり、演じて遊んだりするなどの楽しさを味わう。

（ウ）内容の取扱い

上記の取扱いに当たっては、次の事項に留意する必要がある。

①豊かな感性は、身近な環境と十分に関わる中で美しいもの、優れたもの、心を動かす出来事などに出会い、そこから得た感動を他の子どもや保育士等と共有し、様々に表現することなどを通して養われるようにすること。その際、風の音や雨の音、身近にある草や花の形や色など自然の中にある音、形、色などに気付くようにすること。

②子どもの自己表現は素朴な形で行われることが多いので、保育士等はそのような表現を受容し、子ども自身の表現しようとする意欲を受け止めて、子どもが生活の中で子どもらしい様々な表現を楽しむことができるようにすること。

③生活経験や発達に応じ、自ら様々な表現を楽しみ、表現する意欲を十分に発揮させることができるように、遊具や用具などを整えたり、様々な素材や表現の仕方に親しんだり、他の子どもの表現に触れられるよう配慮したりし、表現する過程を大切にして自己表現を楽しめるように工夫すること。

（３）保育の実施に関わる配慮事項

ア　第１章の４の（２）に示す「幼児期の終わりまでに育ってほしい姿」が、ねらい及び内容に基づく活動全体を通して資質・能力が育まれている子どもの小学校就学時の具体的な姿であることを踏まえ、指導を行う際には適宜考慮すること。

イ　子どもの発達や成長の援助をねらいとした活動の時間については、意識的に保育の計画等において位置付けて、実施することが重要であること。なお、そのような活動の時間については、保護者の就労状況等に応じて子どもが保育所で過ごす時間がそれぞれ異なることに留意して設定すること。

ウ　特に必要な場合には、各領域に示すねらいの趣旨に基づいて、具体的な内容を工夫し、それを加えても差し支えないが、その場合には、それが第１章の１に示す保育所保育に関する基本原則を逸脱しないよう慎重に配慮する必要があること。

４　保育の実施に関して留意すべき事項

（１）保育全般に関わる配慮事項

ア　子どもの心身の発達及び活動の実態などの個人差を踏まえるとともに、一人一人の子どもの気持ちを受け止め、援助すること。

イ　子どもの健康は、生理的・身体的な育ちとともに、自主性や社会性、豊かな感性の育ちとがあいまってもたらされることに留意すること。

ウ　子どもが自ら周囲に働きかけ、試行錯誤しつつ自分の力で行う活動を見守りながら、適切に援助すること。

エ　子どもの入所時の保育に当たっては、できるだけ個別的に対応し、子どもが安定感を得て、次第に保育所の生活になじんでいくようにするとともに、既に入所している子どもに不安や動揺を与えないようにすること。

オ　子どもの国籍や文化の違いを認め、互いに尊重する心を育てるようにすること。

カ　子どもの性差や個人差にも留意しつつ、性別などによる固定的な意識を植え付けることがないようにすること。

（２）　小学校との連携

ア　保育所においては、保育所保育が、小学校以降の生活や学習の基盤の育成につながることに配慮し、幼児期にふさわしい生活を通じて、創造的な思考や主体的な生活態度などの基礎を培うようにすること。

イ　保育所保育において育まれた資質・能力を踏まえ、小学校教育が円滑に行われるよう、小学校教師との意見交換や合同の研究の機会などを設け、第１章の４の（２）に示す「幼児期の終わりまでに育って欲しい姿」を共有するなど連携を図り、保育所保育と小学校教育との円滑な接続を図るよう努めること。

ウ　子どもに関する情報共有に関して、保育所に入所している子どもの就学に際し、市町村の支援の下に、子どもの育ちを支えるための資料が保育所から小学校へ送付されるようにすること。

（３）家庭及び地域社会との連携

子どもの生活の連続性を踏まえ、家庭及び地域社会と連携して保育が展開されるよう配慮すること。その際、家庭や地域の機関及び団体の協力を得て、地域の自然、高齢者や異年齢の子ども等を含む人材、行事、施設等の地域の資源を積極的に活用し、豊かな生活体験をはじめ保育内容の充実が図られるよう配慮すること。

第三章　健康及び安全

保育所保育において、子どもの健康及び安全の確保は、子どもの生命の保持と健やかな生活の基本であり、一人一人の子どもの健康の保持及び増進並びに安全の確保とともに、保育所全体における健康及び安全の確保に努めることが重要となる。

また、子どもが、自らの体や健康に関心をもち、心身の機能を高めていくことが大切である。

このため、第１章及び第２章等の関連する事項に留意し、次に示す事項を踏まえ、保育を行うこととする。

１　子どもの健康支援

（１）子どもの健康状態並びに発育及び発達状態の把握

ア　子どもの心身の状態に応じて保育するために、子どもの健康状態並びに発育及び発達状態について、定期的・継続的に、また、必要に応じて随時、把握すること。

イ　保護者からの情報とともに、登所時及び保育中を通じて子どもの状態を観察し、何らかの疾病が疑われる状態や傷害が認められた場合には、保護者に連絡するとともに、嘱託医と相談するなど適切な対応を図ること。看護師等が配置されている場合には、その専門性を生かした対応を図ること。

ウ　子どもの心身の状態等を観察し、不適切な養育の兆候が見られる場合には、市町村や関係機関と連携し、児童福祉法第25条に基づき、適切な対応を図ること。また、虐待が疑われる場合には、速やかに市町村又は児童相談所に通告し、適切な対応を図ること。

（2）健康増進

ア　子どもの健康に関する保健計画を全体的な計画に基づいて作成し、全職員がそのねらいや内容を踏まえ、一人一人の子どもの健康の保持及び増進に努めていくこと。

イ　子どもの心身の健康状態や疾病等の把握のために、嘱託医等により定期的に健康診断を行い、その結果を記録し、保育に活用するとともに、保護者が子どもの状態を理解し、日常生活に活用できるようにすること。

（3）疾病等への対応

ア　保育中に体調不良や傷害が発生した場合には、その子どもの状態等に応じて、保護者に連絡するとともに、適宜、嘱託医や子どものかかりつけ医等と相談し、適切な処置を行うこと。看護師等が配置されている場合には、その専門性を生かした対応を図ること。

イ　感染症やその他の疾病の発生予防に努め、その発生や疑いがある場合には、必要に応じて嘱託医、市町村、保健所等に連絡し、その指示に従うとともに、保護者や全職員に連絡し、予防等について協力を求めること。また、感染症に関する保育所の対応方法等について、あらかじめ関係機関の協力を得ておくこと。看護師等が配置されている場合には、その専門性を生かした対応を図ること。

ウ　アレルギー疾患を有する子どもの保育については、保護者と連携し、医師の診断及び指示に基づき、適切な対応を行うこと。また、食物アレルギーに関して、関係機関と連携して、当該保育所の体制構築など、安全な環境の整備を行うこと。看護師や栄養士等が配置されている場合には、その専門性を生かした対応を図ること。

エ　子どもの疾病等の事態に備え、医務室等の環境を整え、救急用の薬品、材料等を適切な管理の下に常備し、全職員が対応できるようにしておくこと。

2　食育の推進

（1）保育所の特性を生かした食育

ア　保育所における食育は、健康な生活の基本としての「食を営む力」の育成に向け、その基礎を培うことを目標とすること。

イ　子どもが生活と遊びの中で、意欲をもって食に関わる体験を積み重ね、食べることを楽しみ、食事を楽しみ合う子どもに成長していくことを期待するものであること。

ウ　乳幼児期にふさわしい食生活が展開され、適切な援助が行われるよう、食事の提供を含む食育計画を全体的な計画に基づいて作成し、その評価及び改善に努めること。栄養士が配置されている場合は、専門性を生かした対応を図ること。

（2）　食育の環境の整備等

ア　子どもが自らの感覚や体験を通して、自然の恵みとしての食材や食の循環・環境への意識、調理する人への感謝の気持ちが育つように、子どもと調理員等との関わりや、調理室など食に関わる保育環境に配慮すること。

イ　保護者や地域の多様な関係者との連携及び協働の下で、食に関する取組が進められること。また、市町村の支援の下に、地域の関係機関等との日常的な連携を図り、必要な協力が得られるよう努めること。

ウ　体調不良、食物アレルギー、障害のある子どもなど、一人一人の子どもの心身の状態等に応じ、嘱託医、かかりつけ医等の指示や協力の下に適切に対応すること。栄養士が配置されている場合は、専門性を生かした対応を図ること。

3　環境及び衛生管理並びに安全管理

（1）環境及び衛生管理

ア　施設の温度、湿度、換気、採光、音などの環境を常に適切な状態に保持するとともに、施設内外の設備及び用具等の衛生管理に努めること。

イ　施設内外の適切な環境の維持に努めるとともに、子ども及び全職員が清潔を保つようにすること。また、職員は衛生知識の向上に努めること。

（2）事故防止及び安全対策

ア　保育中の事故防止のために、子どもの心身の状態等を踏まえつつ、施設内外の安全点検に努め、安全対策のために全職員の共通理解や体制づくりを図るとともに、家庭や地域の関係機関の協力の下に安全指導を行うこと。

イ　事故防止の取組を行う際には、特に、睡眠中、プール活動・水遊び中、食事中等の場面では重大事故が発生しやすいことを踏まえ、子どもの主体的な活動を大切にしつつ、施設内外の環境の配慮や指導の工夫を行うなど、必要な対策を講じること。

ウ　保育中の事故の発生に備え、施設内外の危険箇所の点検や訓練を実施するとともに、外部からの不審者等の侵入防止のための措置や訓練など不測の事態に備えて必要な対応を行うこと。また、子どもの精神保健面における対応に留意すること。

4　災害への備え

（1）施設・設備等の安全確保

ア　防火設備、避難経路等の安全性が確保されるよう、定期的にこれらの安全点検を行うこと。

イ　備品、遊具等の配置、保管を適切に行い、日頃から、安全環境の整備に努めること。

（2）災害発生時の対応体制及び避難への備え

ア　火災や地震などの災害の発生に備え、緊急時の対応の具体的内容及び手順、職員の役割分担、避難訓練計画等に関するマニュアルを作成すること。

イ　定期的に避難訓練を実施するなど、必要な対応を図ること。

ウ　災害の発生時に、保護者等への連絡及び子どもの引渡しを円滑に行うため、日頃から保護者との密接な連携に努め、連絡体制や引渡し方法等について確認をしておくこと。

（3）地域の関係機関等との連携

ア　市町村の支援の下に、地域の関係機関との日常的な連携を図り、必要な協力が得られるよう努めること。

イ　避難訓練については、地域の関係機関や保護者との連携の下に行うなど工夫すること。

第四章　子育て支援

保育所における保護者に対する子育て支援は、全ての子どもの健やかな育ちを実現することができるよう、第１章及び第２章等の関連する事項を踏まえ、子どもの育ちを家庭と連携して支援していくとともに、保護者及び地域が有する子育てを自ら実践する力の向上に資するよう、次の事項に留意するものとする。

1　保育所における子育て支援に関する基本的事項

（1）保育所の特性を生かした子育て支援

ア　保護者に対する子育て支援を行う際には、各地域や家庭の実態等を踏まえるとともに、保護者の気持ちを受け止め、相互の信頼関係を基本に、保護者の自己決定を尊重すること。

イ　保育及び子育てに関する知識や技術など、保育士等の専門性や、子どもが常に存在する環境など、保育所の特性を生かし、保護者が子どもの成長に気付き子育ての喜びを感じられるように努めること。

(2) 子育て支援に関して留意すべき事項

ア　保護者に対する子育て支援における地域の関係機関等との連携及び協働を図り、保育所全体の体制構築に努めること。

イ　子どもの利益に反しない限りにおいて、保護者や子どものプライバシーを保護し、知り得た事柄の秘密を保持すること。

2　保育所を利用している保護者に対する子育て支援

(1) 保護者との相互理解

ア　日常の保育に関連した様々な機会を活用し子どもの日々の様子の伝達や収集、保育所保育の意図の説明などを通じて、保護者との相互理解を図るよう努めること。

イ　保育の活動に対する保護者の積極的な参加は、保護者の子育てを自ら実践する力の向上に寄与することから、これを促すこと。

(2) 保護者の状況に配慮した個別の支援

ア　保護者の就労と子育ての両立等を支援するため、保護者の多様化した保育の需要に応じ、病児保育事業など多様な事業を実施する場合には、保護者の状況に配慮するとともに、子どもの福祉が尊重されるよう努め、子どもの生活の連続性を考慮すること。

イ　子どもに障害や発達上の課題が見られる場合には、市町村や関係機関と連携及び協力を図りつつ、保護者に対する個別の支援を行うよう努めること。

ウ　外国籍家庭など、特別な配慮を必要とする家庭の場合には、状況等に応じて個別の支援を行うよう努めること。

(3) 不適切な養育等が疑われる家庭への支援

ア　保護者に育児不安等が見られる場合には、保護者の希望に応じて個別の支援を行うよう努めること。

イ　保護者に不適切な養育等が疑われる場合には、市町村や関係機関と連携し、要保護児童対策地域協議会で検討するなど適切な対応を図ること。また、虐待が疑われる場合には、速やかに市町村又は児童相談所に通告し、適切な対応を図ること。

3　地域の保護者等に対する子育て支援

(1) 地域に開かれた子育て支援

ア　保育所は、児童福祉法第48条の4の規定に基づき、その行う保育に支障がない限りにおいて、地域の実情や当該保育所の体制等を踏まえ、地域の保護者等に対して、保育所保育の専門性を生かした子育て支援を積極的に行うよう努めること。

イ　地域の子どもに対する一時預かり事業などの活動を行う際には、一人一人の子どもの心身の状態などを考慮するとともに、日常の保育との関連に配慮するなど、柔軟に活動を展開できるようにすること。

(2) 地域の関係機関等との連携

ア　市町村の支援を得て、地域の関係機関等との積極的な連携及び協働を図るとともに、子育て支援に関する地域の人材と積極的に連携を図るよう努めること。

イ　地域の要保護児童への対応など、地域の子どもを巡る諸課題に対し、要保護児童対策地域協議会など関係機関等と連携及び協力して取り組むよう努めること。

第五章　職員の資質向上

第1章から前章までに示された事項を踏まえ、保育所は、質の高い保育を展開するため、絶えず、一人一人の職員についての資質向上及び職員全体の専門性の向上を図るよう努めなければならない。

1　職員の資質向上に関する基本的事項

(1) 保育所職員に求められる専門性

子どもの最善の利益を考慮し、人権に

配慮した保育を行うためには、職員一人一人の**倫理観**、人間性並びに保育所職員としての職務及び責任の理解と自覚が基盤となる。

各職員は、**自己評価**に基づく課題等を踏まえ、保育所内外の**研修**等を通じて、保育士・看護師・調理員・栄養士等、それぞれの職務内容に応じた専門性を高めるため、必要な知識及び**技術**の修得、維持及び向上に努めなければならない。

（2）保育の質の向上に向けた組織的な取組

保育所においては、保育の内容等に関する**自己評価**等を通じて把握した、保育の質の向上に向けた課題に**組織的**に対応するため、**保育内容**の改善や保育士等の役割分担の見直し等に取り組むとともに、それぞれの**職位**や職務内容等に応じて、各職員が必要な知識及び**技能**を身につけられるよう努めなければならない。

2　施設長の責務

（1）施設長の責務と専門性の向上

施設長は、保育所の役割や社会的責任を遂行するために、法令等を遵守し、保育所を取り巻く社会情勢等を踏まえ、施設長としての専門性等の向上に努め、当該保育所における保育の質及び職員の専門性向上のために必要な環境の確保に努めなければならない。

（2）職員の研修機会の確保等

施設長は、保育所の全体的な計画や、各職員の研修の必要性等を踏まえて、体系的・計画的な研修機会を確保するとともに、職員の勤務体制の工夫等により、職員が計画的に研修等に参加し、その専門性の向上が図られるよう努めなければならない。

3　職員の研修等

（1）職場における研修

職員が日々の保育実践を通じて、必要な知識及び技術の修得、維持及び向上を図るとともに、保育の課題等への共通理解や協働性を高め、保育所全体としての保育の質の向上を図っていくためには、日常的に職員同士が主体的に学び合う姿勢と環境が重要であり、職場内での研修の充実が図られなければならない。

（2）外部研修の活用

各保育所における保育の課題への的確な対応や、保育士等の専門性の向上を図るためには、職場内での研修に加え、関係機関等による研修の活用が有効であることから、必要に応じて、こうした外部研修への参加機会が確保されるよう努めなければならない。

4　研修の実施体制等

（1）体系的な研修計画の作成

保育所においては、当該保育所における保育の課題や各職員のキャリアパス等も見据えて、初任者から管理職員までの職位や職務内容等を踏まえた体系的な研修計画を作成しなければならない。

（2）組織内での研修成果の活用

外部研修に参加する職員は、自らの専門性の向上を図るとともに、保育所における保育の課題を理解し、その解決を実践できる力を身に付けることが重要である。また、研修で得た知識及び技能を他の職員と共有することにより、保育所全体としての保育実践の質及び専門性の向上につなげていくことが求められる。

（3）研修の実施に関する留意事項

施設長等は保育所全体としての保育実践の質及び専門性の向上のために、研修の受講は特定の職員に偏ることなく行われるよう、配慮する必要がある。また、研修を修了した職員については、その職務内容等において、当該研修の成果等が適切に勘案されることが望ましい。

よくでる言葉や重要事項は**赤文字**にしています。
出題のポイントとなる内容をチェックしていきましょう。

保原

保育所・幼稚園・幼保連携型認定こども園

施設の目的により、預かる時間や必要な資格が違っていることに注目しましょう。

	保育所	幼稚園	幼保連携型認定こども園
所管	こども家庭庁	文部科学省	**こども家庭庁**
種別	児童福祉施設	**学校**	学校・児童福祉施設
目的	**保育を必要とする**乳児・幼児を日々保護者の下から通わせて保育を行うこと（児童福祉法第39条）	幼児を保育し、幼児の健やかな成長のために適当な環境を与えて、その**心身の発達**を助長すること（学校教育法第22条）	就学前の子どもに対する教育及び保育を一体的に行い、その心身の発達を助長すること（児童福祉法第39条の2・要約）
教員等の資格	保育士資格	幼稚園教諭（きょうゆ）免許	**保育教諭**（幼稚園教諭＋保育士資格）
教育・保育時間	原則**8**時間（最大**11**時間）	４時間（標準）	原則８時間（最大11時間）
対象	**保育を必要とする**乳幼児、その他の児童	満**3**歳以上～小学校就学前までの幼児	保育を必要とする乳幼児
ガイドライン	「保育所保育指針」	「幼稚園教育要領」	「幼保連携型認定こども園教育・保育要領」

保原　子福

幼保無償化の対象と要件

「3～5歳児は基本的に無料、0～2歳児は住民税非課税世帯が無料」と大まかに覚えておきましょう。

	0～2歳児	3～5歳児
幼稚園	—	無料 （一部私立は月２万5,700円まで無料）
幼稚園（預かり保育の利用）	—	月１万1,300円まで無料 **要件** ● **保育の必要性**の認定
認可保育所／認定こども園	無料 **要件** ● 住民税非課税世帯	無料
認可外保育施設等	月４万2,000円まで無料 **要件** ● **住民税非課税世帯** ● **保育の必要性**の認定	月３万7,000円まで無料 **要件** ● **保育の必要性**の認定

保育の計画と評価

保育の計画は計画→実践→評価→改善を循環していくことがポイントです。

全体的な計画の作成

- 子どもの発達過程を踏まえ、保育所の生活の全体を通して総合的に展開されるよう作成
- 子どもや家庭の状況、地域の実態、保育時間などを考慮し、子どもの育ちに関する長期的見通しをもつ
- 全体的な計画に基づく指導計画、保健計画、食育計画等を通じて各保育所が創意工夫して保育できるようにする

指導計画の作成

〔3歳未満児〕一人一人の生育歴、心身の発達、活動の実態等に即して個別的な計画を作成

〔3歳以上児〕個の成長と、協同的な活動が促されるよう配慮する

〔障害のある子ども〕発達過程や障害の状態を把握し、他の子どもとの生活を通して共に成長できるよう指導計画の中に位置づける。家庭や関係機関と連携した支援のための計画を個別に作成するなど適切な対応を図る

- 年間計画＞月案＞週案＞日案の順で具体的な子どもの姿と保育士の援助を記載する

Do

指導計画の展開

- 全職員による役割分担と協力体制を整える
- 子どもが自ら活動を展開できるよう援助する
- 子どもの情緒の安定や豊かな体験が得られるよう援助する
- 保育の過程を記録し、指導計画に基づいて見直しと改善を図る

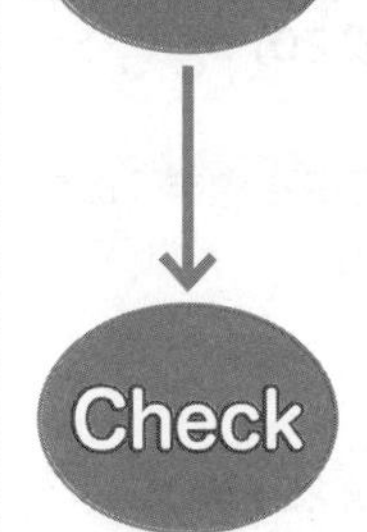

保育内容等の評価

〔保育士等の自己評価〕専門性の向上や保育実践の改善に対する努力義務

〔保育所の自己評価〕自己評価し、結果を公表することに対する努力義務

評価を踏まえた計画の改善

計画→保育→評価→改善による保育の質の向上に対する全職員の共通理解のもと、次回の計画作成に生かす

保育に関するガイドライン

保育・教育内容の領域や「3つの柱」「10の姿」など、整合性が図られていることに注目しましょう。

1948（昭和23）年に倉橋惣三が主導し、家庭でも使える手引きとして作った保育要領が始まりです。

保育所保育指針	幼稚園教育要領
	保育要領を改訂して制定（1956〔昭和31〕年） ポイント ● 教育内容は**健康・社会・自然・言語・音楽リズム・絵画製作**の6領域
制定（1965〔昭和40〕年） ポイント ● 保育内容は年齢に応じて**2～6**領域	**第1次改訂（1964〔昭和39〕年）** ポイント ● **告示**となる（法的拘束力をもつ） ● 教育内容に**道徳教育**を追加 ● 幼稚園と小学校の連携の充実
第1次改定（1990〔平成2〕年） ポイント ● 保育所の養護的機能、年齢区分の細分化、障害児保育などについて明記 ● 保育内容を**5**領域に改正	**第2次改訂（1989〔平成元〕年）** ポイント ● 教育内容を**6**領域→**5**領域に改正（**健康・人間関係・環境・言葉・表現**）
第2次改定（1999〔平成11〕年） ポイント ● 地域子育て支援、**体罰**の禁止、乳幼児のプライバシーの確保、乳幼児突然死症候群の予防や**児童虐待**等の対応などについて明記	**第3次改訂（1998〔平成10〕年）** ポイント ● 預かり保育や**子育て支援**について記述
第3次改定（2008〔平成20〕年） ポイント ● **告示**となり、保育内容の最低基準としての位置づけが明確になる ● 保育所の**社会的責任**、小学校との連携、**保育課程**の編成などについて明記	**第4次改訂（2008〔平成20〕年）** ポイント ● 前年の**学校教育法**の改正等を踏まえ改訂
第4次改定（2017〔平成29〕年） ポイント ● 育みたい資質・能力についての**3つの柱**、幼児期の終わりまでに育ってほしい**10の姿**の明記 ● 乳児保育、1歳以上3歳未満児の保育の充実	**第5次改訂（2017〔平成29〕年）** ポイント ● 育みたい資質・能力についての**3つの柱**、幼児期の終わりまでに育ってほしい**10の姿**の明記

保育士に関する規定（抜粋）

保育士資格について問う問題は、児童福祉法の関連条文を押さえておくことで確実に得点できます。

保育士とは（児童福祉法第 18 条の 4）

保育士とは、（中略）保育士の名称を用いて、専門的知識及び技術をもって、**児童の保育**及び児童の**保護者**に対する保育に関する指導を行うことを業とする者をいう。

欠格事由（児童福祉法第 18 条の 5）

次のいずれかに該当する者は、保育士となることができない。

- **心身の故障**により保育士の業務を適正に行うことができない者
- **禁錮**以上の刑に処せられた者
- **罰金**の刑に処せられ、その執行を終わり、又は執行を受けることがなくなった日から起算して 3 年を経過しない者
- 登録を**取り消され**、その取消しの日から起算して 3 年を経過しない者

登録取消の事由：虚偽又は不正の事実に基づく登録、**児童生徒性暴力**等、信用失墜行為、**守秘義務違反**
（児童生徒性暴力等については欠格期間を設けず、適当と認められる場合に限り再登録できる）

保育士資格（児童福祉法第 18 条の 6）

次のいずれかに該当する者は、保育士となる資格を有する。

- 都道府県知事の指定する**保育士を養成する学校**その他の施設を卒業した者
- **保育士試験**に合格した者

保育士登録簿への登録（児童福祉法第 18 条の 18）

保育士となる資格を有する者が保育士となるには、**保育士登録簿**に、氏名、生年月日その他**内閣府令**で定める事項の**登録を受けなければならない。**

養成学校卒業または試験合格だけでは保育士になれないことに注意。

信用失墜（しっつい）行為の禁止（児童福祉法第 18 条の 21）

保育士は、保育士の**信用**を傷つけるような行為をしてはならない。

守秘義務（児童福祉法第 18 条の 22）

保育士は、正当な理由がなく、その業務に関して知り得た人の**秘密**を漏らしてはならない。**保育士でなくなった後においても、同様とする。**

たとえ職を離れたとしても守秘義務はなくならないことに注意。

名称独占（児童福祉法第 18 条の 23）

保育士でない者は、保育士又はこれに紛らわしい**名称**を**使用してはならない。**

この規定のように有資格者しか名乗ることのできない資格を名称独占資格といいます。

保原 教原

頻出の保育・教育家〔日本〕

人名と功績はセットで覚えましょう。著作の内容から出題されることもあります。

人名（生没年）	功績　施 設立した施設　著 主な著作物
貝原 益軒（かいばら えきけん） (1630～1714)	● 江戸時代の朱子学者で、6～20歳までの各発達段階に即した教授法と教材として、**随年教法（教育課程論）**を構想した 著『**和俗童子訓**』日本初の体系的教育書
緒方 洪庵（おがた こうあん） (1810～1863)	施 **適塾**（1838〔天保9〕年） 大坂（大阪）の**蘭学塾**。学級組織を工夫し多くの門人を輩出した
中村 正直（なかむら まさなお） (1832～1891)	● **東京女子師範学校**の校長。日本初の官立幼稚園、東京女子師範学校附属幼稚園の設立に尽力 ● フレーベル の「Kindergarten」を「**幼稚園**」と訳すなど、その理論を日本に紹介した
関 信三（せき しんぞう） (1843～1880)	● イギリス留学を経て、東京女子師範学校の英語教師となる ● 日本初の官立幼稚園、**東京女子師範学校附属幼稚園**の初代監事（園長）。フレーベル主義に影響を受けた幼稚園教育を提唱
森 有礼（もり ありのり） (1847～1889)	● 初代文部大臣であり、**小学校令**を定め、小学校を臣民教育機関として位置づけた
松野 クララ（まつの） (1853～1941)	● 日本初の幼稚園、**東京女子師範学校附属幼稚園**の主席保母 ● **豊田芙雄**（とよたふゆ）と共に、フレーベル理論に基づく保育を実践した
赤沢 鍾美（あかざわ あつとみ） (1864～1937)	施 **新潟静修学校附設託児所**（1890〔明治23〕年） 農家の子どものための無償の託児所
留岡 幸助（とめおか こうすけ） (1864～1934)	施 **家庭学校**（1899〔明治32〕年）感化院として人道的な感化事業（非行少年の保護・教育）を行い、「能（よ）く働き、能（よ）く食べ、能（よ）く眠らしめる」という**三能主義**をとった
石井 十次（いしい じゅうじ） (1865～1914)	施 **愛染橋保育所**（あいぜんばし）（1909〔明治42〕年）大阪のスラムに設立。貧困家庭が対象 施 **岡山孤児院**（1887〔明治20〕年）地震や戦争などによる孤児の受け入れ
野口 幽香（のぐち ゆか） (1866～1950)	● **貧困家庭**の子どもに対し、衛生的な生活習慣や道徳などを無償で教える保育を行った 施 **二葉幼稚園**（1900〔明治33〕年）**森島峰**（もりしまみね）らと設立
石井 亮一（いしい りょういち） (1867～1937)	● 渡米して教育方法を研究し、宗教教育、生理学、心理学などを取り入れ、日本の**知的障害児教育**に大きな影響を与えた 施 **滝乃川学園**（1891〔明治24〕年）日本初の知的障害児施設

土川 五郎（つちかわ ごろう） (1871 ～ 1947)	● リズミカルな楽曲に動作を振りつけた**律動遊戯**と、童謡など歌詞のある曲に動作を振りつけた**律動的表情遊戯**を創作した
橋詰 良一（はしづめ りょういち） (1871 ～ 1934)	施 **家なき幼稚園**（1922〔大正 11〕年）大阪市郊外に開設。園舎を持たない形態で、大自然の中で子ども達を自由に遊ばせることを重視
柳田 国男（やなぎた くにお） (1875 ～ 1962)	● 日本の民俗学を確立。各地に伝わる子どもの遊びや年中行事の研究も行った 著『**こども風土記**（ふどき）』（1942〔昭和 17〕年）
和田 実（わだ みのる） (1876 ～ 1954)	● 日本で初めて「**幼児教育**」という言葉を使った 著『**幼児教育法**』（1908〔明治 41〕年）幼児教育を体系的に論じ、遊びから誘導して感化していく**誘導保育**の理論を提唱 施 **目白幼稚園**（1915〔大正 4〕年）東京女子師範学校に勤めたのち開園
川田 貞治郎（かわだ ていじろう） (1879 ～ 1959)	● キリスト教的博愛精神に基づき「**知的障害は治る**」とし、実践した 施 **藤倉学園**（1919〔大正 8〕年）知的障害児の入所施設
倉橋 惣三（くらはし そうぞう） (1882 ～ 1955)	● **児童中心主義**の保育を主張し、子どもの「さながら (ありのまま) の生活」からスタートすることが重要だと考えた ● **誘導保育**を提唱。「**生活を、生活で、生活へ**」という理論のもと、自由な遊びのなかで保育の目的に導く環境を重視した ●『**コドモノクニ**』（絵雑誌）の編集顧問、『**キンダーブック**』（絵本雑誌）の創刊
鈴木 三重吉（すずき みえきち） (1882 ～ 1936)	● 夏目漱石門下の作家としてデビューしたが、主宰となり児童文芸雑誌『**赤い鳥**』を刊行
山本 鼎（やまもと かなえ） (1882 ～ 1946)	● 子どもに自由に絵を描かせる**自由画運動**を推進した
城戸 幡太郎（きど まんたろう） (1893 ～ 1985)	● 倉橋惣三の子ども観と児童中心主義を批判し、**社会中心主義**の視点から子どもを捉える**保育問題研究会**を結成 著『**幼児教育論**』子どもは自然と「利己的生活」を送るものであり、「共同的生活」へと指導していく必要性を述べた
小林 宗作（こばやし そうさく） (1893 ～ 1963)	● スイスのダルクローズが考案した**リトミック**（リズム表現による音楽教育法）を日本へ紹介した
宮沢 賢治（みやざわ けんじ） (1896 ～ 1933)	● 農学校の教諭をしていたこともある詩人であり、童話作家 著『注文の多い料理店』『銀河鉄道の夜』
糸賀 一雄（いとが かずお） (1914 ～ 1968)	● 障害児たちから人々へ多くの気づきや救いが与えられるような社会にするべきだとし、「**この子らを世の光に**」という言葉を残した 施 **近江学園**（1946〔昭和 21〕年）知的障害児や戦災孤児らを集めた 施 **びわこ学園**（1963〔昭和 38〕年）重症心身障害児施設

頻出の保育・教育家〔外国〕

人名と功績はセットで覚えましょう。

人名（生没年）	功績 施 設立した施設 著 主な著作物
コメニウス Comenius, J. A. (1592〜1670) チェコ	●「近代教育学の父」とよばれる。身分や貧富の違いにかかわらず「**すべての人にすべてのことを教える**」を基本理念とし、民主的な学校制度を主張 著『**大教授学**』（1657年）世界初の体系的な教育学の書物 著『**世界図絵**』（1658年）絵入り教科書を編纂し、**直観教授**を提唱
ロック Locke, J. (1632〜1704) 英	● **白紙説（タブラ・ラサ）**を唱え、子どもの心は白紙のようなもので、知識や観念は経験によって獲得されるとした 著『**教育に関する（若干の）考察**』（1693年）子どもが自分自身で健全に成長していくため、よい習慣の形成が大切であると主張
ルソー Rousseau, J. J. (1712〜1778) 仏*	● **児童中心主義**の教育を提唱し、「**子どもの発見者**」とよばれる 著『**エミール**』（1762年）大人が余計な指導をすることで子どものよい性質が損なわれるとし、**消極教育**を主張
オーベルラン Oberlin, J. F. (1740〜1826) 仏	施 **幼児保護所**（1779年）世界初の保育施設。糸紡ぎやレース編みを教えたことから**編み物学校**ともよばれた
コンドルセ Condorcet, M. (1743〜1794) 仏	●「近代公教育のパイオニア」とよばれ、立法議会に対して**公教育設置法案**を立案し、報告演説を行った ● **宗教**権力や**行政**権力からの教育の独立を主張
ペスタロッチ Pestalozzi, J. H. (1746〜1827) スイス	● 子どもの人格形成において**母親**による教育が重要であると考えた ● 幼児期の家庭での生活や人間関係が、その後の人間関係に発展すると考え、「**生活が陶冶（とうや）する**」という言葉を残した 著『**隠者の夕暮**』（1780年）『**シュタンツだより**』（1799年）
オーエン Owen, R. (1771〜1858) 英	施 **性格形成学院**（1816年）自身が経営する紡績工場の敷地内に貧しい子どものための保育・教育施設として設立 著『新社会観』
ヘルバルト Herbart, J. F. (1776〜1841) 独	● 教育の目的を「品性の陶冶（道徳的品性の形成）」とし、**管理・教授・訓練**の教育作用によって達成されるとした ● 学習過程を明瞭・連合・系統・方法の四段階に沿って進めるべきとする**四段階教授法**を確立
フレーベル Fröbel, F. W. A. (1782〜1852) 独	● **恩物**とよばれる教育的遊具を考案 施 **キンダーガルテン**（1840年）世界初の幼稚園 著『**人間の教育**』（1826年）教育の目的は人間の内にある神的なものを発展させることだとした『母の歌と愛撫の歌』（1844年）

＊出身はスイス

エレン・ケイ Ellen Key (1849～1926) スウェーデン	● 子どもの尊厳と権利を主張し、**児童中心主義的**教育論を展開 著『**児童の世紀**』(1900年)「20世紀は児童の世紀である」と述べ、子どもの人権の必要性を訴える
デューイ Dewey, J. (1859～1952) 米	● 子どもが経験したことを通じて学ぶ**経験主義**の教育を主張 著『**学校と社会**』(1899年)シカゴ大学内に設立した実験学校(デューイスクール)の実践報告をまとめたもの
マクミラン姉妹 McMillan, R. & M. (1859～1917／1860～1931) 英	●「すべての子どもを**あなた自身の子ども**のように教育しなさい」をモットーとし、小規模かつ人道主義に基づいた保育を実践 施 **保育学校**(1911年)労働者家庭の子どもを対象に、自宅の庭を開放し設立
モンテッソーリ Montessori, M. (1870～1952) 伊	施 **子どもの家**(1907年)**異年齢保育**を原則とし、**感覚器官**の訓練を行う 著『創造する子供』『幼児の秘密』『**子どもの発見**』
キルパトリック Kilpatrick, W. H. (1871～1965) 米	● 学習者自身が生活のなかで課題を見つけ、自主的に解決するという**プロジェクト・メソッド**を提唱
ポルトマン Portmann, A. (1897～1982) スイス	● 人間の誕生時の特性を**生理的早産**とよんだ ● 生後1年までの乳児を子宮外胎児の状態であるとした(**二次的就巣性**(しゅうそうせい))
スキナー Skinner, B. F. (1904～1990) 米	● **ティーチング・マシーン**とよばれる問題提示装置を考案し、**プログラム学習**の理論を提唱
ブルーム Bloom, B. S. (1913～1999) 米	● 個々の生徒の学習状況を把握し、適切な指導を行うために**診断的評価**、**形成的評価**、**総括的評価**の重要性を主張 ● 3つの評価を適切に行い、学習条件を整備すれば、大多数の児童生徒にとって**完全習得学習**は可能であると考えた
オーズベル Ausubel, D.P. (1918～2008) 米	● 機械的に知識を覚えさせるのではなく、学習者の認知構造に意味のある変化をもたらすように教える**有意味受容学習**を主張 ● あらかじめ関連する情報を学習者に与えておくと、学習がよりスムーズに行えるという**先行オーガナイザー**を提示
フレイレ Freire, P. (1921～1997) ブラジル	著『**被抑圧者**(ひよくあつしゃ)**の教育学**』(1968年)学校を通じて子どもに知識が一方的に授けられる様子を「銀行型教育」と批判
イリイチ Illich, I. (1926～2002) オーストリア	著『**脱学校の社会**』(1971年)「教えられ、学ばされる」ことで学習の動機を持てなくなる様子を「学校化」として批判
レイヴとウェンガー Lave, J./Wenger, E. (1939～／1952～) 米	● 熟練した者の様子を見学した子どもが見よう見まねでその方法を習得していく方法として、**正統的周辺参加**を提唱

教育基本法・学校教育法（抜粋）

教育に関する法律から頻出の条文を厳選しました。赤文字部分は穴うめで出題されています。

● 教育基本法

第２条（教育の目標） 教育は、その目的を実現するため、**学問**の自由を尊重しつつ、次に掲げる目標を達成するよう行われるものとする。

1　幅広い知識と教養を身に付け、**真理**を求める態度を養い、豊かな情操と**道徳心**を培うとともに、健やかな身体を養うこと。

2　個人の価値を尊重して、その能力を伸ばし、**創造性**を培い、自主及び自律の精神を養うとともに、職業及び生活との関連を重視し、**勤労**を重んずる態度を養うこと。

3　正義と責任、男女の平等、自他の敬愛と協力を重んずるとともに、**公共**の精神に基づき、主体的に社会の形成に参画し、その発展に寄与する態度を養うこと。

4　生命を尊び、自然を大切にし、環境の保全に寄与する態度を養うこと。

5　伝統と文化を尊重し、それらをはぐくんできた我が国と郷土を愛するとともに、他国を尊重し、国際社会の平和と発展に寄与する態度を養うこと。

第３条（生涯学習の理念） 国民一人一人が、自己の**人格**を磨き、豊かな人生を送ることができるよう、**その生涯**にわたって、あらゆる**機会**に、**あらゆる場所**において学習することができ、その成果を適切に生かすことのできる**社会**の実現が図られなければならない。

第９条（教員） 法律に定める学校の教員は、自己の崇高な使命を深く自覚し、絶えず研究と**修養**に励み、その**職責**の遂行に努めなければならない。

2　前項の教員については、その使命と職責の重要性にかんがみ、その身分は尊重され、待遇の適正が期せられるとともに、養成と研修の充実が図られなければならない。

第 11 条（幼児期の教育） 幼児期の教育は、生涯にわたる**人格形成**の基礎を培う重要なものであることにかんがみ、国及び地方公共団体は、幼児の**健やかな成長**に資する良好な環境の整備その他適当な方法によって、その振興に努めなければならない。

● 学校教育法

第 11 条 校長及び教員は、教育上必要があると認めるときは、文部科学大臣の定めるところにより、児童、生徒及び学生に**懲戒**を加えることができる。ただし、**体罰**を加えることはできない。

第 22 条 幼稚園は、義務教育及びその後の教育の基礎を培うものとして、幼児を保育し、幼児の健やかな成長のために適当な**環境**を与えて、その心身の発達を**助長**することを目的とする。

第 23 条 幼稚園における教育は、前条に規定する目的を実現するため、次に掲げる目標を達成するよう行われるものとする。
1　健康、安全で幸福な生活のために必要な基本的な習慣を養い、身体諸機能の**調和的発達**を図ること。
2　集団生活を通じて、喜んでこれに参加する態度を養うとともに家族や身近な人への信頼感を深め、自主、自律及び協同の精神並びに**規範意識**の芽生えを養うこと。
3　身近な社会生活、生命及び自然に対する興味を養い、それらに対する正しい理解と態度及び**思考力**の芽生えを養うこと。
4　日常の**会話**や、絵本、童話等に親しむことを通じて、**言葉の使い方**を正しく導くとともに、**相手の話**を理解しようとする態度を養うこと。
5　音楽、身体による表現、造形等に親しむことを通じて、豊かな感性と**表現力**の芽生えを養うこと。
第24条　幼稚園においては、第**22**条に規定する目的を実現するための教育を行うほか、幼児期の教育に関する各般の問題につき、保護者及び地域住民その他の関係者からの相談に応じ、必要な**情報の提供**及び助言を行うなど、家庭及び地域における幼児期の教育の支援に努めるものとする。
第29条　小学校は、心身の発達に応じて、義務教育として行われる普通教育のうち基礎的なものを**施す**ことを目的とする。

教原

カリキュラム（教育課程）

カリキュラムにはいくつかの型があります。〈例〉を参考に具体的にイメージして覚えましょう。

名称	特徴
教科カリキュラム	知識を体系化し、「**教科**」「**教材**」によって構成するカリキュラム **〈例〉**教科書に沿った内容による一斉授業
経験カリキュラム	子どもの自発性に基づいた**活動**や**学習**を重視するカリキュラム **〈例〉**子どもの素朴な疑問を子ども自身に問題解決させる調べ学習
相関カリキュラム	複数教科の間で**相関関係**のある学習内容を結びつけながら指導することで、学習効果の向上を図るカリキュラム **〈例〉**公民で学ぶ基本的人権について、歴史で学ぶフランス革命の内容と関連させて学習を構成する
融合カリキュラム	複数の教科の**共通要素を融合し**広い領域で編成したカリキュラム **〈例〉**日本史・世界史・地理・政治経済を「社会科」にまとめる
コアカリキュラム	**中核（コア）**となる**教材**や**学習内容**と、それに関連する基礎的な知識や技術によって編成されるカリキュラム **〈例〉**「虹はなぜできるのか」をコアとし、光の屈折（理科）や色彩（図工）などの基礎的知識を周辺とする

社会福祉六法の目的（抜粋）

各法律がどのような人を対象とし、何を目的として定められているか整理しておきましょう。

法律名	対象	制定年	目的・理念
児童福祉法	子ども	1947（昭和22）年	● 児童の**権利**の保障（第1条） ● 国民は児童が心身ともに健やかに育成されるよう努めなければならないこと、保護者は児童の育成について**第一義的責任**を負うとともに、国及び地方公共団体も責任を負うこと（第2条） ● 児童の福祉を保障するための原理が、すべて児童に関する法令の施行にあたって常に尊重されなければならない（第3条）
母子及び父子並びに寡婦福祉法	母子家庭、父子家庭、**寡婦**	1964（昭和39）年（「母子福祉法」として制定）	「母子家庭等及び寡婦の福祉に関する原理を明らかにするとともに、母子家庭等及び寡婦に対し、その**生活の安定と向上**のために必要な措置を講じ、もって母子家庭等及び寡婦の福祉を図ることを目的とする」（第1条）
老人福祉法	高齢者	1963（昭和38）年	「老人の福祉に関する原理を明らかにするとともに、老人に対し、その**心身の健康の保持**及び**生活の安定**のために必要な措置を講じ、もって老人の福祉を図ることを目的とする」（第1条）
身体障害者福祉法	身体障害者	1949（昭和24）年	「障害者の日常生活及び社会生活を総合的に支援するための法律と相まって、身体障害者の**自立**と**社会経済活動**への参加を促進するため、身体障害者を援助し、及び必要に応じて保護し、もって身体障害者の福祉の増進を図ることを目的とする」（第1条）
知的障害者福祉法	**知的障害者**	1960（昭和35）年	「障害者の日常生活及び社会生活を総合的に支援するための法律と相まって、知的障害者の**自立**と**社会経済活動**への参加を促進するため、知的障害者を援助するとともに必要な保護を行い、もって知的障害者の福祉を図ることを目的とする」（第1条）
生活保護法	低所得者	1950（昭和25）年	「日本国憲法第**25**条に規定する理念に基き、国が生活に困窮するすべての国民に対し、その困窮の程度に応じ、必要な保護を行い、その**最低限度の生活**を保障するとともに、その**自立**を助長することを目的とする」（第1条）

「まず第一に責任がある」という意味です。

寡婦（かふ）：配偶者がなく、かつて母子家庭の母として児童を扶養していたことのある女子のことです。

この法律に「知的障害者」の定義は明記されていません。

最低限度の生活に関する基準は厚生労働大臣により定められています（同法第8条）。

社会福祉事業

社会福祉事業は社会福祉法上で定められていますが、出題の多くは児童福祉法によるものです。

過去に出題された事業は赤文字になっています。特に注意しましょう。

第一種	乳児院、母子生活支援施設、児童養護施設、障害児入所施設、児童心理治療施設、児童自立支援施設、共同募金*
第二種	障害児通所支援事業、障害児相談支援事業、児童自立生活援助事業、放課後児童健全育成事業、子育て短期支援事業、乳児家庭全戸訪問事業、養育支援訪問事業、地域子育て支援拠点事業、一時預かり事業、小規模住居型児童養育事業、小規模保育事業、病児保育事業、子育て援助活動支援事業、親子再統合支援事業、社会的養護自立支援拠点事業、意見表明等支援事業、妊産婦等生活援助事業、子育て世帯訪問支援事業、児童育成支援拠点事業、親子関係形成支援事業、助産施設、保育所、児童厚生施設、児童家庭支援センター、里親支援センター、児童の福祉の増進について相談に応ずる事業、幼保連携型認定こども園*

＊児童福祉法以外の法律に規定されている事業

共同募金：児童福祉法によるものではありませんが、第一種に分類されることに注意。

二重下線のものは令和4年の児童福祉法改正（同6年4月施行）により追加された事業です。

助産施設：入所施設のうち助産施設だけは第二種に分類されていることに注意。

種別ごとの事業の性質をきちんと理解すると区別がしやすくなりますよ！

■ 第一種・第二種の違い

【第一種社会福祉事業】

- 利用者への影響が大きく、利用者保護の必要性が高い事業（主に入所施設サービス）
- 経営主体は原則として行政または社会福祉法人。経営するには都道府県知事等の許可が必要。

【第二種社会福祉事業】

- 利用者への影響が比較的小さく、公的規制の必要性が低い事業（主に在宅サービス）
- 経営主体の制限はなく、都道府県知事（政令市長）に届出をすれば経営できる。

これまでの少子化対策の取り組み

少子化対策に関する問題では、対策の主な内容と策定順を押さえておくことがポイントとなります。

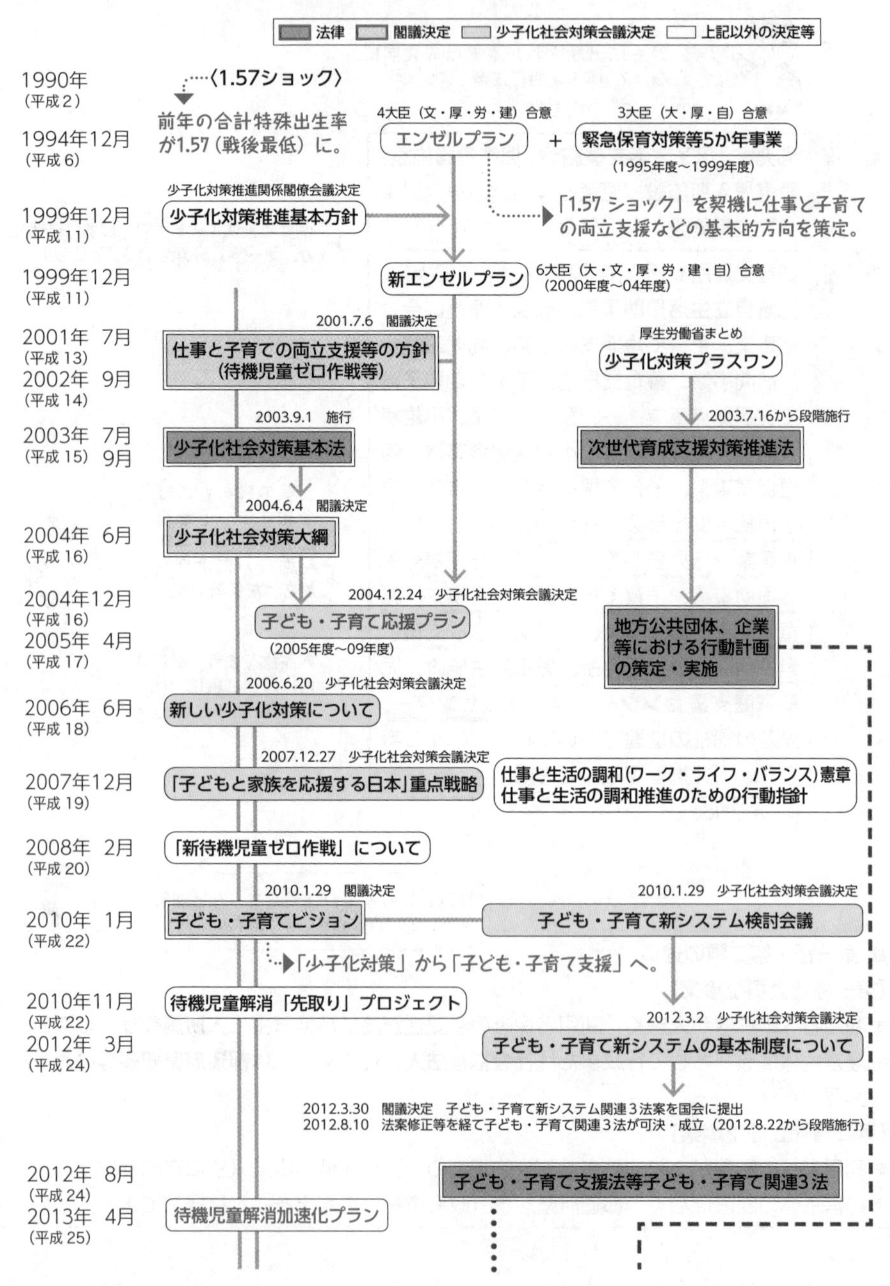

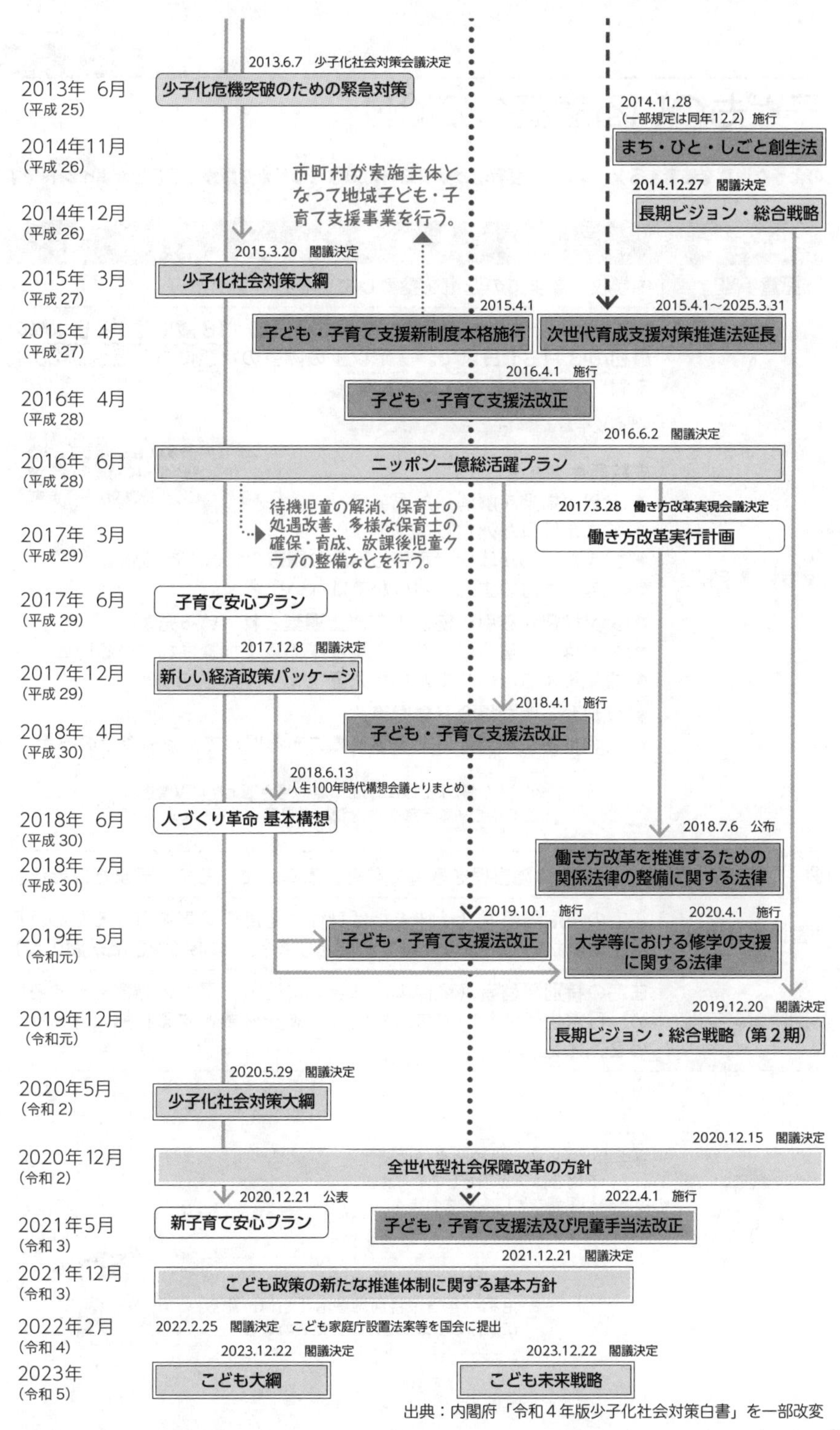

出典：内閣府「令和４年版少子化社会対策白書」を一部改変

子どものいる家庭への給付

どのような児童を養育する父・母または養育者が手当給付の対象となるかを把握することがポイントです。

手当の名称	支給対象
児童手当	中学校卒業までの児童を養育している者
児童扶養手当	父または母と生計を同じくしていない児童（**18歳に達する日以降の最初の3月31日まで**。一定以上の障害の状態にある場合は**20**歳未満）が監護・養育される家庭 「高校卒業までの子ども」と覚えましょう。 **支給要件** ● 父母が婚姻を**解消**した児童 ● 父または母が**死亡**した児童 ● 父または母が政令で定める程度の**障害**の状態にある児童 父に障害のある場合は母または養育者、母に障害のある場合は父または養育者に受給資格があります。 ● 父または母の生死が明らかではない児童 ● 父又は母から引き続き1年以上**遺棄**（いき）されている児童 ● 父又は母が法令により引き続き1年以上拘禁されている児童 ● 婚姻によらないで生まれた児童 ● 父母が不明な場合（**棄児**（きじ）等） ● その他各支給要件に準ずる状態にある児童で、**政令で定める者** 例えば、父または母が配偶者の暴力により「DV禁止法」に定める保護命令を受けた児童が該当します。
特別児童扶養手当	**20歳未満**の障害児を家庭で監護（かんご）、養育している父・母または養育者
障害児福祉手当	在宅の**重度障害児**（精神または身体に重度の障害を有するため、日常生活において常時の介護を必要とする状態にある**20歳未満**の者）
特別障害者手当	在宅の**特別障害者**（精神または身体に著しく重度の障害を有するため、日常生活において常時特別の介護を必要とする状態にある在宅の**20歳以上**の者）

児童手当は、児童が施設や里親に預けられている場合は、原則としてその施設の設置者や里親などに支給されます。

児童扶養手当、特別児童扶養手当、障害児福祉手当、特別障害者手当は、施設に入所している場合は支給されません。

児童福祉年表

試験では法令や宣言、政策の年代順についての出題がよくみられます。この年表で児童福祉の変遷・流れをつかみましょう。

法 法令（制定）　政 政策（策定）　施 施設（設立）

年	日本	国際社会
1872（明治5）	法 学制	
1874（明治7）	法 恤救（じゅっきゅう）規則	
1876（明治9）	施 東京女子師範学校附属幼稚園	
1879（明治12）	法 教育令	
1884（明治17）		施 トインビーホール 英
1886（明治19）	法 小学校令	
1887（明治20）	施 岡山孤児院	
1889（明治22）		施 ハル・ハウス 米
1890（明治23）	施 新潟静修（せいしゅう）学校附設託児所	
1891（明治24）	施 滝乃川学園（設立時の名称は孤女学院）	
1897（明治30）	施 キングスレー館 ◀……片山潜が設立した日本初の隣保館。	
1899（明治32）	法 幼稚園保育及（および）設備規程	
	施 巣鴨家庭学校	
1900（明治33）	施 二葉幼稚園	
	法 感化法	
1907（明治40）		施 子どもの家 伊
1909（明治42）	施 白川学園 ◀……脇田良吉の運営による知的障害児入所施設。	第1回ホワイトハウス（白亜館）会議 米
1911（明治44）		施 保育学校 英
		法 国民保険法 英
1917（大正6）	済世顧問（さいせいこもん）制度の創設	
1918（大正7）	方面委員制度の創設	
1921（大正10）	施 柏学園	
1924（大正13）		ジュネーブ宣言 国際連盟
1926（大正15）	法 幼稚園令・幼稚園令施行規則	

年	日本	国際社会
1929（昭和 4）	法 救護法（1932 年より施行）	
1933（昭和 8）	法 少年教護法（感化法より改称）	
1937（昭和 12）	法 母子保護法（翌年より施行）	
1938（昭和 13）	厚生省（現：厚生労働省）の創設	
1942（昭和 17）	施 整肢療護園	ベヴァリッジ報告 英
1946（昭和 21）	GHQ が**公的扶助に関する覚書**を提示	法 国民保険サービス法 英
	法（旧）生活保護法・日本国憲法（翌年より施行）	
	施 **近江（おうみ）学園**	
1947（昭和 22）	法 **児童福祉法**（翌年より施行）	
	法 **学校教育法**・（旧）教育基本法	
1948（昭和 23）	保育要領―幼児教育の手引き―の刊行	**世界人権宣言** 国際連合
	法 児童福祉施設最低基準・民生委員法	
1949（昭和 24）	法 社会教育法・**身体障害者福祉法**	
1950（昭和 25）	法 **生活保護法**	
1951（昭和 26）	**児童憲章**の制定・宣言	
	法 社会福祉事業法	
1956（昭和 31）	**幼稚園教育要領**の制定	
1959（昭和 34）	法 国民年金法	**児童権利宣言** 国際連合
1960（昭和 35）	法 精神薄弱者福祉法	
1961（昭和 36）	法 **児童扶養手当法**	
1963（昭和 38）	法 老人福祉法	
1964（昭和 39）	法 **特別児童扶養手当等の支給に関する法律**・母子福祉法（現：母子及び父子並びに寡婦福祉法）	
	幼稚園教育要領の改訂	
1965（昭和 40）	**保育所保育指針**の制定	政 ヘッドスタート計画 米
	法 **母子保健法**	
1970（昭和 45）	法 心身障害者対策基本法（現：障害者基本法）	

1971（昭和 46）	法 **児童手当法**	
1979（昭和 54）		**国際児童年** 国際連合
1980（昭和 55）		国際障害分類（ICIDH）WHO
1981（昭和 56）	法 母子及び寡婦福祉法（母子福祉法から改称）	国際障害者年 国際連合
1982（昭和 57）	政 障害者対策に関する長期計画	
1989（平成元）	幼稚園教育要領の改訂	**児童の権利に関する条約** 国際連合
1990（平成 2）	法 社会福祉関係八法の改正	
	保育所保育指針の改定	
1994（平成 6）	政 **エンゼルプラン**	
	政 緊急保育対策等 5 か年事業	
	児童の権利に関する条約を批准	
1995（平成 7）	政 障害者対策に関する新長期計画	法 障害者差別禁止法 英
	政 **障害者プラン～ノーマライゼーション 7 か年戦略**	
1997（平成 9）		政 シュア・スタート 英
1998（平成 10）	法 児童福祉法施行令の改正	
	政 **社会福祉基礎構造改革**の提言	
	幼稚園教育要領の改訂	
1999（平成 11）	保育所保育指針の改定	
	政 少子化対策推進基本方針	
	政 新エンゼルプラン	
	法 児童買春禁止法	
2000（平成 12）	法 **社会福祉法**（社会福祉事業法から改称）	
	法 児童福祉施設最低基準（現：児童福祉施設の設備及び運営に関する基準）の改正	
	法 **児童虐待防止法**	
	政 健やか親子 21	
2001（平成 13）	法 **DV 防止法**	**国際生活機能分類―国際障害分類改訂版―（ICF）** WHO

年	日本	国際社会
2002（平成 14）	政 新障害者基本計画 （2003 年度～ 2012 年度実施）	
	政 **新障害者プラン**	
2003（平成 15）	法 少子化社会対策基本法	
	法 次世代育成支援対策推進法	
	法 個人情報保護法	
2004（平成 16）	政 少子化社会対策大綱	
	政 子ども・子育て応援プラン	
	法 発達障害者支援法	
2005（平成 17）	法 障害者自立支援法	
2006（平成 18）	法 認定こども園法施行（正式名称は就学前の子どもに関する教育、保育等の総合的な提供の推進に関する法律）	障害者権利条約 国際連合
	法 **教育基本法**（旧教育基本法を改正）	
2007（平成 19）	盲（もう）・聾（ろう）・養護学校が特別支援学校となる	
2008（平成 20）	保育所保育指針改定・幼稚園教育要領改訂	政 EYFS（乳幼児基礎段階：0～5歳児のカリキュラム） 英
2010（平成 22）	政 **子ども・子育てビジョン**	
2012（平成 24）	法 **児童福祉施設の設備及び運営に関する基準**（児童福祉施設最低基準から改称）	
	法 **障害者総合支援法**（障害者自立支援法から改称、翌年施行）	
	法 子ども・子育て関連３法 （2015 年より施行）	
2013（平成 25）	政 **待機児童解消加速化プラン**	ESD（持続可能な開発のための教育）の採択 UNESCO
	法 子どもの貧困対策法	
2014（平成 26）	法 母子及び父子並びに寡婦福祉法 （母子及び寡婦福祉法から改称）	
2015（平成 27）	政 保育士確保プラン	SDGs（持続可能な開発目標）の採択 国際連合
2016（平成 28）	政 **ニッポン一億総活躍プラン**	

2017（平成 29）	政 子育て安心プラン	
	保育所保育指針改定・幼稚園教育要領改訂	
2019（令和元）	幼児教育・保育が無償化	
2020（令和２）	政 新子育て安心プラン	
2021（令和３）	法 子ども・子育て支援法改正・児童手当法改正	
	政 こども政策の新たな推進体制に関する基本方針	
2022（令和４）	法 こども基本法（翌年より施行）	
2023（令和５）	政 こども未来戦略	

子福　社養

児童福祉施設の職員

児童福祉施設では施設によって職員の配置が決められています。●印を中心に覚えましょう。

乳児院は規模によって必要な職員が変わることに注意。

	医師	嘱託医	看護師	個別対応職員	家庭支援専門相談員	栄養士	調理員	心理療法担当職員	保育士	児童指導員	母子支援員	少年を指導する職員	児童自立支援専門員	児童生活支援員	職業指導員
乳児院 10人以上	●		●	●	●	●	△	○	○	○					
乳児院 10人未満		●	●		●		●		○	○					
母子生活支援施設		●		○			●	○	○		●	●			
児童養護施設		●	○	●	●	△	△	○	●	●					○
児童心理治療施設	●		●	●	●	●	△	●	●	●					
児童自立支援施設	●	●		●	●	△	△	○					●	●	○

●＝必ず配置しなければならない職員

○＝条件によって配置される職員

△＝条件によって配置しないことができる職員

職員と施設が1対1で対応しているものは、セットで覚えてしまえば効率的です。

児童福祉施設の目的（抜粋）

児童福祉施設の目的を定めた条文を整理しました。対象児童と支援の内容を押さえておきましょう。

	施設名	児童福祉法の条番号	目的
入所	助産施設	第36条	保健上必要があるにもかかわらず、経済的理由により、入院助産を受けることができない**妊産婦**を入所させて、**助産**を受けさせること
入所	乳児院	第37条	**乳児**（保健上、安定した生活環境の確保その他の理由により特に必要のある場合には、**幼児**を含む）を入院させて、これを養育し、あわせて退院した者について相談その他の援助を行うこと
入所	母子生活支援施設	第38条	**配偶者のない女子**又は**これに準ずる事情にある女子**及びその者の**監護すべき児童**を入所させて、これらの者を保護するとともに、これらの者の自立の促進のためにその生活を支援し、あわせて退所した者について相談その他の援助を行うこと DV被害により夫と同居できない女性も対象となります。
入所	児童養護施設	第41条	**保護者のない児童**（**乳児を除く**。ただし、安定した生活環境の確保その他の理由により特に必要のある場合には、乳児を含む）、**虐待されている児童**その他環境上**養護を要する児童**を入所させて、これを養護し、あわせて退所した者に対する相談その他の自立のための援助を行うこと 乳児は基本的に乳児院に入所します。
入所	障害児入所施設（福祉型・医療型）	第42条	**障害児**を入所させて、支援を行うこと。 ・福祉型…保護並びに日常生活における基本的な動作及び独立自活に必要な知識技能の習得のための支援 ・医療型…福祉型の支援並びに治療
入所・通所	児童心理治療施設	第43条の2	家庭環境、学校における交友関係その他の環境上の理由により**社会生活への適応が困難となった児童**を、短期間、入所させ、又は保護者の下から通わせて、社会生活に適応するために必要な**心理に関する治療**及び**生活指導**を主として行い、あわせて退所した者について相談その他の援助を行うこと 知的障害児や重度の精神障害児には別の施設を検討します。

入所・通所	児童自立支援施設	第44条	不良行為をなし、又はなすおそれのある児童及び家庭環境その他の環境上の理由により生活指導等を要する児童を入所させ、又は保護者の下から通わせて、個々の児童の状況に応じて必要な指導を行い、その自立を支援し、あわせて退所した者について相談その他の援助を行うこと
通所	保育所	第39条	保育を必要とする乳児・幼児を日々保護者の下から通わせて保育を行うこと
	幼保連携型認定こども園	第39条の2	義務教育及びその後の教育の基礎を培うものとしての満3歳以上の幼児に対する教育及び保育を必要とする乳児・幼児に対する保育を一体的に行い、これらの乳児又は幼児の健やかな成長が図られるよう適当な環境を与えて、その心身の発達を助長すること
	児童発達支援センター	第43条	障害児を日々保護者の下から通わせて、専門的な知識及び技術を必要とする児童発達支援を提供し、あわせて障害児の家族、指定障害児通所支援事業者その他の関係者に対し、相談、専門的な助言その他の必要な援助を行うこと
利用	児童厚生施設	第40条	児童遊園、児童館等児童に健全な遊びを与えて、その健康を増進し、又は情操をゆたかにすること 児童館は屋内施設、児童遊園は屋外施設です。18歳未満の児童は誰でも利用できます。
	児童家庭支援センター	第44条の2	地域の児童の福祉に関する各般の問題につき、児童に関する家庭その他からの相談のうち、専門的な知識及び技術を必要とするものに応じ、必要な助言を行うとともに、市町村の求めに応じ、技術的助言その他必要な援助を行うほか、指導を行い、あわせて児童相談所、児童福祉施設等との連絡調整その他内閣府令の定める援助を総合的に行うこと
	里親支援センター	第44条の3	里親支援事業を行うほか、里親及び里親に養育される児童並びに里親になろうとする者について相談その他の援助を行うこと

社会的養育の推進に向けて（抜粋）

児童数・施設数の推移から家庭的養育の推進の結果を読み取れるようにしましょう。

■ グラフのポイント

- 過去 10 年間で、里親・ファミリーホームへの委託児童数は**約 1.6 倍に増加**しているのに対し、児童養護施設の入所児童数は**約 2 割減**、乳児院も**約 2 割減**となっている = **より家庭に近い環境での養育を推進した結果**と読み取ることができる
- 児童養護施設、乳児院の入所児童数は**減少**しているにもかかわらず、施設設置数は**増加**している = **施設の小規模化が進んだ結果**と読み取ることができる

■ 里親・ファミリーホームへの委託児童数

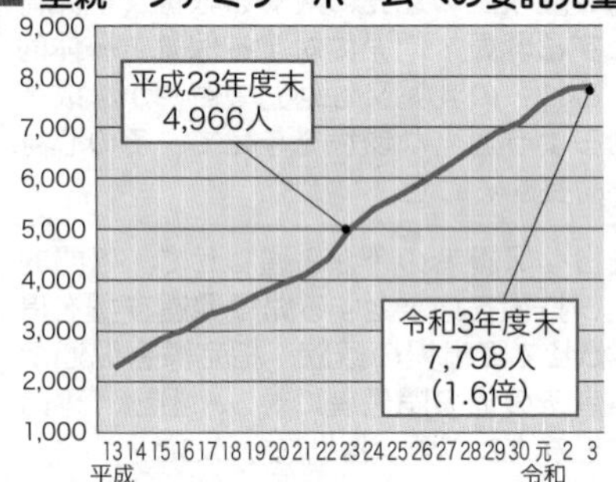

■ 児童養護施設の入所児童数

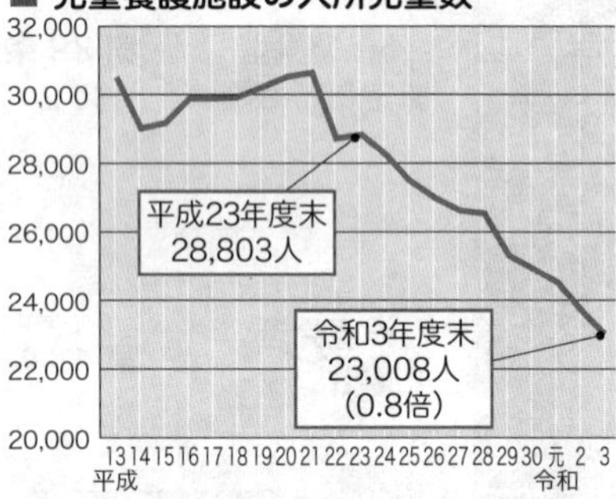

■ 乳児院の入所児童数

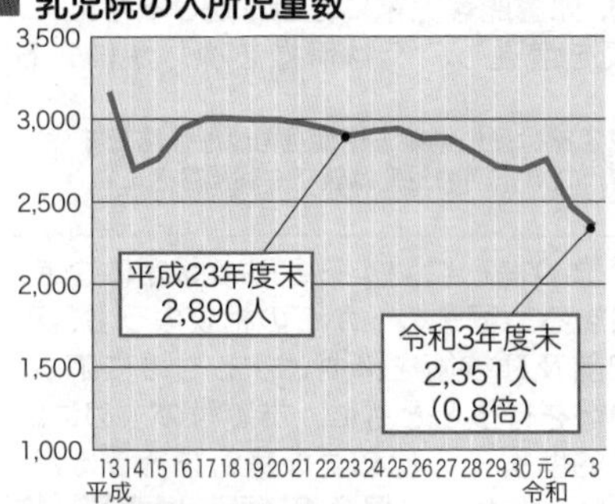

■ 児童養護施設の設置数

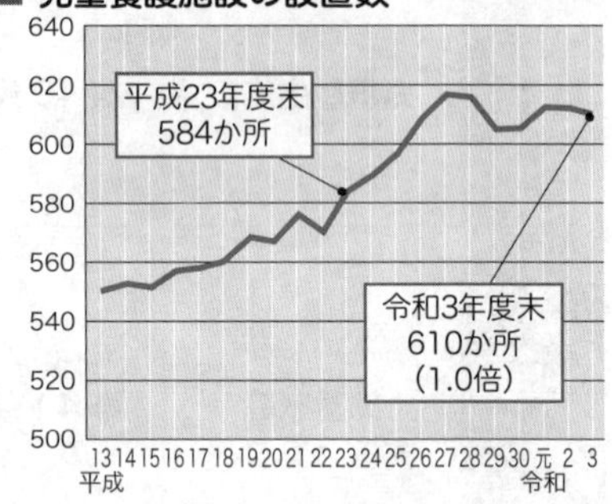

（注）各年度３月末日現在

■ 乳児院の設置数

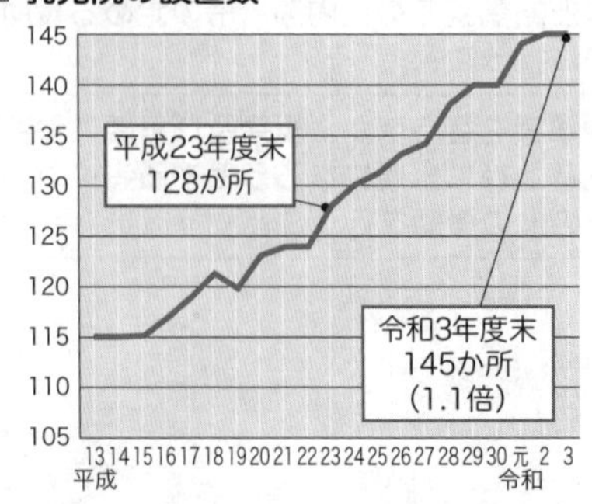

出典：こども家庭庁支援局家庭福祉課「社会的養育の推進にむけて（令和６年６月）」を一部改変

児童養護施設運営指針（抜粋）平成24年3月 厚生労働省雇用均等・児童家庭局長通知

児童養護施設運営指針の中でも頻出の項目である社会的養護の原理です。繰り返し読んでおきましょう。

■ 社会的養護の原理

これまでに穴うめで出題された部分、正誤の論点となった部分を赤文字にしています。

❶ 家庭的養護と個別化

- すべての子どもは、適切な養育環境で、安心して自分をゆだねられる養育者によって、一人一人の個別的な状況が十分に考慮されながら、養育されるべきである。
- 一人一人の子どもが愛され大切にされていると感じることができ、子どもの育ちが守られ、将来に希望が持てる生活の保障が必要である。
- 社会的養護を必要とする子どもたちに「あたりまえの生活」を保障していくことが重要であり、社会的養護を**地域**から切り離して行ったり、子どもの生活の場を大規模な**施設養護**としてしまうのではなく、できるだけ家庭あるいは家庭的な環境で養育する「**家庭的養護**」と、個々の子どもの育みを丁寧にきめ細かく進めていく「**個別化**」が必要である。

❷発達の保障と自立支援

- 子ども期のすべては、その**年齢**に応じた発達の課題を持ち、その後の成人期の人生に向けた準備の期間でもある。社会的養護は、未来の人生を作り出す基礎となるよう、子ども期の健全な心身の発達の保障を目指して行われる。
- 特に、人生の基礎となる乳幼児期では、**愛着関係**や基本的な信頼関係の形成が重要である。子どもは、**愛着関係**や基本的な信頼関係を基盤にして、自分や他者の存在を受け入れていくことができるようになる。**自立**に向けた生きる力の獲得も、健やかな身体的、精神的及び社会的発達も、こうした基盤があって可能となる。
- 子どもの自立や自己実現を目指して、子どもの主体的な活動を大切にするとともに、様々な生活体験などを通して、自立した社会生活に必要な基礎的な力を形成していくことが必要である。

❸回復をめざした支援

- 社会的養護を必要とする子どもには、その子どもに応じた成長や発達を支える支援だけでなく、虐待体験や**分離**体験などによる悪影響からの癒しや**回復**をめざした専門的ケアや**心理的ケア**などの治療的な支援も必要となる。
- また、近年増加している被虐待児童や不適切な養育環境で過ごしてきた子どもたちは、虐待体験だけでなく、家族や親族、友達、近所の住人、保育士や教師など地域で慣れ親しんだ人々との分離なども経験しており、心の傷や深刻な生きづらさを抱えている。さらに、情緒や行動、自己認知・対人認知などでも深刻なダメージを受けていることも少なくない。

- こうした子どもたちが、安心感を持てる場所で、大切にされる体験を積み重ね、信頼関係や自己肯定感（自尊心）を取り戻していけるようにしていくことが必要である。

❹家族との連携・協働

- 保護者の不在、養育困難、さらには不適切な養育や虐待など、「安心して自分をゆだねられる保護者」がいない子どもたちがいる。また子どもを適切に養育することができず、悩みを抱えている親がいる。さらに配偶者等による暴力（ＤＶ）などによって「適切な養育環境」を保てず、困難な状況におかれている親子がいる。
- 社会的養護は、こうした子どもや親の問題状況の解決や緩和をめざして、それに的確に対応するため、親と共に、親を支えながら、あるいは親に代わって、子どもの発達や養育を保障していく包括的な取り組みである。

❺継続的支援と連携アプローチ

- 社会的養護は、その始まりからアフターケアまでの継続した支援と、できる限り**特定の**養育者による**一貫性**のある養育が望まれる。
- 児童相談所等の行政機関、各種の施設、里親等の様々な社会的養護の担い手が、それぞれの専門性を発揮しながら、巧みに連携し合って、一人一人の子どもの社会的自立や親子の支援を目指していく社会的養護の**連携アプローチ**が求められる。
- 社会的養護の担い手は、同時に複数で連携して支援に取り組んだり、支援を引き継いだり、あるいは元の支援主体が後々までかかわりを持つなど、それぞれの機能を有効に補い合い、重層的な連携を強化することによって、支援の一貫性・継続性・連続性というトータルなプロセスを確保していくことが求められる。
- 社会的養護における養育は、「人とのかかわりをもとにした営み」である。子どもが歩んできた過去と現在、そして将来をより良く**つなぐ**ために、一人一人の子どもに用意される社会的養護の過程は、「**つながり**のある道すじ」として子ども自身にも理解されるようなものであることが必要である。

❻ライフサイクルを見通した支援

- 社会的養護の下で育った子どもたちが**社会に出てから**の暮らしを見通した支援を行うとともに、入所や委託を終えた後も長くかかわりを持ち続け、帰属意識を持つことができる存在になっていくことが重要である。
- 社会的養護には、育てられる側であった子どもが親となり、今度は子どもを育てる側になっていくという世代を繋いで繰り返されていく子育てのサイクルへの支援が求められる。
- 虐待や貧困の世代間連鎖を断ち切っていけるような支援が求められている。

取り
外せます

U-CAN
生涯学習の
ユーキャン